S0-BLR-499

枪炮、病菌与钢铁

枪炮、病菌与钢铁

人类社会的命运

[美] 贾雷德·戴蒙德 著　谢延光 译

世纪出版集团　上海译文出版社

世纪人文系列丛书编委会

主任

陈　昕

委员

丁荣生	王一方	王为松	王兴康	包南麟	叶　路
何元龙	张文杰	张晓敏	张跃进	李伟国	李远涛
李梦生	陈　和	陈　昕	郁椿德	金良年	施宏俊
胡大卫	赵月瑟	赵昌平	翁经义	郭志坤	曹维劲
渠敬东	潘　涛				

图 1. 新几内亚北部沿海低地（锡亚尔岛）的妇女和儿童

图2. 帕伦——新几内亚福雷族高地人。
第二—五幅是我的4个新几内亚朋友，
我谨以此书献给他们。

图3. 伊萨——新几内亚福雷族高地人

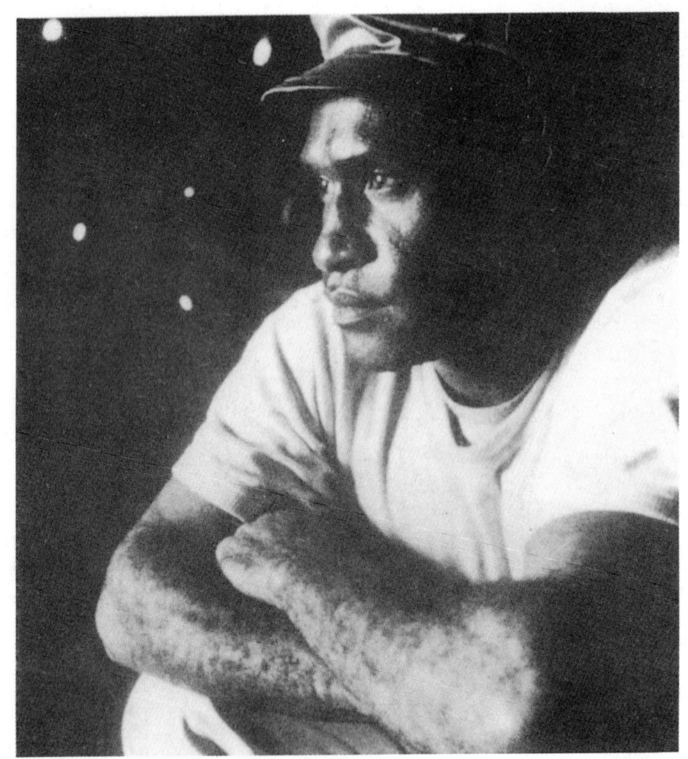

图4. 卡里尼加——新几内亚南部图达辉族低地人

图5. 索阿卡里——新几内亚北部沿海低地人

图6. 一个新几内亚高地人

图7．澳大利亚土著平图派族（澳大利亚中部）的一个男人

图8. 澳大利亚阿纳姆兰（澳大利亚北部）土著

图9．塔斯马尼亚土著妇女，欧洲人到达前出生的最后一批幸存者之一。

图 10. 西伯利亚通古斯妇女

图 11. 日本人：庆祝 59 岁生日的明仁天皇

图 12. 收割稻子的日本妇女。

第 12 幅和第 13 幅均为说南岛语的人。

图 13. 瓜哇岛以东 7000 英里处热带太平洋中拉帕岛上的
波利尼西亚妇女

图 14．挖竹笋的中国女孩

图 15. 北美印第安人：大平原波尼部落斑点马酋长

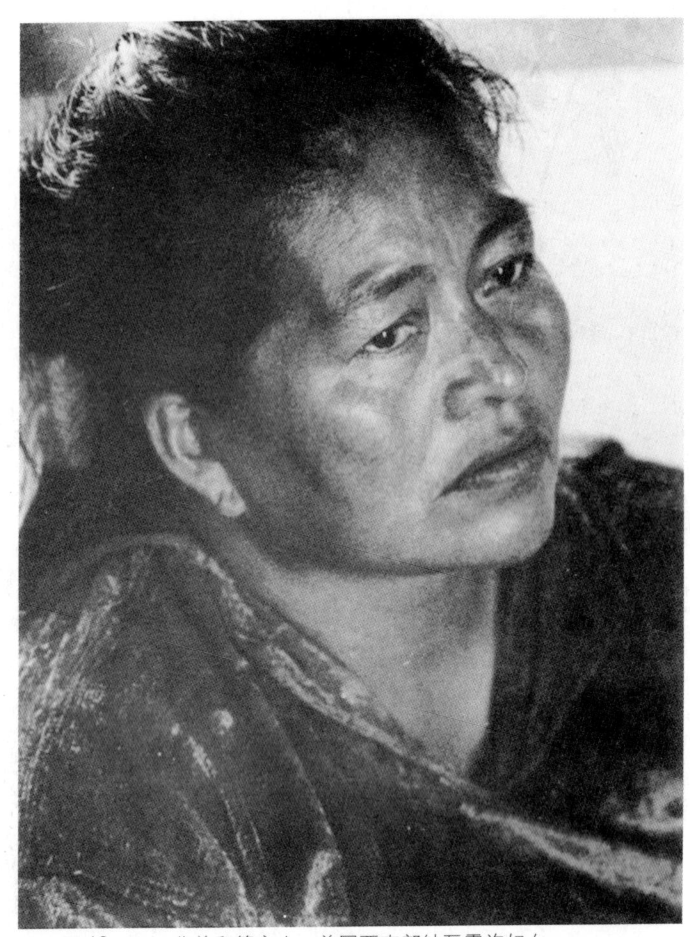

图 16. 又一北美印第安人：美国西南部纳瓦霍族妇女

图 17. 南美洲北部热带地区的奥亚纳族印第安男人。

第 17—20 幅均为南美洲印第安人。

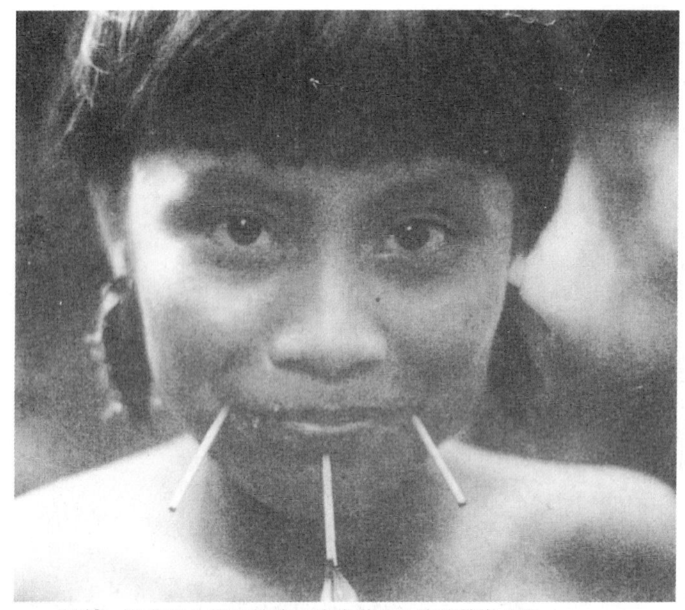

图 18. 南美洲北部热带地区的雅诺马马族印第安女孩

图 19. 南美洲南端弗伊治亚族印第安男人

图 20．南美洲安第斯高原的盖丘亚族印第安男人

图 21. 西欧（西班牙）男人。

第 21—24 幅为欧亚大陆西半部说印欧语的人。

图22. 又一西欧人：法国前总统夏尔·戴高乐

图23. 上：两个斯堪的纳维亚妇女（瑞典女演员英格丽·褒曼和她的女儿）

下：西亚亚美尼亚男人

图 24. 中亚阿富汗士兵

图 25. 非洲南部博茨瓦纳卡拉哈里沙漠科伊桑妇女

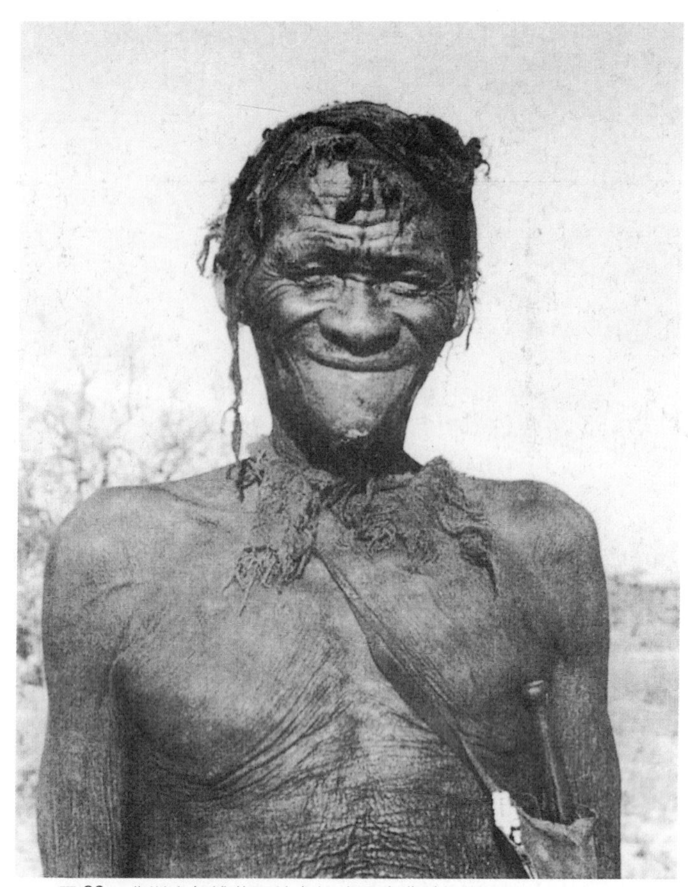
图26. 非洲南部博茨瓦纳卡拉哈里沙漠科伊桑男人

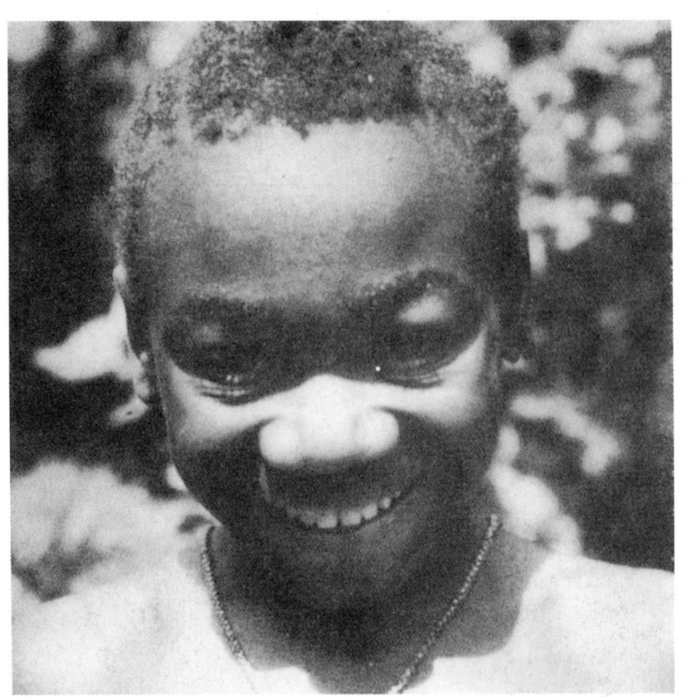

图 27. 赤道非洲伊图里森林俾格米女孩

图 28. 赤道非洲伊图里森林的一群俾格米人

图 29. 说一种尼罗-撒哈拉语的东非人：
苏丹的努埃尔人

图 30．说一种阿非罗－亚细亚语的东非人：埃塞俄比亚的海尔·格布雷斯拉西，在 1996 年奥林匹克运动会男子 1 万米赛跑中稍稍领先于肯尼亚的保罗·特格特而获得冠军。

图31. 说一种非班图语言的尼日尔的东非人：

苏丹的赞德族妇女

图 32. 一个说班图语言的尼日尔－刚果人：

南非前总统纳尔逊 · 曼德拉

出版说明

自中西文明发生碰撞以来，百余年的中国现代文化建设即无可避免地担负起双重使命。梳理和探究西方文明的根源及脉络，已成为我们理解并提升自身要义的借镜，整理和传承中国文明的传统，更是我们实现并弘扬自身价值的根本。此二者的交汇，乃是塑造现代中国之精神品格的必由进路。世纪出版集团倾力编辑世纪人文系列丛书之宗旨亦在于此。

世纪人文系列丛书包涵“世纪文库”、“世纪前沿”、“袖珍经典”、“大学经典”及“开放人文”五个界面，各成系列，相得益彰。

“厘清西方思想脉络，更新中国学术传统”，为“世纪文库”之编辑指针。文库分为中西两大书系。中学书系由清末民初开始，全面整理中国近现代以来的学术著作，以期为今人反思现代中国的社会和精神处境铺建思考的进阶；西学书系旨在从西方文明的整体进程出发，系统译介自古希腊罗马以降的经典文献，借此展现西方思想传统的生发流变过程，从而为我们返回现代中国之核心问题奠定坚实的文本基础。与之呼应，“世纪前沿”着重关注二战以来全球范围内学术思想的重要论题与最新进展，展示各学科领域的新近成果和当代文化思潮演化的各种向度。“袖珍经典”则以相对简约的形式，收录名家大师们在体裁和风格上独具特色的经典作品，阐幽发微，意趣兼得。

遵循现代人文教育和公民教育的理念，秉承“通达民情，化育人心”的中国传统教育精神，“大学经典”依据中西文明传统的知识谱系及其价值内涵，将人类历史上具有人文内涵的经典作品编辑成为大学教育的基础读本，应时代所需，顺时势所趋，为塑造现代中国人的人文素养、公民意识和国家精神倾力尽心。“开放人文”旨在提供全景式的人文阅读平台，从文学、历史、艺术、科学等多个面向调动读者的阅读愉悦，寓学于乐，寓乐于心，为广大读者陶冶心性，培植情操。

“大学之道，在明明德，在新民，在止于至善”（《大学》）。温古知今，止于至善，是人类得以理解生命价值的人文情怀，亦是文明得以传承和发展的精神契机。欲实现中华民族的伟大复兴，必先培育中华民族的文化精神；由此，我们深知现代中国出版人的职责所在，以我之不懈努力，做一代又一代中国人的文化脊梁。

上海世纪出版集团
世纪人文系列丛书编辑委员会
2005年1月

枪炮、病菌与钢铁

目录

前言　耶利的问题

我们都知道，对于世界上不同地区的各个民族来说，历史的发展进程是很不相同的。在上一次冰期结束后的13000年间，世界上的某些地区发展成为使用金属工具的、有文字的工业社会，另一些地区仅仅发展成为没有文字的农业社会，还有一些地区则仍然保留着使用石器的狩猎采集社会。这种历史上的差异对现代世界投上了持久的阴影，因为使用金属工具的、有文字的社会征服了或消灭了其他类型的社会。虽然这些差异构成了世界史的最基本的事实，但产生这些差异的原因始终是不确定的和有争议的。关于这些差异的由来这个令人困惑的问题，是在25年前以一种简单的个人形式向我提出来的。

1972年7月，我在新几内亚这个热带岛屿的沙滩上散步，当时我正在那里研究鸟类的演化。在这之前我已听说过有一个叫做耶利的当地知名政治家，这时候他正在这个地区旅游。那一天，耶利和我碰巧沿同一个方向散步，而且他追上了我。我们在一起走了一个小时，始终在交谈着。

耶利身上焕发着领袖的气质和活力。他的眼睛闪耀着迷人的光芒。他充满自信地谈论自己，但他也问了许多尖锐的问题，并且全神贯注地听我说话。我们的谈话从当时每个新几内亚人都关心的问题，即政治事态的迅速发展开始。耶利的国家现在叫做巴布亚新几内亚，那时仍然是联合国的一块托管地，由澳大利亚管理，但独立已是迟早的事。耶利对我说，他的任务就是使本地人作好自治的准备。

过了一会，耶利话锋一转，开始考问起我来。他从来没有去过新几内亚以外的地方，他的最高学历是中学，但他却有着一种无法满足的好奇心。首先，他想要了解我对新几内亚鸟类的研究工作（包括我做这工作拿多少报酬）。我就告诉他，在几百万年的过程中，不同种群的鸟是如何移居新几内亚的。接着，他又问我，在过去的几万年中，他的人民的祖先是怎样到达新几内亚的，以及在过去200年中，欧洲的白人是如何开拓新几内亚的。

谈话始终是友好的，虽然我们俩都了解耶利和我所代表的两个社会之间的关系是紧张的。两个世纪前，所有的新几内亚人仍然“生活在石器时代”。就是说，他们仍然使用着几千年前即已在欧洲为金属工具所取代的类似的石器，而他们所居住的也不是在集中统一的政治权威下组织起来的村庄。白人来了，他们建立了中央集权的政府，带来了各种物资，从钢斧、火柴和药品到服装、软饮料和雨伞，应有尽有，而新几内亚人立刻认识到这些东西的价值。在新几内亚，所有这些物品被一概称之为“货物”。

许多白人移民公开蔑视新几内亚人，说他们是“原始人”。在新几内亚人的白人“主子”（他们直到1972年还被这样称呼）中，甚至是最无能的人，他们的生活水准也远远高于新几内亚人，甚至高于像耶利这样的极有性格魅力的政治家。然而，耶利就像当时考问我那样考问过许多白人，而我也曾考问过许多新几内亚人。他和我都十分清楚地知道，新几内亚人通常至少和欧洲人一样聪明。耶利想必考虑过所有这些问题，因为他又一次用他那炯炯有神的眼睛洞察一切似地瞥了我一眼，问我道，"为什么你们白人制造了那么多的货物并将它运到新几内亚来，而我们黑人却几乎没有属于我们自己的货物呢?"

正像耶利所体会的那样，这是一个虽然简单但却切中要害的问题。是的，在普通新几内亚人的生活方式和普通欧洲人或美国人的生活方式之间仍然存在着巨大的差异。类似的差异同样把世界上其他民族的生活方式区别了开来。这些巨大的差异必定具有人们可能认为显而易见的重要原因。

然而，耶利的看似简单的问题，却是一个难以回答的问题。我当时就回答不出来。关于这个问题的解决办法，专业的历史学家们仍然意见不一：大多数人甚至不再问这样的问题了。在耶利和我进行那次谈话后的许多年里，我研究并用文字说明了关于人类进化、历史和语言的其他方面的问题。在25年后撰写的这本书就是试图对耶利的问题作出回答。

虽然耶利的问题只涉及新几内亚人和欧洲白人的生活方式的差异，但它可以推而广之，联系到现代世界上更大规模的一系列悬殊差异。来自欧亚大陆的民族，尤其是仍然生活在欧洲和东亚的民族，以及移居到北美的民族，控制着世界的财富和权力。其他民族，包括大多数非洲人，已经摆脱了欧洲人的殖民统治，但在财富和权力方面仍然远远落在后面。还有一些民族，如澳大利亚、美洲以及非洲最南端的土著居民，甚至已不再是自己土地的主人，而是遭到欧洲殖民主义者大批杀害、征服，有时甚至被斩尽杀绝。

因此，关于现代世界的差异问题可以再次系统地阐述如下。为什么财富和权力的分配会是现在这个样子，而不是某种别的方式呢？例如，为什么不是印第安人、非洲人和澳大利亚土著杀害、征服或消灭欧洲人和亚洲人呢？

对于这个问题，我们可以毫不费力地回顾一下历史。从公元1500年开始，当欧洲在全世界的殖民扩张刚刚兴起时，不同大陆上的民族业已在技术和政治组织方面存在着巨大的差异。欧洲、亚洲和北美洲的许多地区成了一些用金属装备起来的国家或帝国的基地，其中有些已经呈现工业化的端倪。两个印第安民族——阿兹特克人和印加人，统治着一些使用石器的帝国。撒哈拉沙漠以南的一些地区被划分为一些使用铁器的小国或由酋长管辖的部落。其他大多数民族——包括澳大利亚和新几内亚、许多太平洋岛屿、美洲的许多地区以及撒哈拉沙漠以南小部分地区的所有那些民族——都是一些农业部落，甚至仍然是一些使用石器的靠狩猎采集为生的族群。

当然，从公元1500年开始的这种技术和政治上的差异，是现代世界不平等的直接原因。使用钢铁武器的帝国能够征服或消灭使用石制和木制武器的部落。然而，这个世界又是如何成了公元1500年时的那种模样呢？

对于这个问题，我们可以根据历史记载和考古发现，再一次毫不费力地回顾一下更早的历史。直到大约公元前11000年上一次冰期结束时，各个大陆上的各个族群仍然都是靠狩猎采集为生的人。从公元前11000年到公元1500年，不同大陆的不同发展速度，成了导致公元1500年时技术和政治差异的原因。虽然澳大利亚土著和美洲印第安人仍然靠狩猎采集为生，但欧亚大陆的大部分地区、美洲和非洲撒哈拉沙漠以南的许多地区，已逐步地发展起农业、畜牧、冶金技术和复杂的政治组织。欧亚大陆的一些地区和美洲的一个地区，还独立地发明了文字。然而，这些新的发展中每一个发展，在欧亚大陆比在其他任何地方都出现得更早。例如，青铜器的大规模生产于公元1500年前的几个世纪在南美洲安第斯山脉一带还刚刚开始，而在4000多年前已经在欧亚大陆的一些地区开展起来。欧洲探险家是在公元1642年首次接触到塔斯马尼亚人的，那时他们的石器制作技术比几万年前欧洲旧石器时代晚期普遍使用的制作技术还要来得简单。

这样，我们最后就能用别的措辞把现代世界的差异重新表述如下：为什么在不同的大陆上人类以如此不同的速度发展呢？这种速度上的差异就构成了历史的最广泛的模式，也是我这本书的主题。

虽然这本书归根到底是要讨论历史和史前史问题，但其主题不光是具有学术性，而且在实践上和政治上也是具有压倒一切的重要性的。不同民族之间相互作用的历史，就是通过征服、流行病和灭绝种族的大屠杀来形成现代世界的。这些冲突产生了回响，而这些回响在经过许多世纪后仍然没有消失，并且在今天世界上的某些最混乱的地区仍在活跃地继续。

例如，非洲的广大地区仍在与近代殖民主义留给它的余孽进行斗争。在其他地区——包括中美洲、墨西哥、秘鲁、新喀里多尼亚和前苏联的许多地区，以及印度尼西亚的一些地区——社会动荡或游击战争，使甚至更多的本地居民起来反对由外来征服者的后代所控制的政府。其他的许多本地居民——如夏威夷的本地人、澳大利亚土著、西伯利亚本地人，以及美国、加拿大、巴西、阿根廷和智利的印第安人——由于灭绝种族的大屠杀和疾病，他们的人数已经锐减，现在在人数上已被入侵者的后代大大超过了。虽然他们因此而不能发动内战，但他们仍然日益坚持维护自己的权利。

除了各民族之间由于过去的冲突而引发的当前这些政治和经济反响外，当前还存在着语言方面的反响——尤其是现代世界上现存的6000种语言中的大多数语言即将消亡，而由英语、汉语、俄语和近几个世纪以来使用人数大大增加的其他几种语言所取代。现代世界的所有这些问题，都是由于耶利问题中所暗含的不同历史轨迹造成的。

在为耶利的问题寻找答案之前，我们应该先停下来考虑一下根本就反对讨论这个问题的某些意见。有些人见到别人仅仅提出这个问题就会生气，这有几方面的原因。

一种反对意见如下。如果我们成功地说明了某个民族怎么会统治另一民族的，那么这会不会就是为这种统治辩护呢？这会不会就是说这种结果是无可避免的，因此在今天试图改变这种结果可能是徒劳无益的呢？这种反对意见的根据是一种把对原因的说明同为结果辩护或承认结果混为一谈的普遍倾向。怎样利用历史的阐述是一个和阐述本身完全不同的问题。为了努力改变某个结果，了解是比再现或保持这种结果更经常使用的方法。这就是为什么心理学家要努力去了解杀人犯和强奸犯的心理，为什么社会历史学家要努力去了解灭绝种族的大屠杀，为什么精神病学家要努力去了解人类疾病的起因。这些人之所以去调查研究，并不是想要为谋杀、强奸、灭绝种族的大屠杀以及疾病进行辩护。相反，他们是想要利用他们对因果链的了稠密人口中发生的那些流行疾病无法形成。相反，造成新几内亚人传统的高死亡率的，是谋杀、长期的部落战争、意外事故和在获取食物中出现的问题。

在传统的新几内亚社会中，聪明人比不那么聪明的人更有可能逃脱导致高死亡率的死因。然而，在传统的欧洲社会中，流行性疾病造成的死亡率的差异与智力几乎没有任何关系，而是与取决于人体化学细节的遗传抵抗力有关。例如，血型为B或O的人比血型为A的人对天花有更强的抵抗力。就是说，促进智力基因的自然选择，在新几内亚比在人口稠密、政治上复杂的社会可能要无情得多，因为在这样的社会里，对人体化学组成的自然选择反而更有效力。

关于为什么新几内亚人可能会比西方人聪明这一点，除了这种遗传上的原因，还有第二个原因。现代欧洲和美国的儿童花费大量的时间，被动地接受电视、广播和电影所提供的娱乐。在一般的美国家庭中，电视机每天开7个小时。相比之下，传统的新几内亚儿童几乎没有机会去接受这种被动的娱乐，而是把他们醒着的时间几乎全部用来从事积极的活动，如和其他儿童或成年人谈话或游戏。几乎所有的对儿童发展的研究全都强调童年刺激和活动在促进智力发展中的作用，同时着重指出了与童年刺激减少相联系的不可逆转的智力障碍。对于新几内亚人表现出来的这种较优越的一般智力作用，这种影响无疑提供了一种非遗传成分。

这就是说，就智力而言，新几内亚人可能在遗传方面优于西方人，他们在逃避对成长极其不利的条件时也肯定优于西方人，而工业化社会的大多数儿童如今就是在这种条件下长大的。当然，关于新几内亚人在智力方面的任何不利条件，没有丝毫可以用来回答耶利的问题。遗传和童年成长这两个因素，可能不仅区别了新几内亚人同西方人，而且也区别了以狩猎采集为生的人以及技术上原始的社会成员同一般说来在技术上先进的社会成员。因此，必须把种族主义素来的那种臆断颠倒过来。欧洲人尽管在遗传方面存在着不利条件，而且（在现代）他们在成长中也毫无疑问存在着不利条件，那么为什么他们最后却能生产出很多货物？而对于新几内亚人，尽管我相信他们具有较高的智力，但为什么他们最后在技术上还是那样原始呢？

遗传学上的解释不是对耶利问题的唯一可能的答案。另一种受到北欧人欢迎的解释是求助于想象中的气候作用，说什么他们家乡的寒冷气候对人的创造力和精力具有刺激作用，而炎热、潮湿的热带气候则对人的创造力和精力具有抑制作用。也许，高纬度的这种季节性的多变气候比不随季节变化的恒定的热带气候提出了更多的各式各样的挑战。也许，寒冷的气候要求人们为了生存必须具有更多的创造才能，因为人们必须建造保暖的住宅和缝制保暖的衣裳，而在热带人们只要有较简陋的住房并且不穿衣服就能生存下去。或者，可以把这种论点颠倒过来以得出同样的结论：高纬度地区漫长的冬季使人们有大量时间可以坐在家里搞发明创造。

虽然这种解释以前曾流行一时，但它同样经不起推敲。我们将要看到，直到最近的1000年前，北欧各民族对欧亚大陆文明没有作出过任何极其重要的贡献；他们只是由于运气好才生活在某一个地理位置上，使他们有可能接受在欧亚大陆较温暖地区发展起来的一些先进的东西（如农业、轮子、文字和冶金）。在新大陆，高纬度的寒冷地区则甚至更是人类的一个落后地区。唯一的发明了文字的印第安人社会出现在北回归线以南的墨西哥；新大陆最古老的陶器来自位于热带的南美洲赤道附近；而通常被认为在艺术、天文学和其他方面最先进的新大陆社会是在公元第一个一千年中位于热带的尤卡坦半岛和危地马拉的历史上有名的马雅社会。

对耶利的问题的第三个答案提出了所谓干燥气候下低地河谷的重要性问题，因为这种地方的高产农业依赖于大规模的灌溉系统，而这又需要有权力集中的政府机构。之所以提出这种解释，是因为有一个事实是无庸置疑的，即已知的最早帝国和书写系统出现在新月沃地[1]的底格里斯河和幼发拉底河流域以及埃及的尼罗河流域。在世界上的其他一些地区，包括印度次大陆的印度河流域、中国的黄河和长江流域、中美洲的马雅人居住的低地和秘鲁的沿海沙漠，水利系统也似乎与中央集权的政治组织密切有关。

然而，详尽的考古研究表明，复杂的灌溉系统并不是同权力集中的政府机构一起出现，而是在过了相当一段时间之后才到来的。就是说，先是由于某种原因出现了政治集权，然后才有可能建设复杂的灌溉系统。在世界上的这些地区，在政治集权之前发生的至关重要的发展，没有一个是同江河流域或复杂的灌溉系统有任何联系。例如，新月沃地的粮食生产和乡村生活源于丘陵和山地，而不是源于低地河谷。在乡村粮食生产开始在新月沃地的丘陵地带兴旺发达之后3000年左右，尼罗河流域仍然是一个文化落后的地区。美国西南部的江河流域最后还是对灌溉农业和复杂社会起了支撑作用，但只是在有了许多为社会所依赖的发展成果之后才做到这一点的，而这些发展成果却是从墨西哥引进的。澳大利亚东南部的河谷仍然为没有农业的部落社会所占有。

然而，还有一种解释列举了使欧洲人能够屠杀或征服其他民族的直接因素——尤其是欧洲的枪炮、传染病、钢铁工具和工业制成品。这种解释是正确的，因为显而易见，这些因素都是造成欧洲人征服的直接原因。然而，这种假设是不全面的，因为它仍然只提供了确定直接原因的一种近似的（初级阶段的）解释。它使人不由得想去寻找终极原因：为什么最后带来枪炮、凶恶的病菌和钢铁的竟是欧洲人，而不是非洲人或印第安人？

至于在确定欧洲征服新大陆的终极原因方面，虽然已经取得了某些进展，但非洲仍然是一大难题。在非洲这个大陆上，原人进化的时间最长，解剖学上的现代人可能也起源于那里，那里的地方病如疟疾或黄热病使欧洲的探险者失去了生命。如果长期的领先优势有什么价值的话，那么为什么枪炮和钢铁不是首先出现在非洲，从而使非洲人和他们的病菌得以征服欧洲？同时，又用什么来说明何以澳大利亚土著未能超越使用石器的狩猎采集阶段呢？

在世界范围内对人类社会进行比较所出现的问题，曾经引起历史学家和地理学家们的极大关注。说明这方面的努力的最著名的现代例证，就是阿诺德·汤因比[2]的十二卷本的《历史研究》。汤因比对23个先进的文明民族尤其感到兴趣，这23个民族中有22个是有文字的，19个是欧亚大陆民族。他对史前史和比较单纯的没有文字的社会兴趣较少。然而，现代世界不平等的根源却要追溯到史前阶段。因此，汤因比没有提出耶利的那种问题，也没有去认真讨论我所认为的最广泛的历史模式。其他一些研究世界史的可资利用的书，同样会把重点放在以往5000年中先进的、有文字的欧亚大陆文明民族身上；这些书都是十分简略地提到哥伦布以前的印第安人文明，除了谈到最近与欧亚大陆文明民族的相互影响外，它们对世界其余地区的讨论甚至更加简略。在汤因比的尝试后，全世界对历史因果关系的综合研究已经受到大多数历史学家的冷遇，被认为提出了一个显然难以解决的问题。

来自几个学科的专家对他们的问题提供了全球性的综合研究。尤其是一些生态地理学家、文化人类学家、研究动植物驯化的生物学家和研究传染病对历史的影响的学者们在这方面已经作出了有益的贡献。这些研究已经引起了人们对这个难题的某些部分的注意，但它们所提供的只是那一直阙如的必要而广泛的综合研究的零碎片断而已。

因此，对于耶利的问题不存在可以普遍接受的答案。一方面，这种近似的解释是清楚的：有些民族在其他民族之前就已有了枪炮、病菌、钢铁和带来政治与经济影响力的其他因素；而有些民族则根本没有过这些带来影响力的因素。另一方面，这种终极解释——例如，为什么青铜器很早就在欧亚大陆的一些地区出现，在新大陆是很晚才在局部地区出现，而在土著人的澳大利亚则从来没有出现过——仍然是不清楚的。

我们目前缺乏这种终极解释，留下了一个巨大的知识缺口，因为最广泛的历史模式仍然是这样原因不明。然而，更为严重得多的是道德缺口没有得到充填。对每个人来说，不管他是不是明目张胆的种族主义者，至为明显的是，历史上不同民族的情况是不同的。现代美国是一个按照欧洲模式创建的社会，它占有从印第安人那里掠夺来的土地，吸纳了数以百万计的作为奴隶运到美洲来的非洲撒哈拉沙漠以南地区黑人的后裔。现代欧洲却不是一个由非洲撒哈拉沙漠以南地区黑人塑造的社会，他们并没有把数以百万计的印第安人作为奴隶运入欧洲。

这种结果完全是一边倒的：这里的情况不是51%的美洲、澳洲和非洲被欧洲人征服，而49%的欧洲被印第安人、澳大利亚土著或非洲人征服。整个现代世界都是由一边倒的结果来塑造的。这些结果必须得到不容变更的解释，这些解释应该比几百年前谁碰巧打赢了某个战役或谁在某一次发明了什么东西这些细节更为基本。

假定历史模式反映了民族之间的天生差异，这似乎是合乎逻辑的。当然，我们得到的教导是，公开地这样说是不礼貌的。我们读到了一些声称证明了天生差异的专门性研究成果；我们也读到了声称这些研究具有专门性谬误的反驳意见。我们在日常生活中看到，在发生征服和奴隶贩运的几百年之后，有些被征服民族仍然构成了下层社会。我们听说，这一点同样不应归咎于任何生物学上的缺陷，而应归咎于社会不利条件和有限的机会。

尽管如此，我们还是不得不感到疑惑。我们始终看到的是所有那些引人注目的持久不变的民族地位差异。有人向我们保证说，这种对公元1500年以来世界上的不平等所作的貌似清晰的解释是错误的，但却没有人告诉我们正确的解释是什么。在我们对历史的广泛模式有了某种令人信服的、详尽的、得到一致同意的解释之前，大多数人将继续认为，种族主义的生物学解释终究是正确的。对我来说，这似乎就是写这本书的最强有力的论点。

新闻记者总是要求作者用一句话把篇幅很长的书加以概括。对本书来说，这样的一句话就是："不同民族的历史遵循不同的道路前进，其原因是民族环境的差异，而不是民族自身在生物学上的差异。"

当然，环境地理和生物地理影响社会发展，这并不是什么新的观念。然而在今天，这种观点已得不到历史学家们的青睐；它被认为是错误的或过分简单化的，或者被讽刺为环境决定论而不屑一顾，或者把企图了解世界范围内的差异这整个问题看得太难而束之高阁。

然而，地理显然对历史产生了某种影响；有待回答的问题是这种影响的程度如何，以及地理是否能够说明历史的广泛模式。

由于有几门从表面上看似乎与人类历史毫不相干的科学学科所提供的新的知识，以新的眼光来看待这些问题的时机已经成熟了。这些学科首先包括遗传学、分子生物学和涉及农作物及其原始野种的生物地理学；这些学科再加上涉及家畜及其原始野种的行为生态学；研究人类病菌及有关动物病菌的分子生物学；研究人类疾病的流行病学；人类遗传学；语言学；对所有大陆和主要岛屿进行的考古研究；以及对技术、文字和政治组织的历史研究。

这种学科的多样性向想要写一本书来回答耶利的问题的未来作者提出了一些问题。这样的作者必须具有包括以上各学科的广博的专业知识，这样才能把相关的各种先进知识加以综合。每个大陆的历史和史前史都必须同样地加以综合。这本书的主要内容是历史，但所用的方法则是科学的——尤其是诸如演化生物学和地质学之类历史科学的方法。这样的作者必须根据直接体验来了解一系列人类社会，从狩猎采集社会到现代的太空时代文明，都要有所了解。

这些条件初看起来似乎是要求多个作者协同工作。然而，这种办法从一开始就注定要失败，因为这个问题的实质是要建立一种统一的综合体系。这种考虑就规定了只能有一个作者，尽管这样做会引起种种困难。不可避免的是，这个作者为了从许多学科吸收材料将不得不浑身冒汗，并且将会需要许多同事对他进行指导。

甚至在耶利于1972年向我提出他的问题之前，我的经历已经使我涉足这些学科中的几门。我的母亲是教师兼语言学家；我的父亲是儿童遗传疾病专科医师。由于有了我的父亲做榜样，我怀着当医生的志向完成了我的小学和中学学业。在7岁时，我还成了一个狂热的观察和研究野鸟的人。因此，在我大学本科的最后一年，我很容易地就从起初想要从事医务工作这个目标转向生物研究这个目标。然而，从小学一直到大学，我的训练主要在语言、历史和写作方面。甚至在决定要取得生理学博士学位之后，我在研究院的第一年还差点放弃科学而去做一个语言学家。

1961年我完成了博士学业后，就把我的科学研究分成两个领域去进行：一个是分子生理学，一个是演化生物学和生物地理学。演化生物学是一门历史科学，只能使用一些不同于实验科学的方法，这对于我写作本书却带来了意想不到的帮助。要设计出一种研究人类历史的方法会有许多困难，但我在这方面的经验使我对这些困难了然于胸。从1958年到1962年，我在欧洲生活，我的一些欧洲朋友的生活曾经遭到20世纪历史的严重伤害，生活在他们中间使我开始更加认真地思考在历史的展开中因果链是在如何起作用的。

在过去的33年中，我作为演化生物学家的现场调查工作，使我同范围广泛的人类社会产生了密切的接触。我的专业是鸟类演化，我在南美、南部非洲、印度尼西亚、澳大利亚，特别是新几内亚，曾经做过这方面的研究。通过同这些地区的土著人在一起生活，我熟悉了许多技术上原始的社会，从狩猎采集社会到不久前还依靠石器的部落农民和渔民们的社会。因此，大多数有文化的人认为不可思议的、遥远的史前期生活方式，却是我的生活中最鲜明生动的部分。新几内亚尽管只占世界陆地面积的很小一部分，但它所包含的人类多样性却大得不成比例。在现代世界上的6000种语言中，有1000种只在新几内亚使用。在我研究新几内亚鸟类的过程中，由于需要用近100种新几内亚语言列出一些鸟类的俗名，我对语言的兴趣被重新激发出来了。

所有这些兴趣产生了我最近的一本书，这是对人类进化的一种非技术性的描述，书名叫做《第三种黑猩猩》。这本书的第十四章叫做《意外的征服者》，是试图了解欧洲人同印第安人接触所产生的后果。在我完成了这本书之后，我认识到无论是史前时代还是现代，民族之间的接触产生了同样的问题。我明白，我在那本书的第十四章中努力解决的问题，实质上就是1972年耶利问我的那个问题，只不过把问题搬到世界上的一个不同的地方罢了。就这样，在许多朋友的帮助下，我终于可以试一试去满足耶利的——也是我自己的好奇心。

本书分为4个部分。第一部分题为《从伊甸园到卡哈马卡》，它由3章组成。第一章提供了一次关于人类进化和历史的旋风式的旅行，从大约700万年前我们刚从类人猿分化出来时开始，一直延续到大约13000年前上一次冰期结束为止。我们将追踪人类的祖先从我们在非洲的发祥地散布到其他大陆，以便弄清楚在那些常常用“文明的兴起”一语来加以概括的事件开始前世界是什么情形。结果表明，某些大陆上的人类发展经过一段时间后取得了对其他大陆上的人类发展的领先优势。

第二章简要地考察了岛屿环境在较小的时空范围内对历史的影响，从而使我们为探究过去13000年中大陆环境对历史的影响作好准备。当大约3200年前波利尼西亚人祖先向太平洋迁移的时候，他们碰到了一些和他们原来的环境大不相同的岛屿。在几千年之内，波利尼西亚人祖先建立的这个社会在这些形形色色的岛屿上产生了一系列子社会，从狩猎采集部落到原始帝国，形形色色，应有尽有。这种辐射性进化可以起到模式的作用，用来说明自上次冰期结束以来，在不同的大陆上时间更长、规模更大、但更少为人所了解的社会辐射性进化，为什么有的成了狩猎采集部落，有的却成了帝国。

第三章通过同时代目击者的描述，再讲一讲历史上最具戏剧性的诸如此类的遭遇，从而向我们介绍来自不同大陆的各民族之间的冲突。历史上的这次遭遇是：独立的印加帝国的末代皇帝阿塔瓦尔帕在自己的整个军队的护卫下，在秘鲁城市卡哈马卡被弗兰西斯科·皮萨罗和他率领的一小撮西班牙入侵者俘虏。我们可以确定一些近似因素的锁链，正是这些因素使皮萨罗得以俘虏阿塔瓦尔帕，并在欧洲人对美洲印第安人的征服中发生了作用。这些因素包括西班牙的病菌、马匹、文化、政治组织和技术（尤其是造船和武器制造）。这种对近似原因的分析是本书中容易做到的部分；困难的部分是确定终极原因，因为正是终极原因产生了近似原因，产生了实际结果，而不是产生可能相反的结果，即阿塔瓦尔帕到马德里俘虏了西班牙国王查理一世。

第二部分题为《粮食生产的出现和传播》，包括第四章到第十章。这一部分专门讨论我认为是最重要的一组终极原因。第四章概述了粮食生产——即通过农业种植和畜牧来生产食物，而不是靠狩猎和采集野生食物——是如何最终产生了使皮萨罗取得胜利的直接因素。但是粮食生产的出现情况在全世界是不同的。我们将要在第五章看到，世界上某些地区的民族靠自己来发展粮食生产；另一些族群在史前期从这些独立的粮食生产中心学会了粮食生产；还有一些族群在史前期既不发展粮食生产也不从别处学会粮食生产，而是直到现在仍然过着狩猎采集生活。第六章研究了只是在某些地区促使狩猎采集的生活方式向粮食生产转变的诸多因素。

接着，第七、八、九章说明在史前时代农作物和牲畜是如何从原来的野生植物和动物经过驯化而来的，而做这种驯化工作的早期农民和牧人连做梦也没有想到会有这样的结果。可以用作驯化的当地一批批动植物在地理上的差异，有助于说明为什么只有几个地区成为独立的粮食生产中心，为什么粮食生产在某些地区比在另一些地区出现得早。从原来的这几个中心，粮食生产向某些地区的传播比向另一些地区的传播要迅速得多。造成粮食生产传播速度差异的一个重大因素原来竟是大陆的轴线方向：欧亚大陆主要是东西向，而美洲和非洲则主要是南北向（第十章）。

因此，第三章概述了欧洲征服美洲印第安人的直接因素，第四章则概述了这些因素从粮食生产这个终极原因发展而来。第三部分（《从粮食生产到枪炮、病菌与钢铁》，第十一章到第十四章）从密集人口所特有的病菌的演化开始，对从终极原因到近似原因的联系进行了考察（第十一章）。欧亚大陆的病菌杀死的印第安人和其他非欧亚大陆民族，比欧亚大陆的枪炮或钢铁武器所杀死的要多得多。相反，在新大陆，很少有或根本没有任何危险的病菌在等待未来的欧洲征服者。为什么病菌的交流这样不相等？在这里，近来分子生物学的研究成果在把病菌和粮食生产的出现相联系方面是富于启发性的，而这两者的联系在欧亚大陆要远远超过美洲。

另一条因果链是从粮食生产到文字，文字可能是过去几千年中最重要的一项发明（第十二章）。在人类历史上，文字只经历过少数几次进化，而发明文字的地区又是各自区域中粮食生产出现最早的地方。所有其他有文字的社会也都经历了同样的进化，或者是由于文字的传播，或者是由于文化的传播，而这种文化又是来自最初的少数几个中心之一。因此，对于研究世界史的人来说，文字这一现象对研究另一组重要的因果关系尤其有用，即地理对思想和发明的传播的方便程度所具有的影响。

适用于文字的情况也适用于技术(第十三章)。一个关键的问题是：技术创新是不是完全依赖于少数发明家——天才，依赖于许多具有特质的文化因素，以致不可能去了解技术的世界模式。事实上，我们将会看到，奇怪的是，大量的这类文化因素使了解技术的世界模式变得更容易了，而不是变得更困难了。粮食生产使农民能够生产出多余的粮食，从而使农业社会得以养活专职的从事手工艺的专门人材，因为这些人的工作不是种植他们自己吃的粮食，而是发展技术。

除了养活抄写员和发明家外，粮食生产还使农民能够养活政治家(第十四章)。以狩猎和采集为生的流动人群相对而言都是平等主义者，他们的政治活动范围局限于自己的地区以及改变与邻近人群的结盟关系。随着稠密的、定居的、从事粮食生产的人口的出现，酋长、国王和官员也出现了。这种行政体系不但对管理幅员广阔、人口众多的领地是至关重要的，而且对维持常备军、派遣探险舰队和组织征服战争也是至关重要的。

第四部分(《在5章中环游世界》，第十五章至第十九章)把第二部分和第三部分所讲的内容应用于每个大陆和一些重要的岛屿。第十五章研究了澳大利亚本身的历史，以及原来和澳大利亚相连、属于同一大陆的新几内亚这个大岛的历史。澳大利亚是近代技术最简陋的人类社会的所在地，也是其自身没有发展粮食生产的唯一大陆。澳大利亚的情况是对关于人类社会的洲际差异理论的一次决定性检验。我们将会看到，甚至在邻近的新几内亚的大多数族群成了粮食生产者的时候，为什么澳大利亚的土著却仍然以狩猎采集为生。

第十六章和第十七章把澳大利亚和新几内亚的发展结合成整个地区的一幅画面，这个地区包括东亚大陆和太平洋诸岛。中国粮食生产的出现，引起了史前期的人口或文化特征的几次大迁移，或两者的同时迁移。其中有一次迁移发生在中国本土，造成了我们今天所知道的中国这个政治和文化现象。另一次迁移在几乎整个热带东南亚地区导致了最后来自中国南部的中国农民取代了以狩猎采集为生的本地人。还有一次迁移是南岛人[3]的扩张，这次迁移同样取代了菲律宾和印度尼西亚的以狩猎采集为生的本地人，并扩大到最遥远的波利尼西亚诸岛，但未能在澳大利亚和新几内亚大部分地区殖民。对研究世界史的人来说，东亚和太平洋各民族之间发生的所有这些冲突具有双重的重要性：这些冲突形成了现代世界三分之一人口生存的国家，在这些国家中，经济权力正日益集中；这些冲突还为了解世界其他地方一些民族的历史提供了特别清晰的模式。

第十八章又回到第三章里提出的问题，即欧洲民族和美洲印第安人之间的冲突。总结一下新大陆和欧亚大陆西部地区过去13000年的历史，可以弄清楚欧洲对美洲的征服只不过是两条漫长的通常互不相干的历史轨迹的顶点。这两条轨迹的差异表现在这两个大陆在可驯化的动植物、病菌、定居年代、大陆轴线走向以及生态障碍方面的差异。

最后，非洲撒哈拉沙漠以南地区的历史（第十九章）与新大陆的历史不但存在着悬殊的差异，而且也具有显著的相似之处。造成欧洲人与非洲人的冲突的那些因素，同样造成了欧洲人与印第安人的冲突。结果，欧洲人的征服并没有在非洲撒哈拉沙漠以南地区建立大片的或长期的殖民地，只有非洲的南端是例外。具有更持久意义的是非洲内部大规模的人口转移，即班图人的扩张。这都是由许多同样的原因引发的，也就是在卡哈马卡、在东亚、在太平洋诸岛以及在澳大利亚和新几内亚自始至终都在发生作用的那些原因。

我不抱任何幻想，以为本书已成功地说明了各大洲过去13000年的历史。显然，要想在一本书里做到这一点是不可能的，即使我们真正地了解所有这些答案，我们也不可能做到，何况我们并不了解呢。至多，本书确定了几组环境因素，我认为这些因素提供了对耶利的问题的大部分答案。承认这些因素也就是突出了原因不明的剩下来的几个问题，而了解这些问题则是将来要做的事。

后记题为《人类史作为一门科学的未来》，列出了剩下来的几个问题，包括欧亚大陆不同地区之间的差异问题，与环境无关的文化因素的作用，以及个人的作用。也许，这些未解决的问题中最大问题是确立人类史作为一门历史科学的地位，就像演化生物学、地质学和气候学这类已经得到承认的历史科学一样。对人类历史的研究的确会碰到一些真正的困难，但这些已经得到承认的历史科学也碰到一些同样的挑战。因此，在这些不同领域中发展起来的方法在人类史这个领域中也可能证明是有用的。

然而，我希望我已经使读者相信，历史并不“就是一个又一个讨厌的事实”，就像一个愤世嫉俗者说的那样。的确存在着适用于历史的广泛模式，而寻找对这些模式的解释不但令人陶醉，也是大有裨益的。

注　释：

1. 新月沃地或称肥沃新月地带：指西亚伊拉克两河流域连接叙利亚一带地中海东岸的一片弧形地区，因土地肥沃，形如新月，故名；为上古文明发源地之一。——译者

2. 阿诺德·约瑟夫·汤因比（Toynbee，Arnold，1899—1975）：英国历史学家，经济学

家A·汤因比之侄，曾任伦敦大学国际历史研究教授，伦敦国际事务学会研究部主任（1925—1955），主要著作《历史研究》发展了德国O·施彭格勒的文化形态史观。——译者

3. 南岛人（Austronesians）一词的翻译来自“南岛语”（Austronesian languages）一词，南岛人就是说南岛语的人。根据本书的介绍，南岛人源自中国华南，他们经由台湾到菲律宾和印度尼西亚群岛，继而向太平洋诸岛扩张。——译者

第一部分

从伊甸园
到卡哈马卡

第一章 走上起跑线

用以比较不同大陆的历史发展的合适起点是公元前11000年左右[1]。这个年代大致相当于世界上一些地区村社生活的开始。这时，美洲毫无疑问已第一次有人定居，更新世和上一次冰期已经结束，地质学家所说的全新世已经开始。在那个年代的几千年内，动植物的驯化至少在世界上的一个地方开始了。从那时起，某些大陆上的族群是否已经比其他大陆上的族群领先一步或处于明显优势呢？

如果回答是肯定的，那么这种领先优势经过13000年的扩大，也许可以为耶利的问题提供答案。因此，这一章将要对各大陆的人类历史进行一次旋风式的旅行，从我们作为一个物种的起源开始，经过几百万年，直到13000年前。这一切现在将要浓缩在不到25页的篇幅里。当然，我对细节忽略不计，只谈谈在我看来与本书最相关的一些趋势。

我们活着的近亲是现存的3种类人猿：大猩猩、普通黑猩猩和矮脚黑猩猩（也叫倭黑猩猩）。这3种猩猩只生活在非洲，那里又有丰富的化石证据，这就表明人类初始阶段的演化是在非洲进行的。人类的历史与动物的历史分道扬镳，大约在700万年前开始于非洲（据估计在500万至900万年之前）。约当此时，非洲猿的一个种群分成了几个种群，其中一支继续演化成现代大猩猩，一支演化成两种现代黑猩猩，还有一支则演化成人类。大猩猩这一支的分化显然稍早于黑猩猩与人类之间的分化。

一些化石表明，我们的直系祖先到了大约400万年前基本上已能直立，然后在大约200.5万年前身体开始长高，相对脑容量开始增大。这些原人通常叫做非洲南方古猿、能人和直立人，他们显然是按照这个顺序进行演化的。虽然大约在1.7百万年前即已达到了直立人这个阶段，但直立人也只是在身材方面和现代人接近，他的脑容量几乎仍然不到我们的一半。石器在大约2.5百万年前已很普遍，但它们仍然不过是最粗糙的石片和石头砍凿器。就动物学上的含意和鉴别来说，直立人已不再是猿了，但与现代人仍相去甚远。

人类在这方面的全部历史，在人类于大约700万年前起源后的最初500万或600万年中，仍然局限于非洲。首先走出非洲的人类祖先是直立人，这已从东南亚爪哇岛上发现的化石得到证明，这些化石通常称之为爪哇人（见图1.1）。年代最久远的爪哇“人”化石——当然，它们实际上可能是爪哇女人的化石——其年代通常被认为约100万年前。然而，最近有人认为，其年代实际上是1.8百万年前。（严格地说，直立人这个名称属于这些爪哇化石，而归入直立人一类的非洲化石也许应该有一个不同的名称。）目前，对于欧洲人类公认的最早证据产生在大约50万年前，但也有人认为时间可能更早。人们当然可以假设，人类既然可以移居亚洲，自然也可以移居欧洲，因为欧亚大陆是一个大陆板块，没有什么重大屏障把它分

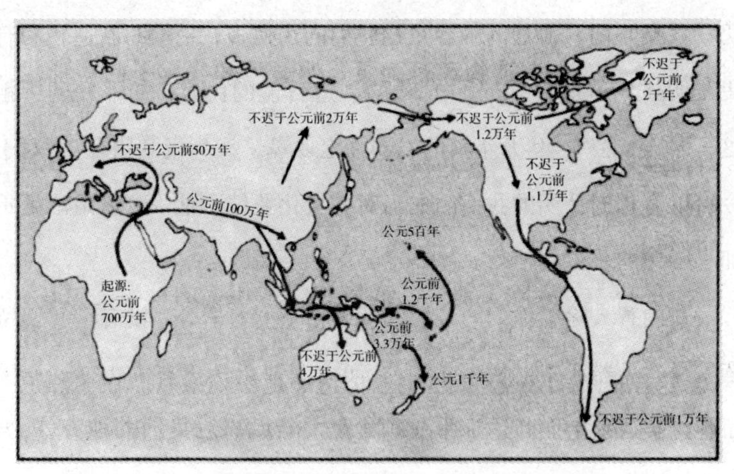

图1.1 人类在全世界的扩张

隔开。

这说明了一个将在本书中反复出现的问题。每当某个科学家宣布发现了“最早的X”——不管这个X是欧洲最早的人类化石，是墨西哥引种归化的玉米的最早证据，或是任何地方最早的任何东西——这一宣布又刺激了其他科学家去发现更早的东西以便更胜一筹。事实上，必定有某个真正“最早的X”，而所有宣布的更早的X都是假的。然而，我们将会看到，几乎对于任何X来说，对所谓更早的X每年都会有新的发现和宣布，并驳斥了前几年所宣布的某些或全部更早的X。对这类问题，常常要花几十年时间去仔细探究，考古学家们才能达成共识。

到了大约50万年前，人类化石的头骨变得较大、较圆、也较少棱角，这已和较早的直立人的骨骼有所不同。50万年前的非洲人和欧洲人的头骨与我们现代人的头骨已相当近似，所以被归入我们智人这一类，而不是归入直立人一类。这种区别是带有任意性的，因为智人是从直立人演化而来的。然而，这些初期的智人在头骨的细节上仍和我们不同，他们的脑容量比我们的小得多，他们的制造物和行为更是明显地和我们不同。现代的制造石器的民族，如耶利的曾祖父这一辈人，会对50万年前的石器嗤之以鼻，认为极其粗糙。对于如今可以有把握证明的我们祖先当时的文化业绩，唯一可以用浓墨重彩加上一笔的是火的使用。

最初的智人除了他们的残骸和那些粗糙的石器外，没有给我们留下艺术品、骨器或其他任何东西。澳大利亚仍然没有人类，这原因显而易见：从东南亚到达那里必须乘船。在美洲也没有人类，因为可能要等到占据欧亚大陆最靠近美洲的地方（西伯利亚）先有人烟，可能还需要造船技术。（现在分隔西伯利亚和阿拉斯加的白令海峡，随着冰期海平面的不断升降，有时是一片海峡，有时是一座洲际陆桥。）然而，无论是造船或是在寒冷的西伯利亚生存，对最初的智人来说仍然是力所不及的。

从50万年前往后，非洲和亚欧大陆西部的人类彼此之间以及和东南亚人类之间，从骨骼的细节来看在继续分化。从13万到40万年前，欧洲和亚洲西部人口的集中体现是特别众多的骨骼化石，他们被认为是尼安德特人，有时被归入一个单独的人种——尼安德特人。尽管尼安德特人在许多漫画里被描绘成住在洞穴里像猿一样的野蛮人，但他们的脑却比我们的还要稍大一些。有强有力的证据表明，他们还是第一批懂得埋葬死者、照顾病人的人。然而，同现代新几内亚人的磨光石斧相比较，他们的石器仍显得粗糙，他们还不曾造出形制标准、形状多样、每件都有其明确功用的工具来。

现在保存下来的、与尼安德特人同时的少数几个非洲人的骨骼残片，与其说像尼安德特人的骨骼，不如说更像我们现代人的骨骼。我们知道，甚至更少的东亚人的骨骼残片被保存了下来，但他们似乎与非洲人和尼安德特人也不相同。至于当时的生活方式，保存得最好的证据是非洲南部一些遗址上堆积的石头制品和被捕食动物的残骨。虽然这些10万年前的非洲人和与他们同时代的尼安德特人相比，他们的骨骼更像现代人的骨骼，但他们所制造的石器基本上和尼安德特人的石器同样粗糙，仍然缺乏标准的形制。他们也没有任何保存下来的艺术品。从他们捕食的各种动物的骨头这个证据来看，他们的狩猎技巧平常，他们主要捕杀那些易于捕杀、毫无危险的动物。他们还不曾干过猎杀野牛、野猪和其他危险猎物的事。他们甚至不会捕鱼：在他们的紧靠海岸的遗址中没有发现鱼骨和鱼钩。他们和同时代的尼安德特人仍然不能算作完全的人。

人类历史终于在大约5万年前开始了，也就是在我所说的“大跃进”时期。这种大跃进的最早的明确迹象是在东非遗址出土的标准石器和第一件保存完好的首饰（鸵鸟蛋壳做的珠子项链）。同样的情况不久又出现在近东和东南欧，然后（约4万年前）又出现在西南欧，那里大量的人工制品与称作克罗马努人的完全现代人的骨骼一起被发现了。此后，保留在考古遗址中的人类遗物变得越来越令人关注，使人毫不怀疑我们正在与之打交道的是在生物学上和行为上的现代人。

在克罗马努人的遗物堆积中不仅有石器，而且还有骨器。骨器易于成形（如做成鱼钩）这一点显然是以前的人所没有认识到的。有些工具做成了各种不同的特殊形状，就像现代的工具一样，有针，有锥子，有雕刻工具，还有其他等等，对它们的功用我们全都一目了然。出土的不仅仅是单件工具，如手持的刮削器，出土的还有多件组合的复合工具。在克罗马努人遗址上可以认出来的复合武器包括鱼叉、梭镖投掷器，最后还有弓箭，这些都是步枪和其他现代复合武器的前身。这些能在安全距离内进行捕杀的有效手段可以用来猎取犀牛、大象之类的危险猎物，而发明了用来结网、做钓鱼线和陷阱的绳子，就使我们的饮食又增加了鱼和鸟这样的美味。房屋和缝制服装的残迹，证明了人类在寒冷气候下生存的能力大大提高了，而残留的首饰和仔细埋葬的骸骨，则表明了革命性的审美观和精神层次上的发展。

在一直保存完好的克罗马努人的物品中，最著名的是他们的艺术作品：壮丽的洞穴壁画、雕像和乐器，这些东西我们今天仍然当作艺术品来欣赏。任何人只要到法国西南部拉斯考洞穴去一趟，看看那里画的和实物一样大小的野牛和野马，直接体验一下壁画所产生的那种难以抗拒的力量，他立刻就会了解，壁画的创作者不仅在形骸上而且在心灵上必定都已现代化了。

显然，从大约10万年到5万年前，我们祖先的能力发生了某种重大的变化。那次大跃进提出了两个未解决的主要问题，即其触发原因及发生地点问题。至于原因问题，我曾在《第三种黑猩猩》一书中主张，是喉的完善为现代语言提供了解剖学的基础，而发挥人的创造力是要大大依靠语言的。而另外一些人则提出，在当时脑容量不变的情况下脑组织发生的变化，使现代语言成为可能。

至于这个大跃进发生的地点问题，它是不是发生在某一个地理区域，发生在某一群人当中，因而使他们能够扩张自己的势力范围，并取代了世界上其他地方以前的那些人？或者，它是不是在不同地区同时发生，而今天生活在这每一个地区的人可能就是大跃进前生活在该地区的人的后代？在非洲出土的、看上去相当现代的、大约10万年前人的头骨，一直被用来支持前一种观点，认为大跃进明确地发生在非洲。（对所谓线粒体DNA的）分子研究起初也是用现代人发源于非洲这种说法来解释的，虽然这些分子发现的含义目前仍然值得怀疑。另一方面，千百万年前生活在中国和印度尼西亚的人的头骨，则被一些体质人类学家认为分别显示了仍可在现代中国人和澳大利亚土著居民身上发现的一些特征。果真如此，那么这一发现可能表明现代人的平行演化和发源于多个地区，而不是发源于一个伊甸园，这个问题仍然没有解决。

主张现代人发源于一个局部地区，接着向外扩散，到后来又取代了其他地方的人，这方面最强有力的证据似乎是在欧洲。大约 4 万年前，克罗马努人带着他们现代人的体格、优良的武器和其他先进的文化特征进入欧洲。不出几千年，尼安德特人不复存在，虽然几千年来，他们作为欧洲唯一的居民，一直在这块土地上繁衍生息。这个结果有力地表明了，现代的克罗马努人以某种方式利用他们的远为优良的技术和他们的语言技能或智慧，用病菌传染、杀害或取代了尼安德特人，而又很少或根本没有任何证据可以证明尼安德特人和克罗马努人之间的混合现象。

这种大跃进同我们的祖先在欧亚大陆定居以来第一次被证实的人类地理的重大扩张，在时间上不谋而合。这次扩张包括占据澳大利亚和新几内亚，这两个地方在当时还连在一起成为一个大陆。许多用碳 –14 测定的遗址证明，从 4 万年到 3 万年前（还有那照例必有的对正确性提出质疑而认为时间多少要早一些的主张），人类已在澳大利亚／新几内亚出现了。从开始有人居住的很短时间内，人类已扩散到整个大陆，并对那里形形色色的栖息地，从新几内亚的热带雨林和高山地区，到澳大利亚干燥的内陆和潮湿的东南角，都已能适应。

在冰川时代，海洋中大量的水被锁闭在冰川中，因此全世界海平面要比现在低几百英尺。结果，现在亚洲和印度尼西亚的苏门答腊、婆罗洲、爪哇和巴厘这些岛屿之间的浅海当时成了干燥的陆地。（其他一些水浅的海峡如白令海峡和英吉利海峡情况也是如此。）东南亚大陆边缘比现在的位置要往东700英里。然而，在巴厘岛和澳大利亚之间的印度尼西亚中部诸岛仍然为一些深水海峡所包围和分隔。那时候，要从亚洲大陆到达澳大利亚／新几内亚，仍然需要渡过至少8个海峡，其中最宽的一个海峡至少有50英里宽。被大多数这样的海峡分隔开的岛屿彼此隔海相望，但从澳大利亚看不见印度尼西亚，即使最近的岛屿——帝汶岛和塔宁巴岛。因此，对澳大利亚／新几内亚的占有是一个重大事件，因为那需要有水运工具，因此这一点显然提供了关于历史上使用水运工具的最早证据。直到大约3万年后（13000年前）才有了除地中海外世界上任何其他地方出现了水运工具的有力证据。

起先，一些考古学家认为，向澳大利亚／新几内亚移居可能是意外的结果：有几个人在印度尼西亚的一个岛屿旁的木筏上捕鱼时被卷入海中。有一个极端的设想把首批移民描绘为其中有一个怀有男性胎儿的年轻孕妇。但是，相信这种偶然移民论的人却由于最近的一些发现而大吃一惊，这些发现表明，到了大约35000年前，在新几内亚东面还有一些岛屿紧接在新几内亚本土之后也有人移居了。这些岛屿是俾斯麦群岛中的新不列颠岛和新爱尔兰岛，以及所罗门群岛中的布喀岛。布喀岛即使从西边最近的岛屿也无法看到，因此到达这个岛屿的唯一办法就是渡过大约100英里宽的水口。因此，早期的澳大利亚人和新几内亚人可能是有意识地渡水前往一些看得见的岛屿，同时由于经常使用水运工具，他们不断地在无意中抵达了甚至看不见的、遥远的岛屿。

除了人类自到达欧亚大陆以来第一次使用水运工具和扩大活动范围外，对澳大利亚／新几内亚移民还与另一个重大的第一次联系在一起：人类第一次大规模灭绝大型动物物种。今天，我们把非洲看作是大型哺乳动物的大陆。现代欧亚大陆也有许多种大型哺乳动物（虽然数量显然没有非洲塞伦格蒂大平原上的那样多），如亚洲犀、大象和老虎，以及欧洲的驼鹿、熊和（在古典时期前的）狮子。今天的澳大利亚／新几内亚没有同样的大型哺乳动物，事实上连大于100磅重的袋鼠的哺乳动物也没有了。但澳大利亚／新几内亚以前也曾有过它自己的一批多种多样的大型哺乳动物，包括大袋鼠，和其状如犀、其大如牛、叫做古草食有袋动物的有袋类动物，以及有袋类的"豹"。它以前还有一种体重400磅状如鸵鸟的不会飞的鸟，以及一些大得吓人的爬虫，包括一种一吨重的蜥蜴、一种巨蟒和陆栖鳄鱼。

澳大利亚／新几内亚的所有这些巨型动物在人类到达后全都消失了。虽然对于这些动物灭亡的确切时间一直存在争议，但有几个澳大利亚考古遗址，其年代绵延几万年之久，动物遗骨沉积惊人地丰富，在经过仔细地发掘之后，竟没有发现有关过去35000年中现已灭绝的巨型动物的一丝痕迹。因此，这种巨型动物大概在人类到达澳大利亚不久后就灭绝了。

如此众多的大型动物几乎同时消失这一点引出了一个显而易见的问题：是什么造成了这种情况？一个显而易见的可能答案是：它们被首批到达的人类杀光了或间接消灭了。请记住：澳大利亚／新几内亚的动物曾经在没有人类猎杀的情况下演化了几百万年。我们知道，加拉帕戈斯群岛和南极的鸟类和哺乳动物同样也是在没有人类的情况下演化的，并且直到现代才看见了人，所以今天仍然温顺得不可救药。如果不是环境保护主义者采取了保护性措施，它们可能已经很快灭绝了。在其他一些最近才发现的岛上，由于保护措施没有很快实施，消灭动物的事的确发生了：一个这样的受害者就是毛里求斯岛的渡渡鸟，渡渡鸟实际上已成了一种绝种的象征。我们现在还知道，在史前时代已有人移居的、如今得到详细研究的每一个海洋岛屿上，人类的移居导致了一阵灭绝动物的行动，这个行动的受害者包括新西兰的恐鸟、马达加斯加岛的大狐猴和夏威夷的不能飞翔的巨型野鹅。正像现代人向不知害怕的渡渡鸟和海岛海豹走过去并把它们杀死一样，史前人大概也是向不知害怕的恐鸟和大狐猴走过去并把它们杀死的。

因此，关于澳大利亚和新几内亚的巨型动物消失的一个假设是，它们在大约4万年前遭到了同样的命运。相形之下，倒是非洲和欧亚大陆的大多数大型哺乳动物活到了现代，因为它们已和原人一起共同进化了几万年或几百万年。因此，由于我们祖先开始时并不高明的狩猎技巧提高得很慢，它们就有了充裕的时间来逐步形成对人类的恐惧。对渡渡鸟、恐鸟，也许还有澳大利亚/新几内亚的巨型动物来说，它们的不幸是在毫无演化准备的情况下，突然遭遇了入侵的、狩猎技巧已经充分发展起来的现代人。

然而，就澳大利亚/新几内亚的情况而言，对这种所谓过度猎杀的假设也并非没有人提出异议。一些持批评意见的人强调指出，迄今还不曾有人用文献证明这是澳大利亚/新几内亚某种绝种的巨型动物的遗骨，也没有令人信服的证据表明它是被人杀死的，或甚至曾经同人类生活在一起。为过度猎杀的假设进行辩护的人则回答说：如果这种灭绝行动完成得十分迅速，而且是在很久以前，例如大约4万年前的几千年内就完成了，那么你几乎不可能找到猎杀的遗址。那些持批评意见的人则回敬以一种相反的理论：这些巨型动物是死于气候的变化，例如在本已长期干旱的澳洲大陆发生了严重的旱灾。这方面的争论仍在继续。

就我个人来说，我无法理解的是，澳大利亚巨型动物在其澳大利亚的几千万年的历史中何以历经无数的干旱而不死绝，后来却决定几乎同时倒毙（至少在几百万年这个时间范围内），而时间又正好和第一批人类到达的时间碰巧一致。这些巨型动物灭绝的地方不仅有澳大利亚中部的干旱地区，而且还有潮湿的新几内亚/澳大利亚东南部地区。它们灭绝于一个个栖息地，从沙漠地带到冷雨林和热带雨林，无一例外。因此，在我看来，极有可能的是，这些巨型动物确实是被人消灭的，直接地（被杀来当食物）和间接地（由于人为引起的火灾和栖息地的改变）。但是，过度猎杀的假设也好，气候变化的假设也好，不管哪一个假设证明是正确的，我们将会看到，澳大利亚/新几内亚所有大型动物的消失对其后的人类历史带来了严重的后果。这些动物绝种了，本来可以用来驯化的所有大型野生动物也就被消灭了，这就使澳大利亚土著和新几内亚人再也没有一种属于本地的家畜了。

因此，人类移居澳大利亚/新几内亚差不多到大跃进的时候才实现。随后接着发生的人类活动范围的又一次扩张，是进入欧亚大陆的最寒冷地区。虽然尼安德特人生活在冰川时代，对寒冷的气候已经适应，但他们再没有向北进一步深入，只到德意志北部和基辅为止。这并不奇怪，因为尼安德特人显然没有针，没有缝制的衣服、温暖的住房以及其他为在最寒冷气候中生存所必不可少的技术。从解剖学看，确实掌握了这种技术的现代民族，在大约2万年前进入西伯利亚(对此通常都有一些认为时间还要早得多的说法)。这一扩张可能就是欧亚大陆长毛象和长毛犀绝种的原因。

随着人类在澳大利亚／新几内亚的定居，现在人类已占据了可以居住的5个大陆中的3个。（在本书中，我始终把欧亚大陆算作一个大陆，我没有把南极大陆计算在内，因为南极大陆直到19世纪才有人到达，而且从来没有任何自给自足的居民。)这样就只剩下两个大陆：北美洲和南美洲。它们无疑是最后两个有人定居的大陆，这原因很明显，因为从旧世界到达美洲要么用船(甚至在印度尼西亚直到4万年前才有证据表明已有了船，而欧洲要晚得多才有船)去渡海，要么得先占有西伯利亚(直到大约2万年前才有人居住)以便通过白令陆桥。

然而，不能肯定的是，在大约14000年前到35000年前这段时间里，美洲究竟于何时第一次有人移居。美洲最古老的没有争议的人类遗存是公元前12000年左右的阿拉斯加遗址，随后是加拿大边界以南的美国和墨西哥的大量遗址，时间是公元前11000年以前的几百年。后一种遗址称为克罗维遗址，是按照新墨西哥州克罗维城附近的那种类型的遗址命名的。这些遗址上具有代表性的巨大的石制矛头第一次得到确认。现在已知有数以百计的克罗维遗址散布在北美南部的美国本土全部48个州，往南直到墨西哥。在那以后不久，关于存在人类的没有争议的证据出现在亚马孙河地区和巴塔哥尼亚高原。这些事实提供了这样的解释，即克罗维遗址用实际材料证明了美洲第一次有人移居，这些人迅速繁衍、扩张，布满了这两个洲。

人们开始时会感到惊讶：克罗维的子孙们竟能在不到1000年的时间里到达美加边界以南8000英里处的巴塔哥尼亚高原。然而，说得简单一点，就是平均每年只向前推进8英里，这对于那些以狩猎和采集为生的人来说简直是小事一桩，因为他们平常在寻找食物时，在一天之内也可能走这么远的距离。

人们开始时同样会感到惊讶：美洲显然很快就布满了人，所以他们就有目的地不断往南朝巴塔哥尼亚高原推进。如果人们停下来考虑一下实际人数，这种人口增长也就不足为奇了。如果美洲最终容纳以狩猎采集为生者的人数，达到平均人口密度稍低于每平方英里一个人（对于现代的以狩猎采集为生的人来说，这是一个很高的值），那么整个美洲地区最终就能容纳1000万以狩猎采集为生的人。但是，即使最初的移民只有100个人，而他们的人数以每年百分之一点一增加，那么，不出1000年，人口最高可达1000万人。每年百分之一点一的人口增长率又是小事一桩：在现代，当人们向处女地移民，就像英国皇家海军“邦蒂”号上的反叛者和他们的塔希提妻子向皮特凯恩岛移民那样，曾经观察到的人口增长率高达每年4.3%。

克罗维猎人在到达后的开头几百年内留下的大量遗址，类似于得到考古证明的有关毛利人祖先在较晚近时期发现新西兰后所留下的大量遗址。解剖学上的现代人在更早得多的时候已经向欧洲移民以及在澳大利亚/新几内亚定居，有关这方面的大量遗址也已得到了证明。这就是说，关于克罗维现象及其在美洲扩展的每一件事，都是和对历史上其他一些没有争议的向处女地移民的发现是一致的。

克罗维遗址突然出现在公元前11000年前的几百年中，而不是出现在公元前16000或21000年前的几百年中，这可能会有什么意义呢？请记住：西伯利亚终年严寒，在更新世冰期的很大一部分时间里，连绵不断的冰原在整个加拿大成了无法通行的障碍。我们已经看到，对付严寒所需要的技术，要到解剖学上的现代人在大约4万年前大批进入欧洲之后才出现，而人类向西伯利亚移民还要晚2万年。

最后，这些早期的西伯利亚人到了对面的阿拉斯加，或是由海路渡过白令海峡(甚至在今天也只有50英里宽)，或是在白令海峡还是干燥陆地的冰川时代徒步走过去的。白令陆桥在其几千年的间歇存在期间可能宽达1000英里，覆盖着一望无际的苔原，适应了寒冷条件的人是容易越过的。最近一次，当大约公元前14000年后海平面上升时，陆桥被水淹没，又一次成了海峡。不管这些早期的西伯利亚人是徒步走到阿拉斯加的还是划船过去的，阿拉斯加有了人迹的最早的可靠证据可以追溯到公元前12000年左右。

在那以后不久，加拿大的冰原上出现了一条由北向南的没有冰雪的走廊，使首批阿拉斯加人得以从中通过，来到了现代加拿大城市埃德蒙顿周围的北美大平原。这就为现代人消除了阿拉斯加和巴塔哥尼亚高原之间最后的严重障碍。埃德蒙顿的这些开路先锋们可能发现大平原上到处都是猎物。他们就在这里繁衍生息，他们的人数增加了，于是逐步地向南扩散，最后占据了整个西半球。

克罗维现象的另一个特征和我们关于加拿大冰原以南首次出现了人类这一推测不谋而合。和澳大利亚/新几内亚一样，美洲原来也是到处都有大型哺乳动物。大约在15000年前，美洲西部的情形很像今天非洲塞伦格蒂大平原，有成群的大象和被狮子及猎豹追逐的野马，还有许多诸如骆驼和巨型地懒之类的奇异动物。正和在澳大利亚/新几内亚一样，在美洲大多数这样的大型哺乳动物也灭绝了。这些动物的灭绝在澳大利亚大概发生于3万年前，而在美洲则发生在大约17000年到12000年前。这些已经灭绝的美洲哺乳动物留有大量的骨骼，其年代也已得到精确的测定，因此可以确认它们的灭绝发生在公元前11000年左右。也许，灭绝时间测定得最精确的两种动物是沙斯塔的地懒和大峡谷地区哈林顿的石山羊；这两种动物的种群在公元前11100年前后的一两百年内就消失了。不管是否是由于巧合，这个年代同克罗维的猎人到达大峡谷的年代是一致的，即使有误差，也是在实验的许可范围之内。

在许多毛象骨骼的肋骨之间都嵌着克罗维人的矛头，这一发现表明，上述年代的一致并非巧合。克罗维的猎人们在美洲向南推进，遇到了以前从未见过人的大型动物。他们可能发现这些美洲动物很容易杀死，于是就把它们消灭了。一种相反的理论说，美洲的大型动物之所以灭绝，是由于上一次冰期结束时发生的气候变化，而这一气候变化（对现代古人类学家来说，是解释混乱）也是发生在公元前11000年左右。

关于美洲大型动物灭绝的气候理论和关于澳大利亚/新几内亚大型动物灭绝的气候理论，就我个人而言，是同一个问题。美洲的这些大型动物已经熬过了前面的二十二次冰期。为什么它们中的大多数却要在面对所有这些可能无害的人类时选定第二十三次冰期一齐死去呢？为什么它们在所有栖息地都消失了，不仅在那些缩小了的栖息地消失了，而且也在上一次冰期结束时大大扩大了的栖息地消失了？因此，我推测这是克罗维猎人干的，但这一争论仍然没有解决。不管哪种理论证明是正确的，本来可以由美洲土著驯养的大多数种类的大型野生哺乳动物从此被消灭了。

同样没有解决的问题是：克罗维猎人是否真是最早的美洲人。事情总是这样：每当有人宣布发现了什么最早的东西时，就会不断地有人作出新的宣布，说是在美洲发现了克罗维人以前的人类遗址。每一年，这些新的宣布中总有几项在当初作出时的确显得令人信服而又激动人心。接着，关于如何去解释这些发现，这个不可避免的问题产生了。所报道的在遗址中发现的石器真的是人工打造的，或者不过是天然的特定形状的石块？所报道的用碳－14测定法测定的年代真的很正确，而不会由于可能困扰碳－14测定法的许多难题中的任何一个难题而变得毫无价值呢？如果这些年代是正确的，那么它们是不是真的和人类的制品有关，而不恰好是一块15000年的木炭落在了实际上是在9000年前打造的一个石器旁边？

为了说明这些问题，请考虑一下下面的一个常被引用的所谓比克罗维更早的发现的典型例子。在巴西的一个叫做佩德罗弗拉达的岩棚上，一些考古学家发现了一些无疑是人画出来的洞穴壁画。他们还发现，在一处悬崖的底下有一堆堆石头，其中有些石头的形状表明它们可能是一些粗糙的石器。此外，他们还在无意中发现了一些被认为是炉灶的东西，里面烧过的木炭用碳－14测定法测得的年代是大约35000年前。关于佩德罗弗拉达的论文被发表在权威的有高度选择性的国际科学杂志《自然》上。

但是，在那悬崖底下的那些石头中，没有一块石头像克罗维人的矛头和克罗马努人的石器那样一眼就可看出是人类制造的工具。如果几十万块石头在几万年的过程中从高高的悬崖上落下，其中有许多在撞击下面的石头时变成了屑片和碎裂开来，有些会碰巧像人工削凿成的粗糙的石器。在西欧和亚马孙河地区的其他地方，考古学家们用碳－14测定法测定了当时在洞穴壁画上所使用的颜料，但在佩德罗弗拉达没有这样做。在周围地区经常发生森林火灾，大火把木头烧成了木炭，而木炭又经常被风和溪水卷进洞穴。没有任何证据可以把35000年前的木炭同佩德罗弗拉达的无庸置疑的洞穴壁画联系起来。尽管原来的发掘者们仍然深信不疑，但一群虽未参加发掘但能迅速接受比克罗维人更早这种说法的考古学家不久前访问了这个遗址，又带着满腹狐疑走了。

当前北美有一处最可信的被认为可能是克罗维人之前的遗址，这就是美国宾夕法尼亚州的梅多克罗夫特岩棚。据报道，这里的人类遗址用碳-14测定法测定的年代为大约16000年前。在梅多克罗夫特，没有一个考古学家否认确实在许多仔细发掘的堆积层中发现了许多人类制品。但是，这些用碳-14测定法测定的最早的年代是讲不通的，因为与这些年代相联系的动植物是最近生活在气候温和的宾夕法尼亚的一些物种，而不是可能生活在16000年前冰川时代的那些物种。因此，人们不得不怀疑，被测定的为人类使用的年代最远的木炭样品可能是克罗维人之后的木炭，不过混进了一些时间较早的碳罢了。在南美，最有可能证明是克罗维人之前的遗址的是智利南部的蒙特维第遗址，年代至少在15000年以前。现在有许多考古学家也似乎认为可信，但鉴于以前的种种失望，还是小心为妙。

如果美洲的确曾经存在过比克罗维人更早的人，为什么仍然这样地难以证明他们的存在呢？考古学家们在美洲已经发掘了数以百计的、年代明显在公元前2000年至11000年之间的遗址，其中包括北美西部的几十个克罗维人的遗址，阿巴拉契亚山脉中的一些岩棚，以及加利福尼亚州沿海的一些遗址。在许多这样的遗址中，在所有那些明确显示存在过人类的考古层下面，又对更深的、时间更久远的堆积层进行了发掘，结果仍然只发现动物的遗骸——但找不到关于存在过人类的进一步证据。在美洲找到的比克罗维人更早的证据的弱点，同在欧洲找到的证据的优点形成了鲜明的对比，因为欧洲的数以百计的遗址证明了远在克罗维猎人于公元前11000年出现在美洲之前，现代人就已在欧洲存在了。甚至更加引人注目的是来自澳大利亚/新几内亚的证据，那里的考古学家人数几乎不到美国的十分之一，但就是很少的这几个考古学家却发现了散布在整个大陆上的一百多个明确属于克罗维人之前的遗址。

早期人类当然不会乘直升机从阿拉斯加飞往梅多克罗夫特和蒙特维第，而置沿途整个风景于不顾。主张在克罗维人之前就已有人类定居的人提出，由于世界上其他地方前所未闻的原因，克罗维人以前的人类在几千年甚至几万年中人口密度一直很低，或在考古上始终行踪难觅。我发现，这种意见比另一种意见更其严重地不合情理，这后一种意见是：对蒙特维第和梅多克罗夫特的遗址最终将会予以重新解释，就像已经对其他一些所谓的克罗维人之前的遗址重新予以解释那样。我觉得，如果美洲的确在克罗维人之前就有人定居了，那么到现在可能已在许多地方找到明显的证据了，而我们也不必继续争论下去了。然而，对这些问题考古学家们的意见仍然存在分歧。

不管哪种解释证明是正确的，都不会影响我们对美洲后期史前史的了解。要么是：美洲在公元前 11000 年左右首次有人类定居，并很快地布满各地；要么是：人类首次定居发生的时间要稍早一些（大多数主张在克罗维人之前就已有人类定居的人提出，定居的时间不迟于 15000 年或 20000 年前，可能是 30000 年前，几乎没有人认真地认为时间会更早）；但直到公元前11000年左右，这些比克罗维人更早的移民人数仍然很少，或者不引人注目，或者几乎没有发生过任何影响。不管是哪种情况，在可以住人的 5 个大陆中，北美洲和南美洲是人类史前史最短的两个大陆。

随着人类在美洲的定居，各个大陆和陆边岛屿以及从印度尼西亚到新几内亚东面的洋中岛，凡是可居住的大多数地区都有人类在生活。在世界上其余岛屿的定居直到现代才完成：地中海诸岛如克里特岛、塞浦路斯岛、科西嘉岛和撒丁岛约在公元前 8500 年到 4000 年之间；加勒比海诸岛从公元前4000年左右开始；波利尼西亚群岛和密克罗尼西亚群岛在公元前1200年到公元1000年之间；马达加斯加岛在公元300年到800年之间；冰岛在公元9世纪。美洲印第安人可能是现代伊努伊特人的祖先，他们大约在公元前2000年遍布北极附近地区。这样，在过去的700年中，唯一的无人居住、等待欧洲探险者光顾的地区就只剩下大西洋和印度洋中那些最偏远的岛屿（如亚速尔群岛和塞舌尔群岛）和南极大陆了。

各个大陆人类定居的年代有先后之分，这对其后的历史究竟有何影响？假使有一架时间机器把一个考古学家送回过去，让他在公元前11000年左右来一次环游世界。考虑到当时世界的情况，这个考古学家是否能够预测到各个大陆上人类社会会接二连三地发展出枪炮、病菌和钢铁，并从而预测到今天世界的情况呢？

我们的这位考古学家也许考虑过可能的领先优势。如果这种领先优势能够说明什么问题的话，那么非洲就是处于巨大的优势了：非洲大陆出现独立的原人比任何其他大陆至少要早500万年。此外，如果现代人类的确是在大约10万年前出现在非洲，然后向其他大陆扩散，那么其他地方在这期间积累起来的优势都会被一扫而光，从而使非洲人取得新的领先优势。而且，人类遗传的多样性以非洲为最高；也许更多样的人类集体会带来更多样的发明创造。

不过，我们的这位考古学家那时可能会想：就本书的论题来说，究竟什么是"领先优势"？我们切不可拘泥于这个与赛跑有关的比喻的字面意义。如果说，领先优势的意思就是在最初几个开路先锋的移民到达后人类大批居住于一个大陆所需要的时间，那么这个时间是比较短的：例如，在不到1000年的时间里就布满了甚至整个新大陆。如果说，你认为领先优势的意思就是适应当地条件所需要的时间，那么我承认，适应极端的环境的确需要时间；例如，在人类于北美的其余地方定居后还要花9000年时间才在北极附近地区定居下来。但是，一旦现代人的创造力得到发展，人们就能探索并很快适应其他大部分地区。例如，毛利人的祖先在到达新西兰后，他们显然花了几乎不到100年时间就发现了各种有价值的石材资源；又花了仅仅几百年时间就在世界上一些最高低不平的地区把恐鸟全部杀死；又花了仅仅几百年时间分化成一系列形形色色的社会，从沿海狩猎采集社会到进行新型粮食贮藏的农民社会。

因此，我们的考古学家也许会在察看了美国后作出结论说，尽管非洲人拥有巨大的领先优势，但他们可能会在最多1000年内被最早的美洲人迎头赶上。从那以后，美洲的较大面积（比非洲的面积大5%）和大得多的环境多样性可能会使美洲土著获得对非洲人的优势。

这位考古学家接着可能会转向欧亚大陆并作如下的推论。欧亚大陆是世界上最大的大陆。除非洲外，它比任何其他大陆人类定居的时间都长。人类在100万年前才在欧亚大陆定居，而非洲在这之前很久就有人定居了。但这可能不说明任何问题，因为原人当时还处在一种相当原始的阶段。我们的考古学家可能会看一眼旧石器晚期西南欧的一片繁荣景象，那里有所有那些著名的艺术品和复杂的工具，然后他也许想要知道，当时的欧亚大陆是否已至少局部地取得了领先的优势。

最后，这位考古学家可能会再转向澳大利亚/新几内亚，首先注意到它的面积很小（它是最小的一个大陆），它的很大一部分是只能养活很少人的沙漠，这个大陆是与世隔绝的，人类在那里定居比在非洲和欧亚大陆都要晚。所有这一切可能会使这位考古学家预测到澳大利亚/新几内亚的缓慢发展。

但是请不要忘记：澳大利亚人和新几内亚人是世界上最早发展水运工具的人。他们创作洞穴壁画显然至少和欧洲的克罗马努人一样早。乔纳森·金登和蒂姆·弗兰纳里指出，人类从亚洲大陆架岛屿到澳大利亚/新几内亚来定居，需要学会应付他们在印度尼西亚中部岛屿上碰到的那种新环境——具有世界上最丰富的海洋资源、珊瑚礁和红树林的犬牙交错的海岸线。当这些移民渡过每个印度尼西亚岛屿和它东面的另一个岛屿之间的海峡时，他们又一次适应并布满了这个岛，接着再向下一个岛屿移民。这是一个迄今为止人口连续爆炸的、史无前例的黄金时代。也许，这种周而复始的移民、适应性变化和人口爆炸，是专为大跃进做准备的。大跃进在这里发生后，再向西传播回欧亚大陆和非洲。如果这个设想是正确的，那么澳大利亚/新几内亚就是取得了一种巨大的领先优势，这种优势本来是可以在大跃进之后很久继续推动那里的人类发展的。

因此，一个被送回到公元前11000年的观察者可能不会预测到哪个大陆上的人类社会会发展最快，但他可以提出充分的理由说明任何一个大陆都有这样的机会。当然，从事后来看，欧亚大陆就是这样的一个大陆。但结果表明，欧亚大陆社会发展较快的真实原因根本不是我们所虚构的公元前11000年时的考古学家所猜测的那种直截了当的原因。本书以下篇幅所要研究的就是去发现那些真正的原因。

注　释：

1. 对于过去15000年左右的一些年代，本书自始至终所引用的都是所谓已经碳-14测定的年代，而不是普通的未经碳-14测定的年代。这两种年代的差异将在第五章中予以说明。测定过的年代被认为更符合历书上的年代。习惯于未经测定的年代的读者们如果发现我引用了明显错误的年代，即我所引用的年代早于他们所熟悉的年代，那么他们就必须记住这个差异。例如，对于北美克罗维考古地层通常引用的年代是公元前9000年左右（11000年前），而我所引用的年代则是公元前11000年左右（13000年前），因为通常引用的这个年代是未经核定的。

第二章　历史的自然实验

在新西兰以东500英里处的查塔姆群岛上，莫里奥里人的长达几个世纪的独立，于1835年在一片腥风血雨中宣告结束。那一年的11月19日，500个毛利人带着枪支、棍棒和斧头，乘坐一艘船来到了。接着在12月5日，又有一艘船运来了400个毛利人。一群群毛利人走过莫里奥里人的一个个定居点，宣布说莫里奥里人现在是他们的奴隶，并杀死那些表示反对的人。当时，如果莫里奥里人进行有组织的抵抗，是仍然可以打败毛利人的，因为毛利人在人数上以一比二处于劣势。然而，莫里奥里人具有一种和平解决争端的传统。他们在议事会上决定不进行反击，而是提出和平、友好和分享资源的建议。

莫里奥里人还没有来得及发出那个建议，毛利人已开始了全面进攻。在以后的几天中，他们杀死了数以百计的莫里奥里人，把他们的许多尸体煮来吃，并把其余所有的人变为奴隶，在其后的几年中又把其中大多数人随心所欲地杀死。一个莫里奥里的幸存者回忆说，“（毛利人）开始杀我们，就像宰羊一样……（我们）都吓坏了，逃到灌木丛中，躲进地洞里，逃到任何可以躲避我们敌人的地方。但这都没有用；我们被发现了并被杀死——男人、女人和小孩，一古脑儿地被杀死。”一个毛利人征服者解释说，“我们占领了……是按照我们的习俗，我们还捉住了所有的人。一个也没有逃掉。也有一些从我们手中逃走的，这些人我们抓住就杀，我们还杀了其他一些人——但那又怎么样呢？这符合我们的习俗。”

莫里奥里人和毛利人之间这场冲突的残酷结果，本是不难预见的。莫里奥里人是一个很小的与世隔绝的族群，他们是以狩猎采集为生的人，他们所掌握的仅仅是最简单的技术和武器，对打仗毫无经验，也缺乏强有力的领导和组织。毛利人入侵者（来自新西兰的北岛）来自人口稠密的农民，他们长期从事残酷的战争，装备有比较先进的技术和武器，并且在强有力的领导下进行活动。当这两个群体发生接触时，当然是毛利人屠杀莫里奥里人，而不是相反。

莫里奥里人的悲剧与现代世界和古代世界的其他许多诸如此类的悲剧有相似之处，就是众多的装备优良的人去对付很少的装备低劣的对手。毛利人和莫里奥里人的这次冲突使人们了解到一个可怕事实，原来这两个群体是在不到1000年前从同一个老祖宗那里分化出来的。他们都是波利尼西亚人。现代毛利人是公元1000年左右移居新西兰的波利尼西亚农民的后代。在那以后不久，这些毛利人中又有一批移居查塔姆群岛，变成了莫里奥里人。在这两个群体分道扬镳后的几个世纪中，他们各自朝相反的方向演化，北岛毛利人发展出比较复杂的技术和政治组织，而莫里奥里人发展出来的技术和政治组织则比较简单。莫里奥里人回复到以前的狩猎采集生活，而北岛毛利人则转向更集约的农业。

这种相反的演化道路注定了他们最后冲突的结果。如果我们能够了解这两个岛屿社会向截然不同的方向发展的原因，我们也许就有了一个模式，用以了解各个大陆不同发展的更广泛的问题。

莫里奥里人和毛利人的历史构成了一个短暂的小规模的自然实验，用以测试环境影响人类社会的程度。在你阅读整整一本书来研究大范围内的环境影响——过去13000年中环境对全世界人类社会的影响——之前，你也许有理由希望通过较小的试验来使自己确信这种影响确实是意义重大的。如果你是一个研究老鼠的实验科学家，你可能会做这样的实验：选择一个老鼠群体，把这些祖代老鼠分成若干组，分别关在具有不同环境的笼子里，等这些老鼠传下许多代之后再回来看看发生了什么情况。当然，这种有目的的实验不可能用于人类社会。科学家只能去寻找“自然实验”，因为根据这种实验，人类在过去也碰到了类似情况。

这种实验在人类定居波利尼西亚时展开了。在新几内亚和美拉尼西亚以东的太平洋上，有数以千计的星罗棋布的岛屿，它们在面积、孤立程度、高度、气候、生产力以及地质和生物资源方面都大不相同(图2.1)。在人类历史的大部分时间里，这些岛屿都是水运工具无法到达的地方。公元前1200年左右，一批来自新几内亚北面俾斯麦群岛的，从事农业、捕鱼和航海的人，终于成功地到达了其中的一些岛屿。在随后的几百年中，他们的子孙几乎已移居到太平洋中每一小块可以住人的陆地上来。这个过程大都在公元500年时完成，最后几个岛大约在公元1000年或其后不久有人定居。

这样，就在一个不太长的时间内，存在巨大差异的各种岛屿环境中都有人定居下来，所有这些人都是同一群开山鼻祖的子孙后代。所有现代波利尼西亚人的最初祖先基本上都具有同样的文化、语言、

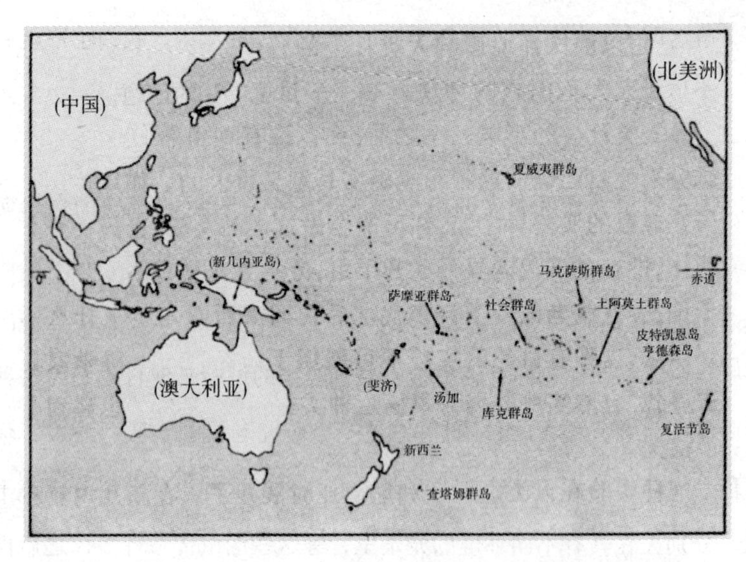

图 2.1 波利尼西亚群岛。（括弧表示某些非波利尼西亚的土地。）

技术和一批驯化的动植物。因此，波利尼西亚人的历史构成了一种自然实验，使我们能够研究人类的适应性问题，而不致由于不同移民的多次人口骤增所引起的常有的复杂情况而使我们无法去了解世界其他地方人类的适应作用。

在这个中等规模的试验内，莫里奥里人的命运又构成了一个更小的试验。要追溯查塔姆群岛和新西兰的不同环境是如何不同地塑造了莫里奥里人和毛利人的，这容易做到。虽然最早在查塔姆群岛移民的毛利人祖先可能都是农民，但毛利人的热带作物不可能在查塔姆群岛的寒冷气候下生长，所以那些移民别无它法，只得重新回到狩猎采集生活。由于他们以狩猎采集为生，他们不能生产多余的农作物供重新分配和贮藏之用，所以他们无法养活不事狩猎的专门手艺人、军队、行政官员和首领。他们的猎物有海豹、有壳水生动物、巢居海鸟和鱼，这些猎物可以用手或棍棒来捕捉，不需要更复杂的技术。此外，查塔姆群岛都是一些比较小、比较偏远的岛屿，能够养活的总人口只有2000个左右的以狩猎采集为生的人。由于没有其他可以到达的岛屿用来移民，这些莫里奥里人只得留在查塔姆群岛，学会彼此和睦相处。他们通过宣布放弃战争来做到这一点，他们还通过阉割一些男婴来减少人口过剩的潜在冲突。其结果是出现了一个小小的不好战的群体，他们的技术和武器简单粗陋，他们也没有强有力的领导和组织。

相比之下，新西兰的北部（比较温暖）是波利尼西亚的最大岛群，适宜于波利尼西亚的农业。留在新西兰的那些毛利人人数增加了，直到超过10万人。他们在局部地区形成了密集的人口，这些人长期从事与邻近居民的残酷战争。由于他们栽种的农作物有剩余并可用来贮藏，他们养活了一些专门的手艺人、首领和兼职士兵。他们需要并制作了各种各样的工具，有的用来栽种农作物，有的用来打仗，还有的用来搞艺术创作。他们建造了精致的用作举行仪式的建筑物和为数众多的城堡。

就这样，莫里奥里人和毛利人由同一个祖先发展出来，但沿着十分不同的路线。由此产生的两个社会甚至不知道彼此的存在，他们在许多世纪中，也许长达500年之久再也没有接触过。最后，一艘海豹捕猎船在前往新西兰途中到过查塔姆群岛，它给新西兰带来了关于这个群岛的消息，那里“有大量的海鱼和有壳水生动物；湖里到处是鳗鱼；它是喀拉喀浆果之乡……那里居民众多，但他们不懂打仗，所以没有武器。”这个消息足以诱使900个毛利人乘船前往查塔姆群岛。这个结果清楚地表明了环境在很短时间内能在多大程度上影响经济、技术、政治组织和战斗技巧。

我已经提到，毛利人和莫里奥里人的冲突代表一个中等规模的试验内的一个小试验。关于环境对人类社会的影响问题，我们能够从整个波利尼西亚学到些什么？关于波利尼西亚不同岛屿上的一些社会之间的差异，有哪些是需要予以解释的？

从整体来看，波利尼西亚在环境状况方面显得比新西兰和查塔姆群岛范围广泛得多，虽然后者为波利尼西亚人的组织规定了一个极端（单纯目的）。波利尼西亚人的生存方式从查塔姆群岛上以狩猎采集为生的人，到刀耕火种的农民，到生活在不管哪种人类社会都算得上人口密度最高的某些地区从事集约型粮食生产的人。波利尼西亚的粮食生产者在不同的时间里加强对猪、狗和鸡的饲养。他们组织劳动力去建设大型农业灌溉系统，围筑很大的池塘去养鱼。波利尼西亚社会的经济基础由或多或少自给自足的家庭构成，但有些岛上还扶持一些由兼职世袭的专门手艺人组成的行会。在社会组织方面，波利尼西亚人的社会范围很广，从相当平等的村落社会到某些属于世界上等级最严格的社会，无所不有。这后一种社会有许多按等级排列的家族，还有首领阶级和平民阶级，这些阶级的成员只在自己阶级的内部通婚。在政治组织方面，波利尼西亚群岛从划分为部落单位或村落单位的一个个地区，直到一些由多个岛屿组成的原型帝国，也无所不有。这些原型帝国建有常备军事机构，专门用来对付其他岛屿的入侵和用来进行征服战争。最后，至于波利尼西亚的物质文化，从只能生产个人用具到建造纪念性的石头建筑，情况也各不相同。对于所有这些差异又应怎样解释呢？

在波利尼西亚群岛之间，至少有 6 种环境可变因素促成了波利尼西亚社会之间的这些差异：岛屿气候、地质类型、海洋资源、面积、地形的破碎和隔离程度。让我们逐一研究这些因素，然后再考虑它们对波利尼西亚社会的具体影响。

波利尼西亚从靠近赤道的大多数岛屿上热带或亚热带的温暖，到新西兰大部分地区的不冷不热，以及查塔姆群岛和新西兰南岛南部地区的亚南极的寒冷，各种气候都有。夏威夷的大岛虽然地处北回归线以内，但也有高山，足以维持一些高山栖息地，山上偶尔也会降雪。雨量也因地而异，有些地方雨量创世界最高纪录（在新西兰的峡湾地和夏威夷考爱岛上阿拉凯沼泽），有些岛上雨量只有上面的十分之一，这些地方干旱得只能勉强发展农业。

岛屿地质类型包括环状珊瑚岛、隆起的石灰岩、火山岛、陆地碎块，以及这些类型的混合类型。在一个极端，无数的小岛，如土阿莫土群岛中的那些岛屿，是一些刚刚露出海面的低平环状珊瑚岛。还有一些更早的环状珊瑚岛，如亨德森岛和伦纳尔岛，已经大大高出海面，形成了隆起的石灰岩岛。这两种类型的环状珊瑚岛使人类移居碰到了难题，因为它们完全由石灰岩构成，没有其他石头，只有薄薄的一层土壤，也没有长年不竭的淡水。在另一极端，波利尼西亚最大的岛屿是新西兰，它是一个从冈瓦纳大陆[1]分离出来的古老的、具有地质多样性的陆块，上面有一系列矿物资源，包括可作商业开发的铁、煤、黄金和玉石。波利尼西亚的其他大多数大岛都是高出海面的火山，从来不是陆地的一部分，它们可能包括也可能不包括隆起的石灰岩地区。这些海洋火山岛虽然不具备新西兰的那种丰富多样的地质条件，但至少（从波利尼西亚人的观点看）要比那些环状珊瑚岛稍胜一筹，因为它们提供了多种多样的火山石，其中有些非常适于打制石器。

这些火山岛本身也各不相同。较高火山岛的海拔高度给山地带来了雨水，所以这些岛屿受到风雨的严重侵蚀，有很厚的土壤和长年不竭的溪流。例如，社会群岛、萨摩亚群岛、马克萨斯群岛，尤其是夏威夷群岛，情况都是如此，因为它们在波利尼西亚群岛中是山势最高的。在较低的岛屿中，汤加群岛和(在较小程度上的)复活节岛由于火山灰的缘故土壤也很肥沃，但它们没有夏威夷群岛上的那种大溪流。

至于海洋资源，波利尼西亚群岛中的大多数岛屿都由浅水和礁石包围着，有许多上面还有泻湖。这里盛产鱼和有壳水生动物。然而，复活节岛、皮特凯恩岛和马克萨斯群岛的多岩石海岸和陡峭直下的洋底以及周围缺少珊瑚礁，使这里的海产少得多。

面积是另一个明显的可变因素，从只有100英亩的阿努塔这个有永久性居民的与世隔绝的波利尼西亚最小岛屿，一直到103000平方英里的新西兰这个微型大陆，各种大小应有尽有。有些岛上可以住人的地带被山脊分隔成一些四面围着悬崖峭壁的山谷，其中以马克萨斯群岛最为显著，而另一些岛，如汤加群岛和复活节岛，则是由起伏平缓的地形构成，对行走往来不造成任何障碍。

最后一个需要予以考虑的环境可变因素是隔离程度。复活节岛和查塔姆群岛面积很小，同其他岛屿又相距甚远，一旦开始有了移民，则那里所建立的社会就只能在与世界其余地区完全隔绝的状态下发展。新西兰、夏威夷和马克萨斯群岛也很偏远，但后两者在首次有了移民后确曾与其他群岛有过某种进一步的接触，而所有这三者又都是由许多岛屿组成，这些岛屿相距很近，有利于同一个群岛中各个岛屿之间的经常接触。波利尼西亚其他岛屿中的大多数与其他岛屿保持着或多或少的经常接触。尤其是，汤加群岛与斐济群岛、萨摩亚群岛和瓦利斯群岛咫尺相望，使各群岛之间可以定期航行，并最终使汤加征服了斐济。

在简短地考察了波利尼西亚各种不同的环境之后，现在让我们看一看这些不同是怎样影响波利尼西亚的社会的。生存是社会赖以产生的一个再恰当不过的方面，因为这个方面反过来又影响其他方面。

波利尼西亚人赖以生存的手段五花八门：捕鱼、采集野生植物、捕捞海洋有壳动物和甲壳动物、猎捕陆栖鸟和繁殖季节的海鸟，以及生产粮食。波利尼西亚大多数岛屿原来都有一些大型的不会飞的鸟，它们是在没有食肉动物的情况下演化出来的，新西兰的恐鸟和夏威夷的不会飞的野鹅就是这方面最著名的例子。虽然这些鸟是最早移民的重要的食物来源，在新西兰的南岛上尤其如此，但其中大多数在所有岛屿上很快灭绝了，因为它们很容易被追捕到。繁殖季节的海鸟数目也很快减少，但在有些岛上，它们仍然是重要的食物来源。海洋资源对大多数岛屿来说都是意义重大的，但对复活节岛、皮特凯恩群岛和马克萨斯群岛来说却最不重要，因为那里的人主要依靠自己生产的食物为生。

波利尼西亚人的祖先曾带来3种驯化动物（猪、鸡和狗），从那以后，在波利尼西亚范围内就再也没有驯养过任何其他动物。许多岛上仍然饲养着所有这3种动物，但那些比较孤立的波利尼西亚岛屿总要缺少一两种，这或许是由于用独木舟运送的家畜在移民的长时间的水上航行中没能存活下来，或许是由于家畜在岛上灭绝后无法迅速从外面得到补充。例如，与世隔绝的新西兰最后只剩下了狗；复活节岛和提科皮亚岛只剩下了鸡。由于无法到达珊瑚礁或海产丰富的浅水区，同时也由于陆栖鸟迅速灭绝，复活节岛上的居民转而建造鸡舍，进行集约化的家禽饲养。

然而，这3种驯养的动物最多也只能供人们偶尔吃上几顿。波利尼西亚人的食物生产主要依靠农业，而在亚南极纬度地区是不可能有农业的，因为波利尼西亚的所有作物都是热带作物，当初在波利尼西亚以外的地方驯化，后来被移民带了进来。查塔姆群岛和新西兰南岛寒冷的南部地区的移民，因此不得不放弃他们的祖先在过去几千年中发展起来的农业遗产而再次成为以狩猎采集为生的人。

波利尼西亚其余岛屿上的人也从事农业，主要是旱地作物（特别是芋艿、薯蓣和甘薯）、灌溉作物（主要是芋艿）和木本作物（如面包果、香蕉和椰子）。这几种作物的产量及其相对重要性在不同的岛上是相当不同的，这是由环境决定的。人口密度在亨德森岛、伦纳尔岛和环状珊瑚岛上是最低的，因为那里土壤贫瘠，淡水有限。在气候温和的新西兰，人口密度也很低，因为那里对某些波利尼西亚作物来说过于寒冷。这些岛上和其他一些岛上的波利尼西亚人，从事一种非集约型的、轮垦的、刀耕火种的农业。

其他一些岛屿虽然土壤肥沃，但因高度不够而没有长年不竭的大溪流，因此也就没有灌溉之利。这些岛上的居民发展了集约型的旱地农业，这需要投入很大的劳动力来修筑梯田，用覆盖料覆盖地面，进行轮作，减少或取消休耕期，以及养护林场。旱地农业在复活节岛、小小的阿努塔岛和低平的汤加岛尤其多产，这些地方的波利尼西亚人把他们的大部分土地专门用来种植粮食作物。

波利尼西亚的最多产农业是在水浇地里种植芋艿。在人口较多的热带岛屿中，汤加因其海拔低从而缺少河流而排除了这一选择。在夏威夷群岛最西端的考爱岛、瓦胡岛和莫洛凯岛，灌溉农业达到了顶峰，因为这些岛屿面积较大而又潮湿，不但有长年不竭的大溪流，而且还有可以用来从事建筑工程的众多人口。夏威夷用强征劳动力修建了浇灌芋艿田的复杂的灌溉系统，使每英亩芋艿产量达到24吨，是整个波利尼西亚农作物的最高产量。这些产量反过来又支援了集约型的养猪事业。在利用大规模劳动从事水产养殖方面，夏威夷在波利尼西亚群岛中也是独一无二的，那就是它修建了一些大型鱼塘来放养遮目鱼和鲻鱼。

由于在生存方面所有这些与环境有关的差异，人口密度(按每平方英里可耕地上的人数来测算)在整个波利尼西亚也差异很大。人口密度低的是查塔姆群岛(每平方英里仅 5 人)和新西兰南岛上以狩猎采集为生的人，还有新西兰其余地区的农民(每平方英里 28 人)。相形之下，许多从事集约型农业的岛屿的人口密度则超过每平方英里 120 人。汤加、萨摩亚和社会群岛达到每平方英里 210—250 人，夏威夷则达到每平方英里 300 人。阿努塔这个高地岛则达到了人口密度的另一极端，即每平方英里1100人，岛上的人把所有陆地都改作集约型粮食生产之用，从而在这个岛的 100 英亩土地上挤进了 160 个人，使自己跻身于世界上密度最大的自给自足的人口之列。阿努塔的人口密度超过了现代荷兰，甚至和孟加拉国不相上下。

人口的多少是人口密度(每平方英里的人数)和面积(平方英里)的乘积。相关的面积并不就是一个岛的面积，而是一个行政单位的面积，这个单位可以大于也可以小于一个岛。一方面，一些彼此靠近的岛可以组成一个行政单位。另一方面，一个高低不平的大岛则分成许多个独立的行政单位。因此，行政单位的面积不但因一个岛的面积大小而异，而且也会因该岛的地形破碎和隔离程度而有所不同。

对于一些孤立的小岛来说，如果不存在影响岛内交往的巨大障碍，那么整个岛就是一个行政单位——例如有 160 人的阿努塔岛。有许多较大的岛在行政上却从来没有统一过，这是否是因为这些岛上的人口组成或是每群只有几十人的一群群分散的以狩猎采集为生的人(查塔姆群岛和新西兰南岛的南部)，或是相距甚远、分散居住的农民(新西兰的其余地区)，或是生活在人口密集但无法实现行政统一的崎岖不平地区的农民。例如，在邻近的马克萨斯群岛上四面峭壁的山谷中生活的人要通过海路来互相交往；每个山谷就是一个由几千居民组成的独立的行政实体，而马克萨斯群岛中大多数单独的大岛仍然分成许多这样的实体。

汤加群岛、萨摩亚群岛、社会群岛和夏威夷群岛的地形使岛内得以实现行政统一，产生了由1万人或更多人(在夏威夷群岛中的一些大岛上超过3万人)组成的行政单位。汤加群岛中各岛之间的距离，以及汤加群岛与邻近群岛之间的距离，都不算太大，所以能够最后建立了一个包含4万人的多岛帝国。这样，波利尼西亚的行政单位从几十个人到4万人，各种大小都有。

一个行政单位人口的多少，与其影响波利尼西亚人的技术及经济、社会和政治组织的人口密度互相作用。一般地说，人口越多，人口密度越高，技术和组织就越复杂，专业程度就越高，其原因我们将在以后的几章里详细研究。简言之，人口密度高时，只有一部分人最后成为农民，但他们被调动起来去专门从事集约型的粮食生产，从而生产出剩余粮食去养活非生产者。能够调动农民的非生产者包括首领、神职人员、官员和战士。最大的行政单位能够调集大批劳动力来修建进一步加强粮食生产的灌溉系统和鱼塘。这方面的发展在汤加、萨摩亚和社会群岛尤其明显，因为这些地方土壤肥沃，人口稠密，而且按照波利尼西亚的标准也有适当大小的面积。这种趋势在夏威夷群岛发展到了顶点，这个群岛包括波利尼西亚最大的热带岛屿，那里人口密度高，土地面积大，这就意味着有很大一批劳动力可能供各个首领驱使。

在波利尼西亚社会中，与不同的人口密度和人口多少相联系的差异有以下几个方面。 在人口密度低(如查塔姆群岛上以狩猎采集为生的人)、人数少(小环状珊瑚岛)、或人口密度低同时人数也少的一些岛屿上，经济仍然是最简单的。 在这些社会中，每个家庭生产它所需要的东西；很少有或根本不存在经济的专业化。 专业化在一些面积较大、人口密度较高的岛屿上发展起来，在萨摩亚、社会群岛、尤其是汤加和夏威夷达到了顶峰。 汤加群岛和夏威夷群岛扶持兼职的世袭专门手艺人，包括独木舟建造者、航海者、石匠、捕鸟人和给人文身者。

社会的复杂程度也同样存在着差异。 查塔姆群岛和环状珊瑚岛仍然是最简单、最平等的社会。 虽然这些岛屿保留了波利尼西亚人原来的设立首领的传统，但他们的首领的穿着很少有或根本看不出有什么特异之处，他们和平民一样住的是普通的茅屋，他们也和其他每一个人一样自己种粮食或捕捉食物来吃。 在一些人口密度高、设有大行政单位的岛屿上，社会差别扩大了，首领的权力也增加了，这一现象在汤加和社会群岛尤为明显。

社会的复杂程度在夏威夷群岛达到了极点，那里有首领血统的人被分为 8 个等级森严的家族。 这些家族的成员不与平民通婚，而只在家族内部通婚，有时甚至在同胞兄弟姊妹之间或同父异母或同母异父兄弟姊妹之间通婚。 在高高在上的首领面前，平民必须倒地膜拜。 首领家族的所有成员、官员和一些专门手艺人则被免除生产粮食的劳动。

政治组织也遵循同样的趋势。 在查塔姆群岛和环状珊瑚岛，首领可以掌握的资源不多，决定也是通过全体讨论作出的，土地所有权属于整个社区，而不属于首领。比较大的、人口比较密集的行政单位把更多的权力集中在首领手中。在汤加和夏威夷，政治的复杂程度最高，世袭首领的权力接近于世界上其他地方国王的权力，土地也由首领掌握，而不是由平民掌握。首领任命官员做代理人，利用他们向平民征用粮食，同时征召平民从事大型建筑工程的劳动，这些工程项目因岛而异：在夏威夷是灌溉工程和鱼塘，在马克萨斯群岛是舞蹈和宴会中心，在汤加是首领的陵墓，在夏威夷、社会群岛和复活节岛是庙宇。

当欧洲人于18世纪到达时，汤加的首领管辖区或国家业已成了一个由各群岛组成的帝国。由于汤加群岛本身在地理上紧密结合在一起，而且包含几个地形完整的大岛，所以每一个岛都在一个首领统治下统一起来；接着，汤加的最大岛屿(汤加塔布岛)的世袭首领们统一了整个群岛，并最后征服了该群岛以外的一些岛屿，最远的达500英里。他们与斐济和萨摩亚进行远距离定期贸易，在斐济建立汤加的殖民地，并开始劫掠和征服斐济的一些地区。对这个海洋原型帝国的征服和管理，都是靠每只最多可载150人的大独木舟组成的海军来实现的。

同汤加一样，夏威夷也是一个行政实体，它包含几个人口众多的岛屿，但由于它的极其孤立的地理位置，它只是一个局限在一个群岛中的行政实体。当欧洲人于1778年“发现”夏威夷时，行政统一已在夏威夷的每一个岛的内部产生，而岛与岛之间的某种行政联合也已开始。最大的4个岛——大岛(狭义的夏威夷)、毛伊岛、瓦胡岛和考爱岛——仍然是独立的，它们控制着(或互相要弄手腕图谋控制)较小的岛屿(拉奈岛、莫洛凯岛、卡胡拉韦岛和尼豪岛)。在欧洲人到达后，大岛国王卡米哈米哈一世购买欧洲的枪支和船只，迅速着手那几个最大岛屿的合并工作，以便首先入侵和征服毛伊岛，然后是瓦胡岛。卡米哈米哈随即又准备入侵夏威夷最后一个独立的岛屿——考爱岛，考爱岛的首领最后通过谈判与他达成了协议，从而完成了这个群岛的统一。

波利尼西亚各社会之间的其余一些需要予以考虑的差异，涉及工具与物质文化的其他方面。能否获得新材料的各种不同情况，对物质文化产生了明显的限制。一个极端是亨德森岛。这是一个高出海面的古老的珊瑚礁，除了石灰岩没有别的石头。它的居民竟然沦落到用巨大的蛤壳来做扁斧。在另一个极端，新西兰这个微型大陆上的毛利人则可以得到一系列原料，因而在利用玉石方面特别出名。处于这两个极端之间的是波利尼西亚的一些海洋火山岛，这些岛上虽然没有花岗岩、燧石和其他一些大陆岩石，但它们至少有火山岩，波利尼西亚人可以把它做成用来开荒种地的磨光石斧。

至于人工制品的种类，查塔姆群岛的岛民们除了用来杀死海豹、鸟和龙虾的手持棍棒外，几乎再不需要其他东西。其他大多数岛民则制造了大量的形形色色的鱼钩、扁斧、首饰和其他物品。在环状珊瑚岛上，例如在查塔姆群岛上，这些人工制品都很小，也比较简单，为个人所制造，也为个人所拥有，而建筑物也只是一些简单的茅屋。一些面积大而又人口密度高的岛屿则供养着一些专门手艺人，他们为首领制作了一系列令人羡慕的物品——例如羽毛斗篷，那是专门为首领们做的，需要用成千上万根鸟羽。

波利尼西亚的最大产品要算几个岛上的巨型石头建筑——复活节岛上著名的雕像、汤加首领的陵墓、马克萨斯群岛上的举行仪式的平台以及夏威夷和社会群岛上的庙宇。波利尼西亚的这种纪念性建筑的演进方向，显然与埃及、美索不达米亚、墨西哥和秘鲁这些地方的金字塔相同。当然，波利尼西亚的这些建筑在规模上不及那些金字塔，但那只是反映了这样一个事实，即埃及的法老能够从多得多的人口中征调劳动力，而这是波利尼西亚的任何一个岛屿上的首领所无法做到的。即便如此，复活节岛的岛民们仍设法竖立起一些30吨重的雕像——对于一个只有7000人的岛屿来说，这可是一件了不起的事，因为这些人除了自己的一身肌肉外，没有任何其他动力来源。

因此，波利尼西亚的岛屿社会在其经济专业化、社会复杂程度、政治组织以及物质产品方面存在着巨大的差异。这些差异与人口的数量和密度的差异有关，又与岛屿的面积、地形破碎程度和隔离程度有关，也与维持生存和加强粮食生产的机会有关。波利尼西亚各社会之间的所有这些差异，都是在比较短的时间内和世界上一个不太大的地方逐步形成的，这些都是具有同一个祖先的社会里所发生的与环境有关的差异。波利尼西亚内部的这种种文化差异，基本上也就是世界上其他每一个地方所出现的那些差异。

当然，在世界其余地区的差异程度，要远远超过波利尼西亚群岛内的差异程度。虽然现代大陆民族也包括像波利尼西亚人那样的依靠石器的族群，但南美洲也产生了一些熟练使用贵金属的社会，而欧亚大陆的人和非洲人又进而利用铁器。这些发展阶段都不可能在波利尼西亚得到实现，因为除新西兰外，波利尼西亚没有一个岛有重要的金属矿床。甚至在波利尼西亚有人定居前，欧亚大陆已有了一些成熟的帝国，南美洲和中美洲在晚些时候也出现了帝国，而波利尼西亚这时才刚刚有了两个原型帝国，其中的一个(夏威夷)只是在欧洲人到达后才和另一个联合起来。欧亚大陆和中美洲有了本地的文字，而文字却没有在波利尼西亚出现，也许复活节岛是个例外，然而无论如何，那里的神秘文字可能出现在岛民与欧洲人发生接触之后。

这就是说，关于全世界人类社会的差异性问题，波利尼西亚给我们看到的只是一个小小的剖面，而不是全貌。这并不使我们感到意外，因为波利尼西亚给我们看到的只是全世界地理差异性的一个小小的剖面而已。此外，由于在人类历史上波利尼西亚的拓殖时间很晚，即使是历史最悠久的波利尼西亚社会，其发展时间也只有 3200 年，而即使是最后拓殖的大陆（美洲），其社会至少也有 13000 年的历史。如果再给汤加和夏威夷几千年时间，它们也会达到成熟帝国的水平，彼此为争夺对太平洋的控制权而战斗，用本土发展起来的文字来管理它们的帝国，而新西兰的毛利人也许会在他们用玉石和其他材料制作的全套作品外再加上铜器和铁器。

总之，关于现存人类社会的与环境有关的差异性问题，波利尼西亚为我们提供了一个令人信服的例证。但我们只能因此而知道这种情况可能会发生，因为它在波利尼西亚就曾发生过。这在所有大陆上是不是也发生过呢？如果发生过，那么造成这些大陆的差异性的环境差异是什么？这些差异所产生的结果又是什么？

注　释：

1. 冈瓦纳大陆：被认为曾在南半球存在过的大陆，在中生代或古生代后期分裂成阿拉伯半岛、非洲、南美洲、南极洲、澳洲和印度半岛等。——译者

第三章　卡哈马卡的冲突

现代最大的人口变迁是欧洲人对新大陆的移民，以及随之发生的对美洲土著(美洲印第安人)的征服、土著人数的减少或完全消失。我在第一章中说过，对新大陆的最早移民行动是在公元前11000年左右或更早的时候，经由阿拉斯加、白令海峡和西伯利亚实现的。复杂的农业社会在移民进入路线以南很远的美洲逐步兴起，在与旧大陆的方兴未艾的复杂社会完全隔绝的情况下发展起来。在那次来自亚洲的最早的移民行动之后，新大陆与亚洲之间唯一得到充分证明的进一步接触，只涉及生活在白令海峡两岸的狩猎采集族群，再有就是臆想中的横渡太平洋的航行了，而正是这次航行把甘薯从南美洲引进了波利尼西亚。

至于新大陆族群与欧洲人的接触，唯一的早期接触与古挪威人有关，从公元986年到1500年左右，一批人数很少的古挪威人占领了格陵兰。但这些人的到来并没有对美洲土著社会产生任何看得见的影响。相反，由于克里斯托弗·哥伦布“发现”了美洲土著居住的人烟稠密的加勒比海诸岛，先进的旧大陆与新大陆社会之间的冲突实际上是在公元1492年突然开始的。

在随后发生的欧洲人与美洲土著的关系中最富戏剧性的时刻，是印加帝国皇帝阿塔瓦尔帕与西班牙征服者弗兰西斯科·皮萨罗于1532年11月16日在秘鲁高原城市卡哈马卡的第一次相遇。阿塔瓦尔帕是新大陆最大、最先进国家的专制君主，而皮萨罗则代表欧洲最强大国家的君主神圣罗马帝国皇帝查理五世（也叫西班牙国王查理一世）。皮萨罗率领一群由168名西班牙士兵组成的乌合之众，来到了一个陌生的地方，对当地的居民毫无了解，与距离最近的西班牙人（在北面1000英里的巴拿马）完全失去了联系，也根本无法得到及时的增援。阿塔瓦尔帕身处拥有数百万臣民的帝国的中心，他的不久前在与其他印第安人作战中取得胜利的8万之众的军队团团护卫着他。尽管如此，在这两位领导人见面后不到几分钟，皮萨罗就俘虏了阿塔瓦尔帕。皮萨罗接着把他的俘虏关押了8个月，同时勒索历史上最高的一笔赎金以换取释放他的承诺。这笔赎金是黄金，足够装满一间长22英尺、宽17英尺、高超过8英尺的房间。但在赎金交付后，皮萨罗却违背自己的诺言，把阿塔瓦尔帕处死了。

阿塔瓦尔帕的被俘对欧洲人征服印加帝国是决定性的。虽然西班牙人的精良武器无论如何也会确保西班牙人的最后胜利，但俘获阿塔瓦尔帕使西班牙人的征服变得更快而又无比容易。阿塔瓦尔帕被印加人尊奉为太阳神，对他的臣民行使绝对的权威，他的臣民甚至服从他在囚禁中发出的命令。他死前的几个月使皮萨罗得以从容地把一些探险队不受干扰地派往印加帝国的其他地区，并派人从巴拿马调来援军。在阿塔瓦尔帕死后西班牙人和印加人之间的战斗终于开始时，西班牙的军队已经比较难以对付了。

因此，阿塔瓦尔帕的被俘之所以引起我们的特别兴趣，是因为它标志着近代史上这次最大冲突的决定性的转折关头。但它也是一个引起更普遍兴趣的问题，因为导致皮萨罗俘获阿塔瓦尔帕的那些因素，基本上也就是决定现代世界其他地方移民与土著民族之间许多冲突的结果的那些因素。因此，阿塔瓦尔帕的被俘事件给我们提供了一个观察世界史的宽阔的窗口。

那天在卡哈马卡展开的事件是众所周知的，因为许多参与其事的西班牙人对此都有文字记载。为了给这些事件增加一点兴味，我们不妨把一些目击者的第一手叙述的摘录编排在一起，来重温一下当时的情景，这些叙述出自皮萨罗的6名随从之手，其中包括他的兄弟埃尔南多和佩德罗：

“我们西班牙人是神圣罗马帝国战无不胜的皇帝、我们的天生国王和君主的臣民。我们的深谋远虑、刚毅坚忍、严明军纪、辛勤努力、出没风涛、浴血沙场，使虔诚徒众欢欣鼓舞，使异端邪教闻风丧胆。为了这个缘故，为了上帝的荣光，也为了宣扬天主教皇帝陛下的威德，我觉得宜作如下记述，并敬呈陛下，俾天下之人一体知晓此处所述之事。荣耀应归于上帝，因为西班牙人在他的神圣指引下，征服了广大的不信上帝之人，并使他们皈依我们神圣的天主教信仰。荣耀应归于我们的皇帝，因为仰仗他的伟大力量和好运，上述事件发生在他君临天下之时。这将会使虔诚的徒众感到欢欣鼓舞，因为上述战斗已经取得了胜利，上述行省已被发现和征服，上述财富已经运回家乡由国王和他们分享；同时也因为上述惊恐之情已在异教徒中广为传播，上述赞赏之心也已在全人类中油然而生。

“因为，为了制服蛮荒之地的那些化外之民，从古到今，如此伟大的业绩在何时竟是靠如此少的人对抗如此多的人，在如此广大的地区，渡过如此多的海洋，跨过如此漫长距离的陆地来取得的？还有谁的英勇事迹能和西班牙的英勇事迹相提并论呢？我们西班牙人人数很少，总数从来不超过200人或300人，有时候只有100人甚至更少，但却在我们这个时代征服了前所未闻的广大领土，比所有相信上帝和不相信上帝的诸侯王公们所拥有的领土还大。现在，我将只写下在征服中所发生的事，为了避免冗长啰嗦，我将不会写得很多。

“皮萨罗总督希望从来自卡哈马卡的印第安人口中得到情报，于是他就叫人拷打他们。他们招供说，他们听人说阿塔瓦尔帕正在卡哈马卡等待总督。总督于是命令我们前进。在到达卡哈马卡的入口处时，我们就看见了一里格[1]外山边上的阿塔瓦尔帕的营地。印第安人的营地看去像一座很美丽的城市。他们的帐篷如此之多，使我们全都在心里充满了莫大的疑惧。在这以前，我们在西印度群岛从来没有见到过这样的情景。这使我们的西班牙人全都感到害怕和不知所措。但我们不能露出任何害怕的样子，也不能转身回去，因为如果这些印第安人觉察到我们的任何怯懦的迹象，那么甚至我们带来当向导的那些印第安人也会把我们杀死的。于是，我们就装出一副精神抖擞的样子，并在仔细观察这座城市和这些帐篷之后，走下山谷进入卡哈马卡。

“我们用不少时间来商量对策。我们心里全都充满了恐惧，因为我们人数太少，又深入到一个不可能指望得到援军的地方。我们全都去见总督，讨论第二天的行动方针。那天夜里我们很少有人睡觉，我们守候在卡哈马卡的广场上，注视着印第安军队的营火。这个景象看了令人害怕。大多数营火都是在山坡上，彼此又靠得很近，一眼看去就像天空中的点点繁星。那天晚上再也不分什么大人物和小人物，也不分什么步兵和骑兵了。每一个人都全副武装地站岗放哨。那位极其精明能干的总督也不例外，他跑来跑去给他的部下打气。总督的兄弟埃尔南多·皮萨罗估计，那儿印第安士兵的人数达到4万人，但他只是为了使我们宽心而撒了谎，因为实际上有8万多印第安人。

“第二天早上，阿塔瓦尔帕派出的信使到来，总督对他说，‘请转告贵国君主，欢迎他大驾光临，至于何时来和怎样来，都可按照他的意思办，不管他以什么方式来，我都会把他当朋友和兄弟来接待。我求他快来，因我渴望和他见面。他将不会受到任何伤害或侮辱。’

“总督把他的部队埋伏在卡哈马卡的广场周围，把骑兵一分为二，一支交由他的兄弟埃尔南多·皮萨罗指挥，另一支交由埃尔南多·德索托指挥。他把步兵也一分为二，他本人率领一部分，另一部分则交给他的兄弟胡安·皮萨罗。同时，他命令佩德罗·德坎迪亚和两三个步兵带着喇叭到广场上的一个小堡垒去，并携带一尊小炮驻守那里。当所有的印第安人和率领他们的阿塔瓦尔帕进入广场时，总督会向坎迪亚和他的士兵发出信号，同时喇叭也要吹响，骑兵听到喇叭声要从他们埋伏等待的大院子里冲出来。

“中午，阿塔瓦尔帕开始集合队伍并向前接近。很快我们就看到整个平原上都是密密麻麻的印第安人，他们不时地停下来，等待不断地从他们身后营地里列队而出的另一些印第安人。到了下午，他们分成一个个小分队，不断地列队而出。走在前面的几个小分队这时已靠近我们的营地，同时仍有更多的部队不断地从印第安人的营地出发。在阿塔瓦尔帕前面的是2000个清扫道路的印第安人，他们的后面是一些战士，其中一半人在他一边的田野里行进，另一半人在他另一边的田野里行进。

“首先来到的是一群身穿五颜六色、棋盘格似服装的印第安人。他们一边前进，一边拾起地上的稻草并清扫道路。其次来到的是3群身着不同服装、载歌载舞的印第安人。接着又来了一批人，他们抬着盔甲、巨大的金属盘子和金银打就的皇冠。他们抬着的用金银制成的全套行头数量众多，在阳光照射下闪闪发光，令人叹为观止。在这些人当中出现了阿塔瓦尔帕的身影，他坐在华美的轿子里，轿子木支架的末端用银子包着，由80个身着鲜蓝色号衣的领主扛在肩上。阿塔瓦尔帕本人锦衣绣服，头戴皇冠，脖子上套着一个绿宝石大颈圈。他坐在轿子里的一个放着华丽鞍形坐垫的小凳子上。轿子的四周插着五颜六色的鹦鹉毛，并用金银盘子装饰起来。

“在阿塔瓦尔帕后面是另外两顶轿子和两只吊床，里面坐着几个高级酋长，随后又是几群抬着金冠银冠的印第安人。这几群印第安人合着响亮歌声的节拍开始进入广场，他们就这样不断进来，占领了广场的每个地方。在这期间，我们全体西班牙人一切准备就绪，埋伏在院子里等着，心里充满了恐惧。我们有许多人完全是因为惊恐而在不知不觉中尿了裤子。阿塔瓦尔帕在到达广场中心后仍然高高地坐在他的轿子里，而他的部队在他的身后继续列队而入。

“皮萨罗总督这时派托钵修会修士维森特·德巴尔维德过去和阿塔瓦尔帕搭话，并以上帝和西班牙国王的名义，要求阿塔瓦尔帕服从耶稣基督的权威和效忠西班牙国王陛下。修士一手拿着十字架，一手拿着《圣经》，举步向前，穿过重重的印第安人部队，来到阿塔瓦尔帕跟前，开口对他说：‘我是上帝派来的仆人，我把上帝的福音教给基督徒，现在我也同样来教你。我教的就是上帝在这本书里对我们所说的话。因此，我代表上帝和基督徒，请求你做他们的朋友，

因为这是上帝的意志，也是为了你的福祉。’

“阿塔瓦尔帕把书要过去，他想看一看。于是修士就把书合着递给了他。阿塔瓦尔帕不知道怎样把书打开，修士就把手伸过去帮忙。这时，阿塔瓦尔帕勃然大怒，对修士的手臂打了一拳，他不愿别人帮这个忙。于是，他亲自把书打开，他发现书上的字和纸并没有任何令人惊异之处，就把书扔出去五六步远，满脸涨得通红。

“修士回到皮萨罗身边，大叫：‘出来吧！出来吧，基督徒们！向这些拒绝上帝福音的狗敌人冲过去！那个暴君竟敢把我的《圣经》扔在地上！你们难道没有看见刚才发生的事？在平原上全是印第安人的时候，我们干吗还要对这个过分傲慢自大的狗杂种讲究谦恭礼貌呢？向他们冲过去，我会宽恕你们的罪孽的！’

“于是，总督向坎迪亚发出信号，坎迪亚开始开炮。与此同时，喇叭也吹响了，全副武装的西班牙部队，有骑兵有步兵，从他们埋伏的地方向在广场上挤成一团的手无寸铁的印第安人冲去，一边喊着西班牙的战斗口号：‘圣地亚哥！’我们已经在马身上缚了响器来吓唬印第安人。枪声、喇叭声和响器声使印第安人陷入一片惊慌。西班牙人向他们攻击，动手把他们砍成几段。印第安人吓得互相践踏，形成一个个人堆，彼此都因窒息而死。因为他们手无寸铁，任何一个基督徒都可毫无危险地攻击他们。骑兵策马把他们撞倒，把他们杀死的杀死，打伤的打伤，对逃跑的就穷追不舍。步兵对剩下的人发动狠狠的攻击，其中大多数人很快就都成了刀下之鬼。

“总督本人一手拿剑一手拿匕首，带着身边的几个西班牙人冲进密集的印第安人群，并且非常勇敢地来到阿塔瓦尔帕的轿子旁。他大胆地一把抓住阿塔瓦尔帕的左臂，口中大喊一声‘圣地亚哥！’，但他无法把阿塔瓦尔帕从轿子里扯出来，因为轿子被举得很高。虽然他杀死了举着轿子的几个印第安人，但别的印第安人立刻接上来把轿子举得高高的，就这样我们花了很长时间去制服和杀死印第安人。最后，七八个西班牙骑兵策马赶来，从一边向轿子猛冲，用很大力气把轿子推得侧倒在地。阿塔瓦尔帕就这样被捉住了。总督把阿塔瓦尔帕带到他的住所。抬轿子的那些印第安人和护卫阿塔瓦尔帕的那些印第安人没有丢弃他：全都在他的身旁死了。

"留在广场上的那些惊慌失措的印第安人被枪炮的射击和马匹吓坏了——这是他们以前从来没有看见过的东西——他们设法推倒一段围墙，逃离广场，跑到外面的平原上去。我们的骑兵从围墙的缺口一跃而出，冲进平原，一边大声喊叫：'追那些穿花衣服的！一个也不要让他逃走！用矛刺他们！'阿塔瓦尔帕带来的其他印第安士兵全都在距离卡哈马卡一英里的地方严阵以待，但没有一个人移动一步，在发生所有这一切期间，没有一个印第安人拿起武器来对付一个西班牙人。当留在城外平原上的一队队印第安人看见别的印第安人喊叫着逃跑时，他们中的大多数人也惊慌起来，拔脚就逃。这是一个令人惊叹的奇观，因为整个山谷在15或20英里范围内完全塞满了印第安人。夜色已经降临，而我们的骑兵仍在田野里用长矛刺杀印第安人，这时我们听到了要求我们回营集合的号声。

"要不是夜色降临，这4万多人的印第安人部队中能够活下来的人不会有几个。6000—7000个印第安人死了，更多的印第安人被斩去了手臂或受了别的伤。阿塔瓦尔帕本人也承认说，那一仗他的部下被我们杀死了7000人。在一顶轿子里被杀死的那个人是他的大臣——钦查的领主，那是一个深得他的宠信的人。给阿塔瓦尔帕抬轿子的那些印第安人似乎都是一些高级首领和顾问。他们全都被杀死了，还有坐在别的轿子和吊床上的那些印第安人也都被杀死了。

卡哈马卡的领主和其他一些人也被杀死了，但他们人数多得数不过来，因为来侍候阿塔瓦尔帕的人全都是大领主。如此强大的一个统治者，来时率领了如此强大的一支军队，却在如此短的时间内被俘，这实在令人惊异。的确，这不是靠我们自己的力量做到的，因为我们的人数是如此之少。这是上帝的恩泽，而上帝是伟大的。

“当西班牙人把阿塔瓦尔帕从轿子里拖下来时，他身上的袍子也被扯落了。总督命人给他拿来衣服，阿塔瓦尔帕穿好衣服后，总督命令他坐在自己的身旁，劝他不要因为自己从高高在上的地位迅速跌落下来而生气和焦躁不安。总督对阿塔瓦尔帕说，‘不要把你被打败和被俘这件事看作是一种侮辱，因为我手下的这些基督徒人数虽少，但我和他们一起征服过比你们更强大的王国，打败过其他一些比你更强大的君主，把皇帝的统治强加给他们。我是皇帝的臣民，他也是西班牙和全世界的国王。我们是奉他的命令来征服这块土地的，这样就可以使所有的人认识上帝，认识他的神圣的天主教；而由于我们肩负的光荣使命，上帝——天地万物的创造者才允许让这一切发生，以便使你们认识他，从而脱离你们所过的那种野蛮而邪恶的生活。正是由于这个缘故，我们才能以少胜多。如果你们明白你们生活在种种谬误之中，你们就会了解我们奉西班牙国王陛下之命来到此地给你们所带来的福祉。上帝的意思就是打掉你们的傲气，不让一个印第安人对基督徒有冒犯行为。’”

现在，让我们从几个直接的事件开始，把这个非同一般的冲突中的因果关系链找出来。当皮萨罗和阿塔瓦尔帕在卡哈马卡相见时，为什么会是皮萨罗俘虏阿塔瓦尔帕并杀死他那么多的追随者，而不是阿塔瓦尔帕的人数多得多的军队俘虏并杀死皮萨罗？毕竟，皮萨罗只有62名骑兵和106名步兵，而阿塔瓦尔帕则统率着一支大约8万人的军队。至于在这些事件之前发生的事，阿塔瓦尔帕是怎么会到卡哈马卡来的？皮萨罗怎么会到这里来俘虏他，而不是阿塔瓦尔帕到西班牙去俘虏查理国王？为什么阿塔瓦尔帕会走进用我们天生的事后聪明来看竟是如此明显的圈套？在阿塔瓦尔帕和皮萨罗相遇中起作用的那些因素，是否也在旧大陆和新大陆民族之间以及其他民族之间起着某种更广泛的作用呢？

为什么皮萨罗会俘虏阿塔瓦尔帕？皮萨罗的军事优势在于西班牙人的钢刀和其他武器、钢制盔甲、枪炮和马匹。阿塔瓦尔帕的部队没有可以骑着冲锋陷阵的牲口，他们在对付西班牙人的武器时，只能用石头、青铜棍或木棍、狼牙棒、短柄斧头，再加上弹弓和护身软垫。这种装备上的悬殊在欧洲人与印第安人以及其他民族的无数次其他冲突中是决定性的。许多世纪以来唯一能够抵抗欧洲人征服的美洲土著，是那些得到并掌握马匹和枪炮从而缩小兵力差距的部落。对一般的美国白人来说，一提起"印第安人"这个词，他们的脑海里立即浮现出一个骑在马上挥舞步枪的大平原印第安人的形象，就像1876年在著名的小比格霍恩河战役中消灭了乔治·卡斯特将军部队的苏族印第安人战士那样。我们很容易忘记，美洲土著对马和步枪本来是一无所知的。它们是欧洲人带进来的，接着就开始改变获得它们的印第安人社会。由于掌握了马和步枪，北美的大平原印第安人、智利南部的阿劳干印第安人和阿根廷的无树大草原印第安人都击退过入侵的白人，其时间之长不是任何其他印第安人所能企及，只是在19世纪70年代和80年代被白人政府的大规模军事行动所打垮。

今天，我们很难理解被西班牙人的军事装备打败的这种人数上的巨大优势。在上面详细叙述的卡哈马卡战役中，168个西班牙人粉碎了在人数上500倍于己的一支美洲土著军队，杀死了数以千计的土人，而自己却未损一兵一卒。关于皮萨罗随后与印加人的几次战役、科尔特斯对阿兹特克人的征服以及欧洲人对美洲土著的其他一些早期军事行动的记述，一再描绘了一些关于几十个欧洲骑兵大肆杀戮，击溃了数以千计的印第安人的战斗。在阿塔瓦尔帕死后皮萨罗从卡哈马卡向印加帝国首都库斯科进军期间，有过4次这样的战役，它们发生在豪哈、比尔卡苏阿曼、比尔卡康加和库斯科。参加这4个战役的西班牙骑兵分别只有80人、30人、110人和40人，而每次所要对付的敌人或则数以千计，或则数以万计。

西班牙人的这些胜利不能轻易地仅仅归之于美洲土著盟友的帮助，归之于西班牙人的武器和马匹这种新奇事物所产生的心理作用，也不能(像有人经常宣称的那样)归之于印加人误把西班牙人当作是他们的神灵比拉科查降世。皮萨罗和科尔特斯的初期胜利，的确吸引了一些土著盟友。然而，得不到帮助的西班牙人早期的破坏性极大的胜利，已使这些土著盟友相信，抵抗是无济于事的，他们应该同很有希望的胜利者站在一起。如果不是这样，其中许多人是不会成为盟友的。毫无疑问，马匹、钢铁武器和枪炮这些新奇的玩意儿，在卡哈马卡使印加人不知所措，但卡哈马卡战役后的那几次战役，却遇到了已经见识过西班牙人的武器和马匹的印加军队的坚决抵抗。在初期征服的六七年内，印加人发动了反对西班牙人的两次拼死的、大规模的、准备充分的叛乱。所有这些努力都由于西班牙人的远为精良的武器装备而失败了。

到18世纪开始时，枪炮取代刀剑而成为主要武器，帮助入侵的欧洲人取得对美洲土著和其他土著族群的优势。例如，1808年，一个携带火枪并且枪法百发百中的名叫查利·萨维奇的英国水手来到斐济群岛。这个名如其人的萨维奇[2]接着单枪匹马破坏了斐济的权力平衡。他干过许多胆大妄为的事，有一次划着独木舟沿河逆流而上，到了一个叫做卡萨武的斐济村庄，他在村庄篱笆外手枪射程之内停下脚步，向毫无防备的居民开火。被他打死的人很多，没有被打死的人就把死人的尸体堆起来躲在后面，村旁小河里的水都被血染红了。这种用枪炮对没有枪炮的人滥施淫威的例子多得不可胜数。

在西班牙人对印加人的征服中，枪炮只起了一种次要的作用。当时的枪（所谓的火绳枪）既难装填，又难发射，皮萨罗也只有十来支这样的枪。在它们能够凑合着发射出去的那些场合，它们的确产生了巨大的心理作用。重要得多的倒是西班牙人的钢刀、长矛和匕首，这些都是用来屠杀身体甚少防护的印第安人的强有力的锐利武器。相比之下，印第安人的无棱无锋的棍棒虽然也能打伤西班牙人和他们的马匹，但很少能将其杀死。西班牙人的铁甲或锁子甲，尤其是他们的钢盔，通常都能有效地对付棍棒的打击，而印第安人的护身软垫则无法防御钢铁武器的进攻。

西班牙人因其战马而取得的巨大优势，在目击者的记述中跃然纸上。骑兵可以很容易地超越印第安哨兵，使他们来不及向后面的印第安部队发出警报，骑兵还可以用马把印第安人撞倒，让马蹄把他们踏死。一匹战马在冲锋时的冲击力量、它的机动性、它可能有的进攻速度以及它所提供的居高临下并且得到保护的战斗位置，使得空旷地带的步兵几乎无招架之力。马的作用并不是仅仅由于它们在第一次与它们交锋的士兵心里产生恐怖的感觉。到1536年印加人大反叛时，印加人已经学会如何在狭窄的通道上伏击和消灭西班牙骑手，在抵抗骑兵部队时最有效地保卫自己。但印加人和所有其他步兵一样，从来没有能够在空旷地带打败骑兵部队。继阿塔瓦尔帕之后为印加帝国皇帝的是曼科，曼科的最优秀的将军是基佐·尤潘基。1536年，当基佐在利马围困西班牙人，并打算向该城发动猛攻时，两个中队的西班牙骑兵向一支比自己大得多的印第安军队发起了冲锋，在第一次冲锋中就杀死了基佐和他的所有指挥官，从而击溃了他的军队。一次由26名骑手组成的骑兵队的类似冲锋击溃了曼科皇帝亲自率领的最精锐的部队，他当时正在库斯科围攻西班牙人。

马匹改变战争是从公元前4000年左右在黑海北面的大草原上对马的驯化开始的。马匹使得骑马的人能够通过比步行远得多的距离，去进行奇袭，并在防御部队集合前逃之夭夭。马因其在卡哈马卡所起的作用而为一种军用武器提供了例证，这种武器6000年来直到20世纪初一直是举足轻重的，并最终在所有大陆得到运用。直到第一次世界大战，骑兵在军事上的支配地位才最后宣告结束。如果我们考虑一下西班牙人因为有了马匹、钢铁武器和盔甲而取得了对手无寸铁的步兵的优势，那么西班牙人总是能够以寡敌众，所向披靡，就没有什么可以使我们感到奇怪的了。

阿塔瓦尔帕是怎么会到卡哈马卡来的？阿塔瓦尔帕和他的军队来到卡哈马卡，是因为他们刚刚在一场使印加人四分五裂、大伤元气的内战中取得了决定性的胜利。皮萨罗很快觉察到这种分裂的形势，并加以利用。这次内战的起因竟是一场天花流行。天花由西班牙移民带到巴拿马和哥伦比亚后，经由陆路传播到南美的印第安人中去，在1526年左右杀死了印加皇帝瓦伊纳·卡帕克和他的大多数朝臣，随后又迅即杀死了他的指定继承人尼南·库尤奇。这些死亡事故导致了阿塔瓦尔帕与他的同父异母兄弟瓦斯卡尔之间的皇位之争。如果不是因为天花流行，西班牙面对的可能就是一个团结一致的帝国。

因此，阿塔瓦尔帕在卡哈马卡的出现突出了世界史上的一个关键因素：具有相当免疫力的入侵民族把疾病传染给没有免疫力的民族。天花、麻疹、流行性感冒、斑疹伤寒、腺鼠疫以及其他一些在欧洲流行的传染病，毁灭了其他大陆的许多民族，从而在欧洲人的征服中起了一种决定性的作用。例如，一次天花流行在1520年西班牙人第一次进攻失败后蹂躏了阿兹特克人，并杀死了刚刚继承蒙特朱马为阿兹特克皇帝的奎特拉瓦克。在整个美洲，随欧洲人传进来的疾病从一个部落传播到另一个部落，远远走在欧洲人之前，据估计把哥伦布来到前的美洲土著人杀死了95%。北美人口最多并高度组织起来的土著人社会是密西西比河流域的酋长管辖的部落，它们在1492年至17世纪初这一段时间里也以同样的方式消失了，时间甚至比欧洲人在密西西比河地区建立第一个殖民地时还要早。1713年的一次天花流行是欧洲移民毁灭南非土著桑族人的最严重的一步。在英国人于1788年移民悉尼后不久，一场大批毁灭澳大利亚土著的流行病开始了。来自太平洋岛屿的有详尽文献证明的例子是1806年在斐济迅速蔓延的流行病，这种病是几个欧洲船员在“阿尔戈”号船只失事后挣扎着爬上岸时带来的。类似的流行病也在汤加、夏威夷和其他太平洋岛屿的历史上留下了痕迹。

然而，我并不是要暗示历史上疾病的作用只限于为欧洲人的扩张铺平道路。疟疾、黄热病以及热带非洲、印度、东南亚和新几内亚的一些其他疾病，是欧洲在这些热带地区进行殖民的最大障碍。

*皮萨罗是怎么到卡哈马卡来的？为什么不是阿塔瓦尔帕去征服西班牙？*皮萨罗到卡哈马卡来，靠的是航海技术，是这种技术建造了船只，使他们从西班牙横渡大西洋来到巴拿马，然后又沿着太平洋从巴拿马来到秘鲁。阿塔瓦尔帕没有这种技术，所以不能从海上扩张到

南美以外的地方。

除了船只本身，皮萨罗的出现还依赖于集中统一的行政组织。有了这种组织，西班牙才能为这些船只提供资金、建造技术、人员和装备。印加帝国也有一个集中统一的行政组织，但这个组织实际上起了对帝国不利的作用，因为皮萨罗俘虏了阿塔瓦尔帕也就是夺取了印加帝国整个的指挥系统。因为印加帝国的行政系统和神圣的专制君主完全是同一回事，所以阿塔瓦尔帕一死，帝国也就分崩离析。航海技术配合行政组织，不但对许多其他民族的扩张是至关重要的，而且对欧洲人的扩张同样是至关重要的。

使西班牙人来到秘鲁的一个相关因素是文字。西班牙人有文字，而印加帝国没有。用文字来传播信息，要比用口头传播来得广泛、准确和详细。从哥伦布航行和科尔特斯征服墨西哥传回西班牙的信息，使西班牙人大量涌入了新大陆。信件和小册子激发了人们的兴趣，也提供了必要而详尽的航海指导。皮萨罗的同事克里斯托瓦尔·德梅纳上尉为皮萨罗的业绩撰写了第一份公开发表的报告，这份报告于1534年4月，亦即阿塔瓦尔帕被处死后仅仅9个月，在塞维利亚出版发行。这份报告成了畅销书，迅速被译成欧洲其他语言，从而把又一批西班牙移民送去加强皮萨罗对秘鲁的控制。

*为什么阿塔瓦尔帕会走进这个圈套？*事后想来，阿塔瓦尔帕竟会在卡哈马卡走进皮萨罗设下的明显圈套，真使我们感到惊奇。俘虏了阿塔瓦尔帕的西班牙人对他们的成功也同样感到惊奇。人的文化程度的影响在终极解释中占有突出的地位。

直接的解释是：阿塔瓦尔帕对西班牙人、他们的兵力和意图几乎没有得到什么情报。他那一点少得可怜的情报是通过口头得来的，主要是从一个使者那里得来的，这个使者在皮萨罗的军队从海岸向内陆的行军途中曾在军中访问过两天。这个使者看到西班牙人军容不整，于是就对阿塔瓦尔帕说，他们不是战斗人员，只要给他200个印第安人，就能把他们全都缚来帐下。阿塔瓦尔帕绝没有想到那些西班牙人竟是如此难以对付而且会毫无缘由地向他进攻，这是可以理解的。

在新大陆，只有现代墨西哥和在印加帝国北方很远的一些毗邻地区的几个民族中的少数精英分子有书写能力。巴拿马距离印加帝国北部边界不过600英里。虽然西班牙人对巴拿马的征服在1510年就已经开始，但在皮萨罗于1527年首次登上秘鲁海岸之前，似乎没有任何关于西班牙人出现的消息到达过印加帝国。对于西班牙征服了中美洲大多数强大而人口众多的印第安人社会，阿塔瓦尔帕始终是一无所知。

在我们今天看来，阿塔瓦尔帕被俘后的行为和导致他被俘的行为同样令人惊异。他交纳了他那笔著名的赎金，因为他天真地相信，只要付了赎金，西班牙人就会释放他并且远走高飞。他不可能了解皮萨罗的部下只是一支决心实现永久征服的军队的开路先锋，而不是单单为了一次孤立的袭击。

犯这种致命的判断错误的，并非只有阿塔瓦尔帕一人。甚至在阿塔瓦尔帕被俘后，弗兰西斯科·皮萨罗的兄弟埃尔南多·皮萨罗也哄骗得阿塔瓦尔帕的第一流将军、指挥着一支庞大军队的查尔库奇马自投罗网，落入西班牙人的手中。查尔库奇马的判断错误，标志着印加人抵抗失败的转折点，是几乎同阿塔瓦尔帕本人被俘一样的重大事件。当阿兹特克皇帝蒙特朱马把科尔特斯看作是神灵降世，并允许他和他的小小军队进入阿兹特克首都特诺奇蒂特兰时，他的判断错误甚至更加显而易见。结果是科尔特斯俘虏了蒙特朱马，然后又进一步征服了特诺奇蒂特兰和阿兹特克帝国。

从世俗的观点来看，阿塔瓦尔帕、查尔库奇马、蒙特朱马以及其他无数的被欧洲人欺骗的美洲土著领袖之所以判断错误，是由于当时新大陆没有任何居民去过旧大陆，因此他们当然不可能对西班牙人有任何具体的认识。即使如此，我们仍然觉得难以避免得出这样的结论：如果阿塔瓦尔帕的社会对人类的行为有更多的经验，他“本来”是会产生更大的怀疑的。皮萨罗在到达卡哈马卡时，除了对他在1527年和1531年碰到的几个印加臣民进行的审问中所了解到的情况外，他对印加人也是一无所知的。然而，虽然皮萨罗本人碰巧也是一个文盲，但他属于一个有文化修养的传统。西班牙人从书本上知道了同时代的许多与欧洲差别很大的文明国度，也知道了几千年的欧洲历史。皮萨罗伏击阿塔瓦尔帕显然是以科尔特斯的成功谋略为样板的。

总之，文化修养使西班牙人继承了关于人类行为和历史的大量知识。相形之下，阿塔瓦尔帕不但对西班牙人本身毫不了解，对来自海外的其他任何入侵者毫无个人经验，而且他甚至也没有听人说过（或在书本上读到过）在别的什么地方和在历史上以前什么时候对别的什么人的类似威胁。这种在经验方面的巨大差距，促使皮萨罗去设下圈套而阿塔瓦尔帕走进了圈套。

因此，皮萨罗俘虏阿塔瓦尔帕这件事，表明了导致欧洲人向新大陆移民而不是美洲土著向欧洲移民的那组近似的因素。皮萨罗成功的直接原因包括：以枪炮、钢铁武器和马匹为基础的军事技术；欧亚大陆的传染性流行病；欧洲的航海技术；欧洲国家集中统一的行政组织和文字。本书的书名是这些近似因素的简略的表达，这些因素也使现代欧洲人能够去征服其他大陆的民族。 在有人开始制造枪炮和钢铁之前很久，这些因素中的其他因素便已导致了某些非欧洲民族的扩张，这我们将会在以后的几章中看到。

但是，我们仍然有一个根本的问题没有解决，这就是：为什么这种直接优势总是在欧洲一边，而不是在新大陆一边。 为什么不是印加人发明枪炮和钢刀，骑上像战马一样的令人生畏的牲口，携带对欧洲人来说没有抵抗力的疾病，修造远洋船只和建立先进的行政组织，并能从几千年有文字记载的历史吸取经验？这些不再是本章已经讨论过的那些关于近似因果关系的问题，而是将要占去本书下面两部分篇幅的关于终极因果关系的问题。

注　释：

1. 里格：旧时长度单位，相当于3英里左右。 ——译者
2. 萨维奇(Savage)一词在英语中有“野蛮”、“凶狠”、“残暴”的意思。 ——译者

第二部分

粮食生产的出现和传播

第四章　农民的力量

我十几岁时在蒙大拿度过了1956年的夏天，为一个名叫弗雷德·赫希奇的上了年纪的农民打工。弗雷德出生在瑞士，在19世纪90年代他十几岁时来到了蒙大拿的西南部，接着便办起了这一地区第一批农场中的一个。在他来到时，原来的以狩猎采集为生的美洲土著有许多仍然生活在那里。

和我在一起干活的农场工人多半是体格健壮的白人，他们经常满口粗话，他们除周末外每天劳动，这样他们就可以在周末整天泡在当地的酒馆里花光一周的工资。然而，就在这些农场工人中，有一个名叫利瓦伊的黑脚族印第安人。此人的行为举止和粗野的矿工大不相同——他彬彬有礼，温文尔雅，做事负责，头脑清醒，善于辞令。他是第一个我与之一起度过许多时光的印第安人，我不由对他钦佩起来。

一个星期日的早晨，利瓦伊在经过星期六夜晚的一番狂欢作乐之后，竟也醉步踉跄，满口脏话。因此，我感到震惊和失望。在他的那些骂人话中，有一句我一直记得非常清楚："你他妈的弗雷德·赫希奇，他妈的那艘把你从瑞士带来的船！"过去，和其他白人小学生一样，我所受的教育是把对美洲的开发看作是英勇的征服行为，现在我深切感受到印第安人对这种行为的看法了。弗雷德·赫希奇的一家都以他为荣，因为他是在困难条件下取得成功的最早的农民。但是，利瓦伊的狩猎部落和著名战士的土地都被迁移来的白人农民抢走了。这些农民又是怎样战胜这些著名的战士的呢?

自从现代人的祖先在大约700万年前从现在的类人猿的祖先分化出来后，地球上的所有人类大部分时间都是靠猎捕野兽和采集野生植物为生，就像19世纪黑脚族印第安人仍然在做的那样。只是在过去的11000年中，有些民族才转向所谓的粮食生产：就是说，驯化野生动植物，以因此而产生的牲畜和农作物为食。今天，地球上的大多数人吃他们自己生产的粮食或别人为他们生产的粮食。按照当前的变化速度，在今后10年内，剩下来的少数以狩猎采集为生的人群将会放弃他们的生活方式，发生解体或逐渐消失，从而结束我们几百万年来专以狩猎采集为生的生活方式。

不同部族在史前的不同时期学会了粮食生产。有些部族，如澳大利亚土著，却从来没有学会粮食生产。在那些学会粮食生产的部族中，有些(例如古代的中国人)是靠自己独立发展粮食生产的，而另一些(包括古代埃及人)则是从邻近部族学会粮食生产的。但是，我们将会看到，从间接的意义说，粮食生产是枪炮、病菌和钢铁发展的一个先决条件。因此，在不同大陆的族群是否或何时变成农民和牧人方面的地理差异，在很大程度上说明了他们以后截然不同的命运。在我们把下面6章专门用来弄清楚粮食生产方面的地理差异是怎样产生的之前，本章将查考一下一些主要的因果关系，因为粮食生产正是通过这种关系带来了所有使皮萨罗俘虏阿塔瓦尔帕和弗雷德·赫希奇的族人剥夺利瓦伊的族人的有利条件。

第一个因果关系是最直接的因果关系：能够获得更多的可消耗的卡路里就意味着会有更多的人。在野生的动植物物种中，只有很少一部分可供人类食用，或值得猎捕或采集。多数动植物是不能用作我们的食物的，这有以下的一些原因：它们有的不能消化（如树皮），有的有毒（黑脉金斑蝶和鬼笔鹅膏——一种有毒蘑菇），有的营养价值低（水母），有的吃起来麻烦（很小的干果），有的采集起来困难（大多数昆虫的幼虫），有的猎捕起来危险（犀牛）。陆地上大多数生物量（活的生物物质）都是以木头和叶子的形态而存在的，而这些东西大多数我们都不能消化。

通过对我们能够吃的那几种动植物的选择、饲养和种植，使它们构成每英亩土地上的生物量的90%而不是0.1%，我们就能从每英亩土地获得多得多的来自食物的卡路里。结果，每英亩土地就能养活多得多的牧人和农民——一般要比以狩猎采集为生的人多10倍到100倍。这些没有感情的数字所产生的力量，就是生产粮食的部落取得对狩猎采集部落的许多军事优势中的第一个优势。

在饲养驯化动物的人类社会中，牲畜在4个不同的方面养活了更多的人：提供肉类、奶脂、肥料以及拉犁。最直接的是，家畜代替野生猎物而成为社会主要的动物蛋白来源。例如，今天的美国人通常从奶牛、猪、羊和鸡那里得到他们的大多数动物蛋白，而像鹿肉这样的野味则成了难得的美味佳肴。此外，一些驯化的大型哺乳动物则成了奶和诸如黄油、奶酪和酸奶之类奶制品的来源。产奶的哺乳动物包括母牛、绵羊、山羊、马、驯鹿、水牛、牦牛、阿拉伯单峰骆驼和中亚双峰骆驼，这些哺乳动物由此而产生的卡路里比它们被杀来

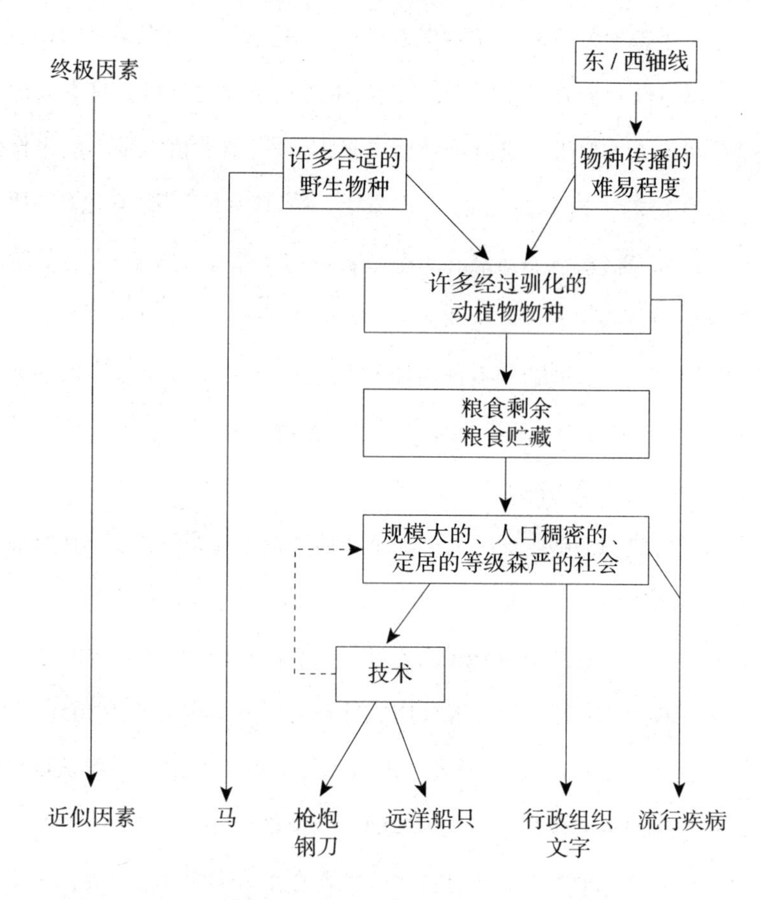

图 4.1 略图概述从终极因素(如大陆轴线走向)通往使某些民族能够征服另一些民族的近似因素(如枪炮、马匹和疾病)的因果关系链。例如，人类的各种各样疾病是在有许多适于驯化的动植物物种的地区演化的，这一部分是由于生产出的农作物和饲养的牲畜帮助养活了使流行疾病得以保持的人口稠密的社会；一部分是由于这些疾病是从驯化的动物身上的病菌演化而来。

吃肉所产生的卡路里要多几倍。

驯化的大型哺乳动物还在两个方面和驯化的植物相互作用，以增加农作物的产量。首先，现代的园林工人或农民仍然根据经验知道，用动物的粪便做肥料可以提高作物的产量。即使在现代可以利用化工厂生产的合成肥料，今天大多数社会里作物肥料的主要来源仍然是动物的粪便——尤其是牛的粪便，但也有牦牛和羊的粪便。作为传统社会中的一个燃料来源，动物粪便也有其价值。

此外，最大的驯化哺乳动物与驯化植物相互作用，以增加粮食产量，这表现在它们可以用来拉犁，从而使人们可以去耕种以前如用来耕种则代价太高的土地。这些用来犁地的牲口有牛、马、水牛、巴厘牛以及牦牛和牛的杂交种。这里有一个例子可以用来说明这些牲口的价值：中欧史前期最早的农民，即稍早于公元前5000年兴起的利尼尔班克拉米克文化，起初都局限于使用手持尖棍来耕作松土。仅仅过了1000年，由于采用了牛拉犁，这些农民能够把耕种扩大到范围大得多的硬实土壤和难以对付的长满了蔓草的土地上去。同样，北美大平原上的美洲土著农民在河谷种植庄稼，但在广阔高地的难以对付的长满了蔓草的土地上耕种，要等到19世纪欧洲人和他们的畜拉犁的出现。

所有这些都是由于动植物驯化比狩猎采集的生活方式能生产出更多的食物从而导致更稠密人口的一些直接因素。一个比较间接的因素是与粮食生产所要求的定居生活方式的后果直接有关的。许多狩猎采集社会里的人经常跑来跑去寻找野生食物，但农民必须留在他们的田地和果园附近。因此而产生的固定居所由于缩短了生育间隔期而促使人口变得更稠密起来。一个经常变换营地、以狩猎采集为生的母亲只能带一个孩子和很少几件随身物品。在前一个蹒跚学步的孩子能够快步行走，赶上大伙儿而不致成为累赘之前，她是不能生第二个孩子的。事实上，到处流浪的以狩猎采集为生的人通过哺乳期无月经、禁欲、杀婴和堕胎等办法，把孩子出生的间隔安排为大约每4年一个。相比之下，定居的部族由于没有在迁移途中携带小孩这种问题的限制，他们可以多生多养，只要养得活就行。许多农业部族的生育间隔期是两年左右，为狩猎采集部族的一半。粮食生产者的这种较高的出生率，加上他们按每英亩计算养活更多的人的能力，使他们达到了比狩猎采集部族更大的人口密度。

定居生活的另一个结果是人们可以把多余的粮食贮藏起来，因为如果人们不能留在附近看管贮藏的粮食，那么贮藏就是毫无意义的。虽然有些到处流浪的狩猎采集部族可能偶尔也把几天吃不完的食品收藏起来，但这种富源对他们几乎毫无用处，因为他们不能保护它。但贮藏的粮食对于养活不生产粮食的专门人材是必不可少的，而对于养活全村社的人肯定是必不可少的。因此，到处流浪的狩猎采集社会几乎没有或完全没有这类专职的专门人材，这种人材首先出现在定居社会中。

这种专门人材有两类：国王和官员。狩猎采集社会往往比较平等，它们没有专职的官员和世袭的首领，只有在族群和部落层次上的小规模的行政组织。这是因为所有的身强力壮的从事狩猎采集的人不得不把他们很大一部分时间专门用来获取食物。而一旦有了粮食储备，行政上层人物就可以控制别人生产的粮食，维护征税的权利，无需去养活自己，而以全部时间从事行政活动。因此，中等规模的农业社会通常按酋长辖地来组织，而王国只限于规模很大的农业社会。这些复杂的行政单位比平等主义的猎人群体能更好地发动持久的征服战争。有些狩猎采集部族由于生活在特别富足的环境里，如北美洲太平洋西北海岸和厄瓜多尔海岸，也逐渐形成了定居社会，有了粮食储备和新生的酋长辖地，但他们没有在通往王国的道路上更进一步。

通过税收建立剩余粮食储备，除了养活国王和官员外，还能养活其他专职的专门人材。与征服战争关系最直接的是，剩余粮食储备可以用来养活职业军人。这是不列颠帝国最终打败新西兰武装精良的本土毛利人的决定性因素。虽然毛利人取得了几次惊人的暂时胜利，但他们不能在战场上保持一支常备军，所以到头来还是被18000人的英国专职军队拖垮了。粮食储备还可以养活为征服战争提供宗教理由的神职人员，养活像制造刀剑、枪炮和发展其他技术的金属加工工人之类的手艺人，以及养活能够保存信息的抄写员，因为他们所记录的信息比人们能够准确记住的信息要多得多。

至此，我已着重指出了作为粮食的农作物和家畜的直接和间接的价值。然而，它们还有其他用途，例如帮我们保暖和向我们提供有价值的材料。农作物和家畜生产出的天然纤维，可以用来做衣服、毯子、网和绳子。大多数重要的植物驯化中心不但培育粮食作物，也培育纤维作物——主要有棉花、亚麻(亚麻布的原料)和大麻。有几种驯化动物则出产动物纤维——特别是绵羊、山羊、美洲驼和羊驼的毛以及蚕丝。驯化动物的骨头是冶金术发明前新石器时代各部族用作人工制品的重要原料。牛皮被用来制革。在美洲许多地方栽培最早的植物之一是为非食用目的而种植的，这就是用作容器的葫芦。

驯化的大型哺乳动物在19世纪铁路发展起来之前成为我们主要的陆路运输手段，从而进一步使人类社会发生了革命性的剧变。在动物驯化之前，由陆路运输货物和人的唯一手段就是用人来背。大型哺乳动物改变了这种情况：在人类历史上第一次有可能迅速地不但把人而且也把大量沉重的货物从陆路运到很远的地方去。供人骑乘的驯化动物有马、驴、牦牛、驯鹿、阿拉伯单峰驼和中亚双峰驼。这5种动物和羊驼一样，都被用来背负行囊包裹。牛和马被套上大车，而驯鹿和狗则在北极地区拉雪橇。在欧亚大陆大部分地区，马成了长距离运输的主要手段。3种驯化骆驼（阿拉伯单峰驼、中亚双峰驼和羊驼）分别在北非地区和阿拉伯半岛、中亚和安第斯山脉地区起着类似的作用。

动植物驯化对征服战争的最直接的贡献是由欧亚大陆的马作出的，它们在军事上的作用，使它成了那个大陆上古代战争中的吉普车和谢尔曼坦克。我在第三章中提到，马使得仅仅率领一小群冒险家的科尔特斯和皮萨罗能够推翻阿兹特克帝国和印加帝国。甚至在早得多的时候（公元前4000年左右），尽管那时人们还仍然骑在光马背上，但马可能已成为促使操印欧语的人从乌克兰向西扩张的必不可少的军事要素。这些语言最终取代了除巴斯克语[1]外的所有早期的欧洲语言。当马在后来被套上马车和其他车辆时，马拉战车（公元前1800年左右发明）开始在近东、地中海地区和中国使战争发生了革命性的剧变。例如，在公元前1674年，马甚至使外来的希克索斯民族[2]得以征服当时没有马的埃及并短暂地自立为法老。

再往后，在马鞍和马镫发明后，马使来自亚洲大草原的匈奴人和一波接一波的其他民族对罗马帝国和后继国家造成了威胁，最后以蒙古人于公元13世纪和14世纪征服亚洲和俄罗斯的许多地方而达到高潮。只是由于在第一次世界大战中采用了卡车和坦克，马的作用才最后被取代，而不再是战争中主要的突击手段和快速运输的工具。阿拉伯骆驼和中亚骆驼也在各自的地理范围内起到了类似的军事作用。在所有这些例子中，驯养马匹（或骆驼）或改进对其利用的民族，在军事上拥有了对没有这些牲口的民族的巨大优势。

在征服战争中同样重要的是在驯养动物的社会中演化的病菌。像天花、麻疹和流行性感冒这类传染病作为人类的专化病菌而出现了，它们原是动物所感染的十分类似的祖代病菌由于突变而衍生出来的(第十一章)。驯养动物的人成了这些新演化出来的病菌的第一个受害者，而这些人接着又逐步形成了对这些新的疾病的强大的抵抗力。当这些有部分免疫力的人与以前从来没有接触过这种病菌的人接触时，流行病于是产生了，使99%的以前没有接触过这种病菌的人因之而丧命。从驯养的动物那里通过这一途径而最后获得的病菌，在欧洲人对美洲、澳大利亚、南非和太平洋诸岛的土著的征服中起了决定性的作用。

总之，动植物的驯化意味着人类的粮食越来越多，因而也就意味着人口越来越稠密。因此而带来的粮食剩余和(在某些地区)利用畜力运输剩余粮食，成了定居的、行政上集中统一的、社会等级分明的、经济上复杂的、技术上富有革新精神的社会的发展的先决条件。因此，能否利用驯化的动植物，最终说明了为什么帝国、知书识字和钢铁武器在欧亚大陆最早发展起来，而在其他大陆则发展较晚，或根本没有发展起来。在军事上使用马和骆驼以及来自动物的病菌的致命力量，最后就把粮食生产和征服之间的许多重要环节连接了起来，这我将在下文予以考察。

注　释：

1. 巴斯克语：欧洲比利牛斯山西部地区古老居民巴斯克人的语言。——译者

2. 希克索斯民族：来自亚洲的入侵者，从公元前18世纪末至公元前16世纪初统治埃及，其所建立之希克索斯王朝亦称“牧人王朝”。——译者

第五章　历史上的穷与富

很大一部分人类历史充满了穷富之间不平等的斗争：具有农民力量的民族与不具有农民力量的民族之间的斗争，或不同时期获得农民力量的民族之间的斗争。粮食生产在地球上的广大地区过去没有出现过，这并不令人奇怪，由于生态原因，粮食生产在这些地区现在仍然难以出现或不可能出现。例如，在史前期的北美洲北极地区，无论农业或畜牧业都没有出现过，而在欧亚大陆北极地区出现的唯一粮食生产要素是放牧驯鹿。在远离灌溉水源的沙漠地区也不可能自发地出现粮食生产，如澳大利亚中部和美国西部的一些地方。

迫切需要说明的，反倒是何以在某些生态条件十分适宜的地区在现代以前一直未能出现粮食生产，而在今天却成了世界上一些最富足的农牧中心。最为令人费解的一些地区，是加利福尼亚和美国太平洋沿岸其他一些州、阿根廷的无树大草原、澳大利亚西南部和东南部以及南非好望角地区的很大一部分。这些地区的土著族群在欧洲移民来到时还仍然过着狩猎采集生活。如果我们考察一下公元前4000

年的世界，即粮食生产在其最早发源地出现后几千年的世界，我们可能也会对其他几个现代粮仓当时竟未出现粮食生产而感到惊异。这些盛产谷物的地区包括：美国其余所有的地区、英国、法国很大一部分地区、印度尼西亚以及非洲赤道以南的整个地区。如果我们对粮食生产追本溯源，它的最早发源地会再次使我们感到惊异。这些地方已完全不是现代粮仓，它们包括一些在今天被列为有点干旱或生态退化的地区：伊拉克和伊朗、墨西哥、安第斯山脉、中国的部分地区以及非洲的萨赫勒地带[1]。为什么粮食生产首先在看似相当贫瘠的土地上形成，只是到后来才在今天最肥沃的农田和牧场发展起来？

在粮食生产赖以出现的方式方面的地理差异也同样令人费解。在有些地方，它是独立发展起来的，这是当地人驯化当地动植物的结果。而在其他大多数地方，则是把别的地方已经驯化的作物和牲口加以引进。既然这些原来不是独立发展粮食生产的地区在引进驯化动植物后立刻变得适宜于史前的粮食生产，那么这些地区的各个族群为什么在没有外来帮助的情况下，通过驯化当地的动植物而成为农民和牧人呢？

在的确独立出现粮食生产的这些地区中，为什么出现的时间差别如此之大——例如，在东亚要比在美国东部早几千年，而在澳大利亚东部却又从来没有出现过？在史前时代引进粮食生产的这些地区中，为什么引进的时间差别也如此之大——例如，在欧洲西南部要比在美国西南部早几千年？另外，在引进粮食生产的这些地区中，为什么在有些地区（如美国西南部）当地的狩猎采集族群采纳了邻近族群的作物和牲口而最后成为农民，而在另一些地区（如印度尼西亚和非洲赤道以南的许多地方）引进粮食生产却引起了一场灾难，使外来的粮食生产者取代了该地区原来的狩猎采集族群呢？所有这些问题都涉及不同的发展阶段，而正是这些不同的发展阶段决定了哪些民族成了历史上的贫穷民族，哪些民族成了历史上的富有民族。

在我们能够指望回答这些问题之前，我们需要弄清楚怎样去确定粮食生产的发源地及其出现的时间，以及某一特定作物或动物最早得到驯化的地点和时间。最明确的证据来自对一些考古遗址中出土的动植物残骸所作的鉴定。大多数驯化的动植物物种在形态上同它们的野生祖先是不同的：例如，驯化的牛和羊形体较小，驯化的鸡和苹果形体较大，驯化的豌豆种皮较薄也较光滑，驯化的山羊角长成螺旋形而不是短弯刀状。因此，如果能在一处有年代可考的考古遗址认出驯化动植物的残骸，那就是有了强有力的证据，说明彼时彼地已有了粮食生产，而如果在某个遗址仅仅发现了野生物种，那就不能证明已有了粮食生产，而只能证明与狩猎采集生活相吻合。当然，粮食生产者，尤其是初期的粮食生产者，在继续采集某些野生植物和猎捕野兽，这样，他们遗址中的残余食物常常不但包括驯化的物种，而且也包括野生的物种。

考古学家们用碳–14年代测定法来测定遗址中的含碳物质，从而确定粮食生产的年代。这种测定法所依据的原理是这样的：碳是生命的无所不在的基础材料，它的成分中含有很少量的放射性碳–14，而碳–14会衰变为非放射性同位素氮–14。宇宙射线不断地在大气中生成碳–14。植物吸收大气中的碳，其中碳–14和普遍存在的同位素碳–12保持着一种已知的几乎不变的比例（约1与100万之比）。植物中的碳接下去构成了吃这些植物的食草动物的躯体，也构成了吃这些食草动物的食肉动物的躯体。不过，这些植物或动物一旦死去，它们体内碳–14含量的一半每隔5700年衰变为

碳 –12，直到大约 4 万年后，碳 –14 含量变得很低而很难测出，也很难把它同受到少量的含有碳 –14 的现代材料的污染区别开来。因此，从考古遗址出土的材料的年代可以根据该材料内的碳 –14 与碳 –12的比例计算出来。

放射性碳受到许多技术问题的困扰，其中两个问题值得在这里提一提。一个问题是：碳 –14 年代测定法在 20 世纪 80 年代前需要比较多的碳（几克），比小小的种子或骨头里碳的含量多得多。因此，科学家们常常不得不依靠测定在同一遗址附近找到的材料的年代，而这个材料被认为是与残存的食物“有联系”的——就是说，是被留下食物的人同时弃置的。通常选择的“有联系”的材料是烧过的木炭。

但是，考古遗址并不总是把所有同日弃置的材料巧妙密封起来的时间容器。在不同时间弃置的材料可能会混杂在一起，因为蠕虫、啮齿目动物和其他作用力把地层给搅乱了。燃烧过的木炭碎屑最后可能因此而靠近了某个死去的并在几千年中或早或晚被吃掉的植物或动物。今天，考古学家们越来越多地用一种叫做加速质谱分析法的新技术来解决这个问题，这种新技术可以使碳 –14 年代测定法测得极小的样本的年代，从而使人们可以直接地测得一粒小小的种子、一块小小的骨片或其他食物残渣的年代。近年来用碳 –14 年代测定法测得的年代，有的是根据这种新的直接方法（它们也有其自身的问题），有的是根据旧的间接方法。但在有些情况下，人们发现用这两种方法测得的年代存在着巨大的差异。在由此而产生的仍未解决的争论中，就本书的论题而言，最重要的也许是有关粮食生产在美洲出现的年代问题：20 世纪 60 年代和 70 年代的间接方法测得的年代是远在公元前 7 万年，而较近的直接方法测得的年代则不早于公元前

3500年。

碳–14年代测定法的第二个问题是：大气中碳–14与碳–12的比例事实上并不是严格不变的，而是随着时间上下波动的，因此，从某种不变的比例这种假定出发去计算碳–14年代测定法测得的年代经常会产生一些小小的错误。确定关于过去每个年代错误的程度，原则上可以借助古老树木记录下的年轮，因为只要数一数这些年轮，就可得到每个年轮在过去的绝对日历年代，然后再对用这种方法测定年代的木炭样本加以分析，来确定其中碳–14与碳–12的比例。这样，就可以对用碳–14年代测定法实测到的年代加以校正，来估计大气中碳比例的波动情况。这样校正的结果是：对从表面上看（即未经校正的）其年代介于公元前约1000年至6000年之间的一些材料来说，精确的（经过校正的）年代要早几百年或1000年。近来又有人用一种交替法开始对一些年代稍早的样本进行校正，这种方法所依据的是另一种放射性衰变法，它所得出的结论是，表面上看年代约为公元前9000年的样本的实际年代是公元前11000年左右。

考古学家们常常把经过校正的和未经过校正的年代加以区分，其方法就是对前者用大写英文字母来写，对后者用小写英文字母来写（例如，分别为3000B．C．和3000b．c．）。然而，考古文献在这方面可能很混乱，因为许多书和论文在报告未经校正的年代时都写作B．C．，而未能提到这些年代实际上是未经校正的。我在本书中所报道的关于过去15000年中一些事件的年代都是经过校正的年代。这就是为什么读者会注意到关于早期粮食生产问题本书中的一些年代与从某些标准参考书引用的年代存在着差异的原因。

一旦人们辨认出驯化动植物的古代遗存并确定其年代，那么人们怎样来确定是否这个植物或动物实际上就是在这遗址附近驯化的，而不是在别处驯化，后来才传到这个遗址来的？一个方法就是研究一下这个作物或动物的野生祖先的地理分布图，并推断出野生祖先出现的地方必定就是发生过驯化的地方。例如，从地中海和埃塞俄比亚往东到印度，传统的农民普遍种植鹰嘴豆，今天世界上鹰嘴豆的80%都是印度生产的。因此，人们可能会误以为鹰嘴豆是在印度驯化的。但结果表明，鹰嘴豆的野生祖先只出现在土耳其的东南部。鹰嘴豆实际上是在那里驯化的，这个解释得到了这样一个事实的证明，即在新石器遗址中有关可能是驯化的鹰嘴豆的最古老的发现来自土耳其东南部和叙利亚北部邻近地区，其年代为公元前8000年左右；直到5000多年后，关于鹰嘴豆的考古证据才在印度次大陆出现。

确定某个作物或动物的驯化地点的第二个方法，是在地图上标出每个地区驯化物种首次出现的年代。出现年代最早的地点也许就是驯化最早的地点——而如果野生物种的祖先也在那里出现，如果它们在其他地点首次出现的年代随着与推定的最早驯化地点距离的增加而渐次提早，从而表明驯化物种在向其他那些地点传播，情况就尤其如此。例如，已知最早的人工栽培的二粒小麦在公元前8500年左右出现在新月沃地。其后不久，这个作物逐步向西传播，在公元前6500年左右到达希腊，在公元前5000年左右到达德国。这些年代表明二粒小麦是在新月沃地驯化的，这一结论可以用以下事实来证明：二粒小麦的野生祖先的分布只限于从以色列到伊朗西部和土耳其这一地区。

然而，在许多情况下，如果同样的植物或动物是在不同的地点独立驯化的，那么就会出现一些复杂的情况。只要分析一下由此产生的不同地区的相同作物或动物标本在形态、遗传或染色体方面的差异，就常常可以发现这些情况。例如，印度驯化牛中的瘤牛品种具有欧亚大陆西部牛的品种所没有的肉峰。遗传分析表明，现代印度牛的品种和欧亚大陆西部牛的品种在几十万年前就已分化了，比任何地方任何动物驯化的时间都早得多。就是说，在过去1万年中，牛就已在印度和欧亚大陆西部独立地驯化了，而它们原来都是在几十万年以前就已分化的印度和欧亚大陆西部野牛的亚种。

现在，让我们再回到我们原先的关于粮食生产的出现这个问题上来。在世界上的不同地区，粮食生产是在何处、何时和如何发展起来的呢?

一个极端情况是：有些地区的粮食生产完全是独立出现的，在其他地区的任何作物或动物来到之前，许多本土作物(在有些情况下还有动物)就已驯化了。目前能够举出详细而又令人信服的证据的这样的地区只有5个：西南亚，亦称近东或新月沃地；中国；中美洲(该词用来指墨西哥的中部和南部以及中美洲的毗连地区)；南美洲的安第斯山脉地区，可能还有亚马孙河流域的毗连地区；以及美国东部(图5.1)。在这些粮食生产中心中，有些中心或所有中心可能实际上包含了附近的几个或多或少独立出现粮食生产的中心，如中国北方的黄河流域和中国南部的长江流域。

除了这5个确然无疑出现粮食生产的地区外，另外还有4个地区——非洲的萨赫勒地带、热带西非、埃塞俄比亚和新几内亚——是争取这一荣誉称号的候补地区。然而，每一个地区都有某种不确定之处。虽然在非洲撒哈拉沙漠南沿的萨赫勒地带毫无疑问已有本地野生植物的驯化，但那里牛的放牧可能在农业出现前就已开始了，目前尚不能肯定的是：这些牛是独立驯化的萨赫勒牛，或者本来就是新月沃地饲养的牛，它们的引进引发了当地植物的驯化。同样仍然不

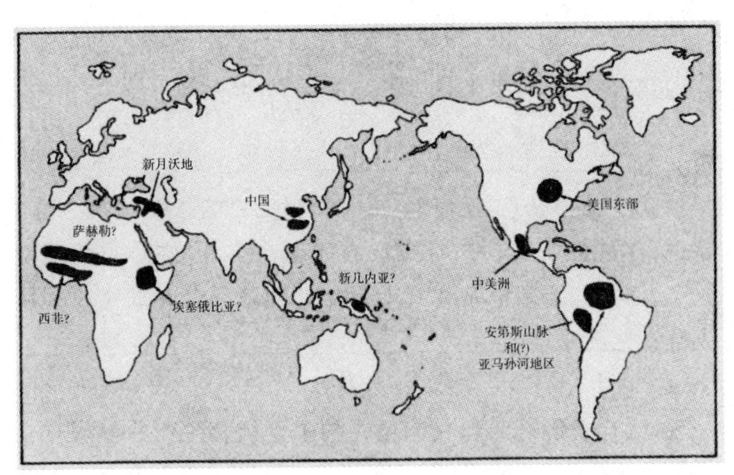

图 5.1 粮食生产发源中心。问号表示不十分肯定粮食生产在该中心出现是否确实不是由于受到其他中心粮食生产传播的影响，或(就新几内亚来说)最早的作物是什么。

能肯定的是，这些萨赫勒作物的引进是否接着又在热带西非引发了当地人对本地野生植物的无庸置疑的驯化，而西南亚作物的引进是否就是在埃塞俄比亚引发当地人驯化本地野生植物的原因。至于新几内亚，那里的考古研究提供的证据表明，在任何毗连地区出现粮食生产之前很久，那里就已有了早期的农业，但那里种植什么作物却一直没有得到明确的认定。

表5.1为在本地驯化的那些地区和其他地区扼要地列出了一些最著名的作物或动物以及已知的最早的驯化年代。在9个独立发展粮食生产的候补地区中，西南亚是植物驯化(公元前8500年左右)和动物驯化(公元前8000年左右)有最早的明确年代的地区；同时对于早期的粮食生产来说，它显然也是具有最多的用碳-14测定的准确年代的地区。中国发展粮食生产的年代几乎同西南亚一样早，而在美国东部则显然晚了差不多6000年。就其他6个候补地区而言，最早的得到充分证明的年代没有超过西南亚的年代，但在这其他的6个

地区由于能够有把握确定其年代的遗址太少，我们无法肯定它们真的落后于西南亚以及(如果真的落后的话)落后多少。

下一批地区包括一些至少驯化了两三种本地植物或动物的地区，但这些地区的粮食生产主要依靠在别处驯化的作物和动物。可以把这些引进的驯化动植物看作是“祖代”作物和动物，因为它们创立了

表5.1 每一地区驯化物种举例

地区	驯化的		得到证明的最早的驯化年代
	植物	动物	
独立驯化的发源地			
1．西南亚	小麦、豌豆、橄榄	绵羊、山羊	公元前8500年
2．中国	稻、黍	猪、蚕	不迟于公元前7500年
3．中美洲	玉米、豆、南瓜属植物	火鸡	不迟于公元前3500年
4．安第斯山脉和亚马孙河地区	马铃薯、木薯	羊驼、豚鼠	不迟于公元前3500年
5．美国东部	向日葵、藜属植物	无	公元前2500年
？6．萨赫勒地带	高粱、非洲稻	珍珠鸡	不迟于公元前5000年
？7．热带西非	非洲薯蓣、油椰	无	不迟于公元前3000年
？8．埃塞俄比亚	咖啡、画眉草	无	？
？9．新几内亚	甘蔗、香蕉	无	公元前7000年？
在从别处引进祖代作物后在本地进行的驯化			
10．西欧	罂粟、燕麦	无	公元前6000—3500年
11．印度河河谷	芝麻、茄子	瘤牛	公元前7000年
12．埃及	西克莫无花果、铁荸荠	驴、猫	公元前6000年

本地的粮食生产。祖代驯化动植物的引进使本地人过着定居的生活，从而增加了野生植物演化为本地作物的可能性，这些野生植物本来是他们采集后带回家偶然种下的，而到后来就是有意种植了。

在三四个这样的地区，引进的祖代动植物来自西南亚。其中一个地区是欧洲的西部和中部，那里的粮食生产是在公元前6000年和3500年之间随着西南亚作物和动物的引进而出现的，但至少有一种植物（罂粟，可能还有燕麦和其他植物）当时是在本地驯化的。野生罂粟只生长在地中海西部沿岸地区。欧洲东部和西南亚最早的农业社会的发掘遗址中没有发现罂粟的种子；它们的首次出现是在欧洲西部的一些早期农村遗址。与此形成对照的是，在欧洲西部却没有发现西南亚大多数作物和动物的野生祖先。因此，粮食生产不是在欧洲西部独立发展起来的，这看来是很清楚的。相反，那里的粮食生产是由于引进了西南亚的驯化动植物而引发的。由此而产生的欧洲西部农业社会驯化了罂粟，随后罂粟就作为一种作物向东传播。

还有一个地区，那里由本地对动植物进行驯化，似乎是在引进西南亚的祖代作物后开始的。这个地区就是印度次大陆的印度河河谷地区。那里的农业社会出现在公元前的第七个1000中，它们利用的小麦、大麦和其他作物，是先前在新月沃地驯化的，然后显然再通过伊朗传播到印度河河谷。只是到了后来，由印度次大陆土生物种驯化的动植物，如瘤牛和芝麻，才在印度河河谷的农业社会出现。同样，在埃及，粮食生产也是在公元前6000年随着西南亚作物的引进而开始的。埃及人当时驯化了西克莫无花果和一种叫做铁荸荠的植物。

同样的模式大概也适用于埃塞俄比亚，那里种植小麦、大麦和其他西南亚作物已有很长的历史。为了得到作物，埃塞俄比亚人也驯化了许多可在本地得到的物种，这些作物中的大多数仍然只有埃塞俄比亚才有，但其中的一种(咖啡豆)现在已传播到全世界。然而，埃塞俄比亚人驯化这些本地植物是在西南亚驯化物种引进之前还是在引进之后，这仍然无从知晓。

在依靠从别处引进祖代作物来发展粮食生产的这些地区和其他地区，当地的狩猎采集族群是否从邻近的农业族群那里采纳了那些祖代作物，从而使他们自己也成了农民？或者，这一揽子祖代作物竟是由入侵的农民带来，从而使他们能够在当地以更快的速度繁衍，并杀死、赶走或在人数上超过本地的猎人？

在埃及，似乎有可能发生前一种情况：本地的狩猎采集族群原来都是以野生动植物为食，现在又有了西南亚的驯化动植物和农牧技术，于是就逐步停止吃野生食物。这就是说，使粮食生产得以在埃及开始的是外来的作物和动物，而不是外来族群。在欧洲大西洋沿岸地区，情况也可能如此，因为那里的狩猎采集族群在许多世纪中显然采纳了西南亚的绵羊和谷物。在南非的好望角地区，以狩猎采集为生的科伊族人，由于从遥远的非洲北部(归根到底还是从西南亚)得到了绵羊和牛而成为牧人(而不是农民)。同样，美国西南部的以狩猎采集为生的印第安人，由于获得了墨西哥的作物而成为农民。在这4个地区，粮食生产的开始几乎没有或根本没有提供任何说明当地动植物驯化的证据，也几乎没有或根本没有提供任何说明人口更替的证据。

另一个极端情况是：有些地区的粮食生产毫无疑问不但是从外来作物和动物的引进开始的，而且也是从外来人的突然到来开始的。我们之所以能如此肯定，是因为外来人的到来在现代也发生过，而且也与有文化的欧洲人直接有关，这些欧洲人在许多书中对所发生的事都有过描述。上面说的这些地区包括加利福尼亚、北美洲西北部太平洋沿岸、阿根廷的无树大草原、澳大利亚和西伯利亚。直到最近几个世纪，这些地区仍然为狩猎采集族群所占有——在前3个地区是美洲土著，在后两个地区是澳大利亚土著或西伯利亚土著。这些以狩猎采集为生的人遭到了陆续来到的欧洲农民和牧人的杀害、疾病的感染、驱逐、或大规模的更替。这些农民和牧人带来了他们自己的作物，所以在来到后没有对当地的任何野生物种进行驯化（澳大利亚的坚果树例外）。在南非的好望角地区，陆续来到的欧洲人不但发现了科伊族中以狩猎采集为生的人，也发现了科伊族中只有驯化动物而没有作物的牧人。结果仍然是：靠外来作物来开始农业，不驯化本地动物，以及现代人口的大规模更替。

最后，依靠外来作物来突然开始粮食生产和突然发生大规模的人口更替，这同一模式在史前时代的许多地区似乎多次出现过。由于缺乏文字记载，关于史前人口更替的证据必须从考古记录中去寻找，或者根据语言学的证据来加以推断。得到最充分证明的一些事例表明，人口更替现象毫无疑问是存在的，因为新来乍到的粮食生产者在骨骼方面同被他们更替的以狩猎采集为生的人有着显著的差异，同时也因为这些粮食生产者不但引进了作物和动物，也引进了陶器。以后的几章将对两个最明显的例子加以描述：南岛人从华南向菲律宾和印度尼西亚的扩张（第十七章）和班图人在非洲赤道以南地区的扩张（第十九章）。

东南欧和中欧使我们看到了一幅类似的图景，即粮食生产（依靠西南亚的作物和动物）和制陶的突然开始。这种突然的开始大概也与古希腊人和日耳曼人被现代希腊人和日耳曼人所更替直接有关，就像在菲律宾、印度尼西亚和非洲赤道以南地区旧有的人让位于新来的人一样。然而，原来的以狩猎采集为生的人和更替他们的农民在骨骼方面的差异，在欧洲不像在菲律宾、印度尼西亚和非洲赤道以南地区那样显著。因此，在欧洲人口更替的例子也就不那么有说服力或不那么直接了。

总之，世界上只有几个地区发展了粮食生产，而且这些地区发展粮食生产的时间也差异甚大。一些邻近地区的狩猎采集族群从这些核心地区学会了粮食生产，而其他一些邻近地区的族群则被来自这些核心地区的粮食生产者所更替了——更替的时间仍然差异甚大。最后，有些族群虽然生活在一些生态条件适于粮食生产的地区，但他们在史前期既没有发展出农业，也没有学会农业；他们始终以狩猎采集为生，直到现代世界最后将他们淘汰。在粮食生产上具有领先优势的那些地区里的族群，因而在通往枪炮、病菌和钢铁的道路上也取得了领先的优势。其结果就是富有社会与贫穷社会之间一系列的长期冲突。

我们怎样来解释粮食生产的开始在时间和模式上的地理差异呢？这个问题是关于史前史的最重要的问题之一，它将成为下面五章讨论的主题。

注　释：

1. 萨赫勒地带：阿拉伯语意为“沙漠之边”，指撒哈拉沙漠南沿的一条广阔的半沙漠地带，跨乍得、冈比亚、马里、毛里塔尼亚、尼日尔、塞内加尔和布基纳法索等国境。——译者

第六章　种田还是不种田

以前，地球上所有的人都以狩猎采集为生。为什么他们中竟有人会选定粮食生产呢？如果说他们这样做必定有其理由，那么他们为什么只是在公元前8500年左右在新月沃地的地中海栖息地这样做，后来仅仅过了3000年又在气候和地质构造方面相类似的西南欧的地中海栖息地这样做，而从来没有在加利福尼亚、澳大利亚西南部和南非好望角这些类似地中海栖息地的地方这样做呢？为什么新月沃地的居民不是在公元前18500年或28500年左右即已成为粮食生产者，而是要一直等到公元前8500年呢？

从我们现代的观点来看，所有这些问题初看起来似乎有点愚蠢，因为作为狩猎采集族群的不利条件似乎是显而易见的。科学家们经常引用托马斯·霍布斯[1]的话来形容狩猎采集族群的生活方式："凶险、粗野、短命。"他们似乎不得不努力工作，每天为寻找食物而四处奔波，常常难免饥馁，他们没有诸如柔软的床铺和足够的衣裳之类的基本物质享受，而且年纪轻轻就死了。

事实上，由于富裕的第一世界公民实际上用不着亲自去做种植粮食的工作，所以对他们来说，粮食生产（通过远处的大农场经营）意味着较少的体力劳动，更多的享受，使人免于饥饿并获得较长的期望寿命。虽然农民和牧人构成了世界上实际粮食生产者的大多数，但其中大部分人的境况不一定就比以狩猎采集为生的人来得优越。对时间安排的研究表明，他们每天花在工作上的小时和以狩猎采集为生的人相比可能只多不少。一些考古学家已经证实，许多地区最早的农民同被他们取代的以狩猎采集为生的人相比，身材较矮小，营养较差，患严重疾病的较多，死时平均年龄也较轻。如果这些最早的农民能够预见到选定粮食生产的后果，他们也许不会决定那样去做。既然他们不能预见到这个结果，那么他们为什么还要作出这样的选择呢？

有许多实际情况表明，狩猎采集族群的确看见过他们的邻居在进行粮食生产，不过他们还是拒绝接受想象中的粮食生产的好处，而仍然过着狩猎采集生活。例如，澳大利亚东北部的狩猎采集族群几千年来一直同澳大利亚与新几内亚之间托里斯海峡诸岛上的农民交换物品。加利福尼亚的以狩猎采集为生的印第安人同科罗拉多河河谷的印第安农民交换物品。另外，南非菲什河以西的科伊族牧人同菲什河以东的班图族牧人交换物品，并继续摈弃农业。为什么？

还有一些与农民接触的狩猎采集族群最后的确成了农民，但那也只是在我们看来可能是经过极其漫长的拖延之后。例如，德国北部的近海族群，直到利尼尔班克拉米克文化时期一些族群把粮食生产引进距离南部仅仅 125 英里的德国内陆地区后1300年才采纳了粮食生产。为什么这些近海的德国人要等待这么长的时间，又是什么使他们最后改变了主意呢？

在我们能够回答这些问题之前，我们必须消除关于粮食生产起源的几个错误观念，然后重新系统地阐述这个问题。我们可能首先会理所当然地认为，粮食生产是*发现*的，或*发明*的，但实际情况并非如此。从事粮食生产还是狩猎采集，这中间甚至不存在有意识的选择。具体地说，在地球上每一个地区，最早的选定粮食生产的族群显然不可能作出有意识的选择，也不可能有意识地把农业作为他们的奋斗目标，因为他们从来没有见过农业，根本不知道农业是怎么一回事。相反，正如我们将要看到的那样，粮食生产是*逐步形成*的，是在不知道会有什么结果的情况下所作出的决定的副产品。因此，我们不得不提出的问题是：为什么粮食生产竟会发展起来，为什么它是在某些地方而不是在另一些地方发展起来，为什么它是在不同的时间和不同的地方发展起来，为什么它发展的时间不是更早一些或更晚一些？

另一个错误观念是：在到处流浪的狩猎采集族群与定居的粮食生产者之间必定是界线分明。事实上，虽然我们经常把他们分为两种截然不同的人群，但在某些物产丰富的地区，包括北美洲的西北太平洋沿岸以及可能还有澳大利亚东南部，狩猎采集族群已经定居下来，但从未成为粮食生产者。在巴勒斯坦、秘鲁近海地区和日本的其他一些狩猎采集族群先是过起了定居生活，直到过了很久才采纳了粮食生产。在15000年前的狩猎采集族群中，定居群体的比例比现在要高得多，因为那时世界上所有住人的地方（包括一些最富饶的地区）仍然为狩猎采集族群所居住，而今天剩下来的狩猎采集族群只生活在一些贫瘠的地区，在那里游牧生活是唯一的选择。

相反，粮食生产者中也有流动的群体。新几内亚湖泊平原的一些现代游牧民族在丛林中开垦土地，种植香蕉和番木瓜树，再离开几个月重新过狩猎采集生活，然后回来看看他们的作物，如果他们发现作物在生长，就给他们的园地除草，接着再出发去打猎，几个月后再回来看看，如果他们的园地有了出产，他们就定居一阵子来收获和食用他们的产品。美国西南部的阿帕切族印第安人沿着季节性的固定路线变换营地，以利用牧场上可以预料的季节性变化。因此，从狩猎采集向粮食生产的转变，并不总是与从游牧生活到定居生活的转变同时发生。

另一个实际上已变得模糊不清的想象中的区别，是粮食生产者积极经营土地而狩猎采集族群采集土地上的野生物产这两者之间的差异。实际上，有些狩猎采集族群集中力量经营他们的土地。例如，新几内亚的从未驯化过西谷椰子和山露兜树的土著，却知道怎样来增加这些可食用的野生植物的产量，他们使用的办法是清除掉与这些植物争夺地盘的树木，使生长西谷椰子的沼泽地里的沟渠中的水保持清澈，以及砍掉成熟的西谷椰子树以促进新苗的生长。还没有达到种植薯蓣和种子植物阶段的澳大利亚土著，却能预先考虑到有关耕作的一些原理。他们用畲田的方法来处理地面上的蔓枝杂草，以促进在烧荒后长出来的可供食用的种子植物的生长。在采集野生薯蓣时，他们把可食用块根的大部分切下来，但把茎连同块根的上端重新埋入土中，这样块根就又可以重新生长了。他们挖掘块根疏松了土壤，并使土壤通气，从而有利于块根的重新生长。如果他们想要成为名副其实的农民，他们只需把茎连同剩下的块根一起带回家，重新栽在自己的营地里就行了。

粮食生产就是这样由狩猎采集族群发端于前，然后一步步发展起来的。并不是所有必要的技术都是在短时间内发展起来的，并不是所有在某一地区最后驯化的野生动植物都是同时驯化的。即使是在粮食生产以最快的速度从狩猎采集的生活方式独立发展起来的情况下，也要花上几千年时间才能从完全依赖野生食物转变为依赖很少几种野生食物。在粮食生产的早期阶段，人们采集野生食物和培育非野生食物是同时进行的，而随着对作物的依赖的增加，各种采集活动在各个时期的重要性减少了。

这种转变是逐步实现的，其根本原因是，粮食生产制度的渐次形成乃是许多关于时间和劳力分配的不同决定积累的结果。觅食的人同觅食的动物一样，只有有限的时间和精力，但他们花费时间和精力的方式却可以是多种多样的。我们可以设想一下，有这么一个早期的农民，他在早晨醒来时自问：我今天是不是应该用锄头给我的菜园子除草（预计从现在起几个月后可以出产出许多蔬菜），或是去摸点虾或蟹什么的（预计今天就可以吃到一点河鲜），或是去捕猎鹿（今天可能会得到许多肉，但更可能什么都得不到）？觅食的人和觅食的动物一样，都在不断地按优先顺序来作出分配劳力的决定，哪怕是无意识地也是一样。他们首先集中注意力于最喜欢的食物，或者能够产生最高报偿的食物。如果这些食物无法得到，他们就转向不太喜欢的食物。

在作出这些决定时要考虑许多问题。人们寻找食物是为了充饥果腹。他们也渴望得到一些特别的食物，如富有蛋白质的食物、脂肪、盐、甜水果以及只要吃起来味道好的食物。如果所有其他情况都相同，人们就用一种以最少的时间、最小的努力和最大的把握产生最大的回报的方法去寻找食物，从而追求在卡路里、蛋白质或其他特别的食物品种方面得到最大限度的回报。同时，他们也追求最小限度的风险：同按平均时间计算回报率很高但也很可能饿死的一种变化不定的生活方式相比，适中的然而可靠的回报显得更为可取。差不多11000年前最早的菜园的一个可想而知的作用是，万一在野生食物供应短缺时提供一个作为预防的食物储备地。

相反，男性猎人的行动往往要受到声望这类考虑的影响。例如，他们可能宁愿每天去猎捕长颈鹿，每月猎获一头长颈鹿，从而赢得伟大猎人的身份，而不是降低身份，每天确保采集到坚果，一个月背回家两倍于一头长颈鹿重量的食物。人们也受到看似随心所欲的文化偏好的影响，例如把鱼或者看作是美味，或者看作是禁忌。最后，他们的优先考虑还要受到他们所喜爱的生活方式的相对价值的严重影响，就像我们今天所能看到的那样。例如，在19世纪的美国西部，养牛人、牧羊人和农民全都彼此鄙视。同样，在整个人类历史上，农民总是看不起以狩猎采集为生的人，说他们粗野原始，以狩猎采集为生的人也看不起农民，说他们愚昧无知，而牧人则对这两种人都看不起。所有这些因素在人们关于如何得到食物所作出的不同决定中都发生了作用。

我们已经注意到，每个大陆上的农民是不可能有意识地去选择农业的，因为他们没有看到过他们的附近有任何别的农民。然而，粮食生产一旦在某个大陆的某个部分出现，邻近的狩猎采集族群就能看到粮食生产的结果，从而作出有意识的决定。在某些情况下，这些狩猎采集族群几乎是全盘接受了邻近的粮食生产制度；在另一些情况下，他们只选择其中的某些成分；在还有一些情况下，他们则是完全拒绝粮食生产，而继续做以狩猎采集为生的人。

例如，在欧洲东南部一些地区的狩猎采集族群，在公元前6000年左右迅速接受了西南亚的谷类作物、豆类作物和牲口，而且是同时全盘接受的。所有这3个成分在公元前5000年前的几百年中也迅速地传播到整个中欧。采纳粮食生产在东南欧和中欧可能非常迅速而且是大规模的，因为那里的狩猎采集生活方式所获较小，也不太有竞争力。相形之下，粮食生产在西南欧（法国西南部、西班牙和意大利）则是逐渐被采纳的，那里最先引进的是绵羊，后来引进的是谷物。日本从亚洲大陆采纳集约型粮食生产非常缓慢，而且是逐步实现的，这大概是因为那里的以海产和本地植物为基础的狩猎采集生活方式十分丰足的缘故吧。

正如狩猎采集的生活方式可以逐渐转换为粮食生产的生活方式一样，一种粮食生产制度也可逐渐转换为另一种粮食生产制度。例如，美国东部的印第安人在公元前2500年左右已开始驯化本地的植物，但也和墨西哥的印第安人发生交换关系，这些墨西哥印第安人在谷物、南瓜属植物和豆类三合一的基础上发展出一种更多产的作物体系。美国东部的印第安人采纳了墨西哥的作物，他们中许多人逐步抛弃了本地的驯化植物；南瓜属植物是独立驯化的，玉米在公元200年左右从墨西哥引进，但直到公元900年始终是一种主要的作物，而豆类则是在一二百年之后引进的。甚至偶然也有放弃粮食生产制度、复归狩猎采集生活的例子。例如，在公元前3000年左右，瑞典南部的狩猎采集族群采纳了以西南亚作物为基础的农业，但在公元前2700年时放弃了，重新回归狩猎采集生活，又过了400年才又一次恢复了农业生活。

所有这些考虑清楚地表明，我们不应该认为采纳农业的决定是在封闭状态下作出的，就好像那些人在这以前没有养活自己的手段似的。相反，我们必须把粮食生产同狩猎采集看作是相互竞争的供选择的办法。在狩猎采集外再种植某些作物或饲养某些牲口的混合经济，不但在和这两种“纯粹”经济竞争，而且也在和粮食生产比例或高或低的混合经济竞争。尽管如此，在过去的1万年中，普遍的结果一直是从狩猎采集转变为粮食生产。因此，我们必须问一问：是什么因素使竞争优势不属于前者而属于后者?

考古学家和人类学家仍在争论这个问题。这个问题之所以仍未解决，一个原因就是不同的因素可能在世界上的不同地区起着决定性的作用。另一个原因是怎样理清粮食生产出现过程中的因果关系问题。然而，我们仍然可以找出5个起作用的主要因素；而争论也主要是围绕这些因素的相对重要性而展开的。

一个因素是获得野生食物的可能性减少了。狩猎采集族群的生活方式在过去的13000年中变得好处越来越少了，因为他们所依赖的资源(尤其是动物资源)已不再那么丰富或者甚至消失了。我们在第一章中已经看到，大多数大型哺乳动物在更新世结束时已在南美洲和北美洲灭绝了，有些在欧亚大陆和非洲灭绝了，这或者是因为气候发生了变化，或者是因打猎的人的技巧提高了和人数增加了。虽然动物的灭绝在最终(在长期延迟之后)推动古代的印第安人、欧亚大陆居民和非洲人走上粮食生产道路方面所起的作用仍然可以争论，但在较晚近时期的一些海岛上却存在这方面的许多不容置疑的例证。最早的波利尼西亚移民在新西兰消灭了恐鸟和大批杀死海豹，并在其他波利尼西亚岛屿上消灭或大批杀死海鸟和陆鸟。只有在那之后，他们才加强了他们的粮食生产。例如，虽然在公元500年移居复活节岛的波利尼西亚人带去了鸡，但直到野鸟和海豚不再容易捉来充当食物时鸡才成了主要的食物。同样，促成新月沃地出现动物驯化的一个想得到的因素是野瞪羚的个体密度减少了，而在这之前野瞪羚一直是这一地区狩猎采集族群的主要的肉食来源。

第二个因素是：正如野生鸟兽资源的枯竭往往使狩猎采集活动好处不大一样，由于获得可驯化野生植物的可能性增加了，对植物进行驯化的做法可以得到较大的好处。例如，更新世结束时新月沃地的气候变化大大增加了野生谷物的产地面积，从而可以在很短的时间内收获大量的庄稼。这些野生谷物的收获就是新月沃地最早的作物——小麦和大麦——驯化的先声。

还有一个不利于狩猎采集生活的因素，是粮食生产可能最后依赖的一些技术——对野生粮食的收集、加工和贮藏的技术的长期发展。如果未来的农民不是首先弄清楚怎样对小麦进行收割、脱粒和贮藏，那么长在麦秆上的麦粒即使有一吨重，他们又能怎样去加以利用呢？公元前11000年后，各种必要的方法、工具和设备在新月沃地迅速出现，这些都是为处理当时新出现的大量野生谷物而发明出来的。

这些发明包括用来收割野生谷物的、装在木柄或骨柄上的燧石镰刀；从生长谷物的山坡把谷物运回家的篮子；给谷物去壳的石臼、杵或磨板；烘焙谷粒以免在贮藏时发芽的技术；以及贮藏谷物的地窖，有些地窖还抹上灰泥防水。在公元前11000年后新月沃地的狩猎采集族群的遗址中，关于所有这些技术的证据非常丰富。所有这些技术虽然都是为利用野生谷物而发展起来的，但也是种植粮食作物的必备条件。这方面的长期发展构成了植物驯化的无意识的第一步。

第四个因素是人口密度增加和粮食生产出现这两者之间的相互关系。在世界各地，凡是可以得到充分证据的地方，考古学家们都发现了人口密度增加与粮食生产之间出现相互联系的证据。哪个是因？哪个是果？这是一个长期争论不休的先有鸡还是先有蛋的问题：是人口密度增加迫使人们求助于粮食生产，还是粮食生产促使人口密度增加？

这就是说，采纳粮食生产为所谓的自身催化过程提供了例证——这是一个在正反馈循环中自身催化的过程，这个过程一旦开始，速度就越来越快。人口密度的逐步增加，迫使人们去奖励那些无意中增加了粮食产量的人，以获得更多的粮食。一旦人们开始生产粮食并过定居的生活，他们就能够缩短生育间隔期，生出更多的人来，从而也就需要更多的粮食。粮食生产与人口密度之间的这种双向关系，说明了一种矛盾的现象，即粮食生产一方面增加了每英亩可摄入的卡路里的数量，一方面却又使这些粮食生产者的营养不及他们所继承的那些以狩猎采集为生的人。这种矛盾之所以产生，是因为人口密度的增加速度要稍高于粮食的增加速度。

以上 4 种因素综合起来，就能帮助我们了解为什么新月沃地向粮食生产的过渡开始于公元前 8500 年左右，而不是公元前 18500 年左右或 28500 年左右。在这后两个年代，狩猎采集活动所得到的报酬要比当时刚开始的粮食生产大得多，因为那时野生哺乳动物的数量仍然非常丰富；野生谷物的数量很少；人们还没有发明有效地收集、加工和贮藏谷物的必要技术；同时人口密度也没有高到需要十分重视从每英亩土地设法得到更多的卡路里。

结果，在地球上大多数适于粮食生产的地区，狩猎采集族群只能有两种命运：要么他们被邻近的粮食生产者所取代，要么他们为了生存只有采纳粮食生产的办法。在有些地方，因为那里的狩猎采集族群的人数本来已经很多，或者因为地理条件妨碍了粮食生产者从外面移入，所以他们有时间在史前时期采纳了农业，从而作为农民而生存了下来。这种情况可能发生在美国西南部、地中海以西地区、欧洲的大西洋沿岸以及日本的一些地方。然而，在印度尼西亚、热带东南亚、非洲赤道以南的大部分地区，可能还有欧洲的一些地方，狩猎采集族群在史前时代就已被农民取而代之了，而在现代的澳大利亚和美国西部的许多地方也发生了类似的更替现象。

在有些地方，由于存在着强大的地理或生态障碍，粮食生产者很难从外面移入，适合本地的粮食生产技术也很难传播进来。只有在这些地方，狩猎采集族群才能在一些适合粮食生产的地区一直生存到现代。这方面的三个突出的例子是：加利福尼亚的以狩猎采集为生的印第安人，由于被沙漠把他们同亚利桑那的印第安农民隔开而继续生存下来；南非好望角地区的以狩猎采集为生的科伊桑族，由于那里的地中海型气候带不适于附近班图族农民的赤道作物而继续生存下来；以及整个澳洲大陆的以狩猎采集为生的族群，由于被一片片狭窄的海域把他们同印度尼西亚和新几内亚的粮食生产者隔开而继续生存了下来。有几个直到20世纪仍然以狩猎采集为生的族群所以能逃脱被粮食生产者取代的命运，是因为他们局处一隅，生活在一些不适于粮食生产的地区，尤其是在沙漠和北极地区。在当前的10年之内，即便是他们也会受到文明的诱惑，在政府官员或传教士的压力下定居下来，或听任病菌的摆布。

注　释：

1. 托马斯·霍布斯（1588—1679）：英国政治哲学家、机械唯物主义者，拥护君主专制，提出社会契约说，主要著作有《利维坦》、《论物体》等。——译者

第七章　怎样识别杏仁

如果你是一个徒步旅行者，吃腻了农场上种植的瓜果蔬菜，那么试一试吃一点野生食物，就是一件有趣的事。你知道，有些野生植物，如野草莓和乌饭树的蓝色浆果，不但味道好，而且吃起来安全。它们的样子同我们所熟悉的农家品种相当类似，所以我们能够很容易地把这些野生浆果认出来，虽然它们比我们种植的那些品种要小得多。爱冒险的徒步旅行者在吃蘑菇时小心翼翼，因为他们知道蘑菇中有许多品种吃了会致人死命。但即使是最爱吃干果的人也不会去吃野生的杏仁，因为其中有几十种含有足以致人死命的氰化物（即纳粹毒气室中使用的那种毒物）。森林中到处都有其他许多被认为不能吃的植物。

然而，所有的作物都来自野生植物。某些野生植物是怎样变成作物的呢？这是一个特别令人困惑的问题，因为许多作物（如巴旦杏）的祖先不是吃了叫人送命就是味道糟得难以入口，而其他一些作物（如玉米）在外观上同它们的野生祖先又差别太大。住在岩洞里的那些男女是些什么样的人，竟会想出“驯化”植物这个主意来？而这又是如何做到的呢？

植物驯化可以定义为：栽种某一植物并由此有意或无意地使其发生不同于其野生祖先的、更有利于人类消费的遗传变化。对作物的培育在今天是一种由专业科学家去做的、自觉的、高度专业化的工作。他们已经了解现存的数以百计的作物，并着手开发新的品种。为了实现这一目标，他们种下了许多种子或根，选出最好的后代，再种下它们的种子，把遗传学知识用来培育能够繁殖纯种的优良品种，也许甚至会利用最新的遗传工程技术来转移某些有用的基因。加利福尼亚大学戴维斯分校有一个系（果树栽培学系），全系专门研究苹果，还有一个系（葡萄栽培与葡萄酒工艺学系），专门研究葡萄和葡萄酒。

但是，植物驯化的历史可以追溯到1万多年前。最早的农民当然不会利用分子遗传技术来得到这种结果。这些最早的农民甚至没有任何现存的作物可以作为样品来启发他们去培育新的作物品种。因此，他们不可能知道，不管他们做什么，他们最终都能一饱口福。

那么，最初的农民是怎样在不知不觉中驯化了植物的呢？比方说，他们是怎样在不知道自己在做什么的情况下把有毒的杏仁变成了无毒的杏仁的呢？除了使某些野生植物变得更大或毒性更少外，他们实际上还使它们产生了哪些变化呢？即使是一些重要的作物，驯化的时间也大不相同：例如，豌豆驯化的时间不迟于公元前8000年，橄榄在公元前4000年左右，草莓要等到中世纪，美洲山核桃则更迟至1846年。许多能出产食物的重要的野生植物为千百万人所珍视，例如在世界上的许多地方，人们为了得到可吃的橡实而寻找橡树，但橡树甚至在今天也仍然没有驯化。是什么使得某些植物比其他植物更容易驯化，或更吸引人去对其驯化？为什么橄榄树向石器时代的农民屈服了，而橡树则仍然使我们最聪明的农艺师一筹莫展呢？

让我们首先从植物的观点来看一看驯化的问题。 就植物来说，我们不过是无意间“驯化”了植物的成千上万种的动物之一。

和其他所有动物（包括人）一样，植物必须将其子代向它们能够茁壮生长的地区扩散，并传递其亲代的基因。 小动物的扩散靠行走或飞翔，但植物没有这样的选择自由，因此它们必须以某种方式沿途搭便车旅行。 有几种植物的种子生得便于被风吹走或在水上漂流，而其他许多植物则把种子包在好吃的果子里并用颜色和气味来宣告果子的成熟，从而哄骗动物把种子带走。 饥饿的动物把这果子扯下来吃掉，或者走开，或者飞走，然后在远离亲代树的某个地方把种子吐出或随粪便排出。 种子可以用这种办法被带到几千英里之外。

植物的种子连你的肠胃都无法消化，而且仍然能够从你的排泄物中发出芽来，了解到这一点，你也许会感到惊奇。 但任何爱冒险的而又不太容易呕吐的读者不妨做一做这方面的试验，亲自来验证一下。 许多野生植物的种子实际上必须通过动物的肠胃，然后才能发芽。 例如，非洲有一种瓜很容易被一种形似鬣狗的叫做土狼的动物吃掉，结果这种瓜大多数都生长在土狼排泄的地方。

关于想要沿途搭便车旅行的植物是怎样吸引动物的这个问题，可以考虑一下野草莓的例子。 当草莓的种子还没有成熟、不能马上播种时，周围的果实是又青又酸又硬。 当种子最后成熟时，果实就变得又红又甜又嫩。 果实颜色的变化成了一种信号，把鸫一类的鸟儿吸引来啄食果实然后飞走，最后吐出或随粪便排泄出种子。

当然，草莓并不是有意要在种子准备好撒播的时候去招引鸟儿。

鸫也不是有意要去驯化草莓。相反，草莓是通过自然选择来演化的。未成熟草莓的颜色越青和味道越酸，在种子成熟前来吃草莓从而使种子遭到破坏的鸟儿就越少；成熟草莓的味道越甜和颜色越红，来撒播成熟种子的鸟儿就越多。

其他无数的植物都有适合于让某些种类的动物吃并撒播的果实。正如草莓适合于鸟儿一样，橡实适合于松鼠，芒果适合于蝙蝠，某些莎草适合于蚂蚁。这符合我们关于植物驯化的部分定义，因为祖代植物在遗传方面的变化使它更有利于人类消费。但没有人会一本正经地把这种演化过程称为驯化，因为鸟儿、蝙蝠和其他动物不符合那个定义的另一部分：它们不是有意去栽种植物的。同样，作物从野生植物开始演化的早期无意识阶段包括这样的一些演化方式，即植物吸引人类去采食并撒播它们的果实，但还不是有意去栽种它们。人类的排泄处所和土狼的一样，也许就是最早的无意识的作物培育者的一个试验场。

我们在许多地方偶然地播下了我们所吃的植物的种子，我们的排泄处仅仅是其中之一。当我们采集到可吃的野生植物并把它们带回家的时候，有些在路上或家里散落了。有些水果在种子还仍然十分完好的时候就腐烂了，于是就被扔进了垃圾堆，不再吃它。草莓的种子是果实的一部分，实际上也被我们送入口中，但由于种子太小，最后还是被吞了下去，并随粪便排了出来。但还有些水果的种子相当大，就被吐了出来。因此，我们的茅坑加上我们的痰盂和垃圾堆一起构成了最好的农业研究实验室。

不管这些种子最后到了哪个“实验室”，它们都是来自某种可吃的植物——即我们出于某种原因喜欢吃的植物。从你采摘浆果的那些日子起，你就知道挑选某些浆果或浆果灌木。最后，当最初的农民开始有意识地去播种时，他们播下的必然是他们存心采集的那些植物的种子，虽然他们还不懂大浆果的种子有望长成能够结出更多大浆果的灌木这一遗传原则。

因此，当你在一个炎热、潮湿的日子里艰难地走进到处都是蚊子的多刺的灌木丛中时，你并非只是为了任何一丛草莓才这样去做的。即使是无意识的，你还是决定了哪一丛草莓看上去最有希望，以及它是否值得你来这一趟。你的潜意识中的判断标准是什么？

一个判断标准当然就是大小。你喜欢大的浆果，因为你不值得为几颗难看的小浆果去被太阳晒烤和蚊子叮咬。这就是许多作物的果实比它们野生祖先的果实大得多的部分原因。超市里的草莓和乌饭树的蓝色浆果同野生的品种相比显得硕大肥壮，这情形是我们特别熟悉的；这方面的差异也只是最近几百年才出现的。

在其他植物方面的这种大小差异，可以追溯到农业出现的初期，那时人工栽培的豌豆经过筛选和演化，其重量超过野生豌豆的10倍。狩猎采集族群在几千年里采集的就是这种小小的野生豌豆，就像我们今天采集乌饭树的蓝色浆果一样。然后，他们才有选择地去收获和种植那些最吸引人的最大的野生豌豆——这就是我们所说的农业——它开始自动地促使豌豆的平均大小每一代都有增加。同样，超市里的苹果的直径一般在3英寸左右，而野生苹果的直径只有1英寸。最早的玉米棒子的长度几乎不超过半英寸，但公元1500年墨西哥印第安农民已经培育出长达6英寸的玉米棒子，而现代的玉米棒子则可长达一英尺半。

我们所栽种的植物的种子和它们的许多野生祖先的种子的另一个明显的差异是在味苦方面。许多野生植物的种子为防动物把它们吃掉，在演化过程中味道变苦而难以入口，或竟然有毒。因此，自然选择对种子和果实所起的作用正好相反。果实好吃的植物让动物来撒播它们的种子，但果实里的种子必须很难吃。否则，动物就会把种子嚼碎，种子也就发不出芽来了。

关于苦味的种子及其在驯化过程中的变化，杏仁提供了一个引人注目的例子。大多数野巴旦杏的种子都含有一种叫做苦杏仁苷的其苦无比的化学物质，这种物质（前面已提到过）在分解时产生了有毒的氰化物。如果有人竟会蠢到不顾野生杏仁苦味的警告而去吃它，那他就会因此而丧命。既然无意识驯化的第一阶段是采集可以吃的种子，那么对野生杏仁的驯化又是怎样达到这第一阶段的呢？

对此的解释是：偶然有几棵巴旦杏树在一个基因上产生了突变，使它们不能合成苦味的苦杏仁苷。这些树在荒野里灭绝了，没有留下任何后代，因为鸟儿发现了它们的种子，把种子吃个精光。但最初的农民的孩子们由于好奇或饥饿，把他们周围的野生植物每一种都弄一点来尝尝，最后竟品尝到并发现了这些没有苦味的巴旦杏树。（同样，如果今天的欧洲农民偶然发现了几棵橡实甜而不苦的橡树，他们仍然会感到庆幸。）这些不苦的巴旦杏的种子就是古代农民可能会去种的种子，开头是无心地任其生长在垃圾堆上，后来则是有意地种在自己的果园里了。

不迟于公元前8000年的野生杏仁，已在发掘出来的希腊考古遗址中出现。到公元前3000年，在地中海以东的土地上已有野生杏仁在驯化。埃及国王图坦卡蒙[1]于公元前1325年左右去世后，放在他的著名陵墓里供他死后享用的食品中就有杏仁。在其他许多为人们所熟悉的作物中有利马豆、西瓜、马铃薯、茄子和卷心菜。这些作物的野生祖先，有的味苦，有的有毒，其中偶然也有几个味道甘美的品种，但那必定是从古代旅行者的排泄处长出来的。

如果说大小和味道是狩猎采集族群选择野生植物的最明显的标准，那么其他标准则包括果实肉多或无子、种子含油多以及纤维长。野南瓜种子外面的果肉很少，或根本没有果肉，但早期的农民喜欢选择果肉比种子多得多的南瓜。很久以前，人们在栽培香蕉时就选择了全是肉而没有种子的品种，从而启发了现代农业科学家去培育无籽柑橘、无籽葡萄和无籽西瓜。水果无籽是一个很好的例子，说明人类的选择是怎样把野生水果原来的演化作用完全颠倒了过来，因为原来的演化作用实际上只是撒播种子的一种手段。

在古代，有许多植物都是由于含油的果实和种子而同样得到选择的。在地中海地区最早得到驯化的果树有油橄榄，栽培的时间大约在公元前4000年以后，栽培的目的就是为了得到它的油。人工栽培的油橄榄比野生的油橄榄不但果实大，而且含油率也高。古代农民为了得到含油的种子而选择了芝麻、芥菜、罂粟和亚麻，而现代的植物学家为了同样的目的而选择了向日葵、红花和棉花。

为了油而培育棉花，这还是近代的事。在这之前，当然是为了纺织用的纤维而选择棉花。棉花的纤维（或称棉绒）是棉花种子上的茸毛，美洲和旧大陆的早期农民为了得到长的棉绒独立地选择了不同品种的棉花。另外还有两种作为古代纺织品原料而栽种的植物是亚麻和大麻，它们的纤维来自茎，因此对它们的选择标准是又长又直的茎。虽然我们把大多数作物看作是为吃而种植的，但亚麻也是我们最早的作物之一（驯化时间不迟于公元前7000年）。它是亚麻布的原料，它一直是欧洲主要的纺织原料，直到工业革命后为棉花和合成纤维所代替。

迄今为止，我们对野生植物演化为作物所描述的种种变化，与早期农民实际上可能已注意到的一些特征直接有关——如果实的大小、苦味、多肉、含油和纤维的长度。通过收获这些具有特别可取的品质的野生植物，古代人在无意识中传播了这些植物，使它们走上了驯化之路。

然而，除此以外，至少还有其他4种主要变化未能引起采摘浆果的人去作出引人注目的选择。在这些情况下，如果采摘浆果的人的确引起了什么变化，那或是由于其他植物因某些不明原因始终无法得到而收获了可以得到的植物，或是由于改变了对植物起作用的选择条件。

第一个这样的改变影响了种子传播的野生结构。许多植物都有其传播种子的专门机制（从而使人类无法对它们进行有效的采集）。只有由突变产生的缺乏这种结构的种子才会被人收获而成为作物的祖先。

一个明显的例子就是豌豆。豌豆的种子（我们吃的豌豆）封闭在豆荚里。野豌豆要发芽生长，就必须破荚而出。为了做到这一点，豌豆就演化出一种基因，能使豆荚突然破裂，把豌豆弹射到地上。偶然产生突变的豌豆的豆荚不会爆裂。在野外，这种产生突变的豌豆一直到死都是包裹在亲株上的豆荚里面，而只有这种能爆裂的豆荚才把它们的基因传递给后代。但与此相反的是，人类能够收获到的唯一豆荚可能就是留在植株上的那些不爆裂的豆荚。因此，一旦人类开始把野豌豆带回家去吃，立刻就产生了对这种单基因突变的选择。对同样不爆裂突变进行选择的例子还有兵豆、亚麻和罂粟。

野生的小麦和大麦不是封闭在能够爆裂的荚子里，而是长在麦秆的顶端，麦秆能自动脱落，使种子落到能够发芽生长的地面上。一种单基因突变使麦秆不会脱落。在野生状态下，这种突变对植物来说可能是毁灭性的，因为种子不能落地，就无法发芽生根。但这些产生突变的种子省力地留在秆子上可能是在等待人类来收获它们并把它们带回家。当人类接着种下了这些收获来的产生突变的种子后，农民又一次可以从这些种子的后代中得到所有产生突变的种子，收获它们，播种它们，而后代中未产生突变的那些种子就落到地上，而无法得到了。这样，农民就180度地改变了自然选择的方向：原来成功的基因突然变得具有毁灭性了，而毁灭性的突变却变得成功了。1万多年前，这种对不脱落的小麦和大麦麦秆的无意识的选择，显然是人类对植物的第一个重大的“改良”。这个变化标志着新月沃地农业的开始。

第二个改变甚至是古代旅行者更难以觉察的。对于在气候变化无常的地区生长的一年生植物来说，如果所有的种子都迅速地同时发芽，那可能是毁灭性的。如果发生了这种情况，那么只要一次干旱或霜冻就可能把幼苗全都杀死，连传种接代的种子都没有了。因此，许多一年生植物演化的结果是通过发芽抑制剂来减少损失，使种子在开始阶段休眠，然后在几年里分批发芽。这样，即使大多数幼苗由于一次恶劣的天气而死光，剩下的一些种子还会在以后发芽。

野生植物赖以减少损失的一种普遍的适应性变化，是把它们的种子裹在一层厚厚的皮壳或保护层中。产生这种适应性变化的这许多植物包括小麦、大麦、亚麻或向日葵。虽然这些后发芽的种子仍然有机会在野外发芽，但请考虑一下随着农业的发展而必然发生的情况。早期的农民可能在反复试验中发现，他们可以通过松土、浇水然后播种的办法来获得更高的产量。如果是这样，种子就会立即发芽并长成植物，它们的种子又可以收获下来在来年种下。但许多野生植物的种子不会立即发芽，因此种下去也不会有任何收成。

野生植物中偶然产生突变的个体没有厚厚的种皮，也没有其他的发芽抑制剂。所有这些突变体迅速发芽，最后产生了突变的种子。早期的农民可能没有注意到这种差异，他们只知道去注意和有选择地收获大的浆果。但播种—生长—收获—播种这种循环会立即无意识地选择了那些突变体。和种子传播方面的变化一样，发芽抑制方面的这些变化是小麦、大麦、豌豆以及其他许多作物的共同特点，而这是它们的野生祖先所没有的。

早期农民觉察不到的另一个重要变化与植物的繁殖直接有关。植物培育的一个普遍问题是：偶然产生突变的植物个体比正常的个体更有益于人类(例如，由于种子较大和苦味较少)。如果这些可取的突变体接下去同正常的植物进行品种间的杂交，这种突变就会立刻被淡化或完全失去。那么，对早期农民来说，在什么情况下这种突变会继续保留下来?

对自我繁殖的植物来说，突变体会自动地保留下来。对无性繁殖(用亲代植物的块茎或根来繁殖)的植物或能够自花受精的雌雄同株的植物来说，情况也是如此。但大多数野生植物都不是用这种方法来繁殖的。它们或者是雌雄同株，但不能自花受精，必须同其他雌雄同株的个体进行品种间的杂交(我的雄蕊使你的雌蕊受精，你的雄蕊使我的雌蕊受精)，或者像所有正常的哺乳动物一样，是雌雄异体。前一种植物叫做自交不亲和雌雄同株，后一种植物叫做雌雄异株。这两种情况对古代农民来说都不是好消息，因为他们可能因此而糊里糊涂地失去所有对他们有利的突变体。

解决办法涉及另一种难以觉察的变化。许多植物的突变影响到其自身的繁殖系统。有些产生突变的个体甚至不需要授粉就可以结出果实来，其结果就使我们有了无籽的香蕉、葡萄、柑橘和菠萝。有些产生突变的雌雄同株植物失去了它们的自交不亲和性，而变得能够自花受精——许多果树，如李、桃、苹果、杏和樱桃就是这一过程的例证。有些产生突变的葡萄通常都是雌雄异体，但也会变成自花受精的雌雄同株。古代的农民虽然还不懂得植物繁殖生物学，但仍然用所有这些办法最后得到了一些有用的作物，这些作物能够繁殖纯种，因而值得去重新种植，而不是那些本来被看好的突变体，它们的后代则因为毫无价值而湮没无闻。

因此，农民就是从一些特有的植物中进行选择，他们选择所根据的标准，不但有大小和味道这些看得见的品质，而且还有诸如种子传播机制、发芽抑制和繁殖生物学这些看不见的特点。结果，不同的植物由于十分不同的或甚至相反的特点而得到选择。有些植物（如向日葵）由于大得多的种子而得到选择，而另一些植物（如香蕉）则由于种子小或没有种子而得到选择。选择生菜则取其茂盛的叶子而舍其种子或果实；选择小麦和向日葵则取其种子而舍其叶；选择南瓜则取其果实而舍其叶。特别有意思的是，由于不同的目的，对于一种野生植物可以有不同的选择，从而产生了外观十分不同的作物。甜菜在巴比伦时代即已有种植，不过那时种植甜菜是为了它们的叶（如叫做牛皮菜的现代甜菜品种），后来再种植则是为了它们可吃的根，最后（在18世纪）则是为了它们所含的糖份（糖用甜菜）。最早的卷心菜可能原本是为了它们的含油种子而被种植的，后来经过甚至更大的分化，对它们也就有了不同的选择：有的选择了叶（现代的卷心菜和羽衣甘蓝），有的选择了茎（撇蓝），有的选择了芽（抱子甘蓝），有的选择了花芽（花椰菜和花茎甘蓝）。

迄今为止，我们已经讨论了野生植物由于农民有意无意的选择而变成了作物的问题。就是说，农民开始时选择了某些植物个体的种子，带回来种在自家的园子里，然后每年都挑选一些后代的种子，再在下一年种在园子里。但这种变化的很大一部分也由于植物的自我选择而受到了影响。达尔文所说的“自然选择”指的是一个物种的某些个体在自然条件下比同一物种中与之竞争的个体可以生存得更好与(或)繁殖得更成功。实际上，是差别生存状况和繁殖状况的自然过程作出了这种选择。如果条件改变了，不同种类的个体有可能生存或繁殖得更好，从而“被自然所选择”，其结果就是这个种群经历了演化改变。一个典型的例子是英国飞蛾工业黑化现象的发展：在19 世纪，随着环境变得更脏，颜色深的飞蛾比颜色浅的飞蛾更为普通，因为栖息在深暗肮脏的树上的深色飞蛾，相形之下比浅色飞蛾更有可能逃脱捕食者的注意。

与工业革命改变了飞蛾的环境几乎一样，农业耕作也改变了植物的环境。经过松土、施肥、浇水和除草的园地所提供的生长环境，完全不同于山坡上干燥、未施肥的园地。植物在驯化中所产生的许多变化都来自此类条件的变化，因此也就有了那些处于有利条件的植物品种的变化。例如，如果农民在园子里播下的种子密密麻麻，那么在种子之间就会产生剧烈的竞争。大的种子可以利用良好的条件迅速生长，此时它们所处的地位就比小的种子有利，因为小的种子先前是长在干燥、未施肥的山坡上的，而那里种子比较稀少，竞争也不那么激剧，所以只有生长在那样的地方才对它们有利。植物本身之间这种持续的竞争，对于获得较大的种子和野生植物变成古代作物期间逐步形成的其他许多变化，起到了重要的促进作用。

就植物的驯化来说，有些植物在很久以前就驯化了，有些直到中世纪才驯化，而还有一些野生植物竟然不受我们所有活动的影响。这方面的巨大差异的原因是什么？我们可以考察一下不同作物在西南亚新月沃地发展的固定顺序来推断出许多答案。

事情原来是这样的：新月沃地最早的作物，如小麦、大麦和豌豆，大约是在1万年前驯化的，它们都起源于呈现许多优势的野生祖先。它们已经可以食用，而且在野生状态下产量很高。它们很容易生长，只要播种或栽植就行了。它们生长迅速，播种后不消几个月就可收获了。对于仍然处于流浪的猎人和定居的村民之间的早期农民来说，这是一个巨大的优点。它们很容易贮藏，这和后来的许多作物如草莓和生菜不同。它们大都是自花传粉：就是说，各种作物都是自己给自己传授花粉，把它们自己的合意的基因毫无改变地传递下去，而不必同其他的对人类不大有用的品种进行杂交。最后，为了转化为作物，它们的野生祖先很少需要在基因方面产生什么变化——例如，就小麦来说，只要产生使麦粒不脱落和迅速而均匀的发芽的突变就行了。

作物培育的下一阶段包括在公元前4000年左右驯化的最早的果树和坚果树，其中有橄榄树、无花果树、枣树、石榴树和葡萄藤。同谷物和豆科植物相比，它们的缺点是种植后至少要3年才开始结实，而达到盛产期则要等到10年之后。因此，只有那些已完全过上了定居的乡村生活的人，才有可能种植这些作物。然而，这些早期的果树和坚果树仍然是最容易栽种的作物。和后来驯化的树木不同，它们可以用插枝甚或播种的办法来直接栽种。插枝还有一个好处：一旦古代农民发现或培育了一棵多产的果树，他们可以确信，这棵树的所有后代可以长得和它一模一样。

第三阶段涉及一些栽培起来难得多的果树，包括苹果、梨、李和樱桃。这些树不能靠插枝来种植。用种子来种也是白费力气，因为即使是其中优秀品种的后代也十分易变，所结的果实也多半没有价值。这些树要靠困难的嫁接技术来种植，而这个技术在中国农业开始后很久才发展起来。即使你懂得嫁接的原理，嫁接也仍然是一项困难的工作。不仅如此，这原理本身也只有通过有意识的实验才能发现。发明嫁接这种事情，大概不再是什么一个流浪者在某个排泄处方便，后来在返回时惊喜地发现那里竟因此而长出了结有甘甜水果的树来。

许多在晚近阶段发展起来的果树提出了另外一个问题，因为它们的野生祖先完全不是自花传粉。它们必须由属于同一品种但产生遗传变异的另一植物进行异花传粉。因此，早期的农民要么必须去找到不需要异花传粉的果树，要么必须有意识地去种植不同的遗传品种或同一果园中附近的雄性和雌性个体。所有这些问题把苹果、梨、李和樱桃的驯化时间一直推迟到古典时期前后。然而，大约与此同时，还有一批在晚近出现的驯化植物却得来全不费工夫，它们本来都是长在有意栽培的作物地里的杂草之类的野生植物。原本是杂草的作物包括黑麦、燕麦、芜菁、萝卜、甜菜、韭葱和生菜。

虽然我刚才详细介绍的一系列作物适用于新月沃地，但部分类似的一系列作物也出现在世界其他地方。尤其是，新月沃地的小麦和大麦是被称之为谷物（属禾本科）的那类作物的代表，而新月沃地的豌豆和兵豆则是豆类（属豆科，包括大豆）的代表。谷类作物的优点是生长快，碳水化合物含量高，每公顷耕地可产 1 吨食物。因此，今天的谷物占人类消耗的全部卡路里的半数以上，并包括现代世界上 12 种主要作物中的 5 种（小麦、玉米、稻米、大麦和高粱）。许多谷类作物蛋白质含量低，但这一缺陷可以由豆类来弥补，因为豆类的蛋白质通常达25%（大豆为38%）。因此，谷物和豆类一起为均衡饮食提供了许多必不可少的成分。

正如表7.1扼要说明的那样，当地谷物和豆类组合的驯化，标志着许多地区粮食生产的开始。最为人熟知的例子，是新月沃地的小麦和大麦与豌豆和兵豆的组合，中美洲的玉米与几种豆类的组合，以及中国的稻米和小米与大豆和其他豆类的组合。不大为人所知的是非洲高粱、非洲稻米和珍珠稗与豇豆和野豆的组合，以及安第斯山脉的非谷类的昆诺阿藜与几种豆类的组合。

表7.1同时表明，为获得纤维在新月沃地曾对亚麻进行过早期驯化，在其他地方也有类似情况。大麻、4种棉花、丝兰和龙舌兰在不同时期为中国、中美洲、印度、埃塞俄比亚、非洲撒哈拉沙漠以南地区和南美洲提供了制绳和织布的纤维，在这些地区的几个地方，还用驯化动物的绒毛作为补充。在早期粮食生产的这些中心中，只有美国东部和新几内亚仍然没有纤维作物。

同这些类似之处相比，全世界的粮食生产体系中也存在着某些重大的差异。其中的一个差异是：在世界上的许多地方，农业开始涉及种子撒播和农田单作以及最后用牲畜犁地等问题。就是说，用手把种子一把把撒下去，从而使整块田因而只种一种作物。一旦牛、马和其他大型哺乳动物得到驯化，它们就被套上了犁，于是农田就由畜力来耕作。然而，在新大陆还没有驯化过任何可以套上犁头的动物。相反，在那里耕地始终是用手持的棍棒或锄头，而种子也是用手一颗颗种下去，而不是满把的撒播。因此，新大陆的大部分园地都是许多作物混种在一起，而不是单作。

表7.1 古代世界各地早期主要作物类型举例

地区	作物类型				
	谷物 其他禾本科植物	豆类	纤维	根 块茎	瓜类
新月沃地	二粒小麦、单粒小麦、大麦	豌豆、兵豆、鹰嘴豆	亚麻	—	甜瓜
中国	粟、粟黍、稻米	大豆、赤豆、绿豆	大麻	—	〔甜瓜〕
中美洲	玉米	菜豆、宽叶菜豆、红花菜豆	棉花(G. hirsutum)、丝兰、龙舌兰	豆薯	南瓜类植物 (C. pepo, etc.)
安第斯山脉、亚马孙河流域	昆诺阿藜、〔玉米〕	利马豆、菜豆、花生	棉花(G. barbadense)	木薯、甘薯、马铃薯、园齿酢浆草的块茎	南瓜类植物 (C. maxima, etc.)
西非和萨赫勒地带	高粱、珍珠稗、非洲稻米	豇豆、野豆	棉花(G. herbaceum)	非洲薯蓣	西瓜、葫芦
印度	〔小麦、大麦、稻米、高粱、小米〕	风信子豆、黑绿豆、绿豆	棉花(G. arboreum)、亚麻	—	黄瓜

（续表）

地区	作物类型				
	谷物 其他禾本科植物	豆类	纤维	根 块茎	瓜类
埃塞俄比亚	画眉草、小米、〔小麦、大麦〕	〔豌豆、兵豆〕	〔亚麻〕	—	—
美国东部	五月草、小大麦、萹蓄、藜科植物	—	—	菊芋	南瓜属植物（C. pepo）
新几内亚	甘蔗	—	—	薯蓣、芋艿	—

本表所引作物共5类，来自世界不同地区的早期农业遗址。方括号中为最早在其他地方驯化的作物名称。未放入括号中的名称指当地驯化的作物。从外地引进的或只是在后来才变得重要的作物从略，如非洲的香蕉，美国东部的玉米和豆类作物，以及新几内亚的甘薯。棉花为棉花属中的4个种，每一个种均为世界特定地区的当地土生植物；南瓜类植物为葫芦属中的5个种。请注意：谷物、豆类和纤维作物标志着大多数地区农业的开始，但根用作物、块茎作物在开始阶段只在某些地区才具有重要性。

农业体系中的另一个重大差异涉及卡路里和碳水化合物的主要来源问题。我们已经看到，在许多地区，这方面的主要来源是谷物。不过，在另一些地区，谷物的这一任务被根和块茎接管了或分担了，虽然根和块茎在古代的新月沃地和中国是无关紧要的。在赤道南美洲主食是木薯和甘薯，在安第斯山脉是马铃薯和圆齿酢浆草的块茎，在非洲是非洲薯蓣，在东南亚和新几内亚是印度洋-太平洋地区的薯蓣和芋艿。树生作物主要的有香蕉和面包果，它们也是东南亚和新几内亚的富含碳水化合物的主食。

因此，到了罗马时代，今天的几乎所有作物都已在世界上的某个地方得到驯化。正如我们还将在家畜方面看到的那样(第九章)，古代的狩猎采集族群非常熟悉当地的野生植物，而古代的农民显然也已发现并驯化了几乎所有值得驯化的动物。当然，中古的僧侣确已开始栽培草莓和树莓，而现代的培育植物的人仍在改良古代的作物，并已增加了一些新的次要作物，主要是一些浆果(如乌饭树的蓝色浆果、越橘和猕猴桃)和坚果(澳洲坚果、美洲山核桃和腰果)。但和古代的一些主食如小麦、玉米和稻米相比，这些新添的现代作物始终只具有不太大的重要性。

不过，在我们所列举的关于驯化成功的例子中仍然缺乏许多野生植物。尽管它们具有食用价值，但我们却不曾成功地驯化它们。在我们驯化失败的这些例子中，引人注目的是橡树。橡实不但是欧洲农民在荒年作物歉收时的应急食物，而且也是加利福尼亚和美国东部的印第安人的主食。橡实具有营养价值，含有丰富的淀粉和油。和许多在其他方面可以食用的野生食物一样，大多数橡实含有味苦的丹宁酸，但爱吃橡实的人学会了用处理杏仁和其他野生植物中味苦的化学物质的同样办法来处理丹宁酸：或者用研磨和过滤来去掉丹宁酸，或者只从丹宁酸含量低的偶然产生突变的橡树上收获橡实。

为什么我们不能驯化像橡实这样宝贵的粮食来源呢？为什么我们花了那么长的时间去驯化草莓和树莓？对那些植物的驯化，即使是掌握了像嫁接这样困难的技术的古代农民也会束手无策，这又是怎么一回事呢？

事情原来是这样的：橡树有3个不利因素。首先，它们生长缓慢，可能使大多数农民失去耐心。小麦种下去不消几个月就可得到收成；杏仁种下去3、4年后就可长成能够结果实的树；但种下一颗橡实可能在10年或更长的时间里不会有什么收益。其次，橡树所结的坚果无论是大小还是味道都适于松鼠，而我们都见到过松鼠埋藏、挖掘和吃橡实的情景。如果偶尔有一颗橡实松鼠忘记把它挖出，那么这颗橡实就可长出橡树来。有数以10亿计的松鼠，每一只松鼠每一年把数以百计的橡实传播到几乎任何一个适于橡树生长的地方。这样，我们人类就不可能为我们所需要的橡实去选择橡树。橡树生长缓慢和松鼠行动迅速这些问题大概也说明了为什么山毛榉和山核桃树同样未能驯化的原因，虽然欧洲人和美洲土著分别对这两种树种大量地加以利用以获得它们的坚果。

最后，杏仁和橡实的最重要差异也许是：杏仁的苦味由单一的优势基因所控制，而橡实的苦味似乎由许多基因所控制。如果古代农民栽种了偶然产生不苦的突变的杏仁或橡实，那么根据遗传规律，如果是巴旦杏树，结果，长成的树上的杏仁有一半可能也是不苦的，而如果是橡树，则几乎所有橡实可能仍然是苦的。仅仅这一点就足以使任何想要种橡实的农民的热情荡然无存，尽管他们已经赶走了松鼠并且保持耐心。

至于草莓和树莓，我们在与鸫和其他喜吃浆果的鸟儿的竞争中遇到了同样的困难。是的，罗马人的确在他们的园子里照料过野草莓。但是，由于千百万只欧洲鸫把野草莓的种子排泄在每一个可能的地方（包括罗马人的园子里），所以草莓始终是鸫想要吃的小浆果，而不是人想要吃的大浆果。由于近来保护网和温室的发展，我们才终于能够把鸫打败，并根据我们自己的标准来重新设计草莓和树莓。

因此，我们已经看到，超市上的大草莓和野生的小草莓之间的差异只是一个例子，用来说明把人工培育的植物与其野生祖先区别开来的许多特征。这些差异首先来自野生植物本身之间的自然变异。有些变异，如浆果的大小和坚果的苦味方面的变异，可能很快就被古代的农民注意到了。其他变异，如种子传播机制或种子休眠方面的变异，在现代植物学兴起之前，可能并未被人类认出来。但是，不管古代旅行者对可食用的野生植物的选择是否依赖于自觉的或不自觉的选择标准，由此而产生的野生植物向作物的演化起先总是一种无意识的过程。这是我们对野生植物个体进行选择的必然结果，是园子里各植物个体之间竞争的结果，而这种竞争所偏爱的个体和在野外得天独厚的个体是不同的。

这就是为什么达尔文在他的伟大著作《物种起源》中并不是一开始就解释自然选择问题的原因。他的第一章反而详细说明了我们的驯化动植物是如何通过人类的人为选择而出现的。达尔文不是讨论我们通常认为和他联系在一起的加拉帕戈斯群岛[2]上的鸟类，而是一上来就讨论——农民是怎样培育出不同品种的醋栗的！他写道，“我已经看到园艺学著作中对园丁们在用这样差的材料取得这样了不起的成果方面的令人叹为观止的技术所表现出来的巨大的惊奇；但这种技术是简单的，就其最后结果来说，对这一技术的采用也几乎是无意识的。它在于总是去培育最出名的品种，播下它的种子，然后当碰巧出现了一个稍好一点的品种时，再去选择它，就这样地进行下去。”通过人为选择来培育作物的这些原则仍然可以成为我们的关于物种起源通过自然选择的最可理解的模式。

注　释：

1. 图坦卡蒙：古埃及第十八王朝国王，英国埃及学家H·卡特于1922年发现其陵墓，发掘时见其墓室完好，内有金棺、法老木乃伊和大量珍贵文物。——译者
2. 加拉帕戈斯群岛，在厄瓜多尔西部，即科隆岛。——译者

第八章　问题在苹果还是在印第安人

我们刚才已经看到，某些地区的人是怎样开始培育野生植物的。对于这些人的生活方式和他们的子孙后代在历史上的地位来说，这是重大的、难以预见其后果的一步。现在，让我们再回到我们原来的问题：为什么农业没有在一些肥沃的十分合适的地区，如加利福尼亚、欧洲、气候温和的澳大利亚以及非洲赤道以南地区独立地出现？而在农业独立出现的那些地区中，为什么有些地区的农业发展会比另一些地区早得多？

这使我们想到了两个形成对比的解释：当地人的问题，或当地可以得到的野生植物的问题。一方面，也许地球上几乎任何水分充足、气候温和的地区或热带地区，都有足够的适于驯化的野生植物物种。在这种情况下，对农业未能在其中某些地区发展起来的解释，可能在于这些地区的人的民族文化特点。另一方面，也许在地球上任何一个广大的地区，至少有某些人可能已迅速接受了导致驯化的实验。因此，只有缺乏适当的野生植物，可以解释为什么粮食生产没有在某些地区发展起来。

我们将在下一章看到，与此相对应的对大型野生哺乳动物的驯化问题，却证明比较容易解决，因为它们的种类比植物少得多。世界上只有大约148种大型野生哺乳类陆生食草动物或杂食动物，它们是可以被认为有可能驯化的大型哺乳动物。只有不多的因素能够决定某种哺乳动物是否适于驯化。因此，直截了当的办法就是去考察某一地区的大型哺乳动物，并分析一下某些地区缺乏对哺乳动物的驯化是否是由于不能得到合适的野生品种，而不是由于当地的人。

把这种办法应用于植物可能要困难得多，因为植物的数量太大，光是会开花的野生植物就有20万种，它们在陆地植物中占据首要地位，并成为我们的几乎全部作物的来源。甚至在像加利福尼亚这样的限定地区内，我们也不可能指望把所有野生动物考察一遍，并评估一下其中有多少是可驯化的。不过，我们现在可以来看一看这个问题是怎样解决的。

如果有人听说竟有那么多种开花植物，他的第一个反应可能就是这样：地球上既然有那么多种的野生植物，那么任何地区只要有足够好的气候，野生植物就必定十分丰富，足以为培育作物提供大量具有候选资格的植物品种。

但是，如果真是那样，请考虑一下大多数野生植物都是不合适的，原因很明显：它们是木本植物，它们不出产任何可吃的果实，它的叶和根也是不能吃的。在这20万种野生植物中，只有几千种可供人类食用，只有几百种得到或多或少的驯化。即使在这几百种作物中，大多数作物只是对我们的饮食的次要的补充，光靠它们还不足以支持文明的兴起。仅仅十几种作物的产量，就占去了现代世界全部作物年产量总吨数的80%以上。这十几种了不起的作物是谷类中的小麦、玉米、稻米、大麦和高粱；豆类中的大豆；根或块茎中的马铃薯、木薯和甘薯；糖料作物中的甘蔗和糖用甜菜；以及水果中的香蕉。光是谷类作物现在就占去了全世界人口所消费的卡路里的一半以上。由于世界上的主要作物如此之少，它们又都是在几千年前驯化的，所以世界上的许多地区根本就不曾有过任何具有显著潜力的本地野生植物，这就不足为奇了。我们在现代没有能驯化甚至一种新的重要的粮食植物，这种情况表明，古代人也许真的探究了差不多所有有用的野生植物，并且驯化了所有值得驯化的野生植物。

然而，世界上有些地方何以未能驯化野生植物，这个问题仍然难以解释。这方面最明显的例子是，有些植物在一个地区驯化了，却没有在另一地区驯化。因此，我们能够确信，的确有可能把野生植物培育成有用的作物，但同时也必须问一问：那个野生植物为什么在某些地区不能驯化？

一个令人困惑的典型例子来自非洲。重要的谷物高粱在非洲撒哈拉沙漠南沿的萨赫勒地带驯化了。南至非洲南部也有野生高粱存在，但无论是高粱还是任何其他植物，在非洲南部都没有人栽种，直到2000年前班图族农民才从赤道以北的非洲地区引进了一整批作物。为什么非洲南部的土著没有为自己去驯化高粱呢？

同样令人困惑的是，人们未能驯化欧洲西部和北非的野生亚麻，也未能驯化巴尔干半岛南部的野生单粒小麦。既然这两种植物同属新月沃地最早的8大作物，它们也应该是所有野生植物中最容易驯化的两种植物。在它们随同整个粮食生产从新月沃地引进后，它们立即在新月沃地以外的这些野生产地被用来栽培。那么，这些边远地区的一些族群为什么不是早已主动地开始去种植它们呢？

同样，新月沃地最早驯化的4种水果在远至东地中海以外地区都有野生产地，它们似乎最早在那里得到驯化：橄榄、葡萄和无花果往西出现在意大利、西班牙和西北非，而枣椰树则扩散到整个北非和阿拉伯半岛。这4种水果显然是所有野生水果中最容易驯化的。那么，为什么新月沃地的一些族群未能驯化它们，而只是在它们已在东地中海地区得到驯化并从那里作为作物引进之后才开始种植它们呢？

其他一些引人注目的例子涉及这样一些野生植物：它们并没有在那些从未自发地出现粮食生产的地区得到驯化，虽然它们也有在其他地方得到驯化的近亲。例如，欧洲橄榄就是在东地中海地区驯化的。在热带非洲、非洲南部、亚洲南部和澳大利亚东部还有大约40种橄榄，其中有些还是欧洲橄榄的近亲，但没有一种得到驯化。同样，虽然有一种野苹果和野葡萄在欧亚大陆得到了驯化，但在北美洲还有许多有亲缘关系的野苹果和野葡萄，其中有些在现代已和来自欧亚大陆的野苹果和野葡萄进行了杂交，以改良这些作物的品种。那么，为什么美洲土著自己没有去驯化这些显然有用的苹果和葡萄呢？

这种例子可以说是不胜枚举。但这种推论有一个致命的缺点：植物驯化不是什么要么狩猎采集族群去驯化一种植物，要么就继续过他们原来那种流浪生活的问题。假定只要以狩猎采集为生的印第安人定居下来并栽培野苹果，那么北美洲的野苹果就的确会演化成为一种了不起的作物。但是，到处流浪的狩猎采集族群是不会抛弃他们传统的生活方式，在村子里定居下来并开始照料苹果园的，除非还有其他许多可以驯化的动植物可以利用来使定居的从事粮食生产的生存方式能够与狩猎采集的生存方式一争高下。

总之，我们怎样去评估某一地区整个植物群驯化的可能性？对于这些未能驯化北美洲苹果的印第安人来说，问题实际上是在印第安人还是在苹果?

为了回答这个问题，我们可以比较一下在独立的驯化中心中处于两个极端的3个地区。我们已经看到，其中一个地区就是新月沃地，它也许是世界上最早的粮食生产中心，也是现代世界主要作物中的几种作物以及几乎所有的主要驯化动物的发源地。另外两个地区是新几内亚和美国东部。这两个地区的确驯化过当地的作物，但这些作物品种很少，只有一种成为世界上的重要作物，而且由此产生的整个粮食也未能像在新月沃地那样帮助人类技术和行政组织的广泛发展。根据这个比较，我们不妨问一问：新月沃地的植物群和环境是否具有对新几内亚和美国东部的植物群和环境的明显优势?

人类历史的主要事实之一，是西南亚的那个叫做新月沃地的地区(因其在地图上的新月状高地而得名，见图8．1)在人类发展早期的重要性。那个地区似乎是包括城市、文字、帝国以及我们所说的文明(不论是福是祸)在内的一连串新情况发生的地方。而所有这些新情况之所以发生，都是由于有了稠密的人口，有了剩余粮食的贮存，以及可以养活不从事农业的专门人材，凡此种种之所以可能又都是由于出现了以作物栽培和牲口饲养为形式的粮食生产。粮食生产是新月沃地出现的那些重要新事物中的第一个新事物。因此，如果想要了解现代世界的由来，就必须认真对待这样的问题，即为什么新月沃地的驯化动植物使它获得了如此强大的领先优势。

幸运的是，就农业的兴起而论，新月沃地显然是地球上研究得最为详尽和了解得最为透彻的地区。对在新月沃地或其邻近地区驯化的大多数作物来说，其野生祖先已经得到认定；野生祖先与作物的密切关系已经通过遗传和染色体的研究而得到证明；野生祖先的地理分

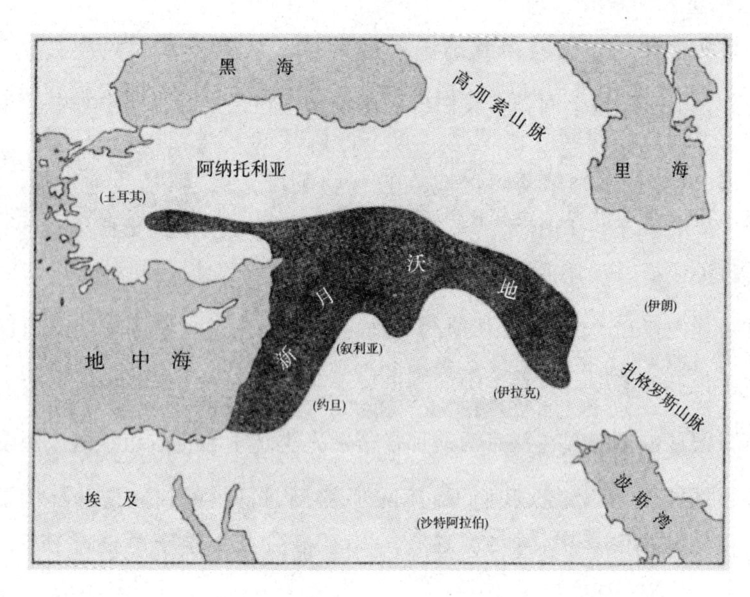

图8．1　新月沃地，包含有公元前7000年的一些粮食生产地。

布已经确知；野生祖先在驯化条件下所产生的种种变化已经得到确定并经常被人从单一基因角度去认识；这些变化可以从考古记录的连续堆积层中看到；而且驯化的大致地点和时间也已清楚。我不否认其他一些地区，主要是中国，也具有作为早期驯化地点的有利条件，但对新月沃地来说，这些有利条件和由此而来的作物的发展却可以得到更详细得多的说明。

新月沃地的一个有利条件是：它地处所谓的地中海气候带内，这种气候的特点是冬季温和而湿润，夏季漫长、炎热而干燥。在这种气候下生长的植物必须能够熬过漫长的干燥季节，并在雨季来临时迅速恢复生长。新月沃地的许多植物，尤其是谷类和豆类植物，已经适应了当地的环境，从而变得对人类有用：它们是一年生植物，就是说这种植物本身会在干旱季节逐渐枯萎死去。

由于只有一年的生命，一年生植物必然是矮小的草本植物。其中有许多把自己的很大一部分气力用来生产大籽粒的种子，种子在旱季休眠，并准备好在雨季到来时发芽。因此，一年生植物不会浪费气力去生长不可食用的木质部或纤维梗茎，就像乔木和灌木的枝干那样。但是许多大籽粒的种子，主要是一年生谷物和豆类的种子，是可以供人类食用的。它们构成了现代世界的12种主要作物中的6种。相比之下，如果你住在森林旁边并凭窗远眺，那么你所看到的植物往往都是乔木和灌木，其中大多数植物的枝干都是不能食用的，它们也很少把气力花在生产可供食用的种子上。当然，在气候湿润地区的森林里，有些树木的确产生了可供食用的大种子，但这些种子的适应能力还不能使它们度过漫长的旱季，因而不适合人类的长期贮藏。

新月沃地植物群的另一个有利条件是：新月沃地许多作物的野生祖先本就繁茂而高产，它们大片大片地出现，对于狩猎采集族群来说，其价值必定是显而易见的。植物学家们进行了一些试验性的研究，从天然的大片野生谷物中采集种子，就像1万多年前狩猎采集族群所做的那样。这些研究表明，每年每公顷可以收获近一吨的种子，只要花费一个大卡的劳力就可产生50个大卡的食物能量。新月沃地的有些狩猎采集族群在种子成熟的短暂时间里采集大量的野生植物，并把它们作为粮食贮存起来以备一年中其余时间之需，这样，他们甚至在开始栽培植物之前就已在永久性的村庄里定居了下来。

由于新月沃地的谷物在野生状态中即已如此多产，人工栽培几乎没有给它们带来别的什么变化。我们在前一章里已经讨论过，主要的变化——种子传播和发芽抑制方面自然机制的破坏——在人类开始把种子种到田里之后立即自动而迅速地形成了。我们现在的小麦和大麦作物的野生祖先，同这些作物本身在外观上如此相似，使我们对野生祖先的身份从来不会有任何怀疑。由于驯化如此容易，大籽粒的一年生植物就成为不仅在新月沃地而且也在中国和萨赫勒地带培育出来的最早的作物或最早的作物之一。

请把小麦和大麦的这种迅速的演化同新大陆的首要谷类作物玉米的情况作一对比。玉米的可能祖先是一种叫做墨西哥类蜀黍的野生植物，它的种子和花的结构都和玉米不同，以致植物学家们长期以来一直在激烈争论它是否就是玉米的祖先。墨西哥类蜀黍作为食物的价值，可能没有给狩猎采集族群留下什么印象：它在野生状态下的产量不及野生小麦，它的种子也比最终从它演化出来的玉米少得多，而且它的种子外面还包着不能食用的硬壳。墨西哥类蜀黍要想成为一种有用的作物，就必须经历其生殖生物学的剧变，以大大增加种子的数量，并去掉种子外面的那些像石头一样的硬壳。考古学家们仍在激烈地争论，在美洲的作物发展过程中，古代的玉米棒究竟经过了多少个百年或千年才从一丁点儿大小发展到人的拇指那么大小，但有一点似乎是清楚的，那就是后来又经过了几千年它们才达到现代这么大小。一边是小麦和大麦的直接价值，一边是墨西哥类蜀黍所引起的种种困难，这两者之间的悬殊差别也许就是新大陆人类社会和欧亚大陆人类社会的发展差异的一个重要因素。

新月沃地植物群的第三个有利条件是：雌雄同株自花传粉的植物比例很高——就是说，它们通常是自花传粉，但偶尔也有异花传粉的。请回想一下，大多数野生植物或者是定期进行异花传粉的雌雄同株，或是必然要依靠另一个体传授花粉的雄性和雌性个体。生殖生物学的这些事实使早期农民感到困惑，因为他们刚刚找到了一种由突变产生的高产植物，它的后代可能因与其他植物杂交而失去其遗传优势。因此，大部分作物都来自少数野生植物。这些野生植物或者是通常自花传粉的雌雄同株，或者是靠无性繁殖来繁殖自己（例如，靠在遗传上复制亲代植物的根）。这样，新月沃地植物群中众多的雌雄同株自花传粉的植物就帮助了早期的农民，因为这意味着众多的野生植物群有了一种给人类带来方便的繁殖生物学。

自花传粉植物也给早期的农民带来了方便，因为这些植物偶尔也会异花传粉，从而产生了可供选择的新的植物品种。这种偶尔的异花传粉现象不仅发生在同种的一些个体之间，而且也发生在有亲缘关系的品种之间以产生种间杂种。新月沃地的自花传粉植物中的一个这样的杂种——面包小麦已经成为现代世界最有价值的作物。

已在新月沃地驯化的最早的8种重要的作物，全都是自花传粉植物。其中3种是自花传粉的谷类作物——单粒小麦、二粒小麦和大麦，小麦具有额外的优势，即蛋白质含量高达8%—14%。相形之下，东亚和新大陆的最重要的谷类作物——分别为稻米和玉米——蛋白质含量较低，从而造成了重大的营养问题。

这些就是新月沃地的植物群向最早的农民提供的一些有利条件：它包括适于驯化的数量多得出奇的野生植物。然而，新月沃地的地中海气候带向西延伸，经过南欧和西北非的广大地区。世界上还有4个类似地中海气候带的地区：加利福尼亚、智利、澳大利亚西南部和南非（图8.2）。然而，这些另外的地中海气候带不但无法赶上新月沃地而成为早期的出现粮食生产的地方；它们也根本没有产生过本地的农业。欧亚大陆西部的这种特有的地中海气候带究竟具有什么样的有利条件呢？

原来地中海气候带，尤其是在新月沃地那个地区，具有胜过其他地中海气候带的5个有利条件。第一，欧亚大陆西部显然是世界上属于地中海气候带的最大地区。因此，那里的野生动植物品种繁

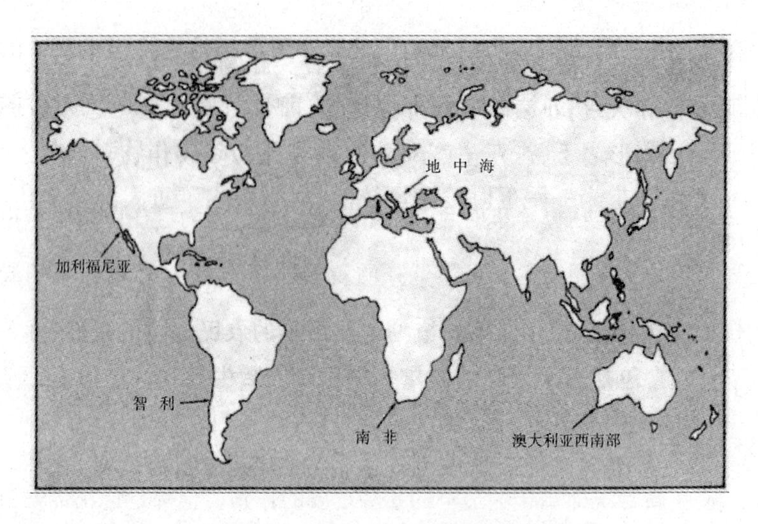

图 8．2 世界上的地中海气候带。

多，超过了澳大利亚西南部和智利这些比较小的地中海气候带。第二，在地中海气候带中，欧亚大陆西部的地中海气候带的气候变化最大，每一季、每一年气候都有不同。这种气候变化有利于植物群中数量特别众多的一年生植物的演化。物种多和一年生植物多这两个因素结合起来，就意味着欧亚大陆西部的地中海气候带显然是一年生植物品种最繁多的地区。

关于这种植物财富对人类的意义，地理学家马克·布卢姆勒对野生禾本科植物分布的研究对此作出了说明。在世界上几千种野生禾本科植物中，布卢姆勒把其中种子最大的 56 种——自然的精华——列成表格：这些禾本科植物种子比中等的禾本科植物种子至少要重 10 倍(见表 8．1)。几乎所有这些植物都是在地中海气候带或其他干旱环境中土生土长的。此外，它们又都以压倒优势集中在新月沃地和欧亚大陆西部地中海气候带的其他一些地区，从而使最初的农民有了巨大的选择余地：全世界 56 种最有价值的野生禾本科植物中的大约 32 种！特别是，在居首位的这 56 种作物中，新月沃地最早的两种

表8.1　大种子禾本科植物的世界分布

地　　　区	品　种　数　目	
西亚、欧洲、北非		33
地中海气候带	32	
英国	1	
东亚		6
非洲撒哈拉沙漠以南地区		4
美洲		11
北美洲	4	
中美洲	5	
南美洲	2	
澳大利亚北部		2
	总计：	56

马克·布卢姆勒的哲学博士论文《加利福尼亚和以色列的地中海型草场的种子重量和环境》（加利福尼亚大学伯克利分校，1992年）中的表12.1列出了有案可查的全世界56种种子最重的野生禾本科植物（不包括竹子）。这些植物的粒重从10毫克到40多毫克不等，比世界上所有禾本科植物的中值大10倍左右。这56种禾本科植物占全世界禾本科植物不到百分之一。本表表明，这些最有价值的禾本科植物以压倒优势集中在欧亚大陆西部的地中海气候带。

作物大麦和二粒小麦在种子大小方面分别列第三位和第十三位。相比之下，智利的地中海型气候带只有两种，加利福尼亚和非洲南部各有一种，而澳大利亚西南部连一种都没有。仅仅这一事实就很有助于说明人类历史的进程。

新月沃地的地中海气候带的第三个有利条件，是它在短距离内高度和地形的富于变化。它的高度从地球上的最低点（死海）到18000

英尺的高山(在德黑兰附近)，应有尽有，从而保证了环境的相应变化，也因此而保证了可能成为作物的祖先的品种繁多的野生植物。这些高山的近傍是河流纵横的地势平缓的低地、泛滥平原和适于灌溉农业的沙漠。相比之下，澳大利亚西南部以及在较小程度上南非和欧洲西部的地中海型气候带，无论是高度、动植物栖息地还是地形都变化较少。

新月沃地的高度变化意味着可以把收获季节错开：高地植物结籽比低地植物多少要晚一些。因此，狩猎采集族群可以在谷物种子成熟时沿着山坡逐步向上去收获它们，而不是在一个高度上由于收获季节集中而无法应付，因为在那里所有谷物都是同时成熟的。作物栽培开始后，对最早的农民来说，采下野生谷物的种子，并把它们种在潮湿的谷底，是一件再容易不过的事。这些野生谷物本来都是长在山坡上，依赖不知何时才会来到的雨水，而把它们种在潮湿的谷底，它们就能可靠地生长，也不再那么依赖雨水了。

新月沃地在很小距离内的生物多样性，帮助形成了第四个有利条件——那里不仅有大量的重要作物的野生祖先，而且也有大量的得到驯化的大型哺乳动物的野生祖先。我们将会看到，在其他一些地中海型气候带，如加利福尼亚、智利、澳大利亚西南部和南非，很少有或根本没有适于驯化的野生哺乳动物。相比之下，有 4 种大型哺乳动物——山羊、绵羊、猪和牛——很早就在新月沃地驯化了，可能比世界上其他任何地方除狗以外的其他任何动物都要早。这些动物今天仍然是世界上 5 种最重要的已驯化的哺乳动物中的 4 种(第九章)。但它们的野生祖先在新月沃地的一些大同小异的地区最为常见，但结果却是这 4 种动物在不同的地方驯化了：绵羊可能是在中部地区，山羊或者是在东部高地(伊朗的扎格罗斯山脉)，或者是在西南部(黎凡特[1]），猪在中北部，牛在西部，包括安纳托利亚。然而，尽管这4种动物的野生祖先数量众多的地区是如此不同，但由于它们生活的地方相当靠近，所以一经驯化，它们就很容易地从新月沃地的一个地方转移到另一个地方，于是这整个地区最后就到处都有这4种动物了。

新月沃地的农业开始于对所谓8大"始祖作物"的早期驯化（因为是这些作物开创了这一地区的、可能还有全世界的农业）。这8大始祖作物是谷类中的二粒小麦、单粒小麦和大麦；豆类中的兵豆、豌豆、鹰嘴豆和苦巢菜；以及纤维作物亚麻。在这8种作物中，只有亚麻和大麦这2种在新月沃地和安纳托利亚以外地区有广泛的野外分布。还有2种始祖作物只有很小的野外分布，一种是鹰嘴豆，只限于土耳其东南部，还有一种是二粒小麦，只限于新月沃地本身。因此，农业在新月沃地可以从驯化当地现成的野生植物开始，而不用等到引进在别处由驯化野生植物而得到的作物。相反，这8大始祖作物中有2种除新月沃地外不可能在世界上的任何地方得到驯化，因为它们在其他地方没有野生分布。

由于能够得到合适的野生哺乳动物和植物，新月沃地的先民们能够为集约型粮食生产迅速装配起一个有效而平衡的生物组合。这个组合包括作为碳水化合物主要来源的3种谷物，作为蛋白质主要来源的4种豆类（含蛋白质20%至25%）和4种家畜，再以小麦的丰富蛋白质为补充；以及作为纤维和油（叫做亚麻籽油：亚麻籽含有约40%的油）的一个来源的亚麻。最后，在动物驯化和粮食生产出现的几千年后，这些动物也开始被用来产奶和剪毛，并帮助人类犁田和运输。因此，新月沃地最早的农民的这些作物和牲畜开始满足人类的基本经济需要：碳水化合物、蛋白质、脂肪、衣着、牵引和运输。

新月沃地早期粮食生产的最后一个有利条件是：同包括西地中海

沿岸在内的一些地区相比，那里所面临的来自狩猎采集生活方式的竞争可能要少一些。西南亚很少有大江大河，只有很短的海岸线，所以那里较少水产资源（如江河和近海鱼类及有壳水生动物）。在那里，为了肉食而被人猎杀的哺乳动物之一是瞪羚。瞪羚本来是群居动物，但因人口增加而被过度利用，数目已大大减少。因此，粮食生产的整个好处很快就超过了狩猎采集的整个好处。以谷物为基础的定居村庄在粮食生产前就已存在，并使那些狩猎采集族群容易接受农业和放牧生活。在新月沃地，从狩猎采集向粮食生产的转变是比较快的：迟至公元前9000年，人们还没有任何作物和家畜而完全依赖野生的食物，但到公元前6000年，有些社会已几乎完全依赖作物和家畜了。

中美洲的情况则与此形成了强烈的对比：那个地区只有两种可以驯化的动物（火鸡和狗），它们所提供的肉远远少于牛、绵羊、山羊和猪；而且我已解释过，中美洲的主要谷物玉米难以驯化，或许培育起来也很缓慢。因此，中美洲动植物的驯化可能直到公元前3500年左右才开始（这个年代仍然很不确定）；这方面的最早发展应归功于仍然四处流浪的狩猎采集族群；而定居的村庄直到公元前1500年左右才宣告出现。

在所有这些关于促使新月沃地很早出现粮食生产的诸多有利条件的讨论中，我一直不曾提出过任何想象中的关于新月沃地各族群本身所具有的有利条件。事实上，我不知道是否有人认真提出过那一地区的族群具有任何想象中的与众不同的生物学上的特点，以致竟会帮助实现了该地区粮食生产的巨大力量。相反，我倒是看到了新月沃地的气候、环境和野生动植物的许多与众不同的特点一起提供了一个令人信服的解释。既然在新几内亚和美国东部当地发展起来的整个粮食生产的力量要小得多，那么解释也许与那些地区的族群有关？然而，在我们转而讨论那些地区之前，我们必须考虑一下两个相关的问题。世界上任何地区，只要那里不是独立发展出粮食生产，或者最后整个粮食生产的力量不是那么大，就都会产生这两个问题。第一个问题是：狩猎采集族群以及最早的农民真的十分了解当地现有的各种野生物种和它们的用途，或者他们可能忽略了一些主要作物的潜在祖先？第二个问题是：如果他们真的了解当地的动植物，那么他们是否利用这种知识来驯化现有的最有用的物种，或者是否有某些文化因素使他们没有能那样去做？

关于第一个问题，有一门叫做人种生物学的学科专门研究人对其环境中的动植物的了解程度。这门学科的研究对象主要是世界上幸存的为数很少的狩猎采集族群以及仍然严重依赖野生食物和自然产品的农业部族。这些研究普遍表明，这些族群是博物学的活的百科全书，他们叫得出（用当地语言）多达1000种或更多的动植物的名称，他们对这些物种的生物学特点、地理分布和潜在用途具有详尽的知识。随着人们越来越依赖已经驯化的动植物，这种传统知识逐渐失去了价值，甚至已经失传，直到人们成了连野草和野豆也分不清的现代超市上的购物者。

这里有一个典型的例子。过去33年中，我在新几内亚进行生物调查，在野外度过我的时光，我的身边始终有一批仍然广泛利用野生动植物的新几内亚人陪伴着我。有一天，我和我的福雷部落的朋友在丛林中饿得发慌，因为另一个部落挡住了我们返回补给基地的路。这时，一个福雷部落的男子回到营地，带来了一个大帆布背包，里面装满了他找到的蘑菇。他开始烤起蘑菇来。终于可以大吃一顿了！

但我在这时产生了一个令人不安的想法：如果这些蘑菇有毒，怎么办？

我耐心地向我的福雷部落的朋友们解释说，我在书上读到过有些蘑菇是有毒的，我还听说过由于有毒蘑菇和无毒蘑菇难以区别，甚至美国的一些采集蘑菇的专家也因中毒而死，虽然我们大家都很饿，但完全不值得去冒这个险。这时，我的朋友们生气了，他们叫我闭嘴，好好听他们说。多少年来，我向他们查问了几百种树木和鸟类的名字，现在我怎么可以侮辱他们，认为他们连不同的蘑菇都不认识呢？只有美国人才会愚蠢到分不清有毒蘑菇和无毒蘑菇。他们接着给我上课，告诉我29种可以食用的蘑菇，每一种蘑菇在福雷语中的名字，以及森林里什么地方可以找到它。这一种蘑菇叫做坦蒂，是长在树上的，它鲜美可口，绝对可吃。

每次我带着新几内亚人到岛上的其他地方时，他们总要和他们遇见的其他新几内亚人谈起当地的动植物，并把可能有用的植物采集下来，带回他们住的村子里试种。我与新几内亚人在一起时所获得的经验，比得上研究其他地方传统族群的人种生物学家的经验。然而，所有这些族群或是至少在从事某种粮食生产，或是成了世界上部分被同化了的以往狩猎采集社会的最后残余。在粮食生产出现前，关于野生物种的知识大概要丰富得多，因为那时地球上的每一个人仍然完全依靠食用野生物种为生。最早的农民继承了这方面的知识，这是生活在对自然界的密切依赖之中的生物学上的现代人类经过几万年对自然界的观察而积累起来的知识。因此，具有潜在价值的野生物种竟会逃过最早的农民的注意，这看来是极不可能的。

另一个相关的问题是：古代的狩猎采集族群以及农民在为了采集并最终栽培的目的而选择野生植物时，是否同样地很好利用了他们的人种生物学知识。一个可以用来验证的例子来自叙利亚境内幼发拉底河河谷边缘的一个叫做特勒阿布胡瑞拉的考古遗址。从公元前1万年到公元前9000年，生活在那里的人可能已终年定居在村庄里，但他们仍然以狩猎采集为生；作物栽培只是在接下来的1000年中才开始的。考古学家戈登·希尔曼、苏珊·科利奇和大卫·哈里斯从这个遗址找到了大量烧焦了的植物残烬，它们可能是遗址上的居民在别处采集后带回来又被抛弃的成堆无用的野生植物。这些科学家分析了700多个样本，每个样本平均含有属于70多种植物的500多颗可识别的种子。结果证明，村民们采集了种类繁多(157种!)的植物，这些都是从已烧焦的种子辨认出来的，更别提现在还无法确认的其他植物了。

是不是这些无知的村民把他们发现的每一种种子植物采集下来，带回家去，因吃了其中的大多数而中毒，而只靠吃很少几种来维持生存？不，他们不会那样愚蠢。虽然这157种植物听起来好像是不加区别地采集的结果，但还有更多的生长在附近野地里的植物没有在这些烧焦的残烬中发现。被选中的这157种植物分为3类。其中有许多植物，它们的种子没有毒，因而立即可吃。其他一些植物，如豆类和芥科植物，它们的种子有毒，但毒素很容易去掉，种子仍然可吃。有些种子属于传统上用作染料和药材来源的植物。不在被选中的这157种中的许多野生植物，有的可能没有什么用处，有的可能对人有害，其中也包括当地生长的毒性最强的一些野草。

因此，特勒阿布胡瑞拉的狩猎采集族群并没有把时间浪费在不加区别地去采集可能危及自己生命的野生植物。相反，他们同现代的新几内亚人一样，显然对当地的野生植物有深刻的了解，所以他们就利用这种知识只去选择现有的最有用的种子植物并把它们带回家。

但是，这些被收集来的种子竟构成了促使植物驯化迈出无意识的第一步的材料。

关于古代族群如何明显地充分利用他们的人种生物学知识这个问题，我的另一个例子来自公元前9000年的约旦河谷，最早的作物栽培就是在这一时期在那里开始的。约旦河谷最早驯化的谷物是大麦和二粒小麦，它们在今天仍是世界上最高产的作物。但和在特勒阿布胡瑞拉一样，另外数百种结籽的野生植物必定就生长在这附近，其中100种或更多可能是可以食用的，因此在植物驯化出现前就已被人采集。对于大麦和二粒小麦，是什么使它们成为最早的作物？约旦河谷的那些最早的农民难道对植物学一窍不通，竟然不知道自己在干什么？或者，难道大麦和二粒小麦竟是他们所能选择的当地最好的野生谷物？

有两个以色列科学家奥弗·巴尔-约瑟夫和莫迪凯·基斯列夫通过研究今天仍在约旦河谷生长的野生禾本科植物来着手解决这个问题。他们舍弃了那些种子小或种子不好吃的品种，挑选出23种种子最好吃的也是最大的野生禾本科植物。大麦和二粒小麦在被选之列，这是毫不奇怪的。

但如认为其他21种候补的禾本科植物可能同样有用，那是不正确的。在那23种禾本科植物中，大麦和二粒小麦从许多标准看都是最好的。二粒小麦的种子最大，大麦的种子次大。在野生状态中，大麦是23种中产量最高的4种之一，二粒小麦的产量属于中等。大麦还有一个优点：它的遗传性和形态使它能够迅速形成我们在前一章所讨论的种子传播和发芽抑制方面的变化。然而，二粒小麦也有补偿性的优点：它比大麦容易采集，而且它还有一个不同于其他谷物的独特之处，因为它的种子容易和外壳分离。至于其他21种禾本科植物的缺点包括：种子较小，在许多情况下产量较低，在有些情况下它们是多年生植物，而不是一年生植物，结果它们在驯化过程中的演化反而会变得很慢。

因此，约旦河谷最早的农民从他们能够得到的23种最好的野生禾本科植物中选择了这两种最好的。当然，在栽培之后产生的演化，如种子传播和发芽抑制方面的改变，可能是这些最早的农民的所作所为的意想不到的结果。但是，他们在把谷物采集下来带回家去栽培时，一开始就选择了大麦和二粒小麦而不是其他谷物，这可能是有意识的行动，是以种子大小、好吃和产量高这些容易发现的标准为基础的。

约旦河谷的这个例子同特勒阿布胡瑞拉的例子一样，说明最早的农民为了自己的利益利用了他们对当地植物的丰富知识。除了少数几个现代的专业植物学家外，他们对当地植物的了解远远超过了其他所有的人，因此他们几乎不可能不去培育任何有用的比较适合驯化的野生植物。

同新月沃地的粮食生产相比，世界上有两个地方(新几内亚和美国东部)虽然也有本地的粮食生产系统，但显然是有缺陷的。现在我们可以来考察一下，当更多产的作物从别处引进这两个地方后，当地的农民究竟在做些什么。如果结果证明没有采纳这些作物是由于文化原因或其他原因，那么我们就会产生无法摆脱的怀疑。尽管我们迄今进行了各种各样的推理，我们可能仍然不得不怀疑，在当地的野生植物群中隐藏着一种潜在的重要作物的真正祖先，只是由于同样的文化因素，当地农民未能加以利用罢了。这两个例子同样会详细地说明一个对历史至关重要的事实：地球上不同地区的当地作物并不是同样多产的。

新几内亚是仅次于格陵兰的世界第二大岛，它在澳大利亚北面，靠近赤道。由于地处热带，加上十分多样化的地形和生境，新几内亚的动植物品种非常丰富，虽然在这方面它因是一个海岛，比起大陆热带地区来有所不及。人类在新几内亚至少已生活了4万年之久——比在美洲长得多，比解剖学上的现代人类在欧洲西部生活的时间也稍长一些。因此，新几内亚人有充分的机会去了解当地的植物群和动物群。他们是否积极地把这种知识用来发展粮食生产呢?

我已经提到，采纳粮食生产涉及粮食生产的生活方式与狩猎采集的生活方式之间的竞争。在新几内亚，狩猎采集的回报还没有丰厚到可以打消发展粮食生产的积极性。尤其是，现代新几内亚的猎人由于野生猎物的不足而处于受到严重损害的不利地位：除了100磅重的不会飞的鸟(鹤鸵)和50磅重的袋鼠外，没有更大的本土陆地动物。沿海低地的新几内亚人的确获得了大量的鱼和有壳水生动物，而内地的有些低地人今天仍然过着狩猎采集生活，尤其要靠西谷椰子维持生存。但在新几内亚高原地区，没有任何居民仍然过着狩猎采集生活；相反，所有现代高原居民都是农民，他们只是为了补充日常饮食才利用野生食物。当高原居民进入森林去打猎时，他们带去路上吃的是园子里种的蔬菜。如果他们不幸断了粮，他们甚至会饿死，尽管他们熟知当地可以得到野生食物。既然狩猎采集的生活方式在现代新几内亚的很大一部分地区是这样地行不通，那么今天新几内亚所有的高原居民和大多数低地居民成了具有复杂的粮食生产系统的定居农民，这就没有什么奇怪的了。广阔的、昔日覆盖着森林的高原地区，被传统的新几内亚农民改造成围上了篱笆、修建起排水系统、精耕细作的、能够养活稠密人口的农田系统。

考古学的证据表明，新几内亚农业起源很早，约公元前7000年。在这早期年代里，新几内亚周围的所有陆块仍然只有狩猎采集族群居住，因此这一古老的农业必定是在新几内亚独立发展起来的。虽然从这些早期农田里还没有发现明确的作物残骸，但其中可能包含了欧洲人殖民时期在新几内亚种植的那几种作物，而且现在已经知道，这些作物都是从它们的新几内亚野生祖先在当地驯化出来的。在本地驯化的这些植物中位居最前列的是现代世界的主要作物甘蔗。今天甘蔗年产量的总吨数几乎等于第二号作物和第三号作物（小麦和玉米）产量的总和。其他一些肯定原产新几内亚的作物是香蕉、坚果树、巨大的沼泽芋以及各种各样可吃的草茎、根和绿叶蔬菜。面包果树和根用作物薯蓣及（普通）芋艿可能也是在新几内亚驯化的，虽然这种结论仍然不能确定，因为它们的野生祖先并不限于新几内亚，而是从新几内亚到西南亚都有分布。至于它们究竟像传统所认为的那样是在西南亚驯化的，还是在新几内亚或甚至只是在新几内亚独立驯化的，目前我们还缺乏能够解决这个问题的证据。

然而，结果证明，新几内亚的生物区系受到3个方面的严重限制。首先，在新几内亚没有任何驯化的谷类作物，而在新月沃地、萨赫勒地带和中国都有几种极其重要的谷类作物。新几内亚重视根用作物和树生作物，但它却把我们在其他湿润的热带地区（亚马孙河流域、热带西非和东南亚）的农业体系中所看到的一种倾向推向极端，因为那些地区的农民虽也重视根用作物，但却设法培育了至少两种谷物（亚洲稻米和一种叫做薏苡的大籽粒亚洲谷物）。新几内亚未能出现谷物农业的一个可能的原因，是那里的野生起始物种具有一种引人注目的缺点：世界上56种种子最大的野生禾本科植物没有一种是生长在那里的。

其次，新几内亚的动物群中没有任何可以驯化的大型哺乳动物。现代新几内亚驯养的动物只有猪、鸡和狗，它们也都是在过去几千年中经由印度尼西亚从东南亚引进的。因此，虽然新几内亚的低地居民从他们捕捉到的鱼类获得了蛋白质，但新几内亚的高原地区的居民在获得蛋白质方面受到严重的限制，因为给他们提供大部分卡路里的主要作物(芋艿和甘薯)的蛋白质含量很低。例如，芋艿的蛋白质含量几乎不到1%，甚至比白米差得多，更远在新月沃地的小麦和豆类(蛋白质含量分别为8%—14%和20%—25%)之下。

新几内亚高原地区的儿童患有膨胀病，这是饮食量多但蛋白质缺乏所引起的典型的疾病。新几内亚人无分老幼，常常吃老鼠、蜘蛛、青蛙和其他小动物，而在别的地方，由于能够得到大型家畜或大型野生猎物，人们对那些东西是不屑一顾的。蛋白质缺乏可能也是新几内亚高原社会流行吃人肉的根本原因。

最后，以往新几内亚能够得到的根用作物不但蛋白质少，而且卡路里也不高，因为这些作物在如今生活着许多新几内亚人的高地上生长不好。然而，许多世纪前，一种原产于南美洲的新的根用作物传到了新几内亚，它先由西班牙人引进菲律宾，后来大概再由菲律宾传到新几内亚的。同芋艿和其他可能历史更悠久的根用作物相比，甘薯能够在地势更高的地方生长，长得更快，按每英亩耕地和每小时所花的劳力计算，产量也更高。甘薯引进的结果是高原人口激增。就是说，虽然在甘薯引进前人们在新几内亚高原地区从事农业已有数千年之久，但当地现有的作物一直在他们能够居住的高原地区使他们能够达到的人口密度受到了限制。

总之，新几内亚提供了一个和新月沃地截然不同的富于启发性的对比。同新月沃地的狩猎采集族群一样，新几内亚的狩猎采集族群也是独立地逐步形成粮食生产的。然而，由于当地没有可以驯化的谷物、豆类植物和动物，由于因此而带来的高原地区蛋白质的缺乏，同时也由于高原地区当地现有根用作物的局限，他们的土生土长的粮食生产受到了限制。不过，新几内亚人对他们现有的野生动植物的了解，一点也不比今天地球上的任何民族差。他们同样能够发现并检验任何值得驯化的野生植物。他们完全能够认出在他们现有的作物之外的其他一些有用的作物，他们在甘薯引进时兴高采烈地接受了它就是证明。今天，这个教训在新几内亚正在又一次被人们所接受，因为那些具有优先获得引进的新作物和新牲畜的机会(或具有采纳它们的文化意愿)的部落发展壮大了自己，而受到损害的则是那些没有这种机会或意愿的部落。因此，新几内亚土生土长的粮食生产所受到的限制与新几内亚的族群没有任何关系，而是与新几内亚的生物区系和环境有着最密切的关系。

关于本地农业显然受到当地植物群的限制这个问题，我们的另一个例子来自美国东部。同新几内亚一样，那个地区也为独立驯化当地的野生植物提供了条件。然而，人们对美国东部早期发展的了解，要比对新几内亚早期发展的了解多得多：美国东部最早的农民所种植的作物已经得到确认，当地植物驯化的年代和作物序列也已为人们所知。在其他作物开始从别处引进之前很久，美洲土著便已在美国东部的河谷地区定居下来，并在当地作物的基础上发展了集约型的粮食生产。因此，他们有能力去利用那些最有希望的野生植物。他们实际上栽培了哪些野生植物，以及怎样把由此而产生的当地一系列作物去和新月沃地的一系列始祖作物作一比较呢?

原来美国东部的始祖作物是4种植物，它们在公元前2500年至

1500年这一时期得到驯化，比新月沃地的小麦和大麦的驯化时间晚了整整6000年。当地的一种南瓜属植物不但能产生可吃的种子，而且还可用作小型容器。其余3种始祖作物完全是因为它们的可吃的种子才被人栽种的（向日葵、一种叫做菊草的雏菊亲缘植物和一种叫做藜的菠菜远亲植物）。

但4种种子作物和一种容器远远够不上完全的粮食生产组合。这些始祖作物在2万年中不过是饮食的小小补充，美国东部的印第安人仍然主要地依赖野生食物，尤其是野生的哺乳动物和水鸟、鱼、有壳水生动物和坚果。直到公元前500年至200年这一时期，在又有3种种子作物（萹蓄、五月草和小大麦）得到栽培之后，农业才成为他们食品的主要部分的来源。

现代的营养学家可能会对美国东部的这7种作物大加赞赏。它们的蛋白质含量都很高——达17%—33%，而小麦是8%—14%，玉米是9%，大麦和白米甚至更低。其中两种——向日葵和菊草含油量也很高（45%—47%）。尤其是菊草，由于含有32%的蛋白质和45%的油，可能成为营养学家梦寐以求的最佳作物。我们今天为什么仍然没有吃上这些理想的粮食呢？

唉，美国东部的这些作物的大多数虽然在营养方面有其优点，但它们在其他方面也存在严重的缺点。藜属植物、萹蓄、小大麦和五月草的种子很小，体积只有小麦和大麦种子的十分之一。更糟的是，菊草是靠风媒传粉的豚草的亲缘植物，而豚草是众所周知的引起花粉病的植物。同豚草的花粉一样，凡是在菊草长得茂盛的地方，菊草的花粉都会引起花粉病。如果这一点还不能使你想要做一个种植菊草的农民的热情完全消失的话，那就请你注意它有一种令某些人讨厌的强烈气味，而且接触到它会引起皮肤过敏。

公元元年后，墨西哥的一些作物最后经由贸易路线开始到达美国东部。玉米是在公元200年左右引进的，但在许多世纪中，它所起的作用始终较小。最后，在公元900年左右，一个适应北美洲短暂夏季的新品种的玉米出现了，而在公元1100年左右随着豆类的引进，墨西哥的玉米、豆类和南瓜类这三位一体的作物便齐全了。美国东部的农业大大地集约化了，人口稠密的酋长管辖的部落沿密西西比河及其支流发展了起来。在某些地区，原来在当地驯化的作物同远为多产的墨西哥三位一体的作物一起保留了下来，但在另一些地区，这三位一体的作物则完全取代了它们。没有一个欧洲人见到过生长在印第安人园子里的菊草，因为到欧洲人于公元1492年开始在美洲殖民时，菊草作为一种作物已经消失了。在美国东部所有这些古代特有作物中，只有2种(向日葵和东部南瓜)能够同在其他地方驯化的作物相媲美，并且至今仍在种植。我们现代的橡实形南瓜和密生西葫芦就是从几千年前驯化的美洲南瓜属植物演化而来的。

因此，像新几内亚的情形一样，美国东部的情形也是富于启发性的。从假定出发，这个地区看来可能具有促进当地多产农业的条件。它有肥沃的土壤，可靠而适中的雨量，以及保持今天丰产农业的合适的气候。该地的植物群品种繁多，包括多产的野生坚果树(橡树和山核桃树)。当地的印第安人发展了以当地驯化植物为基础的农业，从而在村庄里过着自给自足的定居生活，他们甚至在公元前200年至公元400年期间带来了文化的繁荣(以今天俄亥俄州为中心的霍普韦尔文化)。这样，他们在几千年中就能够把最有用的可以得到的任何野生植物当作潜在的作物来加以利用。

尽管如此，霍普韦尔文化繁荣的出现，还是比新月沃地乡村生活的出现晚了差不多9000年。不过，直到公元900年之后，墨西哥三位一体的作物组合才引发了人口的较大增长，即所谓的密西西比文化的繁荣。 人口的增长使墨西哥以北的印第安人得以建设最大的城镇和最复杂的社会。 但这种人口的增长毕竟来得太晚，没有能使美国的印第安人为迫在眉睫的欧洲人殖民灾难作好准备。 仅仅以美国东部的作物为基础的粮食生产，还不足以引发人口的增长，这原因是不难说明的。 这一地区现有的野生谷物，远远不如小麦和大麦那样有用。 美国东部的印第安人没有驯化过任何可在当地得到的豆类、纤维作物、水果树或坚果树。 除了狗，他们没有任何家畜，而狗大概也是在美洲的其他地方驯化的。

有一点也是很清楚的：美国东部的印第安人对他们周围的野生植物中潜在的主要作物并未视而不见。 即使是用现代科学知识武装起来的20世纪植物育种专家，在利用北美的野生植物方面也很少取得成功。 诚然，我们现在已把美洲山核桃驯化成一种坚果树并把乌饭树的蓝色浆果驯化成一种水果，而且我们也已把欧亚大陆的一些水果作物(苹果、李、葡萄、树莓、黑刺莓、草莓)同北美的野生亲缘植物进行杂交来改良品种。 然而，这几项成就对我们饮食习惯的改变，远远不及公元900年后墨西哥的玉米对美国东部印第安人饮食习惯的改变那样深刻。

对美国东部驯化植物最了解的农民，就是这个地区的印第安人自己。 他们在墨西哥三位一体的作物引进后宣判了当地驯化植物的命运：或者把它们完全抛弃，或者把它们的重要性降低。 这个结果也表明了印第安人没有受到文化保守主义的束缚，而是在看到一种优良的植物时完全能够认识到它的价值。 因此，同在新几内亚一样，美国东部土生土长的粮食生产所受到的限制，不是由于印第安人本身，而是完全决定于美洲的生物区系和环境。

现在，我们已经考虑了3个对照地区的例子，在这3个例子中，粮食生产都是土生土长的。新月沃地处于一个极端；新几内亚和美国东部处于另一个极端。新月沃地的族群对当地植物的驯化在时间上要早得多。他们驯化了多得多的植物品种，驯化了产量多得多或价值大得多的植物品种，驯化了范围广泛得多的各种类型的作物，更快地发展了集约型粮食生产和稠密的人口，因此，他们是带着更先进的技术、更复杂的行政组织和用以传染其他族群的更流行的疾病进入现代世界的。

我们发现，新月沃地、新几内亚和美国东部的这些差异，直接来自可以用来驯化的野生动植物的不同系列，而不是来自这些族群本身的局限性。当更多产的作物从别处引进时（新几内亚的甘薯，美国东部的墨西哥三位一体的作物），当地族群迅即利用了它们，加强了粮食生产，从而大大地增加了人口。如果把范围加以扩大，依我看在地球上的一些根本没有在当地发展出粮食生产的地区——加利福尼亚、澳大利亚、阿根廷无树大草原、欧洲西部等等——适合驯化的野动植物可能比新几内亚和美国东部还要少，因为在新几内亚和美国东部至少还出现了有限的粮食生产。事实上，无论是本章中提到的马克·布卢姆勒在世界范围内对当地现有的大籽粒野生禾本科植物的调查，还是下一章中将要述及的在世界范围内对当地现有的大型哺乳动物的调查，都一致表明，所有这些不存在本地粮食生产或只有有限的本地粮食生产的地区，都缺少可驯化的牲畜和谷物的野生祖先。

请回忆一下：粮食生产的出现涉及粮食生产与狩猎采集之间的竞争问题。因此，人们也许想要知道，粮食生产出现缓慢或没有出现粮食生产这种种情况，可能是由于当地可以猎取和采集的资源特别丰富，而不是由于适合驯化的物种特别容易获得。事实上，当地粮食生产出现很晚或根本没有出现粮食生产的大多数地区，向狩猎采集族群所提供的资源特别贫乏而不是特别丰富，因为澳大利亚和美洲（而不是欧亚大陆和非洲）的大多数大型哺乳动物，到冰期快结束时已经灭绝。粮食生产所面临的来自狩猎采集的竞争，在这些地区甚至比在新月沃地少。因此，在当地未能出现粮食生产或粮食生产受到限制这些情况，决不能归咎于来自大量狩猎机会的竞争。

为了不使这些结论被人误解，我们在结束这一章时应该提出不可夸大两个问题的告诫：一些族群接受更好的作物和牲畜的意愿，和当地现有的野生动植物所带来的限制。这种意愿和限制都不是绝对的。

我们已经讨论了许多关于当地族群采纳在别处驯化的更多产的作物的例子。我们的一般结论是：人们能够认识有用的植物，因此大概也会认识当地适合驯化的更好的植物，如果这种植物存在的话，而且他们也不会由于文化保守主义和禁忌而不去那样做。但是，必须对这句话加上一个重要的限定语："从长远观点看和在广大地区内"。任何一个了解人类社会的人都能举出无数的例子，来说明一些社会拒绝接受可能会带来利益的作物、牲畜和其他新事物。

当然，我并不赞成那种明显的谬论，即认为每一个社会都会迅速地采纳每一个可能对它有益的新事物。事实上，在整个大陆和其他一些包含数以百计的互相竞争的广大地区，有些社会对新事物可能比较开放，有些社会对新事物可能比较抵制。那些接受新作物、新牲畜或新技术的社会因而可能吃得更好，繁殖得更快，从而取代、征服或杀光那些抵制新事物的社会。这是一个重要的现象，它的表现远远超过了采纳新作物的范围，我们将在第十三章再回头讨论这个问题。

我们的另一个告诫涉及当地现有的野生物种使粮食生产的出现所受到的限制。我不是说，在所有那些在现代以前实际上不曾在当地出现粮食生产的地区，不管经过多少时间也不可能出现粮食生产。今天的欧洲人因为看到澳大利亚土著进入现代世界时的身份是石器时代的狩猎采集族群，便常常想当然地认为这些土著将永远如此。

为了正确认识这种谬误，请考虑一下有一个天外来客在公元前3000年访问了地球。这个外星人在美国东部可能没有看到粮食生产，因为直到公元前2500年左右粮食生产才在那里开始出现。如果这个公元前3000年的外星人得出结论说，美国东部野生动植物所造成的限制永远排除了那里的粮食生产，那么在随后1000年中发生的事情可能证明这个外星人错了。甚至是在公元前9500年而不是8500年来到新月沃地的游客，也可能会误以为新月沃地永远不适合粮食生产。

换言之，我的论点不是说加利福尼亚、澳大利亚、欧洲西部以及没有本地粮食生产的所有其他地区没有可驯化的物种，而且如果不是外来的驯化动植物或族群的到来，那些地方可能仍然为狩猎采集族群无限期地占有。相反，我注意到地区之间在现有的可驯化物种的储备方面差异甚大，这些地区的本地粮食生产出现的年代也相应地有所不同，而且在某些肥沃地区直到现代仍没有独立出现过粮食生产。

澳大利亚这个据称最“落后的”大陆很好地说明了这个问题。澳大利亚东南部是这个大陆上水源充足、最适合粮食生产的地方。

那里的土著社会在最近的几千年里似乎一直在按照一种可能最终导致本地粮食生产的发展轨迹在演化。它们已经建立了过冬的村庄。它们已经开始加强利用它们的环境，建造渔栅、编织渔网，甚至挖掘长长的水渠来从事渔业生产。如果欧洲人没有在1788年向澳大利亚殖民，从而中途破坏了那个独立的发展轨迹，那么澳大利亚土著也许不消几千年就可成为粮食生产者，照料一池池驯化了的鱼，种植驯化了的澳大利亚薯蓣和小籽粒的禾本科植物。

根据这一点，我现在就能够回答包含在本章标题里的那个问题。我提出的那个问题是：北美印第安人未能驯化北美苹果的原因是在印第安人还是在苹果。

我并非因此就暗示说苹果不可能在北美驯化。请记住：苹果在历史上是最难栽培的果树之一，也是在欧亚大陆驯化的最后一批主要的果树之一，因为苹果的繁殖需要复杂的嫁接技术。直到希腊古典时期，即欧亚大陆粮食生产开始出现后8000年，即使在新月沃地和欧洲也没有关于大规模驯化苹果的证据。如果美洲印第安人开始以同样的速度发明或学会嫁接技术，并终于也驯化了苹果，那也要在公元5500年左右，即北美在公元前2500年左右出现植物驯化后大约8000年。

因此，在欧洲人到达时印第安人仍未能驯化北美的苹果，其原因不在印第安人，也不在苹果。就苹果驯化必要的生物条件而言，北美印第安农民和欧亚大陆农民一样，北美的野生苹果也和欧亚大陆的野生苹果一样。事实上，本章读者现在正在津津有味地吃着的从超市上买来的苹果，有些品种就是不久前将欧亚大陆的苹果同北美的野生苹果进行杂交而培育出来的。印第安人未能驯化苹果的原因却是在于印第安人所能得到的整个野生动植物组合。这个组合的不太多的驯化潜力，就是北美粮食生产很晚才开始的主要原因。

注　释：

1. 黎凡特：指地中海东部诸国及岛屿，即包括叙利亚、黎巴嫩等在内的自希腊至埃及的地区。——译者

第九章　斑马、不幸的婚姻和安娜·卡列尼娜原则

可驯化的动物都是可以驯化的；不可驯化的动物各有各的不可驯化之处。

如要你认为你以前读到过和这差不多的字句，那你就说对了。只要稍稍改动一下，那就成了托尔斯泰伟大的小说《安娜·卡列尼娜》著名的第一句话：“幸福的家庭都是幸福的；不幸的家庭各有各的不幸。”托尔斯泰这句话的意思是，为了得到幸福，婚姻必须在许多不同方面都是成功的：两性的吸引、对金钱的共识、对孩子的管教、宗教信仰、三亲六眷，以及其他重大问题。在所有这些基本方面只要有一个方面出了问题，就可使婚姻毁掉，即使这婚姻所有其他必要的幸福因素一样不少。

这个原则推而广之，可以用来了解婚姻以外的生活的其他许多方面。对于成功，我们往往是寻求容易的、单一因素的解释。然而，对于大多数重大的事情来说，成功实际上需要避免许多个别的可能的失败原因。安娜·卡列尼娜原则说明了动物驯化的一个特点，这个

特点对人类历史产生了严重的后果——那就是，许多看似合适的大型野生哺乳动物，如斑马和西貒，从来没有被驯化过，而成功驯化的动物几乎清一色地出产在欧亚大陆。在前两章里我们讨论了为什么许多看似适于驯化的野生植物没有得到驯化，现在我们可以着手解决与驯养的哺乳动物有联系的问题。我们前面的关于苹果或印第安人的问题现在变成了关于斑马或非洲人的问题。

在第四章中，我们曾提醒自己驯养的大型哺乳动物对那些拥有它们的人类社会产生重大影响的那许多方面。最显著的是，这些动物提供了肉食、奶制品、肥料、陆上运输、皮革、军事突击手段、犁具牵引、毛绒以及使先前没有抵抗力的民族失去生命的病菌。

当然，除此以外，驯养的小型哺乳动物、驯养的鸟类和昆虫对人类也是有益的。有许多鸟是因为它们的肉、蛋和羽毛而被驯化的：中国的鸡、欧亚大陆某些地区的各种鸭和鹅、中美洲的火鸡、非洲的珍珠鸡和南美洲的美洲家鸭。狼在欧亚大陆和北美经过驯化变成了我们的狗，用来打猎、看门、做宠物，以及在某些社会里充当食物。为充当食物而被驯化的啮齿目动物和其他小型哺乳动物包括欧洲的兔、安第斯山脉的豚鼠、西非的一种巨鼠、可能还有加勒比海诸岛上的一种叫做硬毛鼠的啮齿目动物。白鼬在欧洲被驯化来猎兔，猫在北非和西南亚被驯化来猎捕啮齿目有害动物。近至19世纪和20世纪驯化的小型哺乳动物包括为毛皮而饲养的狐、水貂和绒鼠以及当宠物饲养的仓鼠。甚至有些昆虫也被驯化了，主要的有蜜蜂和中国的蚕蛾，饲养它们是分别为了得到蜂蜜和蚕丝。

许多这样的小动物就是这样为人类提供食物、衣着和温暖。但它们没有一种可以拉犁或拉车，没有一种可以供人骑乘，除狗外没有一种可以拉雪橇或成为战争机器，在用作食物方面它们也没有一种像驯养的大型哺乳动物那样重要。因此，这一章的剩余部分将只限于讨论大型哺乳动物。

驯化的哺乳动物的重要性全靠数量惊人之少的几种大型陆生食草动物。（只有陆生哺乳动物得到了驯化，其原因显而易见，在现代海洋世界的设施发展起来以前，水生哺乳动物是很难饲养和繁殖的。）如果我们把“大型”规定为“重量超过100磅”，那么只有14种这样的哺乳动物在20世纪前得到驯化（见表9.1所列）。在这14种古代哺乳动物中，9种（表9.1中的“次要的9种”）仅对地球上某些有限地区的人来说是重要的牲畜：阿拉伯单峰骆驼、中亚双峰骆驼、美洲驼/羊驼（源于同一祖先的不同品种）、驴、驯鹿、水牛、牦牛、爪哇野牛和印度野牛。只有5种遍布全世界而且重要。这5种驯化的主要哺乳动物是牛、绵羊、山羊、猪和马。

这里所列举的初看起来似乎有明显的遗漏。曾帮助汉尼拔[1]的大军越过阿尔卑斯山的非洲象怎么样？今天在东南亚仍被用作役畜的亚洲象怎么样？是的，我没有忘记它们，但这里有一个重要的区别。象被驯服了，但绝不是驯化。过去汉尼拔的象和今天亚洲的役用象只是捕捉后被驯服的野象；它们在圈养中是不交配的。相比之下，驯化动物则可定义为：使某种动物在圈养中通过有选择的交配，使其与野生祖先有所不同，以便为控制其繁殖与饲养的人类所利用。

换句话说，驯化就是把野生动物改变成对人类更有用的东西。真正驯化的动物在许多方面不同于它们的野生祖先。这方面的差异是由两个过程产生的：人类对那些比同种中其他动物个体更有益于人类的动物个体所作出的选择，和动物对在不同于野生环境的人类环境

表9.1　古代14种大型食草类驯化哺乳动物

主要的5种

1．绵羊　野生祖先：亚洲摩弗伦羊，原产西亚和中亚，现遍布全世界。

2．山羊　野生祖先：亚洲毛粪石山羊，现遍布全世界。

3．牛　野生祖先：现已灭绝的松毛长角野牛，以前分布于欧亚大陆和北非。现遍布全世界。

4．猪　野生祖先：野猪，分布于欧亚大陆和北非，现遍布全世界，实为杂食动物（通常以动物和植物为食），而在这古代14种哺乳动物中的其他13种则均为比较严格的草食动物。

5．马　野生祖先：俄罗斯南部的野马，现已灭绝；该种的一个不同亚种在现代仍有野生存在，即蒙古的普氏野马。现遍布全世界。

次要的9种

6．阿拉伯（单峰）骆驼　野生祖先：现已灭绝，以前生活于阿拉伯半岛及其邻近地区。仍主要限于阿拉伯半岛和非洲北部，而在澳大利亚则为野生。

7．中亚（双峰）骆驼　野生祖先：生活于中亚，现已灭绝。仍主要限于中亚。

8．美洲驼和羊驼　似为同一种动物的两个不同品种，而不是两种不同的动物。野生祖先：安第斯山脉的南美野生羊驼。仍主要限于安第斯山脉，虽然有些已在北美被培育成驮畜。

9．驴　野生祖先：非洲野驴，原产北非，以前在西南亚邻近地区可能亦有发现。原来只是北非和欧亚大陆西部的家畜，近来在其他地方亦有使用。

10．驯鹿　野生祖先：欧亚大陆北部的驯鹿。仍主要限于作该地区的家畜，虽然现在有些亦在阿拉斯加使用。

11．水牛　野生祖先：生活于东南亚。仍主要被用作该地区的家畜，虽然有许多亦在巴西被使用，另一些则在澳大利亚和其他地区逃往野外。

12．牦牛　野生祖先：喜马拉雅山脉和西藏高原的野牦牛。仍只限于作该地区的家畜。

13．巴厘牛　野生祖先：东南亚的爪哇野牛（松毛长角野牛的亲缘动物）。仍只限于作该地区的家畜。

14．白肢野牛　野生祖先：印度和缅甸的印度野牛（松毛长角野牛的另一亲缘动物）。仍只限于作该地区的家畜。

中起作用的自然选择变异力量所作出的自动演化反应。我们已在第七章中看到，所有这些说法也适用于植物驯化。

驯化的动物产生了不同于它们的野生祖先的演变，有以下几个方面。许多动物的形体大小改变了：牛、猪和绵羊在驯化中形体变小了，而豚鼠在驯化中则形体变大了。绵羊和羊驼因保留了毛绒并减少或失去了硬毛而得到选择，而母牛则因产奶量高而得到选择。有几个驯养的动物同它们的野生祖先相比，脑袋较小，感觉器官也较不发达，因为它们不再需要它们的祖先赖以逃脱野外捕食者的那种比较大的脑袋和比较发达的感觉器官了。

为了正确认识在驯化中产生的变化，可以把家犬的野生祖先狼同许多不同品种的狗加以比较。有些狗比狼大得多(丹麦大狗)，而另一些狗则又小得多(哈巴狗)。有的生得体型修长，可用于赛跑(灵缇)，有的天生腿短，如用于赛跑则毫无价值(达克斯猎狗)。它们在毛形和颜色方面差异很大，有些甚至连毛都没有。波利尼西亚人和阿兹特克人培育出来的狗，是为了充当粮食而特地饲养的品种。把达克斯猎狗拿来和狼比较一下，而如果你并不知道它们之间的关系，你也会毫不怀疑前者是从后者演化而来的。

这 14 种古代大型食草类驯化哺乳动物的野生祖先，在地球上的分布是不均匀的。这样的野生祖先在南美只有一种，它产生了美洲驼和羊驼。北美、澳大利亚和非洲撒哈拉沙漠以南地区连 1 种都没有。非洲撒哈拉沙漠以南地区没有本地的驯化哺乳动物，这尤其令人惊讶，因为今天旅游者去非洲旅游的一个主要理由就是去看那里丰富多样的野生哺乳动物。相比之下，这 14 种中有 13 种(包括主要的 5 种中的全部)的野生祖先只有欧亚大陆才有。（和在本书中的其他地方一样，我使用的“欧亚大陆”这个词在几种情况下把北非也包括在内，因为从生物地理学和人类文化的许多方面来看，北非与欧亚大陆的关系比它与非洲撒哈拉沙漠以南地区的关系更加密切。）

当然，这13种的野生祖先并非全都同时出现在整个欧亚大陆。没有一个地区拥有这全部13种，有几种的野生祖先完全是地方性的，例如野生牦牛只限于西藏和邻近的高原地区。然而，在欧亚大陆的许多地方，这13种中的确有好几种同时生活在同一地区：例如，野生祖先中有7种出现在西南亚。

各大陆之间野生祖先的这种十分不均匀的分布，成了欧亚大陆人而不是其他大陆的人最后得以拥有枪炮、病菌和钢铁的一个重要原因。我们怎样来解释这14种古代哺乳动物集中出现在欧亚大陆的现象呢？

有一个原因很简单。欧亚大陆拥有数量最多的陆生大型野生哺乳动物，无论它们是否都是驯化动物的祖先。我们不妨把某个“驯化的候补者”定义为平均重量超过100磅（45公斤）的任何陆生草食的或杂食的哺乳动物（不是以肉食为主的哺乳动物）。表9.2表明，欧亚大陆拥有最多的可供驯化的候补哺乳动物，达72种，正如它在其他许多植物群和动物群方面拥有最多的品种一样。这是因为欧亚大陆是世界上最大的陆块，它的生态环境也是千变万化的，动植物的生存环境从广阔的热带雨林、温带雨林、沙漠和沼泽到同样广阔的冻原，应有尽有。非洲撒哈拉沙漠以南地区可供驯化的候补哺乳动物较少，共51种，正如它在其他大多数植物群和动物群方面品种较少一样——因为同欧亚大陆相比，它的面积较小，生态环境的变化也较少。非洲热带雨林的面积比东南亚的小，在北纬37°以北没有任何温带的动植物生存环境。我在第一章中讨论过，美洲以前的可供驯

表9．2　可供驯化的候补哺乳动物

	大陆			
	欧亚大陆	非洲撒哈拉沙漠以南地区	美洲	澳大利亚
候补动物	72	51	24	1
驯化动物	13	0	1	0
候补动物得到驯化的比例	18%	0%	4%	0%

“候补动物”的定义为平均重量超过 100 磅的陆生的草食或杂食的野生哺乳动物。

化的候补动物几乎和非洲的一样多，但美洲的大多数大型野生哺乳动物(包括那里的马、那里的大多数骆驼以及其他一些如果生存下来也可能得到驯化的动物)在 13000 年前就已灭绝了。澳大利亚是最小的也最孤立的大陆，那里的大型野生哺乳动物的种类始终比欧亚大陆、非洲或美洲少得多。正如在美洲一样，在澳大利亚除红袋鼠外所有这少数几种可供驯化的候补动物，大约在这个大陆第一次有人移居时就已灭绝了。

因此，欧亚大陆何以一直是大型哺乳动物驯化的主要场所，对这个问题的部分解释是：它是一个一开始就拥有最多的可供驯化的野生哺乳动物的大陆，在过去的 4 万年中，那里这样的动物因绝种而消失的也最少。但表9．2 中的数字提醒我们，那不是全部的解释。有一点也是确然无疑的：在那些候补的哺乳动物中，实际得到驯化的比例在欧亚大陆最高(18%)，而在非洲撒哈拉沙漠以南地区特别低(在 51 种候补动物中竟没有一种得到驯化!)尤其令人惊讶的是，大量的非洲和美洲哺乳动物没有得到驯化，尽管它们在欧亚大陆有得到驯化的近亲或和它们极相似的动物。为什么欧亚大陆的马能够驯化，而非洲的斑马却不能呢？为什么欧亚大陆的猪能够驯化，而美洲的西貒或非洲的3种真正野猪却不能？为什么欧亚大陆的5种野牛（松毛长角野牛、水牛、牦牛、印度野牛和爪哇野牛）能够驯化，而非洲野牛或美洲野牛却不能？为什么亚洲的摩弗伦羊（我们饲养的绵羊的祖先）能够驯化，而北美洲的加拿大盘羊却不能？

虽然非洲、美洲和澳大利亚的所有那些族群存在着巨大的差异，但他们在动物驯化方面是否都有欧亚大陆族群所没有的某些文化障碍？例如，非洲的大型野生动物数量很多，可以通过猎杀来得到，从而使非洲人特意去饲养家畜成为多余之举？

对这个问题的回答是毫不含糊的：否！有5个方面的证据可以驳倒上面的解释：非欧亚大陆族群迅速接受了欧亚大陆驯化的动物，人类有豢养宠畜的普遍爱好，古代的那14种哺乳动物迅速得到驯化，其中有几种还屡次独立地得到驯化，以及现代人所作的进一步驯化的努力只取得了有限的成功。

首先，当欧亚大陆的主要5种驯化的哺乳动物到达非洲撒哈拉沙漠以南地区时，凡是条件许可的地方，它们都被迥然不同的一些族群所接受。这些非洲牧人因此取得了对非洲狩猎采集族群的巨大优势，并迅速取代了他们。尤其是班图族农民，由于获得了牛和绵羊，从他们的家园向西非扩展，并在很短的时间内，在非洲撒哈拉沙漠以南的其余大多数地区打垮了先前的狩猎采集族群。甚至在没有获得作物的情况下，一些科伊桑族群由于在约2000年前获得了牛和绵羊而在非洲南部的广大地区取代了科伊桑的狩猎采集族群。驯养的马匹引进西非后改变了那里的战争情况，把那个地区变成了一批依靠骑兵的王国。使马匹未能向西非以外地区扩散的唯一因素是采采蝇传播的锥虫病。

在世界上的其他地方，只要缺少适于驯化的本地野生哺乳动物的当地族群终于有机会获得欧亚大陆的家畜，这种模式就会反复出现。无论是在北美还是在南美，在马从欧洲人的定居点逃逸出来后不到一代人时间，欧洲马就被印第安人热切地接受了。例如，到19世纪，北美大平原印第安人已经成了骑术精良的战士和猎捕野牛的能手，但他们却是在17世纪晚些时候才得到马匹的。从西班牙人那里获得的绵羊，同样改变了纳瓦霍族印第安人的社会，尤其是使纳瓦霍人得以织出他们因之而出名的美丽的羊毛毯。在带狗的欧洲人于塔斯马尼亚岛[2]定居后不到10年，以前从未见过狗的塔斯马尼亚岛土著就开始为狩猎之用而饲养了很多的狗。因此，在澳大利亚、美洲和非洲的数以千计的文化各异的土著中，没有任何普遍的文化禁忌在妨碍动物驯化。

毫无疑问，如果这些大陆上的某些本地野生哺乳动物是可驯化的，那么澳大利亚、美洲和非洲的某些族群可能已驯化了它们，并从它们身上得到巨大的利益，就像他们从欧亚大陆的家畜得到利益一样，因为当年在能够得到这些家畜时，他们曾立即予以采纳。例如，可以考虑一下非洲撒哈拉沙漠以南地区的各个族群，他们生活的地方和野斑马和野牛近在咫尺。为什么非洲没有至少一个狩猎采集部落驯化这些斑马和野牛，从而获得对其他非洲人的支配力量，而不必等到欧亚大陆的马和牛的到来？所有这些事实表明，对于欧亚大陆以外没有当地哺乳动物的驯化这个问题的解释，在于当地现有的野生哺乳动物本身，而不是在于当地的人。

支持这一解释的第二个证据来自宠物。把野生动物当宠物来饲养并加以调教，是动物驯化的第一阶段。各个大陆的几乎所有传统的人类社会都有关于宠物的记述。这样调教出来的野生动物的种类，远远多于最后得到驯化的野生动物的种类，并且包括了几种我们几乎不曾料想会成为宠物的野生动物。

例如，在我工作的那些新几内亚的村庄里，我常常看到人们带着宠物袋鼠、袋貂和从鹟到鹗无所不有的鸟。这些被捕捉到的动物虽然有些被当作宠物来饲养，但大多数最后还是被吃掉了。新几内亚人甚至还经常去捕捉鹤鸵（一种形似鸵鸟的不会飞的大型鸟类）的幼鸟，并把它们喂养大当美味来吃——虽然捕捉到的成年鹤鸵极其危险，不时地把村民来个开膛剖肚。有些亚洲族群调教鹏用于打猎，虽然偶尔也有关于这些凶猛的宠物杀死训练它们的人的传闻。古埃及人和亚述人以及现代的印度人训练猎豹用于打猎。古埃及人的绘画表明，他们甚至还驯养（并不令人惊奇）有蹄类哺乳动物如瞪羚和麋羚，鸟类如鹤，比较令人惊奇的是驯养长颈鹿（可能有危险），最令人惊奇的是驯养鬣狗。非洲象尽管明显有危险，但在罗马时代已有人驯养，而亚洲象在今天仍然在被人驯养。也许最不可能成为宠物的动物是欧洲棕熊（与美洲的灰熊是同种），但日本的阿伊努人常把熊崽抓来驯养，待养大后在宗教仪式上杀来吃。

因此，许多野生动物在导致驯化的动物与人的关系的连续序列中都达到了第一阶段，但只有几种出现在序列的另一端而成为家畜。一个多世纪前，英国科学家弗朗西斯·高尔顿[3]简明地概述了这方面的差异：“每一种野生动物都有可能得到驯化，有几种……在很久以前就驯化了，但其余的大部分有时仅仅由于在一个小小的细节上出了问题，就注定永远野生了。”

动物驯化的年代，为证实高尔顿的观点提供了第三个证据。高尔顿认为，早期牧民很快就驯化了所有适于驯化的大型哺乳动物。关于有些动物的驯化年代，我们已有了考古证据。这些动物全都是在公元前8000年至2500年这一段时间驯化的——就是说，是在上次冰期结束后出现的定居的农牧社会开头的几千年内驯化的。正如表9.3所概述的那样，大型哺乳动物驯化的年代从绵羊、山羊和猪开始，到骆驼结束。公元前2500年后，就再也没有出现过任何有重大意义的动物驯化了。

表9.3　大型哺乳动物驯化得到证明的最早的大致年代

动物	年代(公元前)	地点
狗	10000	西南亚、中国、北美
绵羊	8000	西南亚
山羊	8000	西南亚
猪	8000	中国、西南亚
牛	6000	西南亚、印度、(?)北非
马	4000	乌克兰
驴	4000	埃及
水牛	4000	中国?
美洲驼/羊驼	3500	安第斯山脉
中亚双峰驼	2500	中亚
阿拉伯单峰驼	2500	阿拉伯半岛

对于其他4种已驯化的大型哺乳动物——驯鹿、牦牛、印度野牛和爪哇野牛——至今几乎没有关于它们驯化年代的证据。表中的年代和地点只是迄今为止得到证明的最早的年代和地点；驯化实际上可能是在更早的时间在某个不同的地点开始的。

当然，在公元前2500年的很久之后，确实有些小型哺乳动物首次得到了驯化。例如，直到中世纪兔子由于可以充当食物才得到驯化，实验室研究用的老鼠直到20世纪才得到驯化，作为宠物饲养的仓鼠直到20世纪30年代才得到驯化。小型哺乳动物驯化的继续发展并不令人感到惊奇，因为确实有数以千计的野生动物可以用作驯化的候补者，同时也因为对传统社会来说它们的价值太小，不值得花气力去饲养。但大型哺乳动物的驯化实际上在4500年前就结束了。到那时，世界上全部148种可以用来驯化的候补大型动物必定已被试验过无数次，结果只有几种通过了试验，剩下的就再也没有适合驯化的了。

还有第四个证据可以用来说明某些哺乳动物适合驯化的程度比另一些哺乳动物大得多。这个证据来自对同一种动物所进行的反复的独立的驯化。以我们称之为线粒体DNA的遗传物质的各个部分为基础的遗传学证据最近证实了，有隆肉的印度牛和没有隆肉的欧洲牛的野生祖先是在几万年前即已分化的两个不同的野牛种群，而这在过去长期以来是一直遭到怀疑的。换句话说，印度人驯化了本地的亚种松毛长角野牛，西南亚人独立地驯化了他们自己的西南亚亚种松毛长角野牛，而北非人可能也是独立地驯化了北非的松毛长角野牛。

同样，在美洲以及可能还有包括中国和西南亚在内的欧亚大陆的几个不同地区，狼被独立地驯化成狗。现代猪的驯化地点按先后顺序有中国、欧亚大陆西部以及可能还有其他一些地区。这些例子又一次着重表明了：相同的几种适于驯化的野生动物吸引了许多不同的人类社会的注意。

在驯化动物方面现代尝试的失败，提供了最后一个证据，表明过去在驯化剩下的大批候补野生动物方面的失败是由于这些动物本身的缺点，而不是由于古代人的缺点。今天的欧洲人继承了地球上最悠久的动物驯化传统之一——这个传统是大约一万年前在西南亚开始的。自15世纪以来，欧洲人的足迹遍布全球，他们见到了欧洲没有的野生哺乳动物。欧洲的移民，如我在新几内亚遇到的带着宠物袋鼠和袋貂的那些人，和土著一样，驯养了许多当地的哺乳动物，或把它们当作宠物。迁往其他大陆的欧洲牧人和农民也认真努力地去驯化当地的一些哺乳动物。

在19世纪和20世纪，至少有6种大型哺乳动物——大角斑羚、驼鹿、麋鹿、麝牛、斑马和美洲野牛——成了一些安排得特别井井有条的计划的研究对象，这些计划由现代的动物育种专家和遗传学家执行，目的就是对这些动物进行驯化。例如，非洲最大的羚羊大角斑羚因其肉质肥美和奶量丰富而在乌克兰的新阿斯卡尼亚动物园以及英国、肯尼亚、津巴布韦和南非等地一直成为被选中的研究对象；苏格兰阿伯丁的罗威特研究所经营了一家驼鹿（用英国的术语说就是马鹿）实验农场；在俄罗斯的佩切罗-伊利奇国家公园也开办了一家麋鹿实验农场。然而，这些现代的努力只取得了有限的成功。虽然美洲野牛肉偶尔也出现在美国的一些超级市场上，虽然麋鹿已在瑞典和俄罗斯被用来骑乘、挤奶和拉雪橇，但这些努力没有一项产生具有足够经济价值的成果来吸引许多大牧场主。尤其引人注目的是，同欧亚大陆的那些容易感染非洲疾病的家畜相比，非洲大角斑羚对疾病的抵抗能力和对气候的适应能力使它获得了一种巨大的优势，但近来在非洲范围内进行的驯化大角斑羚的努力始终未能得到普及。

因此，无论是几千年中一直能够得到用于驯化的候补动物的本地牧人，还是现代的遗传学家，都一直未能成功地使古代那14种以外的大型哺乳动物成为有用的驯化动物，而那14种动物至少在4500年前就已驯化了。然而，今天的科学家们只要愿意，无疑能够为许多种动物去实现关于驯化的那一部分的定义，即关于控制交配和食物的规定。例如，圣迭戈和洛杉矶的动物园现在正使最后幸存的加利福尼亚兀鹰受到超过任何其他驯化动物的严格的交配控制。对每一只兀鹰都要进行遗传鉴定，并由计算机程序来决定哪一只雄鹰同哪一只雌鹰进行交配，以便达到人类的目的(在这种情况下就是为了产生最大限度的遗传差异，从而使这种濒临灭绝的鸟得以保存)。一些动物园正在执行用于其他许多有灭绝之虞的动物的繁殖计划，这些动物包括大猩猩和犀牛。但这些动物园严格挑选加利福尼亚兀鹰，不可能带来经济上有益的结果。动物园对犀牛所作的努力也是如此，虽然活犀牛的肉重达3吨以上。我们马上就会看到，驯化犀牛(以及其他大多数大型哺乳动物)有着不可逾越的障碍。

总之，在全世界作为驯化候补者的148种陆生食草类大型野生哺乳动物中，只有14种通过了试验。为什么其余的134种没有能通过试验呢？弗朗西斯·高尔顿在把其余那些动物说成是“注定要永远野生”时指的是哪些情况呢？

答案来自安娜·卡列尼娜原则。要能得到驯化，每一种候补的野生动物都必须具有许多不同的特点。缺少了哪一个必不可少的特点，都会使驯化的努力失败，就像使建立幸福婚姻的努力失败一样。我们在担任斑马和人类这一对的婚姻问题咨询指导时，至少可以找出驯化失败的6组原因。

日常食物。每一次某种动物在吃某种植物或另一种动物时，食物生物量转换为取食者生物量的效率远远低于100%：通常在10%左右。就是说，要花费1万磅左右的玉米才能喂养出一头1000磅重的牛。如果你想要养一只1000磅重的食肉动物，你就得用1万磅重的食草动物去喂它，而这1万磅重的食草动物又需要用10万磅的玉米来饲养。即使在食草动物和杂食动物中，也有许多像树袋熊这样的动物在偏爱植物方面过分挑剔，要想成为饲养场里的牲畜实在不敢恭维。

由于这种根本性的缺乏效率，没有一种食肉的哺乳动物为了充当食物而被驯化。（其所以未能得到驯化，不是因为其肉硬或无味：我们一直在吃食肉的野生鱼类，而我本人也能证明狮肉馅饼的美味。）最最勉强的例外是狗。狗本来是被驯化来看门和做打猎的伙伴的，但不同品种的狗被培育出来，在阿兹特克时代的墨西哥、波利尼西亚和古代中国，狗还被饲养来充当食物。然而，经常吃狗肉是缺乏肉食的人类社会的万不得已的事：阿兹特克人没有任何其他家畜，波利尼西亚人和古代中国人只有猪和狗。有了驯养的食草哺乳动物的人类社会也不会费心思去吃狗肉的，除非把它当作一种少有的美味佳肴（就像在今天西南亚的某些地区那样）。此外，狗不是严格的食肉动物，而是杂食动物：如果你天真地认为你的爱犬其实是吃肉的，那就请你读一读你家狗食袋上的原料配方一览表。阿兹特克人和波利尼西亚人养来吃的狗即使靠吃蔬菜和食物下脚也一样能长得膘肥体壮。

生长速度。为了值得饲养，驯化动物也必须生长迅速。这个要求把大猩猩和大象给排除了，虽然它们都吃素，绝对不挑食，而且身上的肉也多。有哪一个想要成为饲养大猩猩或大象的大牧场主会花上15年时间去等待他的牧群长到成年那么大？需要役用象的现代亚洲人发现把大象从野外捉来加以调教要省钱得多。

圈养中的繁殖问题。我们人类不喜欢在众目睽睽之下性交；有些具有潜在价值的动物也不喜欢这样做。这就是对陆地上跑得最快的动物猎豹的驯化尝试中途夭折的原因，虽然几千年来我们一直怀有驯化它的强烈兴趣。

我在前面提到过，驯养的猎豹作为比狗不知强多少倍的猎兽，曾受到古埃及人、古亚述人和现代印度人的重视。印度莫卧儿帝国的一个皇帝圈养了1000头猎豹。尽管许多富有的王公贵族为此投入了大量人力和物力，但他们所有的猎豹都是从野外捉来后驯养的。这些王公贵族想要使猎豹在圈养中繁殖的努力都落空了，直到1960年现代动物园的生物学家才成功地使第一头猎豹在动物园里出生。在野外，几个雄性猎豹兄弟对一头雌性猎豹要追逐好几天，而所以需要用这种粗鲁的长距离的求爱方式，似乎是为了使雌性猎豹排卵或愿意接受交配。关在笼子里的猎豹通常拒绝按照那种精心策划的求爱程式办事。

类似的问题也使繁殖南美小羊驼的计划受挫。南美小羊驼是安第斯山脉的一种野骆驼，它的毛是兽毛中最细最轻的，因而为人们所珍视。古代印加人把野生小羊驼赶进围栏，剪下它们的毛，然后再把它们放走。需要这种名贵驼毛的现代商人要么用印加人的老办法，要么干脆把野生的小羊驼杀死。尽管有金钱和名声的强烈刺激，为了获得驼毛而在圈养中繁殖小羊驼的所有尝试都失败了，其原因包括：小羊驼在交配前要经过长时间的复杂的求偶程式，一种在圈养中无法做到的程式；雄性小羊驼彼此之间水火不能相容；以及它们需要一个终年使用的觅食区和一个分开的终年使用的睡眠区。

凶险的性情。 当然，几乎任何一种体形够大的哺乳动物都能杀人。猪、马、骆驼和牛都杀死过人。然而，有些大型动物性情还要凶险得多，比其他动物也危险得多。动辄杀人的倾向使许多本来似乎理想的动物失去了驯化的候补资格。

一个明显的例子是灰熊。熊肉是昂贵的美食，灰熊体重可达1700磅，它们主要吃素（虽然也是可怕的猎手），它们素食的范围很广，它们靠吃人的食物下脚而茁壮生长（从而在黄石公园和冰川国家公园造成了巨大的问题），它们生长的速度也比较快。如果灰熊能在圈养中表现良好，它们就会成为绝妙的产肉动物。日本的阿伊努人做过试验，习惯上把饲养灰熊的幼崽作为一种宗教仪式的一部分。然而，由于可以理解的原因，阿伊努人觉得还是小心为妙，在灰熊的幼崽长到一岁大时便把它们杀来吃掉。较长时间地饲养灰熊可能是自杀行为；我不知道有谁驯养过成年灰熊。

另一种本来合适但由于同样明显的原因而被自己取消了驯化候补资格的动物是非洲野牛。它很快就长到一吨重。它过着群居生活。野牛群中具有完善的优势等级，这是野牛群的一个特点，关于这个特点的好处我们将在以后讨论。但非洲野牛被认为是非洲最危险、脾气最难预料的大型哺乳动物。任何一个蠢到想去驯化非洲野牛的人要么因此而送命，要么不得不在它长得太大太凶险之前把它杀死。同样，河马这个4吨重的素食动物，如果不是因为它们那样危险，可能会成为农家的大牲口。河马每年杀死的人比非洲的任何其他哺乳动物（甚至包括狮子）杀死的人都要多。

对于这些臭名昭著的凶猛的动物失去了驯化的候补资格这一点，很少人会感到惊奇。但还有一些候补动物，它们的危险却鲜为人知。例如，8种野生的马科动物（马及其亲缘动物）在性情方面差异很大，虽然这8种在遗传上彼此非常接近，所以彼此可以交配并生出健康的（虽然通常不育的）后代。其中的两种——马和北非驴（现代驴的祖先）成功地得到驯化。同北非驴关系密切的是亚洲驴，也叫中亚野驴。由于中亚野驴的家乡包括西方文明和动物驯化的摇篮新月沃地，古代人必定用中亚野驴进行过广泛的试验。我们根据苏美尔人[4]和后人的描绘得知，中亚野驴经常被人猎杀，也经常被人捉来同驴和马杂交。古人描绘过一种形状像马的动物，用来骑乘或拉车，可能就是指中亚野驴。然而，所有描绘过它们的人，从罗马人到现代动物园饲养员，对它们的暴躁脾气和咬人恶习都没有好评。因此，虽然中亚野驴在其他方面和驴的祖先有相似之处，但却从未被驯化过。

非洲的4种斑马情况甚至更糟。驯化它们的努力已经到了让它们拉车的地步：在19世纪的南非，有人试过把它们当役畜，怪人沃尔特·罗特希尔德勋爵坐着斑马拉的马车在伦敦街上驶过。可惜的是，斑马长大后变得难以对付。（我们并不否认有许多马有时脾气也很暴躁，但斑马和中亚野驴的脾气要暴躁得多，而且一律如此。）斑马有咬了人不松口的讨厌习惯。它们因此而咬伤的美国动物园饲养员甚至比老虎咬伤的还多！斑马实际上也不可能用套索去套——即使是在牧马骑术表演中获得套马冠军的牛仔也无法做到——因为斑马有一种万无一失的本领，在看着绳圈向它飞来时把头一低就躲开了。

因此，给斑马装上鞍子或骑上它是很少有的事（如果曾经有过的话），于是南非人想要驯化它们的热情减少了。具有潜在危险的大型哺乳动物的难以预测的攻击行为，也是在驯化麋鹿和大角斑羚方面开始时颇有希望的现代实验没有取得更大成功的部分原因。

*容易受惊的倾向。*大型食草类哺乳动物以不同的方式对来自捕食者或人类的危险作出反应。有几种在觉察到危险时会变得神经紧张，动作敏捷，并且照例立即逃走。还有几种则动作迟缓，不那么紧张，在群集中寻求保护，在受到威胁时站在原地不动，不到必要时不会逃跑。大多数鹿和羚羊（驯鹿是显著的例外）属于前一种，绵羊

和山羊则属于后一种。

自然，容易紧张的那几种难以圈养。如果把它们关在围栏里，它们也可能惊恐不安，不是被吓死，就是为了逃生在围栏上撞死。例如，瞪羚的情况就是如此。几千年来，在新月沃地的一些地区，瞪羚是最经常被猎捕的动物。在该地区最早定居的人除了瞪羚再没有更多机会去驯化别的哺乳动物。但没有任何瞪羚得到驯化。想象一下放牧这样一种动物的情景吧：它飞速逃走，盲目地向围墙一头撞去，它一跳就能达到差不多30英尺远，奔跑的速度能够达到每小时50英里！

*群居结构。*几乎所有驯化的大型哺乳动物都证明它们的野生祖先具有3个共同的群居特点：它们生活在群体里；它们在群体成员中维持着一种完善的优势等级；这些群体占据重叠的生活范围，而不是相互排斥的领域。例如，一个野马群包括一匹公马、6、7匹母马和一些小马驹。母马A支配着母马B、C、D和E；母马B顺从母马A，但支配母马C、D和E；母马C顺从母马B和A，但支配母马D和E；以此类推。马群在行进时，其成员保持着一种固定不变的次序：公马殿后；级别最高的母马居前，后面跟随着它的小马驹，次序按年龄排列，最小的排在最前面；其他母马按级别排列，每匹母马后面跟随着它的按年龄排列的小马驹。这样，许多成年马就可以在这个马群中共处，用不着经常打架，而且每匹马都知道自己在马群中的地位。

这种群居结构对驯化是很理想的，因为人类事实上把这种优势等级照搬了过来。在驮运东西的马队中，驯养的马跟在带路人的后面，就像通常跟在级别最高的母马后面一样。绵羊、山羊、牛和狗的祖先（狼）的群体中也有类似的等级。随着幼兽在这个群体中长大，它们就牢牢记住了它们经常看到的身旁的那些动物。在野生环境中，它们看到的是同种的成员，但在圈养状态下，群体中的幼兽看到的还有身旁的人，于是也就把人牢牢地记住了。

这种群居动物适合于放牧。既然它们彼此相安无事，所以就能把它们集中在一起。既然它们本能地跟随一个起支配作用的领袖，而且把人当作那个领袖而牢牢记住，所以它们就乐于接受牧人或牧羊狗的驱赶。群居动物在拥挤的圈养条件下也能生长良好，因为它们在野生时就已习惯于生活在密集的群体中了。

相形之下，独居的地盘性的动物就不能把它集中起来放牧。它们彼此不能相容，它们没有把人牢牢地记在心上，它们也不会本能地顺从。谁见过一群猫(野生时是独居的和地盘性的)跟在一个人的后面或者让一个人把它们集中起来照管？每一个喜欢猫的人都知道，猫不像狗那样对人出于本能地顺从。猫和雪貂是唯一的得到驯化的地盘性哺乳动物，我们驯化它们的目的不是为了把它们当作肉食来源而大群地放牧，而是把它们当作独居的猎兽或宠物来饲养。

虽然大多数独居的地盘性动物因此而未能得到驯化，但不能反过来说大多数群居的动物都能得到驯化。下面的另外几个原因中只要有一个原因，它们中的大多数就不能驯化。

首先，有许多动物的群体并不拥有重叠的生活范围，而是保持排斥其他群体的独占领域。把这两群动物圈养在一起，就如同把两只独居的雄性动物圈养在一起一样是不可能的。

其次，有许多动物在一年的部分时间里是群居的，到了交配季节就变成地盘性的了，这时它们见面就争斗，彼此不能相容。大多数的鹿和羚羊都是如此(驯鹿又一次例外)，这也是所有群居的羚羊不适合驯化的主要因素之一，虽然非洲以这些羚羊而著名。虽然人们对非洲羚羊的第一个联想是“沿地平线密密麻麻的羊群”，但事实上这些羊群中的雄性羚羊在交配期间都划分了地盘，彼此凶猛地争斗。因此，这些羚羊不能像绵羊、山羊或牛那样圈养在拥挤的围栏里。争夺地盘的行为加上性情凶猛和生长缓慢，同样使犀牛不能成为农家场院里的牲口。

最后，许多群居动物，再一次包括大多数鹿和羚羊，并没有界限分明的优势等级，因此在本能上并没有准备把任何占支配地位的领袖牢记在心(因而也不会把人记在心上)。结果，虽然许多鹿和羚羊给驯服了(请想一想班比的所有那些真实的故事)，但人们从来没有见过那种像绵羊一样成群放牧的驯养的鹿和羚羊。这个问题也使对北美加拿大盘羊的驯化半途而废，虽然这种羊和亚洲的摩弗伦羊同属，是我们驯养的绵羊的祖先。加拿大盘羊适合我们的需要，在大多数方面与摩弗伦羊相似，只是在一个关键方面例外：它们缺乏摩弗伦羊的那种固定不变的行为，即某些个体对另一些它们承认其优势的个体表现顺从。

现在，让我们再回到我在本章开始时提出的那个问题。从一开始，动物驯化的最令人困惑的特征之一是那种表面上的随意性：有些动物驯化了，而它们的近亲却没有得到驯化。除少数几种外，所有可以作为驯化候补者的动物都被安娜·卡列尼娜原则排除了。人类同大多数动物缔结了一种不幸的婚姻，这是由于许多可能的原因中的一个或多个原因造成的：动物的日常食物、生长速度、交配习惯、性情、容易受惊的倾向以及群居组织的几个不同的特点。只有很少一部分野生哺乳动物由于在上述所有这些方面都能协调一致而最终得以和人类结成美满的婚姻。

欧亚大陆的民族碰巧比其他大陆的民族继承了多得多的可驯化的大型野生的哺乳类食草动物。这一结果及其为欧亚大陆社会带来的全部利益，来自哺乳动物地理学、历史和生物学这3个基本事实。首先，欧亚大陆由于其广大面积和生态的多样性，一开始就拥有最多的可供驯化的候补动物。其次，澳大利亚和美洲，而不是欧亚大陆或非洲，在更新世晚期动物灭绝的大规模浪潮中失去了它们大多数可供驯化的候补动物——这可能是因为前两个大陆的哺乳动物不幸首先突然接触到人类，而且这时已是我们的进化史的后期阶段，我们的狩猎技巧已经得到了高度的发展。最后，证明适合驯化的幸存的候补动物，在欧亚大陆要多于其他大陆。只要研究一下那些不曾驯化的候补动物，就可以看出使其中每一种失去驯化资格的一些特有原因。因此，托尔斯泰可能会赞同一位前辈作家圣马太[5]的真知灼见："被传唤者众，而被选中者少。"

注　释：

1. 汉尼拔(Hannibal，公元前247—183)：迦太基统帅，率大军远征意大利，曾三次重创罗马军队，终因缺乏后援而撤离意大利，后被罗马军队多次击败，服毒自杀。——译者

2. 塔斯马尼亚岛：在澳大利亚东南部。——译者

3. 弗朗西斯·高尔顿爵士(1822—1911)：英国科学家、探险家、人类学家，指出人有天赋，心理和生理特征都是遗传的，创造"优生学"(eugenics)一词，曾到非洲、巴勒斯坦等地探险。——译者

4. 苏美尔人：两河地域南部地区(今伊拉克境内)的上古居民，据认为是两河流域文明的开创者。——译者

5. 马太：基督教《圣经》故事人物，耶稣十二门徒之一，传说《马太福音》系他所撰。——译者

第十章　辽阔的天空与偏斜的轴线

请在下页的世界地图（图 10．1）上比较一下各大陆的形状和轴线走向。你会对一种明显的差异产生深刻的印象。美洲南北向距离（9000 英里）比东西向距离大得多：东西最宽处只有 3000 英里，最窄处在巴拿马地峡，仅为 40 英里。就是说，美洲的主轴线是南北向

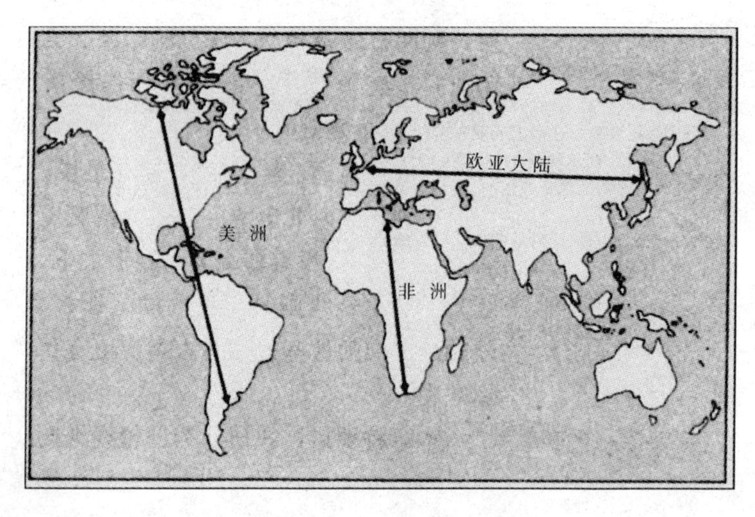

图 10．1　各大陆的主轴线

的。非洲的情况也是一样，只是程度没有那么大。相形之下，欧亚大陆的主轴线则是东西向的。那么，大陆轴线走向的这些差异对人类历史有什么影响呢？

本章将要讨论我所认为的轴线走向的差异所产生的巨大的、有时是悲剧性的后果。轴线走向影响了作物和牲口的传播速度，可能还影响文字、车轮和其他发明的传播速度。这种基本的地理特征在过去500年中对印第安人、非洲人和欧亚大陆人十分不同的经验的形成起了巨大的促进作用。

粮食生产的传播对于了解在枪炮、病菌和钢铁的出现方面的地理差异，同粮食生产的起源一样证明是决定性的。关于粮食生产的起源问题，我们在前几章已经考察过了。正如我们在第五章中所看到的那样，这是因为地球上独立出现粮食生产的地区多则9个，少则5个。然而，在史前时期，除了这少数几个粮食生产的发源地外，在其他许多地区也已有了粮食生产。所有这些其他地区之所以出现粮食生产，是由于作物、牲口以及栽种作物和饲养牲口的知识的传播，在某些情况下，则是由于农民和牧人本身迁移的结果。

粮食生产的这种传播的主要路线，是从西南亚到欧洲、埃及和北非、埃塞俄比亚、中亚和印度河河谷；从萨赫勒地带和西非到东非和南非；从中国到热带东南亚、菲律宾、印度尼西亚、朝鲜和日本；以及从中美洲到北美洲。此外，粮食生产甚至在它的发源地由于来自其他发源地的另外一些作物、牲口和技术而变得更加丰富了。

正如某些地区证明比其他地区更适合于出现粮食生产一样，粮食生产传播的难易程度在全世界也是大不相同的。有些从生态上看十分适合于粮食生产的地区，在史前期根本没有学会粮食生产，虽然史前粮食生产的一些地区就在它们的附近。这方面最明显的例子，是农业和畜牧业没有能从美国西南部传入印第安人居住的加利福尼亚，也没有能从新几内亚和印度尼西亚传入澳大利亚；农业没有能从南非的纳塔尔省传入南非的好望角省。即使在所有那些在史前期传播了粮食生产的地区中，传播的速度和年代也有很大的差异。在一端是粮食生产沿东西轴线迅速传播：从西南亚向西传入欧洲和埃及，向东传入印度河河谷（平均速度为每年约0.7英里）；从菲律宾向东传入波利尼西亚（每年3.2英里）。在另一端是粮食生产沿南北轴线缓慢传播：以每年不到0.5英里的速度从墨西哥向北传入美国的西南部；玉米和豆类以每年不到0.3英里的速度从墨西哥向北传播，在公元900年左右成为美国东部的多产作物；美洲驼以每年不到0.2英里的速度从秘鲁向北传入厄瓜多尔。如果不是像我过去的保守估计和某些考古学家现在所假定的那样，迟至公元前3500年玉米才得到驯化，而是像大多数考古学家过去经常假定（其中许多人现在仍这样假定）的那样，玉米驯化的年代要大大提前，那么上述差异甚至可能更大。

在全套作物和牲口是否得到完整的传播这方面也存在着巨大的差异，从而又一次意味着传播所碰到的障碍有强弱之分。例如，虽然西南亚的大多数始祖作物和牲口的确向西传入了欧洲，向东传入了印度河河谷，但在安第斯山脉驯养的哺乳动物（美洲驼／羊驼和豚鼠）在哥伦布以前没有一种到达过中美洲。这种未能得到传播的令人惊异的现象迫切需要予以解释。毕竟，中美洲已有了稠密的农业人口和复杂的社会，因此毫无疑问，安第斯山脉的家畜（如果有的话）大概是提供肉食、运输和毛绒的重要来源。然而，除狗外，中美洲完全没有土生土长的哺乳动物来满足这些需要。不过，有些南美洲作物还是成功地到达了中美洲，如木薯、甘薯和花生。是什么选择性的阻碍让这些作物通过，却筛选掉美洲驼和豚鼠？

对于物种传播的这种地理上的难易差别，有一个比较巧妙的说法，叫做抢先驯化现象。大多数后来成为我们的作物的野生植物在遗传方面因地而异，因为在不同地区的野生祖先种群中已经确立了不同的遗传突变体。同样，把野生植物变成作物所需要的变化，原则上可以通过不同的新的突变或产生相同结果的不同的选择过程来予以实现。根据这一点，人们可以考察一下在史前期广泛传播的某种作物，并且问一问它的所有变种是否显示了同样的野生突变或同样的转化突变。这种考察的目的，是要断定这种作物是在一个地区发展起来的，还是在几个地区独立发展起来的。

如果对新大陆的古代主要作物进行这种遗传分析，其中有许多证明是包括两个或更多的不同的野生变种，或两个或更多的不同的转化突变体。这表明，这个作物是在至少两个不同的地区独立驯化的，这个作物的某些变种经遗传而获得了一个地区特有的突变，而同一作物的另一些变种则通过遗传而获得了另一地区的突变。根据这个基本原理，一些植物学家断定说，利马豆、菜豆和辣椒全都在至少两个不同的场合得到驯化，一次是在中美洲，一次是在南美洲；而南瓜属植物和种子植物藜也至少独立驯化过两次，一次是在中美洲，一次是在美国东部。相形之下，西南亚的大多数古代作物显示出只有一个不同的野生变种或不同的转化突变体，从而表明了该作物的所有现代变种都起源于仅仅一次的驯化。

如果这种作物是在其野生产地的几个不同地区反复地、独立地驯化的，而不是仅仅一次和在一个地区驯化的，那么这又意味着什么呢？我们已经看到，植物驯化就是把野生植物加以改变，使它们凭借较大的种子、较少的苦味或其他品质而变得对人类有益。因此，如果已经有了某种多产的作物，早期的农民肯定会去种植它，而不会从头开始去采集它的还不是那样有用的野生亲缘植物来予以重新驯化。支持仅仅一次驯化的证据表明，一旦某种野生植物得到了驯化，那么这种作物就在这种野生植物的整个产地迅速向其他地区传播，抢先满足了其他地区对同一种植物独立驯化的需要。然而，如果我们发现有证据表明，同一种植物的野生祖先在不同地区独立地得到驯化，我们就可以推断出这种作物传播得太慢，无法抢先阻止其他地方对这种植物的驯化。关于在西南亚主要是一次性驯化而在美洲则是频繁的多次驯化的证据，也许因此而提供了关于作物的传播在西南亚比在美洲容易的更巧妙的证据。

某种作物的迅速传播可能不但抢先阻止了同一植物的野生祖先在其他某个地方的驯化，而且也阻止了有亲缘关系的野生植物的驯化。如果你所种的豌豆已经是优良品种，那么从头开始再去驯化同一种豌豆的野生祖先，当然是毫无意义的，但是去驯化近亲的野豌豆品种也同样是毫无意义的，因为对农民来说，这种豌豆和已经驯化的豌豆实际上是同一回事。西南亚所有的始祖作物抢先阻止了对欧亚大陆西部整个广大地区任何近亲植物的驯化。相比之下，在新大陆有许多例子表明，一些同等重要的、有密切亲缘关系的然而又有区别的植物，是在中美洲和南美洲驯化的。例如，今天全世界种植的棉花有95%属于史前时期在中美洲驯化的短绒棉。然而，史前期南美洲农民种植的却是巴巴多斯棉。显然，中美洲的棉花难以到达南美洲，才使它未能在史前时代抢先阻止那里不同品种的棉花得到驯化（反之亦然）。辣椒、南瓜属植物、苋属植物和藜科植物是另一些作物，它们的一些不同的然而有亲缘关系的品种是在中美洲和南美洲驯化的，因为没有一个品种的传播速度能够快到抢先阻止其他品种的驯化。

因此，许多不同的现象归结为同一个结论：粮食生产从西南亚向外传播的速度要比在美洲快，而且也可能比在非洲撒哈拉沙漠以南的地区快。这些现象包括：粮食生产完全未能到达某些生态条件适合于粮食生产的地区；粮食生产传播的速度和选择性方面存在着差异；以及最早驯化的作物是否抢先阻止了对同一种植物的再次驯化或对近亲植物的驯化方面也存在着差异。粮食生产的传播在美洲和非洲比在欧亚大陆困难，这又是怎么一回事呢?

要回答这个问题，让我们先来看一看粮食生产从西南亚(新月沃地)向外迅速传播的情况。在那里出现粮食生产后不久，即稍早于公元前8000年，粮食生产从中心向外扩散的浪潮在欧亚大陆西部和北非的其他地方出现了，它往东西两个方向传播，离新月沃地越来越远。在本页上我画出了遗传学家丹尼尔·左哈利和植物学家玛丽娅·霍普夫汇编的明细图(图10．2)，他们用图来说明粮食生产的浪潮到公元前6500年到达希腊、塞浦路斯和印度次大陆，在公元前6000年后不久到达埃及，到公元前5400年到达中欧，到公元前5200年到达西班牙南部，到公元前3500年左右到达英国。在上述的每一个地区，粮食生产都是由最早在新月沃地驯化的同一组动植物中的某些作物和牲口所引发的。另外，新月沃地的整套作物和牲口在某个仍然无法确定的年代进入非洲，向南到了埃塞俄比亚。然而，埃塞俄比亚也发展了许多本地的作物，目前我们还不知道是否就是这些作物或陆续从新月沃地引进的作物开创了埃塞俄比亚的粮食生产。

新月沃地作物向欧亚大陆西部的传播

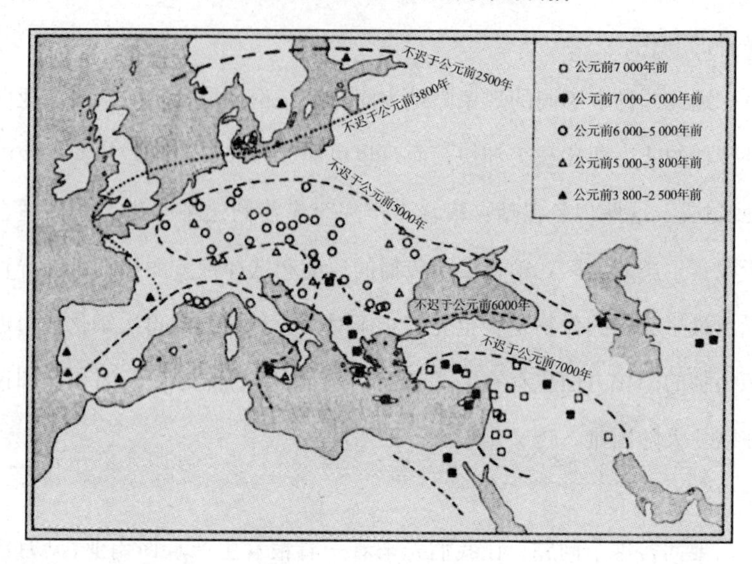

图 10．2 图中符号表明发现新月沃地作物残骸的用碳－14 测定法测定的早期地点。 □ ＝ 新月沃地本身（公元前 7000 年前的地点）。 注意：离新月沃地渐远，则年代亦渐晚。 本图据左哈利和霍普夫的《旧大陆植物驯化图 20》绘制，但以经过校正的碳－14测定法测定的年代代替其未经校正的年代。

当然，这全部作物和牲口并非全都传播到那些边远地区。 例如，埃及太温暖，不利于单粒小麦在那里落户。 在有些边远地区，在这全部作物和牲口中，有些是在不同的时期引进的。 例如，在西南欧，绵羊引进的时间早于谷物。 有些边远地区也着手驯化几种本地的作物，如欧洲西部的罂粟，可能还有埃及的西瓜。 但边远地区的大部分粮食生产，在开始时都依赖新月沃地驯化的动植物。 紧跟在这些驯化的动植物之后传播的，是创始于新月沃地或其附近地区的其他发明，其中包括轮子、文字、金属加工技术、挤奶、果树栽培以及啤酒和葡萄酒的酿造。

为什么这一批植物竟能使粮食生产在欧亚大陆整个西部得以开始？这是不是因为在许多地区都有一批这样的野生植物，它们在那里和在新月沃地一样被发现有用，从而独立地得到驯化？不，不是这个原因。首先，新月沃地的始祖作物有许多原来甚至不是在西南亚以外地区野生的。例如，在8种主要的始祖作物中，除大麦外，没有一种是在埃及野生的。埃及的尼罗河流域提供了一种类似于新月沃地的底格里斯河和幼发拉底河流域的环境。因此，在两河流域生长良好的那一批作物，在尼罗河流域也生长得相当良好，从而引发了埃及本土文明的引人注目的兴起。但是，促使埃及文明的这种令人注目的兴起的粮食，在埃及原来是没有的。建造人面狮身像和金字塔的人吃的是新月沃地原生的作物，而不是埃及原生的作物。

其次，即使在西南亚以外地区确曾出现过这些作物的野生祖先，我们也能够肯定欧洲和印度的作物大都得自西南亚，而不是在当地驯化的。例如，野生亚麻往西出现在英国和阿尔及利亚，往东出现在里海沿岸，而野生大麦往东甚至出现在西藏。然而，就新月沃地的大多数始祖作物而言，今天世界上所有人工培育的品种的染色体都只有一种排列，而它们野生祖先的染色体却有多种排列；要不，就是它们只产生一种突变(来自许多可能的突变)，而由于有了这种突变，人工培育的品种和它们的野生祖先的区别就在于它们有了为人类所向往的一些特点。例如，所有人工培育的豌豆都有相同的隐性基因，这种基因使人工培育的豌豆的成熟豆荚不会像野豌豆的豆荚那样自然爆裂，把豌豆洒落地上。

显然，新月沃地的大多数始祖作物在它们最初在新月沃地驯化后，就不会在其他地方再次驯化。如果它们是多次独立驯化的，它们的染色体的不同排列或不同的突变就会显示出这种多重起源所遗留的影响。因此，这些就是我们在前面讨论的关于抢先驯化现象的典型例子。新月沃地成批作物的迅速传播，抢先阻止了其他任何可能想要在新月沃地范围内或其他地方驯化同一野生祖先的企图。一旦有了这种作物，就再没有必要把它从野外采集来，使它再一次走上驯化之路。

在新月沃地和其他地方，大多数始祖作物的祖先都有可能也适于驯化的野生亲缘植物。例如，豌豆是豌豆属植物，这个属包括两个野生品种：豌豆和黄豌豆，前者经过驯化而成为我们园圃里的豌豆，后者则从未得到驯化。然而，野生的黄豌豆无论是新鲜的还是干的，味道都很好，而且在野外随处可见。同样，小麦、大麦、兵豆、鹰嘴豆、菜豆和亚麻，除已经驯化的品种外，全都有许多野生的亲缘植物。在这些有亲缘关系的豆类和大麦类作物中，有一些事实上是在美洲或中国独立驯化的，离新月沃地的早期驯化地点已经很远。但在欧亚大陆西部，在几个具有潜在价值的野生品种中，只有一种得到了驯化——这大概是因为这一个品种传播得太快，所以人们停止采集其他的野生亲缘植物，而只以这种作物为食。又一次像我们前面讨论过的那样，这种作物的迅速传播不但抢先阻止了驯化其野生祖先的企图，而且也阻止了任何可能想要进一步驯化其亲缘植物的企图。

为什么作物从新月沃地向外传播的速度如此之快？回答部分地决定于我在本章开始时谈到的欧亚大陆的东西向轴线。位于同一纬度的东西两地，白天的长度和季节的变化完全相同。在较小程度上，它们也往往具有类似的疾病、温度和雨量情势以及动植物生境或生物群落区（植被类型）。例如，葡萄牙、伊朗北部和日本在纬度上的位置大致相同，彼此东西相隔各为4000英里，但它们在气候方面都很相似，而各自的气候与其正南方仅仅1000英里处的气候相比反而存在差异。在各个大陆上，被称为热带雨林型的动植物生境都在赤道以南和赤道以北大约10度之内，而地中海型低矮丛林的动植物生境（如加利福尼亚的沙巴拉群落[1]和欧洲的灌木丛林地带）则是在北纬大约30度至40度之间。

但是，植物的发芽、生长和抗病能力完全适应了这些气候特点。白天长度、温度和雨量的季节性变化，成了促使种子发芽、幼苗生长以及成熟的植物开花、结子和结果的信号。每一个植物种群都通过自然选择在遗传上作好安排，对它在其中演化的季节性情势所发出的信号作出恰当的反应。这种季节性的情势因纬度的不同而产生巨大的变化。例如，在赤道白天的长度全年固定不变，但在温带地区，随着时间从冬至向夏至推进，白天逐步变长，然后在整个下半年又逐步变短。生长季节——即温度与白天长度适合植物生长的那一段时间——在高纬度地区最短，在靠近赤道地区最长。植物对它们所处地区的流行疾病也能适应。

那些在遗传安排方面未能配合栽种地区纬度的植物可要遭殃了！请想象一下，一个加拿大农民如果愚蠢到竟会栽种一种适于在遥远的南方墨西哥生长的玉米，那会有什么样的结果。这种玉米按照它那适合在墨西哥生长的遗传安排，应该在三月份就准备好发芽，但结果却发现自己仍被埋在10英尺厚的积雪之下。如果这种玉米在遗传上重新安排，以便使它在一个更适合于加拿大的时间里——如六月份的晚些时候发芽，那么它仍会由于其他原因而碰到麻烦。它的基因会吩咐它从容不迫地生长，只要能在5个月之后成熟就行了。这在墨西哥的温和气候下是一种十分安全的做法，但在加拿大就是一种灾难性的做法了，因为这保证会使玉米在能够长出任何成熟的玉米棒之前就被秋霜杀死了。这种玉米也会缺少抵抗北方气候区的疾病的基因，而空自携带着抵抗南方气候区的疾病的基因。所有这些特点使低纬度地区的植物难以适应高纬度地区的条件，反之亦然。结果，新月沃地的大多数作物在法国和日本生长良好，但在赤道则生长很差。

动物也一样，能够适应与纬度有关的气候特点。在这方面，我们就是典型的动物，这是我们通过内省知道的。我们中有些人受不了北方的寒冬，受不了那里短暂的白天和特有的病菌，而我们中的另一些人则受不了炎热的热带气候和那里特有的病菌。在近来的几个世纪中，欧洲北部凉爽地区的海外移民更喜欢迁往北美、澳大利亚和南非的同样凉爽的气候区，而在赤道国家肯尼亚和新几内亚，则喜欢住在凉爽的高原地区。被派往炎热的热带低地地区的北欧人过去常常成批地死于疟疾之类的疾病，而热带居民对这类疾病已经逐步形成了某种自然的抵抗力。

这就是新月沃地驯化的动植物如此迅速地向东西两个方向传播的部分原因：它们已经很好地适应了它们所传播的地区的气候。例如，农业在公元前5400年左右越过匈牙利平原进入中欧后立即迅速传播，所以从波兰向西直到荷兰的广大地区内最早的农民遗址(其标志为绘有线条装饰图案的特有陶器)几乎是同时存在的。到公元元年，原产新月沃地的谷物已在从爱尔兰的大西洋沿岸到日本的太平洋沿岸的8000英里的大片地区内广为种植。欧亚大陆的这片东西向的广阔地区是地球上最大的陆地距离。

因此，欧亚大陆的东西向轴线使新月沃地的作物迅速开创了从爱尔兰到印度河流域的温带地区的农业，并丰富了亚洲东部独立出现的农业。反过来，最早在远离新月沃地但处于同一纬度的地区驯化的作物也能够传回新月沃地。今天，当种子靠船只和飞机在全世界运来运去的时候，我们理所当然地认为我们的一日三餐是个地理大杂烩。美国快餐店的一顿典型的饭食可能包括鸡(最早在中国驯化)和土豆(来自安第斯山脉)或玉米(来自墨西哥)，用黑胡椒粉(来自印度)调味，再喝上一杯咖啡(原产埃塞俄比亚)以帮助消化。然而，不迟于2000年前，罗马人也已用多半在别处出产的食物大杂烩来养活自己。在罗马人的作物中，只有燕麦和罂粟是意大利当地生产的。罗马人的主食是新月沃地的一批始祖作物，再加上榅桲(原产高加索山脉)、小米和莳萝(在中亚驯化)、黄瓜、芝麻和柑橘(来自印度)，以及鸡、米、杏、桃和粟(原产中国)。虽然罗马的苹果至少是欧亚大陆西部的土产，但对苹果的种植却要借助于在中国发展起来并从那里向西传播的嫁接技术。

虽然欧亚大陆有着世界上处于同一纬度的最广阔的陆地，并由此提供了关于驯化的动植物迅速传播的最引人注目的例子，但还有其他一些例子。在传播速度上堪与新月沃地整批作物相比的是一批亚热带作物的向东传播，这些作物最初集中在华南，在到达热带东南亚、菲律宾、印度尼西亚和新几内亚时又增加了一些新的作物。在1600年内，由此而产生的那一批作物(包括香蕉、芋艿和薯蓣)向东传播了5000多英里，进入热带太平洋地区，最后到达波利尼西亚群岛。还有一个似乎可信的例子，是作物在非洲广阔的萨赫勒地带内从东向西的传播，但古植物学家仍然需要弄清楚这方面的详细情况。

可以把驯化的植物在欧亚大陆东西向传播之易与沿非洲南北轴线传播之难作一对比。新月沃地的大多数始祖作物很快就到达了埃及，然后向南传播，直到凉爽的埃塞俄比亚高原地区，它们的传播也就到此为止。南非的地中海型气候对这些作物来说应该是理想的，但在埃塞俄比亚与南非之间的那2000英里的热带环境成了一道不可逾越的障碍。撒哈拉沙漠以南地区的非洲农业是从驯化萨赫勒地带和热带西非的当地野生植物（如高粱和非洲薯蓣）开始的，这些植物已经适应了这些低纬度地区的温暖气候、夏季的持续降雨和相对固定不变的白天长度。

同样，新月沃地的家畜通过非洲向南的传播也由于气候和疾病（尤其是采采蝇传染的锥虫病）而停止或速度减慢。马匹所到的地方从来没有超过赤道以北的一些西非王国。在2000年中，牛、绵羊和山羊在塞伦格蒂大平原的北缘一直止步不前，而人类的新型经济和牲畜品种却仍在发展。直到公元元年至公元200年这一时期，即牲畜在新月沃地驯化的大约8000年之后，牛、绵羊和山羊才终于到达南非。热带非洲的作物在非洲向南传播时也遇到了困难，它们只是在新月沃地的那些牲畜引进之后才随着黑非洲农民（班图族）到达南非。然而，这些热带非洲的作物没有能够传播到南非的菲什河彼岸，因为它们不能适应的地中海型气候条件阻止了它们的前进。

这个结果是过去2000年的南非历史中人们非常熟悉的过程。南非土著科伊桑人（亦称霍屯督人和布须曼人）有些已有了牲畜，但仍没有农业。他们在人数上不敌黑非洲农民，并在菲什河东北地区被黑非洲农民取而代之，但这些黑非洲农民的向南扩张也到菲什河为止。只有在欧洲移民于1652年由海路到达，带来新月沃地的一整批作物时，农业才得以在南非的地中海型气候带兴旺发达起来。所有这些民族之间的冲突，造成了现代南非的一些悲剧：欧洲的病菌和枪炮使科伊桑人迅速地大量死亡；欧洲人和黑人之间发生了长达一个世纪的一系列战争；发生了又一个世纪的种族压迫；现在，欧洲人和黑人正在作出努力，在昔日科伊桑人的土地上寻找一种新的共处模式。

还可以把驯化的植物在欧亚大陆传播之易与沿美洲南北轴线传播之难作一对比。中美洲与南美洲之间的距离——例如墨西哥高原地区与厄瓜多尔高原地区之间的距离——只有1200英里，约当欧亚大陆上巴尔干半岛与美索不达米亚之间的距离。巴尔干半岛为大多数美索不达米亚的作物和牲畜提供了理想的生长环境，并在不到2000年的时间内接受了这一批在新月沃地形成的驯化动植物。这种迅速的传播抢先剥夺了驯化那些动植物和亲缘物种的机会。墨西哥高原地区和安第斯山脉对彼此的许多作物和牲畜来说同样应该是合适的生长环境。有几种作物，特别是墨西哥玉米，确实在哥伦布时代以前就已传播到另一个地区。

但其他一些作物和牲畜未能在中美洲和南美洲之间传播。凉爽的墨西哥高原地区应该是饲养美洲驼、豚鼠和种植马铃薯的理想环境，因为它们全都是在南美安第斯山脉凉爽的高原地区驯化的。然而，安第斯山脉的这些特产在向北传播时被横隔在中间的中美洲炎热的低地完全阻挡住了。在美洲驼于安第斯山脉驯化了5000年之后，奥尔梅克人的、马雅人的、阿兹特克人的以及墨西哥其他所有土著人的社会仍然没有驮畜，而且除狗以外也没有任何可供食用的驯养的哺乳动物。

反过来，墨西哥驯养的火鸡和美国东部种植的向日葵本来也是可以在安第斯山脉茁壮生长的，但它们在向南传播时被隔在中间的热带气候区阻挡住了。仅仅这700英里的南北距离就使墨西哥的玉米、南瓜类植物和豆类植物在墨西哥驯化了几千年之后仍然不能到达美国的西南部，而墨西哥的辣椒和藜科植物在史前时期也从未到达那里。在玉米于墨西哥驯化后的几千年中，它都未能向北传播到北美的东部，其原因是那里的气候普遍较冷和生长季节普遍较短。在公元元年到200年之间的某一个时期，玉米终于在美国的东部出现，但还只是一种十分次要的作物。直到公元900年左右，在培育出能适应北方气候的耐寒的玉米品种之后，以玉米为基础的农业才得以为北美最复杂的印第安人社会——密西西比文化作出贡献，不过这种繁荣只是昙花一现，由于同哥伦布一起到来的和在他之后到来的欧洲人带来的病菌而寿终正寝。

可以回想一下，根据遗传研究，新月沃地的大多数作物证明只是一次驯化过程的产物，这个过程所产生的作物传播很快，抢先阻止了对相同品种或亲缘品种植物的任何其他的早期驯化。相比之下，许多显然广为传播的印第安作物中，却包含有一些亲缘植物，或甚至属于同一品种但产生了遗传变异的变种，而这些作物又都是在中美洲、南美洲和美国东部独立驯化出来的。从地区来看，在苋属植物、豆类植物、藜科植物、辣椒、棉花、南瓜属植物和烟草中，近亲的品种互相接替。在四季豆、利马豆、中国辣椒和瓠瓜中，同一品种的不同变种互相接替。这种由多次独立驯化所产生的结果，也许可以提供关于作物沿美洲南北轴线缓慢传播的进一步证明。

于是，非洲和美洲这两个最大的陆块，由于它们的轴线主要是南北走向，故而产生了作物传播缓慢的结果。在世界上的其他一些地区，南北之间的缓慢传播只在较小范围内产生重要的影响。这方面的另一些例子包括作物在巴基斯坦的印度河流域与南印度之间十分缓慢的交流，华南的粮食生产向西马来西亚的缓慢传播，以及热带印度尼西亚和新几内亚的粮食生产未能在史前时期分别抵达澳大利亚西南部和东南部的现代农田。澳大利亚的这两个角落现在是这个大陆的粮仓，但它们却远在赤道以南2000多英里之外。那里的农业得等到适应欧洲凉爽气候和较短生长季节的作物乘坐欧洲人的船只从遥远的欧洲来到的那个时候。

我一直在强调只要看一眼就可容易地在地图上确定的纬度，因为它是气候、生长环境和粮食生产传播难易的主要决定因素。然而，纬度当然不是这方面唯一的决定因素，认为同一纬度上的邻近地区有着同样的气候（虽然它们不一定有着同样的白天长度），这种说法也并不总是正确的。地形和生态方面的界线，在某些大陆比在另一些大陆要明显得多，从而在局部上造成了对作物传播的重大障碍。

例如，虽然美国的东南部和西南部处在同一个纬度上，但这两个地区之间的作物传播却是十分缓慢而有选择性的。这是因为横隔在中间的得克萨斯和南部大平原的很大一部分地区干旱而不适于农业。在欧亚大陆也有一个与此相一致的例子，那就是新月沃地的作物向东传播的范围。这些作物很快就向西传播到大西洋，向东传播到印度河流域，而没有碰到任何重大的障碍。然而，在印度如要再向东去，则由于主要是冬季降雨转变为主要是夏季降雨而大大延缓了涉及不同作物和耕作技术的农业向印度东北部恒河平原的扩展。如果还要向东，则有中亚沙漠、西藏高原和喜马拉雅山一起把中国的温带地区同气候相似的欧亚大陆西部地区分隔开来。因此，中国粮食生产的早期发展独立于处在同一纬度的新月沃地的粮食生产，并产生了一些完全不同的作物。然而，当公元前2000年西亚的小麦、大麦和马匹到达中国时，就连中国与欧亚大陆西部地区之间的这些障碍也至少部分地得到了克服。

而且，这种南北转移2000 英里所产生的阻力，也因当地条件的不同而迥异。新月沃地的粮食生产通过这样长的距离传播到埃塞俄比亚，而班图人的粮食生产从非洲的大湖区向南迅速传播到纳塔尔省，因为在这两个例子中，隔在中间的地区有相似的降雨情势，因而适合于农业。相比之下，作物要想从印度尼西亚向南传播到澳大利亚的西南部地区则是完全不可能的，而通过短得多的距离从墨西哥向美国西南部和东南部传播也因中间隔着不利于农业的沙漠地区而速度缓慢。中美洲在危地马拉以南没有高原，中美洲在墨西哥以南尤其是巴拿马地形极狭，这在阻碍墨西哥高原地区和安第斯山脉地区之间作物和牲口的交流方面，至少同纬度的梯度一样重要。

大陆轴线走向的差异不仅影响粮食生产的传播，而且也影响其他技术和发明的传播。例如，公元前3000 年左右在西南亚或其附近发明的轮子，不到几百年就从东到西迅速传到了欧亚大陆的很大一部分地区，而在史前时代墨西哥独立发明的轮子却未能传到南面的安第斯山脉地区。同样，不迟于公元前1500年在新月沃地西部发展起来的字母文字的原理，在大约1000年之内向西传到了迦太基，向东传到了印度次大陆，但在史前时期即已盛行的中美洲书写系统，经过了至少2000 年时间还没有到达安第斯山脉。

当然，轮子和文字不像作物那样同纬度和白天长度有直接关系。相反，这种关系是间接的，主要是通过粮食生产系统及其影响来实现的。最早的轮子是用来运输农产品的牛拉大车的一部分。早期的文字只限于由生产粮食的农民养活的上层人士使用，是为在经济上和体制上都很复杂的粮食生产社会的目的服务的(如对王室的宣传、存货清单的开列和官方记录的保存)。一般说来，对作物、牲畜以及与粮食生产有关的技术进行频繁交流的社会，更有可能也从事其他方面的交流。

美国的爱国歌曲《美丽的亚美利加》说到了从大海到闪光的大海，我们的辽阔的天空，我们的琥珀色的谷浪。 其实，这首歌把地理的实际情况弄反了。 和在非洲一样，美洲本地的作物和牲畜的传播速度由于狭窄的天空和环境的障碍而变得缓慢了。 从北美大西洋岸到太平洋岸，从加拿大到巴塔哥尼亚高原，或者从埃及到南非，看不见本地绵延不断的谷浪，而琥珀色的麦浪倒是在欧亚大陆辽阔的天空下从大西洋一直延伸到太平洋。 同美洲本地和撒哈拉沙漠以南非洲的农业传播速度相比，欧亚大陆农业的更快的传播速度在对欧亚大陆的文字、冶金、技术和帝国的更快传播方面发挥了作用。

提出所有这些差异，并不就是说分布很广的作物是值得赞美的，也不是说这些差异证明了欧亚大陆早期农民具有过人的智慧。 这些差异只是反映了欧亚大陆轴线走向与美洲或非洲大陆轴线相比较的结果。 历史的命运就是围绕这些轴线旋转的。

注　释：

1. 沙巴拉群落：美国加利福尼亚州南部由一种能耐干旱和寒冷的灌木植物构成的生态群。 ——译者

第三部分

从粮食到枪炮、病菌与钢铁

第十一章　牲畜的致命礼物

现在，我们已经考察了粮食生产是怎样在几个中心出现的，以及粮食生产是怎样以不同的速度从那里向其他地区传播的。 这些地理上的差异就是对耶利的问题的最后的重要回答，而耶利的问题是：不同的民族最后何以在权力和富裕方面大相径庭。 然而，粮食生产本身并不是直接的原因。 在一对一的战斗中，赤手空拳的农民可能不是赤手空拳的狩猎采集者的对手。

对于农民的力量的一部分解释，在于粮食生产所能养活的稠密得多的人口：10 个赤手空拳的农民在战斗中肯定能胜过一个赤手空拳的狩猎采集者。 另一部分解释是：无论是农民还是狩猎采集者都不是赤手空拳的，至少不是在比喻的意义上。 农民往往会呼出更可怕的病菌，拥有更好的武器和盔甲，掌握一般说来更有效的技术，并且生活在集中统一的政府之下，而这种政府里有更懂得如何去发动征服战争的有文化修养的杰出人物。 因此，下面的 4 章将探讨一下粮食生产这个终极原因是如何导致病菌、文化修养、技术和集中统一的政府这些直接原因的。

一个医院的病例令人难忘地向我说明了牲畜、作物与病菌之间的关系，这个病例是我从一个医生朋友那里听说的。当我的朋友还是一个初出茅庐的年轻医生时，他被叫进医院的一个房间去给一对受到一种怪病折磨的夫妇看病。这对夫妇彼此沟通有困难，同我的朋友沟通也有困难，这对治病是不利的。做丈夫的是一个胆怯的瘦小男子，不知是什么病菌使他得了肺炎。他只能说几句英语，充当翻译的是他的美丽的妻子。她为她丈夫的病忧心忡忡，并对陌生的医院环境感到害怕。我的朋友在医院里工作了整整一个星期，想弄清楚到底是什么异乎寻常的危险因素引起了这种怪病，这使他感到疲惫不堪。身心劳累使他忘记了关于病人秘密的所有教导：他犯了一个可怕的错误，竟要求那个做妻子的去问她的丈夫他是否有过可以引起这种感染的性经历。

这位医生注意到，那个做丈夫的变得面红耳赤，把身体蜷缩起来，使原本瘦小的身躯似乎变得更小了。他恨不得一头钻到床单下面去，用一种几乎听不见的声音结结巴巴地说出几句话来。他的妻子突然怒叫一声，站直了身子，居高临下的对着他。医生还没有来得及阻拦，她已一把抓起了一只很沉的金属瓶，用尽全力向她丈夫的脑袋砸去，接着怒气冲冲地跑出了房间。医生花了一番工夫才把他弄醒过来，甚至花了更大的工夫才从那男人的结结巴巴的英语中探听出他究竟说了些什么竟使他的妻子如此暴怒。答案慢慢地出来了：原来他刚才承认不久前到家里的农场去时和母羊性交过几次，也许这就是使他传染上那神秘的病菌的原因。

这件事听起来有点荒诞不经，也不可能有什么更普遍的意义。但事实上，它说明了一个非常重要的大问题：源自动物的人类疾病。

我们爱羊很少会像那病人一样是出于肉欲。但我们大多数人对我们的猫、狗之类的宠物有一种柏拉图式的爱。从我们所饲养的羊和其他牲畜的庞大数目来看，我们的社会毫无疑问对它们似乎有一种过度的喜爱。例如，最近的一次人口调查表明，澳大利亚人对他们的羊非常重视，1708．54万人竟养了1．616亿只羊。

我们有些成年人会从我们的宠物那里得到传染病，而儿童得这种传染病的甚至更多。通常，这种病只不过是一种小小的不舒服，但有些也会发展成为大病。整个近代史上人类的主要杀手是天花、流行性感冒、肺结核、疟疾、瘟疫、麻疹和霍乱，它们都是从动物的疾病演化而来的传染病，虽然奇怪的是引起我们人类的流行疾病的大多数病菌如今几乎只局限于在人类中流行。第二次世界大战前，战争受害者死于战争引起的疾病的比死于战斗创伤的要多。所有那些为伟大的将军们歌功颂德的军事史对一个令人泄气的事实只是轻描淡写一笔带过，这个事实就是：过去战争中的胜利者并不总是那些拥有最优秀的将军和最精良的武器的军队，而常常不过是那些携带有可以传染给敌人的最可怕的病菌。

关于病菌的历史作用的最令人生畏的例子，来自随同哥伦布1492年的航行而开始的欧洲人对美洲的征服。虽然被那些杀人不眨眼的西班牙征服者杀死的印第安人不计其数，但凶恶的西班牙病菌杀死的印第安人却要多得多。为什么在欧洲和美洲之间这种可怕的病菌的交流是这样不对等？为什么印第安人的疾病没有大批杀死西班牙入侵者，并传回欧洲，消灭掉欧洲95%的人口？不但在大批杀死想要成为非洲和亚洲热带地区的征服者的欧洲人方面，而且在欧亚大陆的病菌大批杀死其他许多土著方面，都出现了类似的问题。

因此，人类疾病源自动物这一问题是构成人类历史最广泛模式的潜在原因，也是构成今天人类健康的某些最重要问题的潜在原因。（请想一想艾滋病吧，那是一种传播速度非常快的人类疾病，似乎是从非洲野猴体内一种病毒演化而来。）本章一开始将要考虑什么是“疾病”，为什么有些病菌演化的目的是“使我们生病”，而其他大多数生物却不会使我们生病。我们将考察一下，为什么我们最熟悉的传染病中有许多成为流行病而迅速传播，如当前艾滋病的流行和中世纪黑死病（腺鼠疫）的流行。然后，我们还将考虑现在只在我们中间传播的那些病菌的祖先，是怎样从它们原来的宿主动物身上转移到我们身上来的。最后，我们还要看一看，对我们的传染疾病源自动物的深刻见解，是如何有助于说明欧洲人与印第安人之间重大的、几乎是单向的病菌交流的。

自然，我们都喜欢按照我们自己的观点来考虑疾病问题：我们怎样才能挽救自己和杀死病菌？让我们消灭这些坏蛋，而不必介意它们的动机是什么！然而，在一般的生活中，为了打败敌人，必须了解敌人，在医学中则尤其如此。

因此，让我们首先暂时把我们人类的偏见放在一边，从病菌的角度来考虑疾病问题。要知道，病菌同我们一样都是自然选择的产物。病菌以各种稀奇古怪的方式使我们生病，如使我们得生殖器溃疡或腹泻。它这样做会得到什么样的演化利益呢？这似乎是特别令人费解而又自拆台脚的事，因为病菌杀死了它的宿主也就杀死了它自己。

从根本上说，病菌的演化和其他物种没有什么两样。演化所选择的，是那些在繁殖后代和帮助后代向适于生存的地方传播方面都是最有效的个体。可以从数学上把病菌的传播定义为：由每一个原发病人传染的新的受害者的数目。这个数目的大小取决于每一个受害者能够传染给新的受害者的持续时间的长短，以及这种病菌从一个受害者转移到下一个受害者的效率的高低。

病菌已演化出各种不同的方式，从一个人传播给另一个人，以及从动物传播给人。传播能力强的病菌繁殖的后代也多，结果就会得到自然选择的偏爱。我们的疾病的许多“症状”，实际上不过是某种非常聪明的病菌在改变我们的身体或行为以便使我们帮助传播病菌时所表现出来的一些方式而已。

病菌传播的最不费力的方式，就是等待着被动地传染给下一个受害者。有些病菌等待一个宿主被下一个宿主吃掉，就是这种策略的运用：例如，沙门氏菌就是因为我们吃了已被感染的蛋或肉而感染上的；引起旋毛虫病的寄生虫是等我们在杀猪后吃了未煮熟的猪肉而从猪身上进入我们体内的；引起线虫肉芽病的寄生虫是喜吃寿司的日本人和美国人因为吃了生鱼片而有时感染上的。这些寄生虫都是从被吃的动物传递给人的，但引起新几内亚高原地区的强笑病（库鲁病[1]）的病毒通常是从一个被吃的人传递给另一个人的。这种病是通过吃人肉传播的：高原地区的母亲们把死于库鲁病的人的脑髓挖出来等待下锅，一旁的孩子把这未煮过的脑髓用手摆弄后舔了舔手指，从而犯下了致命的错误。

有些病菌不是等到旧宿主死后被吃掉，而是在昆虫的唾液中“搭便车”，这个昆虫咬了原来的宿主，然后赶紧离开去寻找新的宿主。提供这种“免费搭车”的可能是蚊子、跳蚤、虱子或采采蝇，它们分别传播疟疾、瘟疫、伤寒或昏睡病。这种被动传播的最卑鄙的把戏就是病菌干的，它们通过妇女传给胎儿，从而使出生后的婴儿受到感染。引起梅毒、风疹和现在的艾滋病的病菌就是靠玩这种把戏造成了道德的困境，而一些主张应该有一个基本正确的世界的人，不得不同这种困境作殊死的斗争。

其他一些病菌可以说是由自己来处理事情。它们改变宿主的结构和习惯，来加速自己的传播。从我们的角度看，得了由梅毒之类性病引起的外露的生殖器溃疡是一种极不光彩的事。然而，从病菌的观点看，它们只是一种有用的手段，用以获得宿主的帮助把病菌移入新宿主的体腔。天花造成的皮肤损伤，同样是通过直接或间接的身体接触来传播病菌的(有时是十分间接的，如一心想要消灭"好斗的"印第安人的美国白人把天花患者以前用过的毯子作为礼物送给他们)。

流行性感冒、普通感冒和百日咳病菌所运用的策略就更厉害了，它们诱使受害者咳嗽或打喷嚏，把一群病菌向未来的新宿主喷射出去。同样，霍乱菌促使它的受害者大量腹泻，把病菌送入潜在的新受害者饮用的水源。引起朝鲜出血热的病毒通过鼠尿来传播。在改变宿主的行为方面，再没有什么能和狂犬病病毒相比的了，这种病毒不但进入了受到感染的狗的唾液中，而且还驱使这只狗疯狂地乱咬，从而使许多新的受害者受到感染。但就这种小虫子所作的实际努力来说，应该得奖的还是钩虫和血吸虫之类的寄生虫。它们的幼虫通过前一个受害者的粪便被排泄到水里或土里，又从那里努力地钻进新宿主的皮肤。

因此，从我们的观点来看，生殖器溃疡、腹泻和咳嗽都是"症状"。但从病菌的观点看，它们就是传播病菌的聪明的演化策略。这就是为什么"使我们生病"是符合病菌的利益的。但是，为什么病菌会演化出杀死宿主这种明显自拆台脚的策略呢?

从病菌的角度看，那只是宿主症状促进病菌高效传播的一个无心的附带结果(对我们来说真是一个莫大的安慰!)。是的，一个没有得到治疗的霍乱病人，最后可能因为每天拉稀达几加仑而送命。然而，至少在一段时间里，只要这病人仍然活着，霍乱菌就会由于大量传播进下一个受害者的饮用水源而得到好处。倘若每个受害者因而平均感染一个以上的新的受害者，那么即使第一个宿主碰巧死了，霍乱菌仍然会传播开去。

我们对病菌利益的不带感情的考察就到此为止。现在，让我们回过头来考虑一下我们本身的自私的利益：活下去并保持健康，最好的办法就是杀死那些该死的病菌。我们受到感染的一个普遍反应是发烧。而我们又一次在习惯上把发烧看作是一种“症状”，好像就这样无缘无故地照例发生了。但是，体温的调节是受到基因控制的，并不是无缘无故发生的。有些病对热的反应比我们的身体更敏感。提高我们的体温，实际上就是要在烤死我们自己之前把病菌烤死。

我们的另一个普遍反应就是把我们的免疫系统动员起来。我们的白血细胞和其他细胞积极地搜出并杀死外来病菌。我们在抵抗某种使我们受到感染的病菌的过程中逐步形成的特定的抗体，使我们在痊愈后不大可能再次受到感染。我们根据经验都知道，有些病如流行性感冒和普通感冒，我们对它们的抵抗力只是暂时的；我们最后还是有可能再次感染上这种病的。然而，对其他一些疾病——包括麻疹、流行性腮腺炎、风疹、百日咳以及现在已被战胜的天花——我们的由一次感染激发起来的抗体使我们获得终生免疫。这就是预防接种的原理：给我们接种一种已死的或变弱了的菌株，促使我们的抗体产生，而不必真的去生病。

可是，有些聪明的病菌在我们的免疫防御面前就是不屈服。有些已学会了改变我们的抗体能认出来的那一细菌的某些分子结构（即所谓的抗原）来使我们上当。新品种的流行性感冒通过不断的演化或改造，产生了不同的抗原，这就是为什么虽然你在两年前得过流感，但在今年另一种流感到来时你仍不能免于感染的缘故。疟疾和昏睡病由于有迅速改变抗原的能耐，成了甚至更难抓住的主顾。最难抓住的是艾滋病，因为它甚至在一个病人的体内也能演化出新的抗原，从而破坏了这个病人的免疫系统。

我们最缓慢的防御反应是通过自然选择表现出来的。自然选择改变了我们一代代的基因频率。对于几乎任何一种疾病来说，某些人证明比另一些人具有更强的基因抵抗能力。在疾病流行时，那些具有抵抗某种病菌的基因的人，比缺乏这种基因的人更有可能生存下来。因此，在历史的进程中，在反复接触某种病原体的人口中，具有那些抗病基因的个体的人数比例较高——这完全是因为没有这种基因的不幸的个体不大可能生存下来把他们的基因传给后代。

你可能又一次认为，这是莫大的安慰。这种演化反应对基因易受感染的行将消失的个体没有任何好处。然而，这的确意味着整个人口有了抵抗这种病原体的更强的能力。关于这种基因防御的例子如：镰状红细胞基因、泰萨二氏病基因和囊性纤维变性基因可能使非洲黑人、德系犹太人和北欧人分别获得了保护自己（以一定的代价）抵抗疟疾、肺结核和细菌性腹泻的能力。

总之，我们同大多数物种的相互作用，就像我们同蜂鸟的关系所证明的那样，不会使我们“生病”，也不会使蜂鸟“生病”。无论是我们还是蜂鸟，都不需演化出相互防范的能力。这种和平的关系能够维持下去，因为蜂鸟不指望我们为它们传播后代，也不指望我们把身体给它们当食物。蜂鸟演化的结果是它们以花蜜和昆虫为食，而这些东西是它们靠运用翅膀得来的。

但是，病菌演化的结果却是以我们体内的养料为食，一旦原来的受害者死了或者产生了抵抗力，它们也没有翅膀可以让它们飞到一个新的受害者的身体上去。因此，许多病菌不得不演化出一些花招，好让它们在潜在的受害者之间进行传播，而许多这样的花招也就是我们身上所体现出来的“症状”。我们也已演化出我们自己的反花招，对此细菌又演化出反反花招来予以回答。我们和我们的病原体现在在一场逐步升级的演化竞赛中难解难分，以竞赛一方的死亡为失败的代价，而自然选择就是这场竞赛的裁判。现在就让我考虑一下这场竞赛的形式：是闪电战还是游击战?

假定我们计算一下某个地区某种传染病病例的数目，并注意这些数目如何随时间而变化。由此而产生的变化模式在各类疾病中是大不相同的。对某些疾病如疟疾或钩虫病来说，在一个受侵袭的地区，任何一年的任何一个月都会有新的病例出现。然而，所谓流行疾病在一个很长时间里可能连一例都没有，然后是一大批病例，接着有一阵子又没有任何病例。

在这些流行疾病中，流行性感冒是大多数美国人因有亲身经历而非常熟悉的一种病，有几年对我们来说特别糟糕(但对流行性感冒病毒来说则是美好的年头)。霍乱这种流行病发生的间隔时间较长，1991 年秘鲁的霍乱是 20 世纪首次到达新大陆的流行病。虽然今天流行性感冒和霍乱的流行成了报纸的头版新闻报道，但在现代医药出现前的流行病通常要可怕得多。人类历史上最大的一次流行病是在第一次世界大战结束时杀死2100万人的流行性感冒。黑死病(腺鼠疫）在1346年到1352年间杀死了欧洲四分之一的人口，在有些城市里死亡人数高达70%。19世纪80年代初，当加拿大太平洋铁路修经萨斯喀彻温时，该省以前很少接触过白人及其病菌的印第安人死于肺结核的人数每年竟达到惊人的9%。

作为流行病而不是作为点滴的小病光顾我们的这些传染病有几个共同的特点。首先，它们从一个受感染的人迅速而高效地传给近旁健康的人，结果使整个人口在很短时间内受到感染。其次，它们都是"急性"病：在很短时间内，你要么死掉，要么完全康复。第三，我们当中的确获得康复的那些幸运的人产生了抗体，使我们在很长时间内，也可能是一辈子不用担心这种病会复发。最后，这些病往往只在人类中传播；引起这些病的病菌往往不是生活在土壤中或其他动物身上。所有这4个特点也适用于美国人所认为的那些习见的儿童急性传染病，其中包括麻疹、风疹、急性腮腺炎、百日咳和天花。

这4个特点结合起来往往造成了某种疾病的流行，其原因不难理解。简单地说，情况是这样的：病菌的迅速传播和症状的迅速发展，意味着当地人口中的每一个人很快就受到感染，之后不久他或者死去，或者康复并获得免疫力。仍然会受到感染的人都不会活下来。但由于这种病菌除了在活人体内是不可能生存的，所以人死了这种病也就消失了，直到又一批后代达到易受感染的年代——直到一个受到感染的外来人使一场流行病重新开始。

关于这些疾病是怎样流行起来的，有一个典型的事例是大西洋上叫做法罗群岛[2]的与世隔绝的岛屿上的麻疹病史。1781年，一次严重的麻疹流行病到达法罗群岛，接着又消失了，其后该群岛就不再有麻疹发生，直到1846年，一个受到感染的木匠从丹麦坐船到来。不出 3 个月，法罗群岛的几乎全部人口（7782 人）都得了麻疹，于是有的人死去，有的人康复，麻疹病毒又一次消失，直到下一次流行。一些研究表明，麻疹可能会在任何少于 50 万人的人口中消失。只有在比较多的人口中，这种病才会从一个地区转移到另一个地区，直到原先受感染地区里出生的婴儿达到足够的数目，麻疹又会卷土重来。

适用于法罗群岛上麻疹的情况，也适用于世界上其他一些我们所熟悉的急性传染病。为了维持自身的存在，这些病需要有足够多的人口，足够拥挤的稠密人口，这样，到这种病不然就会衰退的时候，又有一批众多的易受感染的儿童现成可供感染。因此，麻疹和一些类似的疾病也叫做群众疾病。

显然，群众疾病不可能在小群狩猎采集族群和刀耕火种的农民中存在。现代亚马孙河地区印第安人和太平洋岛民的悲惨经历表明，一个小部落可能被一个外来人带来的一种流行病几乎全部消灭——因为这个小部落中没有一个人有任何抵抗这种病菌的抗体。例如，1902 年冬天，由捕鲸船“活跃”号上的一个水手带来的一场痢疾流行使 56 个萨德勒缪特爱斯基摩人中的 51 个人丧生，这是生活在加拿大北极地区南安普顿岛上的一群完全与世隔绝的人。此外，麻疹和我们的其他一些“童年”病，杀死受感染的成年人比杀死儿童的可能性更大，而那个小部落里的成年人又全都是易受感染的。（相比之下，现代的美国成年人很少有感染上麻疹的，因为他们中大多数在童年时或者得过麻疹，或者接受过预防接种。）那场流行病在把那个小部落中的大多数人杀死后接着就消失了。小部落人口少，这一点不但说明了为什么他们承受不住从外面带来的流行病，而且也说明了为什么他们没有能演化出自己的流行病去回敬外来人。

然而，这并不是说人口少就百病不生。他们同样会得传染病，不过只限于几种传染病而已。有些传染病是由能在动物身上或土壤中生存的病菌引起的，结果这种病不会消失，而且始终可以使人受到感染。例如，黄热病病毒是由非洲野猴携带的，它总是能够通过野猴感染非洲的农村人口，再从这些人通过横渡大西洋的奴隶贸易带去感染新大陆的猴子和人。

还有一些传染病发生在人口稀少的地方，它们是麻风和雅司病[3]之类的慢性病。由于这种病可能要花很长时间才能杀死它的患者，所以患者在活着时就成了感染这个小部落的其他成员的病菌仓库。例如，我在60年代曾在新几内亚高原地区的卡里穆伊巴西姆工作过，那里的居民是几千个与世隔绝的人，他们的麻风病发生率是全世界最高的——约40%！人口少的群体毕竟也是容易得一些非致命的传染病的。由于我们对这种传染病没有形成免疫力，结果同一个人在康复之后仍会再度感染。钩虫和其他许多寄生虫的情况就是如此。

所有这些为与世隔绝的很少人口所特有的疾病，谅必都是人类最古老的疾病。它们是我们在早期几百万年的进化史中得以形成并保持的疾病，因为那时的总人口为数甚少而且零星分散。这些疾病是我们与我们的野生近亲非洲类人猿所共有的，或者与它们的疾病相类似的。相比之下，我们前面所讨论的那种群众疾病只有在积聚起众多的稠密人口时才可能出现。这种人口的积聚，随着大约1万年前农业的开始出现而出现，然后又随着几千年前城市的开始出现而加速发展。事实上，许多为人们所熟悉的传染病的得到证实的最早出现年代，竟晚得令人惊奇：天花出现在公元前1600年左右(从一具埃及木乃伊身上的痘痕推断出来)，流行性腮腺炎出现在公元前400年，麻风出现在公元前200年，流行性脊髓灰质炎出现在公元1840年，艾滋病出现在1959年。

为什么农业的出现会成为我们群众传染病形成的开端？其中一个原因前面已经提到，那就是农业比狩猎采集的生活方式维持了高得多的人口密度——平均要高10倍到100倍。另外，狩猎采集族群经常变换营地，留下了一堆堆排泄物，上面聚集了大量病菌和寄生虫的幼虫。但农民是定居的，他们生活在自己排放出来的污水之中，从而为病菌从一个人的身体进入另一个人的饮用水源提供了捷径。

有些农业人口把自己的粪便收集起来，当作肥料撒到人们劳动的田里，从而使粪便中的病菌和寄生虫去感染新的受害者变得甚至更加容易。灌溉农业和鱼类养殖为蜗牛和水蛭提供了理想的生活环境。蜗牛是吸血虫的宿主，而水蛭则在我们涉过满是粪便的水中时钻进我们的皮肤。定居的农民周围不但有自己的粪便，而且还有被他们贮藏的粮食吸引来的传播疾病的啮齿目动物。非洲农民砍伐出来的林中空地也为疟蚊提供了理想的滋生地。

如果说农业的出现就这样地使我们的病菌交了好运，那么城市的出现则给它们带来了更大的幸运，因为在甚至更糟的卫生条件下，更加拥挤的稠密人口使情况恶化了。直到20世纪初，欧洲的城市人口才最后稳定下来：在那以前，来自农村的健康农民不断地移居城市，这对于补充城市中因群众疾病而死去的人是必要的。对病菌来说，另一件好事是世界贸易路线的发展，到罗马时代，这些贸易路线把欧洲、亚洲和北非有效地连接成一个巨大的病菌繁殖场。也就是在这个时候，所谓安东尼瘟疫的天花终于到达罗马，在公元165年到180年期间杀死了几百万罗马城镇居民。

同样，所谓查士丁尼瘟疫的腺鼠疫也第一次在欧洲出现了（公元542—543年）。但直到公元1346年，所谓黑死病的鼠疫才开始全力打击欧洲，那时一条新的与中国的陆上贸易路线，为满是跳蚤的毛皮提供了一条沿欧亚大陆东西轴线，从到处瘟疫的中亚地区到欧洲的快速运输通道。今天，我们的喷气飞机使得甚至最长的洲际飞行比人类任何传染病的持续时间都要短暂。这就是1991年一架停在利马（秘鲁）的阿根廷航空公司的飞机如何设法做到从利马飞越3000英里把几十个感染霍乱的人当天送到我所居住的城市洛杉矶。美国人周游世界和外国人移居美国的迅速增多，正在把我们变成另一座熔炉——这一次是病菌的熔炉，而这些病菌我们原先认为不过是在遥远的国度引起一些古怪的疾病而未曾予以理会。

因此，当人口的数量和集中达到一定程度时，我们也就达到了这样的一个历史阶段，在这个阶段我们至少能够形成并保持只有我们人类才会有的群众疾病。但这个结论也有其矛盾之处：在那时以前这些病是不可能存在的！相反，它们必须演化成新的疾病。那么，这些新的疾病又是从哪里来的呢？

最近，由于对致病病菌所进行的分子研究，证据正在不断出现。就引起我们独有的疾病的许多病菌来说，分子生物学家现在能够确定一些亲缘关系最为接近的病菌。这些病菌同样证明是群众传染病的媒介——不过只在我们的各种家畜和宠物中流行罢了！在动物中，流行病同样需要稠密的大种群，而不是只去折磨任何某一只动物：这些流行病主要地只发生在需要有大的种群的群居动物中。因此，当我们驯养牛和猪这类群居动物时，它们已经受到了一些流行病的折磨，只不过在等待着转移给我们罢了。

例如，麻疹病毒同牛瘟病毒亲缘关系最为接近。这种可怕的流行病侵袭牛和许多野生的反刍哺乳动物，但不侵袭人。反过来，麻疹也不侵袭牛。麻疹病毒和牛瘟病毒极其相似这一点表明，后者从牛转移给人，然后通过改变其特性以适应人的情况而演化成麻疹病毒。考虑到许多农民的生活和睡眠同牛及其粪便、呼吸、溃疡和血液近在咫尺，这种转移就一点也不令人奇怪了。自从我们对牛驯养以来，我们和牛的这种亲密关系已存在了9000年之久——这大量时间足以使牛瘟病毒发现我们就在它的近旁。如表11.1所示，其他一些我们所熟悉的传染病同样可以追溯到我们的动物朋友身上的疾病。

表11.1　来自我们的动物朋友的致命礼物

人类疾病	携带亲缘关系最为接近的抗原体的动物
麻疹	牛(牛瘟)
肺结核	牛
天花	牛(牛痘)或携带亲缘痘病毒的其他牲畜
流行性感冒	猪和鸭
百日咳	猪、狗
恶性疟疾	禽鸟(鸡和鸭？)

考虑到我们同我们所喜爱的动物的亲密关系，我们必定不断地受到它们的病菌的攻击。这些入侵者经过自然选择的筛选，只有少数得以成为人类的疾病。只要把当前的一些疾病迅速地观察一下，我们就可以看出原为动物疾病向人类转化疾病演化的4个阶段。

第一阶段可以由几十种病作为例证，这些病是我们有时从我们的宠物和家畜那里直接得来的。它们包括从我们的猫那里得来的猫抓热，从我们的狗那里得来的钩端螺旋体病，从我们的鸡和鹦鹉那里得来的鹦鹉热，以及从我们的牛那里得来的布鲁氏菌病。我们同样也会从野生动物那里感染疾病，例如猎人在剥野兔皮时可能得兔热病。所有这些病菌仍然处在向人类转化病原体演化的早期阶段。它们仍然不能直接地从一个人传染给另一个人，甚至它们从动物身上转移给我们也仍属罕见。

在第二阶段，原先动物的病原体的演化已达到可以直接在人群中传播从而引起流行病的地步。然而，这种流行病由于几个原因而消失了，如被现代医药治愈了，或因周围的每一个人都已得过病了，有的获得了免疫力，有的已经死了。例如，以前有一种叫做奥尼翁-尼翁热的不明热病于1959年在非洲出现，接着感染了几百万非洲人。它大概是猴子身上的一种病毒引起的，由蚊子传染给人。病人很快康复并不会复发，这一点有助于这种新出现的病很快消失。美国人家乡的一种病叫做布雷格堡热，这是给一种新出现的钩端螺旋体病取的名字，这种病于1942年夏季在美国爆发，随后很快消失不见了。

由于另一原因而消失不见的一种致命疾病是新几内亚的库鲁病。这种病因吃人肉而传染，是由一种作用缓慢的病毒引起的，人一旦染上这种病毒，就终生不会痊愈。就在库鲁病快要消灭新几内亚的2万人的福雷部落时，澳大利亚政府于1959年左右建立了对这一地区的管理，结束了吃人肉的习俗，从而也结束了库鲁病的传播。医学史连篇累牍地记载了一些我们今天闻所未闻的疾病，但这些病曾一度引起了令人恐怖的流行病，接着又像出现时那样神秘地消失得无影无踪。有许多流行病在现代医学发明出用以确定罪魁祸首的病菌的方法之前很久便已销声匿迹了，从1485年到1552年在欧洲迅速蔓延并使欧洲一片惊慌的“英国汗热病”和18、19世纪法国的“皮卡迪汗热病”只是其中两例而已。

我们主要疾病的演化的第三阶段可以原先的动物病原体为代表，这些病原体确已在人体内安家落户，但并没有(尚未?)消失，可能仍然是或可能仍然不是人类的主要杀手。拉沙热是由一种可能来自啮齿目动物的病毒引起的，它的前途仍然十分难以预料。拉沙热是1969年在尼日利亚观察到的，它在那里引起了一种传染性很强的致命疾病，即使出现一例这样的病，尼日利亚的医院就都得关闭。情况比较清楚的是莱姆病，它是由一种螺旋体引起的，老鼠和鹿携带的扁虱叮咬了人，这种螺旋体就从叮咬处进入人体。虽然人类感染莱姆病的已知首批病例晚至1962年才在美国出现，但在我国的许多地方，莱姆病已经达到了流行的程度。艾滋病来自猴子的病毒，1959年左右有了关于人类感染这种病的最早记录。这种病的前途甚至更有保障(从艾滋病毒的观点看)。

这种演化的最后阶段可以只有人类才会感染的那些主要的由来已久的疾病为代表。这些疾病必定是多得多的病原体在演化过程中的幸存者，所有那些病原体都曾力图迅速转移到我们身上——但多半失败了。

在这些阶段究竟发生了什么，使一种本来为动物所独有的疾病转化为一种为人类所独有的疾病？有一种转化涉及居中传病媒介的改变：如果一种依赖某种节肢动物为传播媒介的病菌要转移到一个新宿主身上去，这种病菌可能不得不也去寻找一种新的节肢动物。例如，斑疹伤寒最初是由老鼠身上的跳蚤在老鼠之间传播的，这些跳蚤过不多久就能把斑疹伤寒从老鼠身上转移到人的身上。最后，斑疹伤寒菌发现，人身上的虱子提供了一种效率高得多的在人与人之间直接往来的方法。由于美国人大都消灭了身上的虱子，斑疹伤寒又发现了进入我们体内的一条新的路线：先是传染给北美东部的飞鼠，这些飞鼠藏在阁楼上，然后再通过这些飞鼠传染给住户。

总之，疾病代表了一步步的演化，而病菌则通过自然选择适应新的宿主和传病媒介。但同牛的身体相比，我们的身体具有不同的免疫系统、虱子、排泄物和化学物质。在这种新的环境下，病菌必须演化出新的生存和传播方法。在几个富有启发性的病例中，医生或兽医实际上已经能够观察到演化出这种新方法的病菌。

得到最充分研究的例子，是多发性黏液瘤病袭击澳大利亚兔子时所发生的情况。这种黏液病毒本来是巴西野兔携带的病毒，据观察，这种病毒在欧洲家兔中造成了一种致命的流行病，而欧洲家兔是另一种不同的兔子。原来，在19世纪有人愚蠢地把欧洲兔引进了澳大利亚，结果造成那里的兔子泛滥成灾。因此，在1950年，黏液病毒被有意识地引进澳大利亚，以期解决这个大陆上的欧洲兔灾。在第一年，黏液病毒在受到感染的兔子中造成了令人满意的(对澳大利亚农民来说)99.8%的死亡率。令这些农民感到失望的是，第二年兔子的死亡率下降到90%，最后下降到25%，使得要在澳大利亚完全消灭兔子的希望落空了。这里的问题是：这种黏液病毒是按照自己的利益来演化的，它的利益不但不同于那些兔子的利益，而且也不同于我们的利益。这种病毒之所以产生变化，是为了少杀死一些兔子，并使那些受到致命感染的兔子多活些时间再死。结果，不那么致命的黏液病毒就能比原先有高度毒力的黏液把下一代病毒传播到更多的兔子中去。

对于发生在人类中的一个类似的例子，我们只需考虑一下梅毒的令人惊异的演化情况就行了。今天，一提起梅毒，我们立刻会联想到两种情况：生殖器溃疡和病情发展的十分缓慢，许多得不到治疗的患者要过好多年才会死去。然而，当梅毒于1495年首次在欧洲明确见诸记录时，它的脓疱通常从头部到膝部遍布全身，使脸上的肉一块块脱落，不消几个月就使人一命呜呼。到1546年，梅毒已演化成具有我们今天所熟悉的那些症状的疾病。显然，同多发性黏液瘤病一样，为使患者活得长些而进行演化的那些梅毒螺旋体因此就能够把它们的螺旋体后代传染给更多的患者。

人类历史上致命病菌的重要性，可以从欧洲人征服新大陆并使那里人口减少这件事得到很好的例证。印第安人在病床上死于欧亚大陆的病菌的，要比在战场上死于欧洲人的枪炮和刀剑下的多得多。这些病菌杀死了大多数印第安人和他们的领袖，消磨了幸存者的士气，从而削弱了对欧洲人的抵抗。例如，1519年科尔特斯率领600个西班牙人在墨西哥海岸登陆，去征服拥有好几百万人口的勇猛好战的阿兹特克帝国。科尔特斯到达阿兹特克的首都特诺奇提特兰城，又带着他的“仅仅”损失了三分之二的队伍逃走，并一路打回海岸，这既证明了西班牙人的军事优势，也证明了阿兹特克人开始时的幼稚。但当科尔特斯的第二次袭击来到时，阿兹特克人就不再幼稚，而是极其顽强地展开了巷战。使西班牙人取得决定性优势的是天花。1520年，天花随着一个受到感染的来自西班牙属地古巴的奴隶到达墨西哥。由此而产生的天花流行接着杀死了阿兹特克的近一半人口，包括奎特拉瓦克皇帝。大难不死的阿兹特克人也被这种怪病弄得士气低落，因为这种病专杀印第安人而竟不伤害西班牙人，就好像在为西班牙人的不可战胜作宣传似的。到1618年，墨西哥原来2000万左右的人口急剧减少到160万左右。

皮萨罗于1531年率领168个人在秘鲁海岸登陆去征服有几百万人口的印加帝国时，同样带来了一场浩劫。对皮萨罗来说幸运的而对印加人来说不幸的是，天花已在1526年由陆路到达，杀死了印加的很大一部分人口，包括瓦伊纳·卡帕克皇帝和他的指定继承人。我们已在第三章中看到，皇位空缺的结果是使瓦伊纳·卡帕克的另两个儿子阿塔瓦尔帕和瓦斯卡尔卷入了一场内战，使皮萨罗在征服这个分裂的帝国中坐收渔人之利。

当我们美国人想到存在于1492年的新大陆人口最多的社会时，出现在我们心头的往往只是阿兹特克人和印加人的那些社会。我们忘记了北美洲也曾在那最合逻辑的地方——密西西比河流域养活了人口众多的印第安人社会，我们今天的一些最好的农田就在这个地方。然而，在这种情况下，西班牙征服者对于摧毁这些社会并未起到直接的作用；一切都是由事先已经传播的欧亚大陆的病菌来完成的。当埃尔南多·德索托成为第一个欧洲征服者于1540年在美国东南部行军时，他碰到了两年前因当地居民死于流行病而被放弃的一些城镇旧址。这些流行病是从沿海地区印第安人那儿传来的，而这些印第安人又是被到沿海地区来的西班牙人感染的。西班牙人的这些病菌赶在这些西班牙人之前向内陆传播。

德索托仍然看得到密西西比河下游沿岸的一些人口稠密的印第安城镇。在这次远征结束后，又过了很久，欧洲人才又一次到达密西西比河河谷，但这时欧亚大陆的病菌已在北美洲安家落户，并不断向四处传播。到欧洲人下一次在密西西比河下游出现，即17世纪初法国的移民出现时，所有这些印第安人的大城镇已经消失殆尽。它们的遗迹就是密西西比河河谷的那些大土堆。直到最近我们才知道，构筑这种大土堆的社会，有许多在哥伦布到达新大陆时仍然大部分完好无损，它们的瓦解(可能是疾病造成的结果)是从1492年到欧洲人对密西西比河进行系统勘探这一段时间里发生的。

在我年轻的时候，美国小学生所受到的教育是：北美洲本来只有大约100万印第安人居住。把人数说得这样少，对于为白人的征服行为辩解是有用的，因为他们所征服的只不过是一个可以认为几乎是空无所有的大陆。然而，考古发掘和对最早的欧洲探险者所留下的关于我们海岸地区的描写的仔细研究现已表明，印第安人原来的人数在2000万左右。就整个新大陆来说，据估计在哥伦布来到后的一两个世纪中，印第安人口减少了95%。

主要的杀手是旧大陆来的病菌。印第安人以前从来没有接触过这些病菌，因此对它们既没有免疫能力，也没有遗传抵抗能力。天花、麻疹、流行性感冒和斑疹伤寒争先恐后地要做杀手的头把交椅。好像这些病还嫌不够似的，紧随其后的还有白喉、疟疾、流行性腮腺炎、百日咳、瘟疫、肺结核和黄热病。在无数情况下，白人实际上在当地亲眼目睹了病菌来到时所产生的破坏。例如，1837年，具有我们大平原最精致的文化之一的曼丹族印第安部落，从一艘自圣路易沿密苏里河逆流而上的轮船上感染了天花。一个曼丹人村庄里的人口在几个星期之内就从2000人急剧减少到不足40人。

虽然有十几种来自旧大陆的主要传染病在新大陆安家落户，但也许还没有一种主要的致命疾病从美洲来到欧洲。唯一可能的例外是斑疹伤寒，但它的原发地区仍然是有争议的。如果我们还记得稠密的众多人口是我们的群众传染疾病演化的先决条件的话，那么病菌的这种单向交流就甚至更加引人注目。如果最近对前哥伦布时代新大陆人口的重新估计是正确的，它不会比同时代的欧亚大陆人口少得太多。新大陆的一些城市，如特诺奇提特兰城，属于当时世界上人口最多的城市。为什么特诺奇提特兰城没有可怕的病菌在等待着那些西班牙人呢?

一个可能的起作用的因素是，开始出现稠密人口的时间在新大陆要稍晚于旧大陆。另一个因素是，美洲的3个人口最稠密的中心——安第斯山脉地区、中美洲和密西西比河流域——并未由于经常性的快速贸易而连成一个巨大的病菌繁殖场，就像欧洲、北非、印度和中国在罗马时代连接起来那样。然而，这些因素仍然不能说明为什么新大陆最后显然完全没有任何流行的群众疾病。据报道，在1万年前死去的一个秘鲁印第安人的干尸上发现了肺结核菌的DNA，但在这方面所使用的识别方法并不能把人的肺结核菌同一种亲缘很近的在野生动物中广泛传播的病原体(牛科动物分支杆菌)区别开来。

其实，只要我们暂停一下，问一个简单的问题，那么美洲之所以未能出现流行的致命的群众疾病的主要原因就一定会变得很清楚。这个问题就是，想象一下这些疾病可能会从什么病菌演化而来?我们已经看到，欧亚大陆的群众疾病是从欧亚大陆驯化的群居动物的疾病演化而来的。尽管欧亚大陆有许多这样的动物，但在美洲驯化的动物只有5种：墨西哥和美国西南部的火鸡、安第斯山脉地区的美洲驼/羊驼和豚鼠、热带南美的美洲家鸭和整个美洲的狗。

反过来，我们也看到，新大陆驯化动物的这种极端缺乏，反映了用以启动驯化的野生动物的缺乏。在大约13000年前上一次冰期结束时，美洲有大约80%的大型野生哺乳动物便已灭绝了。同牛和猪相比，印第安人剩下的那几种驯化动物不可能成为群众疾病的来源。美洲家鸭和火鸡不是大群在一起生活的，它们也不是我们喜欢搂搂抱抱与我们有大量身体接触的动物(如小绵羊)。豚鼠可能由一种类似恰加斯病或利什曼病的锥虫感染，使我们的一系列痛苦雪上加霜，但这一点还不能肯定。开始，最令人惊奇的是，人类疾病没有一种来自美洲驼(或羊驼)，这使人不由去把这种相当于欧亚大陆牲畜的安第斯山牲畜研究一番。然而，美洲驼有4个方面使它们不能成为人类病原体的一个来源：它们不像绵羊、山羊和猪那样大群饲养；它们的总数绝少会赶上欧亚大陆的家畜种群，因为它们从来没有传播到安第斯山脉以外地区；人们不喝美洲驼的奶(因此不会受到它们的感染)；美洲驼不是在室内饲养，和人的关系不那么密切。相比之下，新几内亚高原地区居民中做母亲的妇女常常用自己的奶喂小猪，而猪也和牛一样经常养在农民的简陋小屋里。

源于动物的疾病在历史上的重要性，远远超过了旧大陆与新大陆之间的冲突。欧亚大陆的病菌在大量消灭世界上其他许多地方的土著民族方面起了关键的作用，这些民族包括太平洋诸岛居民、澳大利亚土著居民、非洲南部的科伊桑民族(霍屯督人和布须曼人)。这些以前没有接触过欧亚大陆病菌的民族的累计死亡率在50%和100%之间。例如，伊斯帕尼奥拉岛[4]的印第安人口，从哥伦布于公元1492年到达时的800万左右减少到1535年的零。麻疹于1875年随着一位访问澳大利亚归来的斐济酋长到达斐济，接着把当时仍然活着的所有斐济人杀死了四分之一(在这之前，大多数斐济人已在1791年死于随着第一批欧洲人的到来而开始的流行病)。梅毒、淋病、肺结核和流行性感冒于1779年随库克船长[5]到来，接着于1804年又发生了一场斑疹伤寒大流行以及后来的许多“较小的”流行病，把夏威夷的人口从1779年的50万左右减少到1853年的84000人。这一年，天花终于来到了夏威夷，把剩下的人又杀死了1万左右。这种例子多得举不胜举。

然而，病菌也并不是只对欧洲人有利。虽然新大陆和澳大利亚并没有本土的流行病在等待欧洲人，但热带亚洲、非洲、印度尼西亚和新几内亚却有。旧大陆的整个热带地区的疟疾、热带东南亚的霍乱和热带非洲的黄热病，过去是（现在也仍然是）最著名的热带致命疾病。它们是欧洲人在热带地区殖民的最严重的障碍，同时也说明了为什么直到欧洲人瓜分新大陆开始后将近400年，欧洲人对新几内亚和非洲大部分地区的殖民瓜分才宣告完成。而且，一旦疟疾和黄热病通过船只运输传播到美洲，它们也成了对新大陆殖民的主要障碍。一个为人们所熟知的例子是：这两种病在使法国人修建巴拿马运河的努力中途失败，以及几乎使美国人最后取得成功的修建这条运河的努力中途失败方面所起的作用。

让我们把所有这些事实牢记心中，在回答耶利的问题时努力重新全面认识病菌所起的作用。毫无疑问，欧洲人在武器、技术和行政组织方面拥有对他们所征服的大多数非欧洲民族的巨大优势。但仅仅这种优势还不能完全说明开始时那么少的欧洲移民是如何取代美洲和世界上其他一些地区那么多的土著的。如果没有欧洲送给其他大陆的不祥礼物——从欧亚大陆人与家畜的长期密切关系中演化出来的病菌，这一切也许是不会发生的。

注　释：

1. 库鲁病：流行于新几内亚东部的一种致命病毒性脑病，其特征为运动共济失调（如不自主强笑）、战栗样震颤和构音障碍。——译者

2. 法罗群岛：或译法俄尔群岛，在北大西洋，曾属丹麦，1948年获得自治。——译者

3. 雅司病：指经皮肤接触感染雅司螺旋体而发生的疾病，皮肤损害很像梅毒，主要流行于热带地区。——译者

4. 伊斯帕尼奥拉岛：拉丁美洲西印度群岛中部，即海地岛。——译者

5. 库克船长：詹姆士·库克（1728—1779）：英国海军上校，航海家，太平洋和南极海洋的探险家。——译者

第十二章　蓝图和借用字母

19 世纪的作家往往把历史看作是从野蛮走向文明的进程。这一转变的主要标志，包括农业的发展、冶金、复杂的技术、集中统一的政府和文字。其中文字在传统上是最受地理限制的一种标志：在伊斯兰教和欧洲殖民者向外扩张之前，澳大利亚、太平洋诸岛、非洲赤道以南地区和除中美洲一小部分地区外的整个新大陆，都没有文字。由于囿于一隅，以文明自诩的民族总是把文字看作是使他们比“野蛮人”优越的最鲜明的特点。

知识带来力量。因此，文字也给现代社会带来了力量，用文字来传播知识可以做到更准确、更大量和更详尽，在地域上可以做到传播得更远，在时间上可以做到传播得更久。当然，有些民族(引人注目的是印加人)竟能在没有文字的情况下掌管帝国，而且“文明的”民族也并不总是能打败“野蛮人”，面对匈奴人的罗马军队知道这一点。但欧洲人对美洲、西伯利亚和澳大利亚的征服，却为近代的典型结果提供了例证。

文字同武器、病菌和集中统一的行政组织并驾齐驱，成为一种现代征服手段。组织开拓殖民地的舰队的君主和商人的命令是用文字传达的。舰队确定航线要靠以前历次探险所准备的海图和书面的航海说明。以前探险的书面记录描写了等待着征服者的财富和沃土，从而激起了对以后探险的兴趣。这些记录告诉后来的探险者可能会碰到什么情况，并帮助他们作出准备。由此产生的帝国借助文字来进行管理。虽然所有这些信息在文字出现以前的社会里也可以用其他手段来传播，但文字使传播变得更容易、更详尽、更准确、更能取信于人。

既然文字具有这种压倒一切的价值，那么，为什么只有某些民族产生了文字，而其他民族则没有产生文字？例如，传统的狩猎采集族群为什么没有发明出自己的文字，也没有借用别人的文字？在岛屿帝国中，为什么文字出现在说弥诺斯语[1]的克里特，而不是出现在说波利尼西亚语的汤加？文字在人类历史上分别产生过几次？是在什么情况下产生的？因何种需要而产生的？在那些发明文字的民族中，为什么有些民族在这方面比另一些民族早得多？例如，今天几乎所有的日本人和斯堪的纳维亚人都识字，而大多数伊拉克人不识字：可是为什么文字的出现在伊拉克却又早了几乎4000年？

文字从其发源地向外传播，同样提出了一些重要的问题。例如，为什么文字从新月沃地向埃塞俄比亚和阿拉伯半岛传播，但却没有从墨西哥向安第斯山脉传播？书写系统是否是通过手抄来传播的？现有的书写系统是否仅仅是启发了邻近的民族去发明他们自己的书写系统？既然一种书写系统只适合一种语言，你又如何去为另一种语言设计这样的一种书写系统呢？如果人们想要了解人类文化的其他许多方面——如技术、宗教和粮食生产的起源和传播，同样的问题也会产生。但对关于文字的这类问题感兴趣的历史学家却拥有一个有利的条件，即这些问题通常可以借助文字记载本身而得到无比详尽的回答。因此，我们可以对文字的发展作一番考查，这不仅是因为文字固有的重要性，而且也因为可以借此对文字所提供的文化史进行普遍而深入的了解。

有3个基本策略构成了书写系统的基础。在由一个书写符号代表的言语单位的大小方面，这些策略是不同的：或者是一个基本的音，一个完整的音节，或者一个完整的词。在这些书写系统中，今天大多数民族使用的系统是字母表，而字母表最好要能为语言的每一个基本的音(音素)提供一个独一无二的符号(称为字母)。但实际上，大多数字母表只有20或30个左右的字母，而大多数语言的音素又多于它们的字母表中的字母。因此，大多数用字母书写的语言，包括英语，不得不给同一个字母规定几个不同的音素，并把字母组合来代表某些音素，如英语中的两个字母的组合sh和th(而在俄语和希腊语字母表中，则分别由一个字母代表一个音素)。

第二个策略就是利用所谓语标，就是说用一个书写符号来代表一个完整的词。这是中国文字的许多符号的功能，也是流行的日语书写系统(称为日文汉字)的功能。在字母文字传播以前，大量利用语标的书写系统更为普通，其中包括埃及象形文字、马雅象形文字和苏美尔楔形文字。

第三个策略是本书大多数读者最不熟悉的，也就是用一个符号代表一个音节。其实大多数这样的书写系统(称为音节文字)就是用不同的符号代表一个辅音和后面的一个元音所构成的音节(如“fa-mi-ly”这个词的音节)，并采用各种不同的办法以便借助这些符号来书写其他类型的音节。音节文字在古代是很普通的，如迈锡尼时代[2]

希腊的 B 类线形文字。有些音节文字直到今天仍有人使用，其中最重要的就是日本人用于电报、银行结单和盲人读本的假名。

我故意把这 3 个方法称为策略，而不是称为书写系统。现行的书写系统没有一个是只有一种策略的。汉语的文字不是完全由语标组成的，英语的文字也不是全用字母的。同所有字母书写系统一样，英语用了许多语标，如数字、$、% 和 +：就是说，用了许多任意符号，这些符号代表整个的词，但不是由语音要素构成的。“由音节组成的”B 类线形文字有许多语标，而“由语标组成的”埃及象形文字不但有一个含有代表每一个辅音的各别字母的实际上的字母表，而且也包括了许多音节符号。

从头开始去发明一种书写系统，其困难程度与借用和改造一个书写系统无法相比。最早的抄写员必须拟定一些在我们今天看来是理所当然的基本原则。例如，他们必须想出办法把一连串的声音分解为一些言语单位，而不管这些单位被看作是词、音节或音素。他们必须通过我们说话时的音量、音高、语速、强调、词语组合和个人发音习惯等所有正常变化中去学会辨认相同的音或言语单位。他们必须决定，书写系统应该不去理会所有这些变化。然后，他们还必须设计出用符号来代表语音的方法。

不知怎么的，在前面没有显示最后结果的样板来作为指导的情况下，这些最早的抄写员竟解决了所有这些问题。这个任务显然非常困难，历史上只有几次是人们完全靠自己发明出书写系统的。两个无可争辩的独立发明文字的例子，是稍早于公元前 3000 年美索不达米亚的苏美尔人，和公元前 600 年的墨西哥印第安人(图 12．1)；公元前 3000 年的埃及文字和不迟于公元前 1300 年的中国文字，可能也是独立出现的。从那以后，所有其他民族可能是通过借用和改造其他文字，或至少受到现有书写系统的启发而发明了自己的文字。

我们研究得最详尽的独立发明的文字是历史上最古老的书写系统——苏美尔楔形文字(图12．1)。在这种文字定形前的几千年中，

文中提到的某些文字的所在地

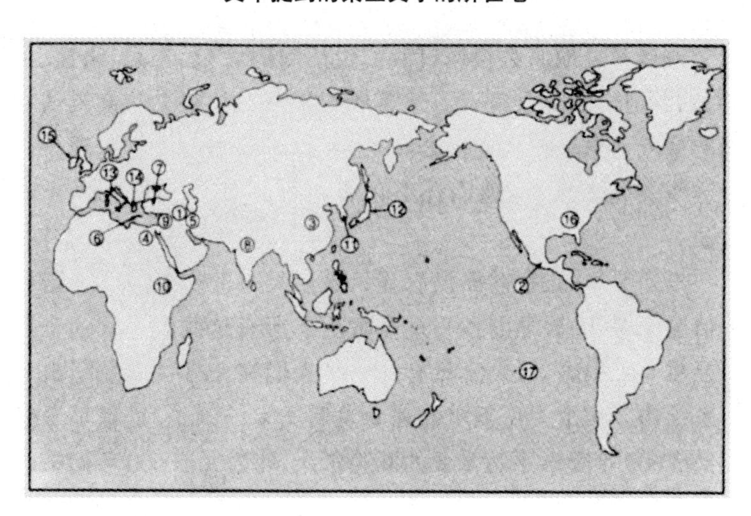

独立的或可能独立的 发源地	字母文字	其他
1．苏美尔	9．西闪米特语、腓尼基语	5．原始埃兰
2．中美洲	10．埃塞俄比亚语	7．赫梯
？3．中国	11．朝鲜(谚文)	8．印度河河谷
？？4．埃及	13．意大利(罗马语、伊特鲁亚语)	17．复活节岛
	14．希腊	
	15．爱尔兰(欧甘文字)	

音节文字

6．克里特(A类和B类线形文字)

12．日本(假名)

16．切罗基

图12．1 中国和埃及旁边的问号表示这些地区的早期文字究竟是完全独立出现的，还是受到其他地区更早出现的文字的刺激而发明的，还有些疑问。“其他”所指的文字既非字母文字，亦非音节文字，它们可能是在更早的文字的影响下出现的。

新月沃地的一些农业村舍里的人用黏土做成的各种简单形状的记号来计数，如记下羊的头数和谷物的数量。在公元3000年前的最后几百年中，记账技术、格式和符号的发展迅速导致了第一个书写系统。这方面的一个技术革新是把平平的黏土刻写板作为一种方便的书写表面。开始时是用尖器在黏土上刻划，后来这种尖器逐步让位于用芦苇秆做的尖笔，因为这种笔能在黏土板上画出整齐美观的记号。书写格式的发展包括逐步采用了今天普遍认为必不可少的一些惯例：应该把文字整整齐齐地安排在用直线画出来的行列中（苏美尔人的文字同现代欧洲人的文字一样都是横排的）；一行行文字读起来应该始终顺着一个方向（苏美尔人同现代欧洲人一样都是从左到右的）；以及在黏土板上逐行阅读应该是由上而下，而不是相反。

但是，至关重要的改变是去解决对几乎所有书写系统来说都带根本性的问题：如何去设计出人人同意的代表实际语言的显而易见的符号，而不仅仅是不顾发音的一些概念或单词。这一解决办法的早期发展阶段，在苏美尔人以前的城市乌鲁克的废墟上出土的几千块黏土板上得到了非同寻常的证明。乌鲁克位于幼发拉底河上，在现今巴格达东南大约200英里处。最早的苏美人的文字符号是一些可以认出来的所指称对象的图形（如鱼和鸟的图形）。当然，这些图形符号主要是由数字加上代表看得见的对象的名词组成的；由此而产生的文本不过是没有语法成分的简短的速记式的流水账。慢慢地，这些符号形式变得比较抽象起来，尤其是在尖头的书写工具被芦苇秆做的尖笔代替之后。把旧的符号结合起来创造出新的符号，产生了新的意义：例如，为了产生一个表示吃的意思的符号，就把代表头的符号和代表面包的符合结合在一起。

最早的苏美尔文字是由不表音的语标构成的。就是说，它不是以苏美尔语言的特有发音为基础的，它可以用完全不同的发音来表示任何其他语言中的同一个意思——正如对4这个数字符号，说英语的、说俄语的、说芬兰语的和说印度尼西亚语的都有不同的发音，分别念成four、chetwire(четыре)、neljä和empat。也许整个文字史上最重要的一步是苏美尔人采用了语音符号，开始时是借助代表发音相同而又可以画出来的名词的符号来书写抽象名词。例如，要对弓画出一个可以识别的图形是容易的，但要对生命画出一个可以识别的图形就困难了，但这两者的发音在苏美尔语里都是ti，因此一张弓的图形的意思或者是弓，或者是生命。解决由此而产生的歧义是加上一个叫做义符的无声符号，以表示拟议中的对象所属的名词类别。语言学家把这种决定性的创新称之为画谜原则，也是今天构成双关语的基础。

苏美尔人一旦偶然发现了这个语音原则，就着手把它不仅仅用来书写抽象名词，而且还用在其他许多方面。他们把它用来书写构成语法词尾的音节或字母。例如，要给英语中的常见音节-tion画出一幅图来可不那么容易，但我们却能为同音动词shun(避开)画出一幅示意图来。用语音来表达的符号也被用来“拼写”较长的词，成为一系列的画面，每一个画面描绘一个音节的发音。这就好像一个说英语的人在写believe(相信)这个词时先画一只蜜蜂(bee)再在后面画一片树叶(leaf)一样。语音符号也使造字的人能够用相同的图形符号来代表一组相关的词(如tooth〔牙齿〕、speech〔说话〕和speaker〔说话者〕)，但要解决歧义问题，就得加上一个语音表达符号(如为two〔二〕、each〔每个〕和peak〔山峰〕选择符号)。

因此，苏美尔文字最后成了3种符号的一种复杂的组合：语标，指称一个完整的词或名字；语音符号，实际上被用来拼写音节、字

巴比伦楔形文字的实例，该文字起源于苏美尔楔形文字。

母、语法成分或部分的词；和义符，不发音，只用来解决歧义问题。尽管如此，苏美尔文字中的语言符号还远远没有达到一种完备的音节表或字母表的标准。苏美尔语的有些音节没有任何书写符号；同一个符号可能有不同的发音；同一个符号可能有各种不同的读法，可以读作一个词、一个音节或一个字母。

除了苏美尔楔形文字外，人类历史上另一个独立发明文字的确然无疑的例子，来自中美洲（可能是墨西哥南部）的印第安社会。有人认为，中美洲文字的出现与旧大陆的文字没有关系，因为没有任何令人信服的证据可以证明在古挪威人之前新大陆的社会就已同拥有文字的旧大陆的社会有了接触。而且，从形式来看，中美洲的书写符号也完全不同于旧大陆的任何一种文字。已知的中美洲文字约有十几种，其中全部或大部分显然有亲缘关系（例如，在它们的数字系统和历法系统方面），它们大多数仍然只是部分得到破译。目前，中美洲保存下来的最早的文字，来自公元前600年左右墨西哥南部的萨波特克地区，但迄今了解得最多的则是马雅人居住的低地地区的文字，那里已知最早的有文字记录的年代相当于公元292年。

尽管马雅文字是独立发明出来并且具有与众不同的符号形式，但它的组成原则基本上类似于苏美尔文字，也类似于受苏美尔文字启发的欧亚大陆西部其他一些书写系统。同苏美尔文字一样，马雅文字也利用语标和语言符号。代表抽象词的语标通常是根据画谜原则而发明出来的。就是说，一个抽象的词可以用代表另一个词的符号写出来，这个词发音相同，但具有一种不同的然而可以容易画出来的意思。同日本的假名符号和迈锡尼时代希腊的B类线形文字音节表一样，马雅文的语音符号多半是由一个辅音和一个元音构成的音节符号（如ta，te，ti，to，tu）。同早期闪语[3]字母表中的字母一样，马雅文的音节符号来自对所指称事物所画的图像，而对这个事物的发音就是以那个音节开始（例如，马雅文的音节符号“ne”像一个尾巴，而马雅文中表示尾巴的词就是neh）。

中美洲文字同欧亚大陆西部古代文字的所有这些相似之处，证明了人类创造力的根本普遍性。虽然在全世界的语言中，苏美尔人的语言和中美洲的语言彼此并没有什么特别的关系，但两者在把语言化为文字方面都提出了一些类似的基本问题。苏美尔人在公元前3000

17 世纪初印度次大陆拉贾斯坦或古吉拉特画派的一幅画。 画上文字与其他大多数现代印度文字一样，源自古印度的婆罗门文字。这种古印度文字可能是由于公元前 7 世纪左右阿拉姆语字母的思想传播而产生的。 印度文字吸收了阿拉姆语字母的原则，但独立地发明了字母形式、字母顺序和对元音的处理，而没有采用蓝图复制的办法。

年前首创的解决办法，又在公元前600年前隔着半个地球被早期的中美洲印第安人重新创造出来。

埃及、中国和复活节岛的文字是可能的例外，留待以后讨论。世界上任何地方任何时候发明出来的所有其他书写系统，似乎都是从一些书写系统派生出来的，这些书写系统或是把苏美尔文字或早期中美洲文字加以修改后为己所用，或至少是受到它们的启发而自行创造出来的。独立发明出来的文字何以如此之少，一个原因是发明文字极其困难，这一点我们已经讨论过了。另一个原因是独立发明文字的其他机会被苏美尔文字或早期中美洲文字以及它们的派生文字抢先得去了。

我们知道，苏美尔文字的形成至少花去了几百年也许是几千年时间。我们还将看到，文字形成的先决条件是由人类社会的几个特点组成的，正是这些特点决定了一个社会是否会认为文字有用，以及这个社会是否能养活那些专职的抄写员。除了苏美尔人的社会和早期墨西哥人的社会外，其他许多人类社会——如古代印度的社会、克里特岛的社会和埃塞俄比亚的社会——也有了这样的先决条件。然而，苏美尔人和早期墨西哥人碰巧分别是旧大陆和新大陆最早有了这些先决条件的人。一旦苏美尔人和早期墨西哥人发明出文字，他们的文字的细节和原则迅速传播到其他社会，它们可以不必再用几百年甚或几千年的时间去进行造字的实验。因此，其他一些独立的造字实验的可能性就被取消或中止了。

文字是通过两种截然不同的方法中的任何一种去传播的，这两种方法在整个技术史和思想史中都可以找到先例。有人发明了一样东西并投入了使用。那么，你作为另一个未来的使用者，既然知道别人已经建造了他们自己的原型并使其发生作用，你又为何要为自己的使用而去设计相同的东西呢？

此类发明的传播形式多种多样。一头是“蓝图复制”，就是对现有的一幅详尽的蓝图进行复制或修改。另一头是“思想传播”，就是仅仅把基本思想接受过来，然后必须去重新创造细节。知道这能够做到，就会激励你自己努力去干，但你最终的具体解决办法可能像也可能不像第一个发明者的解决办法。

举一个最近的例子。历史学家们仍然在争论：蓝图复制或思想传播，到底哪一个对俄国造成原子弹贡献更大。俄国制造原子弹的努力，是否决定性地依赖于由间谍窃取后送到俄国去的已经造好的美国原子弹蓝图？或者这仅仅是美国原子弹在广岛爆炸的启示终于使斯大林相信制造这样的炸弹是可能的，然后由俄国科学家重新创造出用于一项独立的应急计划的原则，而很少从此前美国的努力中得到详尽的指导？对于轮子、金字塔和火药的发展史也存在同样的问题。现在让我们考察一下蓝图复制和思想传播是怎样帮助书写系统的传播的。

今天，一些专业语言学家用蓝图复制法为一些没有文字的语言设计书写系统。这种根据特定需要设计的系统，大多数是把现有字母表拿来加以修改，虽然有些也设计出了音节表。例如，一些身为传教士的语言学家，通过修改罗马字母为数以百计的新几内亚和印第安语言设计文字。政府的语言学家不但为俄罗斯的许多部落语言设计出经过修改的西里尔字母，而且也设计出经过修改的罗马字母，于1928年被土耳其采用来书写土耳其语。

有时候，对于那些在遥远的过去依靠蓝图复制而设计出书写系统的人，我们也有所了解。例如，西里尔字母（今天仍在俄国使用）是公元9世纪时向斯拉夫人传教的希腊传教士圣西里尔通过改造希腊文和希伯来文字母而设计出来的。日耳曼语(包括英语在内的语族)保存完好的最早文本是用乌尔斐拉斯主教创造的哥特文字母写的。乌尔斐拉斯是一个传教士，于公元4世纪同西哥特人一起生活在今天的保加利亚。同圣西里尔的发明一样，乌尔斐拉斯的字母表是从其他来源借用的字母的大杂烩：有大约20个希腊字母，大约5个罗马字母，还有两个字母或是取自如尼文[4]字母，或是他自己创造的。更多的时候，对于那些发明著名的古代字母的人，我们则一无所知。但仍有可能把新出现的古代字母同以前存在的字母加以比较，并从字母的形式推断出是哪些现有的字母被用作模本。由于同样的原因，我们可以肯定，迈锡尼时代希腊的B类线型音节文字是在公元前1400年左右从克里特岛的A类线形音节文字改造而来的。

把一种语言的现有书写系统用作蓝图使之适应另一种语言，在几百次这样做的过程中总会出现一些问题，因为没有两种语言的发音是完全相同的。原来的字母和符号有些被舍弃了，如果在借出语言中的那些字母所代表的发音在借入语言中是不存在的，就会出现这种情况。例如，芬兰语中没有其他欧洲语言用b、c、f、g、w、x和z所代表的音，因此芬兰人就从他们的经过改造的罗马字母中舍弃了这些字母。还有一个经常出现的相反问题，即设计出一些字母来代表为借入语言所有而为借出语言所无的一些“新的”发音。这个问题以几种不同的方式获得了解决：如利用一个由两个或两个以上字母构成的任意组合(如英语中的th代表在希腊语和如尼语中只用一个字母代表的音)；给一个现有的字母加上一个区别性的记号(如西班牙语字母的腭化符号ñ，德语字母的变音符号ö，以及那些多出来的在波兰语和土耳其语字母周围跳舞的记号)；征用借入语言中用不着的字母

（如现代捷克语把罗马字母 C 重新起用来表示捷克语中的 ts 音）；或者干脆创造出一个新的字母（就像我们中世纪的祖先在创造 j、u 和 w 这些新字母时所做的那样）。

罗马字母本身就是长长的一系列蓝图复制的终端产品。在人类历史上，字母显然只产生过一次：是在公元前第二个1000年中从现代叙利亚到西奈半岛这个地区内说闪语的人当中产生的。历史上的和现行的几百种字母，追本溯源全都来自闪语字母这个老祖宗，有些（如爱尔兰的欧甘字母[5]）是思想传播的结果，但大多数则是通过对字母形式的实际复制和修改而产生的。

字母的这种演化可以追溯到埃及象形文字，这种文字包含代表埃及语 24 个辅音的全套 24 个符号。埃及人没有采取（在我们看来）合乎逻辑的下一步，即抛弃他们所有的语标、义符和代表双辅音和三辅音的符号，而只使用他们的辅音字母。然而，从大约公元前 1700 年开始，一些精通埃及象形文字的闪米特人着手对这合乎逻辑的一步进行试验。

规定符号只能用来代表单辅音，这是把字母同其他书写系统区别开来的 3 大改革中的第一项改革。第二项改革是把字母按照一个固定的顺序排列并给它们起一个容易记住的名称，从而帮助使用者来记住这些字母。我们英语字母的名称多半是没有意义的单音节（“a”、“bee”、“cee”、“dee”，等等）。但闪语字母的名称在闪语中是有意义的：它们都是代表人们所熟悉的事物的词（'aleph ＝牛，beth ＝房子，gimel ＝骆驼，daleth ＝门，等等）。这些闪语词“通过截头表音法”同它们所涉及的闪语辅音发生关系：就是说，代表该事物的词的第一个字母，也就是赋予该事物以名称的那个字母（'a、b、g、d，等等）。此外，闪语字母的最早形式在许多情况下似乎都是那些事物的图像。所有这些特点使闪语字母的形式、名称和排列顺序容易记住。许多现代语言的字母，包括我们英语的字母，在3000多年后仍然保留了原来的排列顺序，只是发生了一些小小的改变（就希腊语而言，甚至还保留了字母原来的名称：alpha、beta、gamma、delta，等等）。读者们可能已经注意到的一个小小的改变，是闪语和希腊语字母中的g变成了罗马语和英语字母中的c，而罗马人又在现在的位置上创造出一个新的g。

导致现代语言的字母的第三项也是最后一项改革的，是规定了元音。在闪语字母的早期，已经有人着手对书写元音的方法进行实验，或是另外加上一些小字母来表示特定的元音，或是在辅音字母上加上点、线或钩。在公元前8世纪，希腊人成为用代表辅音的那些字母来系统地表示全部元音的第一个民族。希腊人通过“征用”腓尼基语字母中用来代表为希腊语所无的一些辅音的5个字母而得到他们的元音字母 α —ϵ —η —ι —ο。

文字演变的一条路线是对这些最早的闪语字母进行蓝图复制和逐步修改，从而发展成早期的阿拉伯字母，再进而发展成现代的埃塞俄比亚语的字母。还有一条重要得多的路线是经由用于波斯帝国官方文件的阿拉姆语[6]字母，演变为现代的阿拉伯语、希伯来语、印度语和东南亚语言的字母。但欧洲和美国读者最为熟悉的一条演变路线到公元前8世纪初经由腓尼基人到达希腊人，在同一世纪内又从希腊人到达伊特鲁斯坎人[7]，又过了一个世纪到达罗马人，罗马人的字母稍经修改就成了英文字母。由于精确和简洁相结合的这种潜在优点，字母如今已在现代世界的大部分地区得到采用。

虽然蓝图的复制和修改是传播技术的最直接的选择，但有时候这种选择不一定能够得到。 蓝图可能被隐藏起来，而且不是深于此道的人对蓝图也不一定能够读懂。 对于在远处某个地方发明了某个东西，人们可能有所耳闻，但详细情况则可能无从知晓。 也许所知道的只是这样的基本思想：某人以某种方法成功地取得了某种最后的成果。 然而，知道了这一点，可能就是通过思想传播去启发别人设计他们自己的取得此种成果的途径。

文字史上的一个引人注目的例子是：1820 年左右阿肯色州的一个名叫塞阔雅的印第安人为了书写切罗基语而发明了音节文字。 塞阔雅注意到，白人在纸上做记号，并且用这些记号来记录和复述长篇讲话，能得到很大方便。 然而，这些记号的复杂作用对他来说仍是一个谜，因为（同 1820 年前的大多数切罗基人一样）塞阔雅是个文盲，对英语既不会说，也不会读。 因为塞阔雅是个铁匠，他开始时发明了一种记账法帮助他记录顾客的欠账。 他给每一个顾客画一幅画；然后他又画了一些大小不一的圆圈和线条来表示所欠钱款的数量。

1810 年左右，塞阔雅决定去为切罗基语设计一种书写系统。 他又一次开始画图，但由于画图太复杂，在艺术上要求太高，就放弃了。 接下去他为每一个词发明一些单独的符号，但在他创造了几千个符号而仍然不够用时，他又觉得不满意了。

最后，塞阔雅认识到，词是由一些不同的声音组成的，这些声音在许多不同的词里反复出现——这就是我们所说的音节。 他开始时设计出 200 个音节符号，又逐步减少到 85 个，大多数符号代表一个辅音和一个元音的组合。

一位小学老师给了塞阔雅一本英语单词拼写课本，他于是就用这本书来练习抄写字母，这些字母也就成了他的符号的一个来源。 他的切罗基语音节符号大约有二十几个直接取自英语字母，当然意义完全改变了，因为塞阔雅并不知道它们在英语中的含意。例如，他挑出 D、R、b 和 h 这些符号来分别代表切罗基语的音节 a、e、si 和 ni，而数字 4 这个符号则被借用来代表音节 se。他把一些英语字母加以改变从而创造出其他一些符号，例如他设计出符号Ᏻ、Ꮜ和Ꮎ来分别代表音节 yu、sa 和 na。还有一些符号则完全是他自己的创造，如分别代表 ho、li 和 nu 的Ꮀ、Ꮅ和Ꮔ。塞阔雅的音节文字得到专业语言学家的普遍赞赏，因为它非常切合切罗基语的发音，同时学起来也很容易。在很短时间内，切罗基人几乎 100% 地学会了这种音节文字，他们买来了印刷机，把塞阔雅的符号铸成铅字，并开始印起书报来。

切罗基文字始终是关于思想传播产生文字的得到最充分证明的例子之一。我们知道，塞阔雅得到了纸和其他书写材料，得到了关于

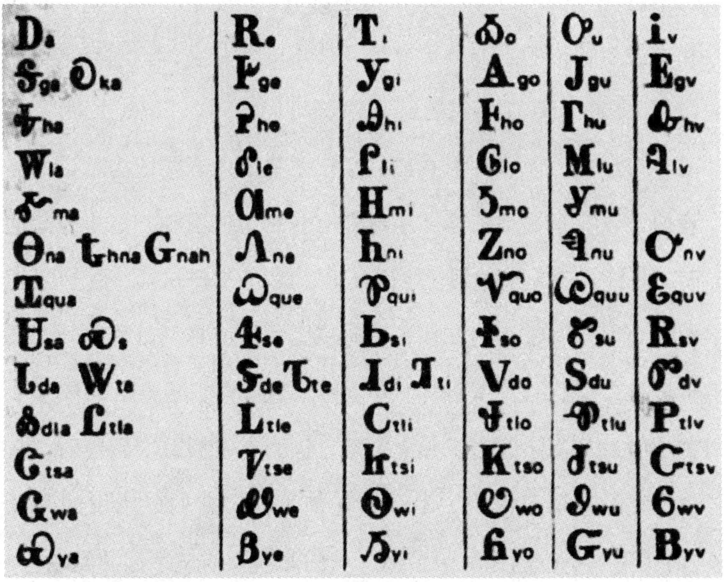

Ꭰ a	Ꭱ e	Ꭲ i	Ꭳ o	Ꭴ u	Ꭵ v
Ꭶ ga Ꭷ ka	Ꭸ ge	Ꭹ gi	Ꭺ go	Ꭻ gu	Ꭼ gv
Ꭽ ha	Ꭾ he	Ꭿ hi	Ꮀ ho	Ꮁ hu	Ꮂ hv
Ꮃ la	Ꮄ le	Ꮅ li	Ꮆ lo	Ꮇ lu	Ꮈ lv
Ꮉ ma	Ꮊ me	Ꮋ mi	Ꮌ mo	Ꮍ mu	
Ꮎ na Ꮏ hna Ꮐ nah	Ꮑ ne	Ꮒ ni	Ꮓ no	Ꮔ nu	Ꮕ nv
Ꮖ qua	Ꮗ que	Ꮘ qui	Ꮙ quo	Ꮚ quu	Ꮛ quv
Ꮜ sa Ꮝ s	Ꮞ se	Ꮟ si	Ꮠ so	Ꮡ su	Ꮢ sv
Ꮣ da Ꮤ ta	Ꮥ de Ꮦ te	Ꮧ di Ꮨ ti	Ꮩ do	Ꮪ du	Ꮫ dv
Ꮬ dla Ꮭ tla	Ꮮ tle	Ꮯ tli	Ꮰ tlo	Ꮱ tlu	Ꮲ tlv
Ꮳ tsa	Ꮴ tse	Ꮵ tsi	Ꮶ tso	Ꮷ tsu	Ꮸ tsv
Ꮹ wa	Ꮺ we	Ꮻ wi	Ꮼ wo	Ꮽ wu	Ꮾ wv
Ꮿ ya	Ᏸ ye	Ᏹ yi	Ᏺ yo	Ᏻ yu	Ᏼ yv

塞阔雅发明的代表切罗基语音节的一组符号

书写系统的思想、利用不同符号的思想，并得到了几十种记号形式。然而，由于他对英语既不能读，也不能写，所以他不能从周围现有的各种文字中得到关于造字的细节，甚至也得不到关于造字的原则。虽然他周围语言的字母都是他所不了解的，但他却在不知道3500年前克里特岛已经创造出另一种音节文字的情况下独立地重新创造出一种音节文字。

塞阔雅的例子也可被用作说明思想传播如何可能导致古代许多书写系统的样本。公元1446年朝鲜李朝国王世宗为朝鲜语设计的谚文字母，显然受到了中国方块字的启发，同时也受到了蒙古和西藏佛教经文的字母表音原则的启发。然而，世宗国王创造了谚文字母的形式和他的字母的几个独一无二的特点，包括用音节把字母组成方块，用相关的字母形状来代表相关的元音或辅音，以及用描写嘴唇和舌头位置的辅音字母的特有形状来发那个辅音。从公元4世纪左右在爱尔兰和说凯尔特语的不列颠部分地区使用的欧甘字母，同样采用了字母表音原则（此时已有现成的欧洲字母可以采用），但也发明了独一无二的字母形式，而这种形式显然是以手势语的五指法为基础的。

我们可以有把握地把谚文字母和欧甘字母的出现归之于思想的传播，而不是闭门造车式的独立创造，因为我们知道这两个社会与拥有文字的社会保持着密切的交往，同时也因为显而易见是哪些外国文字提供了灵感。相比之下，我们也可以有把握地把苏美尔的楔形文字和中美洲的最早文字归之于独立创造，因为在它们首次出现时，在它们各自所在的半球范围内，不存在任何可以给它们以启发的其他文字。仍然可以争论的是复活节岛、中国和埃及的文字起源问题。

生活在太平洋中复活节岛上的波利尼西亚人有一种独特的文字，

这种文字保存完好的最早样本只可追溯到公元1851年左右，也就是在欧洲人于1722年到达该岛之后很久。也许，在欧洲人到达之前，文字就已在复活节岛独立出现了，虽然没有任何样本保存下来。但是，最直截了当的解释就是不妨对一些事实信以为真，假定1770年一支西班牙探险队向复活节岛居民递交了书面的并吞声明，正是看了这个声明才促使岛上居民去发明一种文字。

至于中国文字，最早有实物证明的是在公元前1300年左右，但也可能还有更早的。中国文字也具有为本地所独有的符号和某些组合原则，所以大多数学者认为，它也是独立发展起来的。文字于公

산 유 화

산에는 꽃피네
꽃이 피네
갈 봄 여름 없이
꽃이 피네

산에
산에
피는 꽃은
저만치 혼자서 피어있네

산에서 우는 작은 새요
꽃이 좋아
산에서
사노라네

산에는 꽃지네
꽃이 지네
갈 봄 여름 없이
꽃이 지네

김 소 월

显示与众不同的谚文书写系统的朝鲜文原文（诗：《山丘上的花》，金素月[8]著）。每一个方块代表一个音节，而方块内的每一个组成符号代表一个字母。

元前3000年在中国早期城市中心以西4000英里的苏美尔发展起来，并在不迟于公元前2200年时在这些城市中心以西2600英里的印度河河谷出现，但在印度河河谷和中国之间的整个地区没有听说过存在早期的书写系统。因此，没有证据可以说明中国最早的抄写员已经知道了其他任何可以给他们以启发的书写系统。

在所有古代书写系统中最有名的埃及象形文字，通常也被认为是独立创造的产物，但如认为埃及文字和中国文字不同，是思想传播的结果，这种解释似乎更为合理。象形文字于公元3000年左右以几乎完全成熟的形式相当突然地出现。埃及在苏美尔西面仅仅800英里，埃及和苏美尔也一直有贸易往来。使我感到可疑的是，竟然没有关于象形文字逐步发展的任何证据流传下来，尽管埃及的干燥气候可能会有利于保存更早的文字实验成果，尽管苏美尔同样干燥的气候至少在公元前3000年前的几个世纪中已经产生了关于苏美尔楔形文字发展的丰富证据。同样可疑的是，在苏美尔文字和埃及文字出现之后，又在伊朗、克里特和土耳其出现了其他几种显然独立设计出来的书写系统（分别为所谓原始埃兰语文字、克里特形象文字和赫梯象形

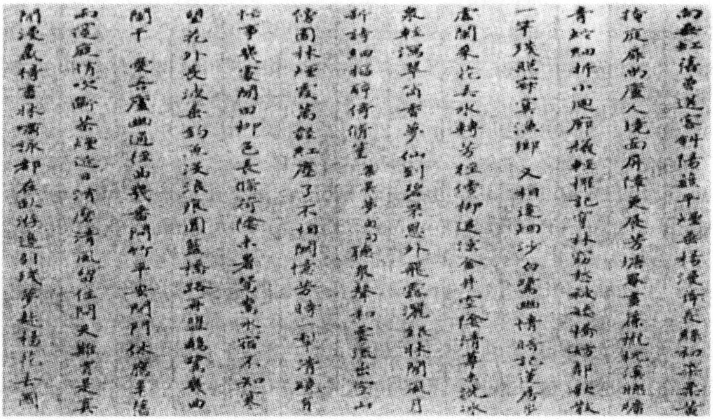

中国文字举例：吴历[9]于1679年所书手卷

文字）。虽然这些书写系统的每一种所使用的一套特殊的符号，都不是从埃及或苏美尔借用的，但发明这些书写系统的民族几乎是不可能不知道他们邻近的贸易伙伴的文字的。

如果人类在没有文字的情况下生存了几百万年之后，所有这些地中海和近东社会在彼此相距不过几百年的时间内，碰巧竟各自独立地偶然想到发明文字这个主意，这可能是一个非同一般的巧合。因此，在我看来，一个可能的解释就是思想传播，就像塞阔雅的情形一样。这就是说，埃及人和其他民族可能已从苏美尔人那里了解到发明文字的思想，可能还了解到某些造字原则，然后又为自已发明了另外一些原则和全部字母的特有形式。

现在，让我们再回到本章开始时的那个主要问题：为什么文字在某些社会出现并向某些社会传播，但不向其他许多社会传播？我们讨论的方便的起始点是早期书写系统的有限容量、有限用途和有限使用者。

早期文字不完整、不明确或复杂难懂，或三者都有。例如，最早的苏美尔楔形文字还不能连缀成文，而只是一种电报式的简略表达方式，它的词汇只限于一些名字、数字、测量单位、代表数过的物件的词以及几个形容词。这情形就好像一个现代的美国法院书记员由于英语里没有必要的词和语法，无法写出“我们命令约翰把欠政府的27头肥羊交来”这样的话，而只能写成“约翰27头肥羊”。后来，苏美尔楔形文字能够写出散文来，但也显得杂乱无章，正如我曾经描绘过的那样，是语标、音符和总数多达几百个不同符号的不发音的义符的大杂烩。迈锡尼时代的希腊的B类线形文字至少要简单一些，因为它根据的是一种大约有90个符号和语标的音节文字。和这个优

埃及象形文字举例：安提优-尼王妃葬礼用纸草卷轴。

点相比，B类线形文字的缺点就是很不明确。它把词尾的辅音全都省略，并用同一个符号来代表几个相关的辅音（例如，一个符号代表l和r，另一个符号代表p、b和ph，另有一个符号代表g、k和kh）。我们知道，如果土生土长的日本人连l和r都分不清楚就去讲英语，那会使我们感到多么莫名其妙：请想象一下，如果我们的字母把我刚才提到的其他一些辅音也同样类同起来，那会造成什么样的混乱。这就好像我们把“rap”、“lap”、“lab”和“laugh”这些词拼写成一个词一样。

一个相关的限制是很少有人学会书写这些早期的文字。只有国王或寺庙雇用的专职抄写员，才掌握关于文字的知识。例如，没有任何迹象表明，除了宫廷官员中很少几个骨干分子外，在迈锡尼时代的希腊人中还有谁使用或了解B类线形文字。由于B类线形文字的各个抄写员可以根据他们留在保存下来的文件上的笔迹区别开来，我们可以说，克诺索斯[10]和派洛斯[11]宫殿保存下来的用B类线形文字抄写的文件分别出自仅仅75个和40个抄写员之手。

对这些简略、笨拙、不明确的早期文字的使用，同它们的使用者的人数一样都受到了限制。任何人如果希望去发现公元前3000年苏美尔人的思想和感情，是注定要失望的。最早的苏美尔文文本只是宫廷和寺庙官员所记的一些毫无感情的账目。在已知最早的乌鲁克城苏美尔档案中，大约90%的刻写板上都是神职人员记下的采购货物、工人配给和农产品分配等事项。只是到了后来，随着苏美人从语标文字逐步过渡到语音文字，他们才开始写作记叙体散文，如宣传资料和神话。

迈锡尼时代的希腊人甚至没有达到写作宣传资料和神话的阶段。在克诺索斯宫殿出土的全部B类线形文字刻写板中，有三分之一是关于绵羊和羊毛的账目，而在派洛斯宫殿发现的极大部分文字记录的都是亚麻。B类线形文字本来就不明确，所以始终只用来在宫廷中记账，由于有上下文和选词限制的关系，解读起来是很清楚的。关于这种文字用于文学创作，则无迹可寻。《伊利亚特》和《奥德赛》[12]是不识字的行吟诗人为不识字的听众创作而传播开来的，直到几百年后才随着希腊字母的发展而见诸文字。

同样的使用限制也是早期埃及、中美洲和中国文字的特点。早期的埃及象形文字记录了宗教和国家的宣传材料以及官员们的账目。保存完好的马雅文字也同样专门用于宣传、记录国王的生辰、登基和战争胜利以及祭司的天象观测结果。现存最早的商代晚期的中国文字被用来为朝廷大事占卜吉凶，卜辞就刻写在所谓甲骨上。一个商代文字的样本是："国王在识读裂纹〔骨头经火灼而产生的裂纹〕的意思后说：'如果这孩子是在庚日出生的，那将非常吉利。'"

对于今天的我们来说，我们不禁要问：既然早期的书写系统是那样的不明确，使得文字的功能大受限制，只能为少数抄写员所掌握，那么拥有这些文字的社会为什么竟会容忍这种情况？但提出这个问题正好说明了在普及文字方面古人的观点和我们自己的期望之间的差距。早期文字在使用方面所受到的限制乃是蓄意造成的，这种情况对发明不那么含糊的书写系统产生了实实在在的抑制作用。古代苏美尔的国王和祭司们希望文字由专职的抄写员用来记录应完税缴纳的羊的头数，而不是由平民大众用来写诗和图谋不轨的。正如人类学家克劳德·莱维-斯特劳斯所说的那样，古代文字的主要功能是"方便对别人的奴役"。非专职人员个人使用文字只是很久以后的事，因为那时书写系统变得比较简单同时也更富于表现力。

例如，随着公元前1200年左右迈锡尼时代希腊文明的衰落，B类线形文字不见了，希腊重新回到了没有文字的时代。当文字在公元前8世纪终于又回到希腊时，这种新的希腊文字、它的使用者和它的用途已十分不同。这种文字不再是一种夹杂语标的含义不明的音节文字，而是一种借用腓尼基人的辅音字母再加上希腊人自己发明的元音而得到改进的字母文字。希腊的字母文字代替了那些只有抄写员看得懂、只在宫中阅读的记录绵羊头数的账目，从问世那一刻起就成了可以在私人家中阅读的诗歌和幽默的传播媒介。例如，希腊字母文字最早保存下来的例子，是刻在大约公元前740年的一只雅典酒罐上的一行宣布跳舞比赛的诗句："舞姿最曼妙者将奖以此瓶。"第二个例子是刻在一只酒杯上的三行扬抑抑格6步韵诗句："我是内斯特[13]的酒杯，盛满了玉液琼浆。谁只要飞快的喝上一口，头戴花冠的阿佛洛狄特[14]会使他的爱欲在心中激荡。"现存最早的伊特鲁里亚和罗马字母的例子，也是酒杯和酒罈上的铭文。只是到了后来，字母的这种容易掌握的个人交际媒介，才被用于公共或官方目的。因此，字母文字使用的发展顺序，同较早的语标文字和音节文字使用的发展顺序正好颠倒过来。

早期文字在使用和使用者方面的限制表明，为什么文字在人类进化中出现得如此之晚。所有可能的对文字的独立发明（在苏美尔、墨西哥、中国和埃及），和所有早期的对这些发明出来的书写系统（如克里特岛、伊朗、土耳其、印度河河谷和马雅地区的书写系统）的采用，都涉及社会等级分明、具有复杂而集中统一的政治机构的社会，这种社会与粮食生产的必然联系，我们将留在下一章探讨。早期的文字是为这些政治机构的需要服务的（如记录的保存和对王室的宣传），而使用文字的人是由生产粮食的农民所种植的多余粮食养活的专职官员。狩猎采集社会没有发明出文字，甚至也没有采用过任何文字，因为它们既没有需要使用早期文字的机构，也没有生产为养活文字专家所必需的剩余粮食的社会机制和农业机制。

因此，粮食生产和采用粮食后几千年的社会进化，对于文字的演进同对于引起人类流行疾病的病菌的演化是同样必不可少的。文字只在新月沃地、墨西哥、可能还有中国独立出现，完全是因为这几个地方是粮食生产在它们各自的半球范围内出现的最早地区。一旦文字在这几个社会发明出来，它接着就通过贸易、征服和宗教向具有同样经济结构和政治组织的社会传播。

虽然粮食生产就是这样地成为文字演变或早期文字采用的必要条件，但还不是充分的条件。在本章开始时，我曾提到，有些粮食生产的社会虽然已有复杂的政治组织，但在现代之前并未能发明或借用文字。我们现代人习惯于把文字看作是一个复杂社会必不可少的东西，所以这些例子一开始就使我们感到迷惑不解，这些例子还包括到公元1520年止的世界上最大的帝国之一——南美的印加帝国。这些例子还包括汤加的海洋原始帝国、18世纪晚些时候出现的夏威夷王国、赤道非洲和撒哈拉沙漠以南西非地区在伊斯兰教来到前的各个国家和酋长管辖地，以及密西西比河及其支流一带北美最大的印第安人社会。尽管所有这些社会也具有有文字社会的那些必备条件，但为什么它们却未能获得文字呢?

这里，我们必须提醒一下自己，大多数有文字的社会之所以获得文字，或是通过向邻近的社会借用，或是由于受到它们的启发而发明出文字，而不是靠自己独立创造出来的。我刚才提到的那些没有文字的社会在粮食生产方面比苏美尔、墨西哥和中国起步晚。（这种说法唯一难以确定的是印加帝国的最后领地墨西哥和安第斯山脉地区粮食生产开始的有关年代问题。）如果假以时日，这些没有文字的社会也可能最后靠自己的力量发明出文字来。如果它们离苏美尔、墨西哥和中国更近一些，它们也会从这些中心得到文字或关于文字的思想，就像印度、马雅和其他大多数有文字的社会一样。但它们距离那些最早的文字中心太远了，所以没有能在现代之前获得文字。

这种孤立状态的重要作用对夏威夷和汤加是极其明显的，这两个地方同最近的有文字的社会隔着重洋，相距至少有4000英里之遥。另一些社会则证明了这样一个重要的观点：乌鸦飞过的距离不是人类衡量孤立状态的一种恰当的尺度。安第斯山脉、西非的一些王国和密西西比河口与墨西哥、北非和墨西哥的有文字社会的距离，分别只有大约1200英里、1500英里和700英里。这些距离大大小于字母在其发明后的2000年中从发源地沿地中海东岸到达爱尔兰、埃塞俄比亚和东南亚所传播的距离。但人类前进的脚步却由于乌鸦能够飞越的生态障碍和水域阻隔而慢了下来。北非国家（有文字）和西非国家（没有文字）中间隔着不适于农业和城市的撒哈拉沙漠。墨西哥北部的沙漠同样把墨西哥南部的城市中心和密西西比河河谷的酋长管辖地分隔开来。墨西哥南部与安第斯山脉地区的交通需要靠海上航行，或经由狭窄的、森林覆盖的、从未城市化的达里安地峡的一连串陆路联系。因此，安第斯山脉地区、西非和密西西比河河谷实际上就同有文字的社会隔离了开来。

这并不是说，那些没有文字的社会就是完全与世隔绝的。西非最后接受了撒哈拉沙漠另一边的新月沃地的家畜，后来又接受了伊斯兰教的影响，包括阿拉伯文字。玉米从墨西哥传播到安第斯山脉地区，又比较缓慢地从墨西哥传播到密西西比河河谷。但我们在第十章已经看到，非洲和美洲内的南北轴线和生态障碍阻滞了作物和家畜的传播。文字史引人注目地表明了类似的情况：地理和生态条件影响了人类发明的传播。

注　释：

1. 弥诺斯语：即古克里特语，古希腊克里特岛居民所使用的语言。——译者
2. 迈锡尼时代约在公元前1500—1100年。——译者
3. 闪语：指闪语族中的任何一种语言。闪语族属闪含语系，包括古希伯来语、阿拉伯语、阿拉米语、腓尼基语、亚述语、埃塞俄比亚语等。——译者
4. 如尼文：北欧等地的一种古文字。——译者
5. 欧甘字母：公元4世纪时用以在石碑上刻写爱尔兰语和皮克特语的欧甘文字母。——译者

6. 阿拉姆语：属闪语族，公元前9世纪通用于古叙利亚、后来一度成为亚洲西南部的通用语，犹太人文献及早期基督教文学多以此语写成。 ——译者

7. 伊特鲁斯坎人：意大利埃特鲁西亚地区古代民族。 ——译者

8. 金素月(1305—1395)：朝鲜诗人，原名廷湜。 有乡土诗人和爱国抒情诗人之称。著有诗集《金达莱花》、《素月诗抄》等。 ——译者

9. 吴历(1632—1718)：江苏常熟人，清初画家，兼善书法，亦工诗。 著有《墨井诗钞》、《三巴集》等。 ——译者

10. 克诺索斯：克里特岛弥诺斯王的首都。 1900年开始发掘，发现原来的宫殿及周围城市，公元前2000年左右，为繁荣的弥诺斯文化中心。 ——译者

11. 派洛斯：希腊伯罗奔尼撒半岛西南美塞尼亚湾的古代港口。 ——译者

12. 《伊利亚特》和《奥德赛》：古希腊史诗，相传均为荷马所作。 前者主要叙述特洛伊战争最后一年的故事；后者描写奥德修斯于特洛伊城攻陷后回家10年流浪的种种经历。 ——译者

13. 内斯特：希腊派洛斯的国王，希腊的贤明长者，曾参加对特洛伊城的围攻。 ——译者

14. 阿佛洛狄特：希腊神话中爱与美的女神，相当于罗马神话中的维纳斯。 ——译者

第十三章　需要之母

1908年7月3日，一些考古学家在克里特岛上对菲斯托斯的古代弥诺斯文化时期的宫殿进行发掘，无意中发现了技术史上最引人注目的物品之一。它乍看之下似乎貌不惊人，只是一个小小的、扁平的、没有彩绘的圆盘，由黏土烘制而成，直径为6．5英寸。再仔细观察一下，就发现这个圆盘的每一面都布满了文字，文字落在一条曲线上，而曲线则以顺时钟方向从圆盘边缘呈螺旋形通向圆盘中央，一共有5圈。总共241个字母符号由刻出来的垂直线整齐地分成若干组，每组包含几个不同的符号，可能就是这些符号构成了词。作者必定仔细地设计和制作了这个圆盘，这样就可以从圆盘的边缘写起，沿螺旋线写满全部可以利用的空间，然而在到达圆盘中央时空间正好够用（见下图）。

自出土以来，这个圆盘一直成为文字史家的一个不解之谜。不同符号的数目(45个）表明这是一种音节文字，而不是字母文字，但它仍没有得到解释，而且符号的形式也不同于其他任何已知的书写系

菲斯托斯双面圆盘的一面

统的符号形式。在它发现后的89年中，这种奇怪文字连零星碎片也没有再出现过。因此，它究竟是代表了克里特岛的一种本地文字，还是从外地进入克里特岛的舶来品，这仍然不得而知。

对技术史家来说，这个菲斯托斯圆盘甚至更加令人困惑；它的年代估计为公元前1700年，这使它成为世界上最早的印刷文件。圆盘上的符号不像克里特岛后来的A类线形文字和B类线形文字所有的文本那样是用手刻写的，而是用带有凸起铅字似的符号的印章在柔软的黏土上压印出来的（黏土随后被烘干硬化）。这位印工显然有一套至少45个印章，一个印章印出圆盘上的一个符号。制作这些印章必然要花费大量的劳动，而它们肯定不是仅仅为了印这一个文件而被制造出来的。使用这些印章的人大概有许多东西要写。有了这些印章，印章的主人就可以迅速得多、整齐得多地去进行复制，这是他或她在每一个地方写出每一个文字的复杂符号所无法比拟的。

菲斯托斯圆盘开人类下一步印刷业之先河。因为印刷也同样使用字模或印板，但却是直接沾墨水印在纸上，而不是不沾墨水印在黏土上。然而，这些接下去的尝试直到2500年后才在中国出现，在3100年后在中世纪的欧洲出现。圆盘的这种早熟的技术，为什么没有在古代地中海的克里特岛或其他地方得到广泛的采用？为什么它的印刷方法是在公元前1700年左右在克里特岛发明出来，而不是在其他某个时间在美索不达米亚、墨西哥或其他任何一个古代文字中心发明出来？为什么接着又花了几千年时间才又加上用墨水和压印机这个主意从而得到了印刷机？这个圆盘就是这样地成了对历史学家的咄咄逼人的挑战。如果发明创造都像这个圆盘似乎表明的那样独特而难以捉摸，那么想要对技术史进行综合的努力可能一开始就注定要失败的。

表现为武器和运输工具的技术，提供了某些民族用来扩张自己领域和征服其他民族的直接手段。这就使技术成了历史最广泛模式的主要成因。但是，为什么是欧亚大陆人而不是印第安人或撒哈拉沙漠以南的非洲人发明了火器、远洋船只和钢铁设备？这种差异扩大到了从印刷机到玻璃和蒸汽机的其他大多数技术进步。为什么所有这些发明创造都是欧亚大陆人的？虽然世界上一些蕴藏最丰富的铜矿和铁矿分别在新几内亚和澳大利亚，但为什么所有新几内亚人和澳大利亚土著在公元1800年还在使用几千年前就已在欧亚大陆、非洲大部分地区被抛弃了的那种石器？所有这些事实说明，为什么有那么多的外行人想当然地认为，欧亚大陆人在创造性和智力方面要比其他民族高出一筹。

另一方面，如果在人类神经生物学方面没有任何此种差异可以说明各大陆在技术发展方面的差异，那么用什么来说明呢？另外一种观点是以发明创造的英雄理论为基础的。技术进步似乎特别多地依靠少数十分稀有的天才如约翰内斯·谷登堡[1]、詹姆士·瓦特、托马斯·爱迪生和莱特兄弟。他们或是欧洲人，或是移居美国的欧洲人的后代。阿基米德和古代的其他一些稀有天才也是欧洲人。这样的天才会不会也生在塔斯马尼亚岛[2]或纳米比亚呢？难道技术史仅仅决定于几个发明家的出生地这些偶然因素吗？

还有一种观点认为，这不是个人的创造性问题，而是整个社会对新事物的接受性问题。有些社会无可救药地保守、内向、敌视变革。许多西方人都会有这种印象，他们本来想要帮助第三世界人民，最后却落得灰心丧气。第三世界的人作为个人似乎绝对聪明；问题似乎在他们的社会。否则又怎样来解释澳大利亚东北部的土著为什么没有采用弓箭？而他们见过与他们进行贸易的托雷斯海峡的岛上居民在使用弓箭。也许整个大陆的所有社会都不接受新事物，并由此说明那里的技术发展速度缓慢？在本章中，我们最终将要涉及本书的一个中心问题：为什么在不同的大陆上技术以不同的速度演进的问题。

我们讨论的起始点是“需要乃发明之母”这个格言所表达的普遍观点。就是说，发明的出现可能是由于社会有一种未得到满足的需要：人们普遍承认，某种技术是不能令人满意的，或是作用有限的。想要做发明家的人为金钱和名誉的前景所驱使，察觉到了这种需要，并努力去予以满足。某个发明家最后想出了一个比现有的不能令人满意的技术高明的解决办法。如果这个解决办法符合社会的价值观，与其他技术也能协调，社会就会予以采纳。

相当多的发明都符合需要乃发明之母这个常识性的观点。1942年，当第二次世界大战仍在进行时，美国政府制定了曼哈顿计划，其显而易见的目的就是抢在纳粹之前发明出为制造原子弹所需要的技术。3年后，这个计划成功了，共花去20亿美元（相当于今天的200多亿美元）。其他的例子有，1794年伊莱·惠特尼发明了轧棉机，来代替把美国南部种植的棉花的棉绒剥离下来的繁重的手工劳动，还有1769年詹姆士·瓦特发明了蒸汽机来解决从英国煤矿里抽水的问题。

这些人们耳熟能详的例子，使我们误以为其他的重大发明也是为了满足觉察到的需要。事实上，许多发明或大多数发明都是一些被好奇心驱使的人或喜欢动手修修补补的人搞出来的，当初并不存在对他们所想到的产品的任何需要。一旦发明了一种装置，发明者就得为它找到应用的地方。只有在它被使用了相当一段时间以后，消费者才会感到他们“需要”它。还有一些装置本来是只为一个目的而发明出来的，最后却为其他一些意料之外的目的找到了它们的大多数用途。寻求使用的这些发明包括现代大多数重大的技术突破，从飞机和汽车到内燃机和电灯泡再到留声机和晶体管，应有尽有。了解到这一点，也许会令人感到吃惊。因此，发明常常是需要之母，而不是相反。

一个很好的例子就是托马斯·爱迪生的留声机的发明史。留声机是现代最伟大的发明家的最具独创性的发明。爱迪生于1877年创造出了他的第一架留声机时，发表了一篇文章，提出他的发明可以有10种用途。它们包括保存垂死的人的遗言，录下书的内容让盲人来听，为时钟报时以及教授拼写。音乐复制在他列举的用途中并不占有很高的优先地位。几年后，爱迪生对他的助手说，他的发明没有任何商业价值。又过了不到几年，他改变了主意，做起销售留声机的生意来——但作为办公室口述记录机使用。当其他一些企业家把留声改装成播放流行音乐的投币自动唱机时，爱迪生反对这种糟蹋他的发明的做法，因为那显然贬低了他的发明在办公室里的正经用途。只是在过了大约20年之后，爱迪生才勉勉强强地承认他的留声机的主要用途是录放音乐。

机动车是另一个在今天看来用途似乎显而易见的发明。然而，它不是为满足任何需求而发明出来的。当尼古劳斯·奥托于1866年造出了他的第一台4冲程气化器式发动机时，马在满足人们陆上运输需要方面已经有了将近6000年的历史，在最近的几十年里又日益得到蒸汽动力铁路的补充。在获得马匹方面不存在任何危机，人们对于铁路也没有任何不满。

由于奥托的发动机力量小、笨重和高达7英尺，所以它并不比马匹更为可取。直到1885年，发动机的改进使戈特利布·戴姆勒得以在一辆自行车上安装了一台发动机从而制造了第一辆摩托车；他一直等到1896年才制造了第一辆卡车。

1905年，机动车仍是有钱人的昂贵而不可靠的玩物。公众对马匹和铁路的满意程度始终很高，直到第一次世界大战时军方认定它的确需要卡车。战后卡车制造商和军队进行了大量游说，使公众相信他们对机动车辆的需要，从而使卡车得以在工业化国家开始取代马车。甚至在美国的最大城市里，这种改变也花了50年时间。

发明家们常常不得不在没有公众需求的情况下长期坚持他们的修修补补的工作，因为他们的早期样机性能太差，派不了用场。最早的照相机、打字机和电视机同奥托的7英尺高的内燃发动机一样使人不敢领教。这就使发明者难以预知他们发明的可怕的原型最终是否可以得到使用，从而是否应该投入更多的时间和费用来对它进行开发。美国每年要颁发大约7万份专利证书，但只有少数专利最后达到商业性生产阶段。有一项大发明最终得到使用，就会有不计其数的其他发明得不到使用。甚至有些发明当初本来是为了满足特定的需要而设计的，后来可能在满足意外需要方面证明是更有价值的。虽然詹姆士·瓦特设计他的蒸汽机是为了从煤矿里抽水，但它很快就为棉纺厂提供动力，接着又（以大得多的利润）推动着机车和轮船前进。

因此，被用作我们讨论的起始点的关于发明的常识性观点，把发明的通常作用和需要弄颠倒了。它也夸大了诸如瓦特和爱迪生之类稀有天才的重要性。所谓“发明的英雄理论”之所以得到专利法的鼓励，是因为申请一项专利必须证明所提交的发明具有新意。发明者出于财政的动机而贬低或忽视前人的成果。从专利法律师观点看，最佳的发明就是全无先例的发明，就像雅典娜整个地从宙斯的前额跳出来一样[3]。

实际上，即使对那些最著名的而且显然具有决定意义的现代发明来说，就是“某人发明某物”这种不加掩饰的说法背后有着被忽视了的先例的影子。例如，我们经常听到人们说，“詹姆斯·瓦特于1769年发明了蒸汽机”，据说他是由于看到蒸汽从水壶嘴冒出来而受到了启发。这个故事实在太妙了，但可惜的是，瓦特打算制造自己的蒸汽机的想法，实际上是在他修理托马斯·纽科曼的一台原型蒸汽机时产生的。这种蒸汽机纽科曼在57年前就已发明出来了，到瓦特修理时，英格兰已经制造出100多台。而纽科曼的蒸汽机又是在英国人托马斯·萨弗里于1698年获得专利权之后才有的，但在萨弗里获得专利权之前，法国人丹尼·帕庞已于1680年左右设计出这种蒸汽机（但没有制造），而帕庞的设计思想则来自他的前人荷兰科学家克里斯蒂安·惠更斯和其他人。所有这些并不是要否认瓦特大大改进了纽科曼的蒸汽机（把一个独立的蒸汽冷凝器同一个往复式汽缸合并在一起），就像纽科曼曾经大大改进了萨弗里的蒸汽机一样。

对所有有足够文件证明的现代发明都可以讲出类似的发展史。习惯上认为有发明才能的英雄仿效以前的一些发明者，而这些发明者也具有同样的目标，并已作出了一些设计、造出了一些工作样机或（就像纽科曼的蒸汽机一样）可以成功地投入商业使用的样机。爱迪生的1879年10月21日夜间著名的白炽灯泡的“发明”，只是对从1841年到1878年的其他发明者获得专利权的其他许多白炽灯泡的改进。同样，在莱特兄弟的载人飞机之前已有了奥托·利林塔尔的载人无动力滑翔机和塞缪尔·兰利的不载人动力飞机；在塞缪尔·莫尔斯的电报机之前已有了约瑟夫·亨利、威廉·库克和查尔斯·惠斯通的电报机了；而伊莱·惠特尼的短绒（内陆）棉轧棉机不过是几千年来长绒（海岛）棉轧棉机的应用范围的扩大罢了。所有这些并不是要否认瓦特、爱迪生、莱特兄弟、莫尔斯和惠特尼作出了巨大的改进，因而增加了或开创了商业成功的机会。如果没有那位公认的发明者的贡献，发明物最后采用的形式可能已有所不同了。但我们所讨论的问题是：如果某些天才发明家不是在某个时候出生在某个地方，世界史的广泛模式会不会因此而产生重大的变化。答案很清楚：从来就没有这样的人。所有公认的著名发明家都有一些有本领的前人和后人，而且他们是在社会有可能使用他们的成果的时候对原来的发明作出改进的。我们将会看到，对用于菲斯托斯圆盘的印章作出改进的那位英雄的悲剧在于，他或她发明了当时社会不能予以大规模利用的东西。

到目前为止，我所举的这些例子都来自现代技术，因为现代技术发展史是众所周知的。我的两个主要结论是：技术的发展是长期积累的，而不是靠孤立的英雄行为；技术在发明出来后大部分都得到了使用，而不是发明出来去满足某种预见到的需要。如果把这两个结论用于没有文件证明的古代技术发展史，那就更加有说服力得多。当冰期的狩猎采集族群注意到他们的炉膛里焚烧过的沙子和石灰岩的残留物时，他们不可能预见到这种长期的偶然积累起来的发现会导致最早的罗马的玻璃窗（公元元年左右），而这种积累过程则是从最早的表面有半透明薄涂层的物品（公元前4000年左右），到最早的埃及和美索不达米亚的独立的类似玻璃的物品（公元前2500年左右），再到最早的玻璃器皿（公元前1500年左右）。

对于那些已知最早的表面半透明薄涂层本身是怎么搞出来的，我们则一无所知。不过，通过观察今天在技术上“原始的”族群，如我与之一起工作的那些新几内亚人，我们可以推知史前的发明方法。我已经提起过他们认识几百种当地的植物和动物，知道每一种是否可以食用、它的药用价值和其他用途。新几内亚人同样还把他们周围的几十种石头讲给我听，告诉我每一种的硬度、颜色、在遭到敲打或削凿时的情况以及各种用途。所有这方面的知识都是通过观察和反复试验而获得的。每当我带领新几内亚人到远离他们家乡的地方工作时，我都看到了这种“发明”过程在进行。他们不断地在森林里捡起一些不熟悉的东西，拿在手中摆弄，偶尔发现有用就带回家去。当我放弃了营地，当地人跑来在丢弃物中寻找有用的东西时，我看到了同样的过程。他们把玩我丢弃的东西，设法弄清楚它们在新几内亚社会里是否有用。丢弃的马口铁罐的用途是容易确定的：它们最后被当作容器重新使用。其他东西则经过试验，用于完全不同于当初制造时的目的。把那支黄色的2号铅笔插进穿孔的耳垂和鼻隔做装饰品，看上去会不会很漂亮？那块碎玻璃是否很锋利，很结实，可以当刀来使用？我发现了！[4]

古人能够利用的原料都是自然材料，如石头、木头、骨头、兽皮、纤维、黏土、沙子、灰岩和矿物，各种各样，数量众多。人们根据这些材料逐步学会了把某些种类的石头、木头和骨头制成工具；把某些黏土制成陶器和砖；把沙子、灰岩和其他“污物”混合在一起制成玻璃；对现有的纯粹的软金属如铜和金进行加工，后来又从矿石里提炼金属，最后又对硬金属如青铜和铁进行加工。

有关反复试验的发展过程的一个很好的例子，是从原料产生火药和汽油。可以燃烧的自然产物必然会引起人们的注意，如富含树脂的圆木在营火中爆燃。到公元前2000年，美索不达米亚平原上的人通过加热天然沥青提炼出大量的石油。古希腊人发现，石油和沥青、树脂、硫磺、生石灰的各种混合物，可以用作由弩炮、弓箭、火焰炸弹和船只来发射的火攻武器。中世纪伊斯兰教的炼金术士为生产酒精和香水而发明的蒸馏技术，也使他们把石油蒸馏成馏分，其中有些证明是威力甚至更加强大的燃烧剂。用手榴弹、火箭和爆炸装置来发射的这些燃烧剂，在伊斯兰教最后打败十字军的战争中起了关键的作用。在这之前，中国人也已观察到硫磺、木炭和硝石的一种特殊混合物的爆炸力特别强，这种混合物就叫做火药。公元1100年左右，伊斯兰教的一篇化学论文介绍了火药的7种配方，而公元1280年的一篇论文则提到了70多种适用于不同目的的配方（一种适用于火箭，另一种适用于大炮）。

至于中世纪以后的石油蒸馏，19 世纪的化学家们发现中间馏分油可以用作油灯的燃料。这些化学家把最易挥发的馏分（汽油）当作一种没有用的废品而予以抛弃——直到后来发现那是内燃机的一种理想的燃料。今天还有谁记得汽油这种现代文明的燃料当初曾是又一个寻求使用的发明呢？

一旦发明家发现了一项新技术的用途，下一步就是说服社会来采用它。仅仅有一种更大、更快、更有效的工作装置还不能保证人们会乐于接受。无数的此类技术要么根本没有被采用，要么只是在长期的抵制之后才被采用。这方面臭名昭著的例子有：1971 年美国国会拒绝考虑为发展超音速运输提供资金；全世界继续拒绝一种高效打字机的键盘设计，以及英国长期不愿采用电灯照明。那么，究竟是什么促使社会去接受发明呢？

让我们首先比较一下在同一个社会内对不同发明的接受能力。结果，至少有 4 个因素影响着对发明的接受。

第一个也是最明显的因素，是与现有技术相比较的相对经济利益。虽然轮子在现代工业社会里非常有用，但在其他一些社会里情况就并非如此。古代墨西哥土著发明了带车轴和车轮的车子，但那是当玩具用的，而不是用于运输。这在我们看来似乎不可思议，直到我们想起了古代墨西哥人没有可以套上他们的带轮子的车子的牲口，因此这种车子并不比搬运工有任何优势。

第二个考虑是社会价值和声望，这种考虑可以不顾经济利益（或没有经济利益）。今天千百万人去买标名牛仔裤，而这种牛仔裤的价格是同样耐穿的普通牛仔裤的两倍——因为标名商标的社会声望的价值超过了额外的花费。同样，日本继续使用它的麻烦得吓死人的汉字书写系统，而不愿使用效率高的字母或日本自己的效率高的假名音节文字——因为与汉字体系连在一起的社会声望实在太大了。

另一个因素是是否符合既得利益。本书同你读过的大概每一份别的打印文件一样，都是用标准打字机键盘打印出来的，这种键盘是因其上排最左面的6个字母而得名的。虽然现在听起来令人难以置信，打字机键盘的这种安排是在1873年作为一种反工程业绩而设计出来的。它使用了一系列旨在迫使打字的人尽可能放慢打字速度的故意作对的花招，如把最常用的字母键全都拆散而集中在左边（用惯右手的人必须用他们不习惯的左手）。这些似乎产生相反效果的特点的真实原因是：如果在1873年发明的这种打字机上连续快速敲击相邻的键，会使这些键互相卡在一起，所以制造打字机的人不得不使打字的人把打字的速度放慢。当打字机的改进解决卡键这个问题后，1932年对为提高效率而设计的键盘进行的试验表明，它可以成倍地提高我们的打字速度，把我们打字所花的气力减少95%。但到这时，标准打字机键盘的千百万个打字员、教打字的人、打字机和电脑推销员以及打字机生产厂商的既得利益，60多年来压制了提高打字机键盘效率的所有行动。

虽然这个关于标准打字机键盘的故事听起来可能有点滑稽，但许多同样的例子却涉及重大得多的经济后果。虽然晶体管是在美国发明和取得专利权的，但为什么现在却是日本控制了世界晶体管化电子消费产品市场，以致破坏了美国与日本的国际收支平衡？因为就在美国的电子器件消费工业拼命生产真空管并且不愿与自己的产品竞争的时候，日本的索尼公司购买了西方电气公司的特许权。为什么英国的城市直到20世纪20年代，在美国和德国城市已经改用电灯为街道照明之后很久，仍在使用煤气为街道照明？因为英国的一些市政府已对煤气照明进行了大量投资，从而对竞争的电灯公司设置了行政管理方面的障碍。

影响接受新技术的最后一种考虑，是新技术的优点能够很容易地看到。公元1340年，当火器还没有到达欧洲大部分地区时，英格兰的德比伯爵和索尔兹伯里伯爵碰巧遇上了西班牙的塔里法战役，阿拉伯人在战斗中对西班牙人使用了大炮。这两位伯爵对他们所看到的事印象深刻，于是把大炮引进英国军队，而英国军队热情地采用了大炮，并于6年后在克勒西战役中把它们用来对付法国士兵。

因此，轮子、标名牛仔裤和标准打字机键盘说明了同一个社会对所有发明不是同样接受的不同原因。反过来说，对同一发明的接受力在同时代的社会中也是大不相同的。我们全都熟悉那个想象出来的普遍规律，即第三世界农村社会不像西方化了的工业社会那样容易接受新事物。即使在工业化的世界内，某些地区的接受能力要比另一些地区强得多。如果在整个大陆范围内存在着这种差异，那么它们也许能说明为什么某些大陆的技术发展要快于其他大陆。例如，如果澳大利亚的所有土著社会由于某种原因一律抵制变革，那也许能说明为什么当金属工具在其他每一个大陆出现后它们仍然在使用石器。社会之间在接受能力方面的差异是怎样产生的呢？

技术史家们已经提出了一长串至少14个说明性因素。一个因素是预期寿命变长了，这在原则上应能使未来的发明家不仅有耐心和有把握去制订长期的、延期得益的开发计划，而且也使他们可以有多年时间去积累技术知识。因此，现代医药带来的大大延长了的期望寿命，可能加快了近来发明速度的步伐。

其次的5个因素涉及社会的经济和组织：(1)古典时期可以得到廉价的奴隶劳动，这一点大概妨碍了当时的发明创造，而现在的高工资或劳动力短缺，对寻求技术解决办法起了刺激作用。例如，移民政策的改变，可能会切断加利福尼亚农场的廉价的墨西哥季节工的来源，但这种可能性鼓励了在加利福尼亚去开发可以用机器收获的番茄品种。(2)在现代的西方，保护发明者的所有权的专利权和其他财产法奖励发明，而在现代的中国，缺乏这种保护妨碍了发明。(3)现代工业社会提供了大量的技术培训的机会，这一点中世纪的伊斯兰教国家做到了，而现代的扎伊尔则没有做到。(4)和古罗马的经济不同，现代资本主义制度使投资技术开发有可能得到回报。(5)美国社会强烈的个人主义允许有成就的发明者为自己赚钱，而新几内亚牢固的家族关系则确保了一个人一旦开始赚钱就要同十几个指望搬来同吃同住的亲戚一起分享。

另外4个想得到的解释是意识形态方面的，不是经济或组织方面的：(1)为创新努力必不可少的冒险行为，在某些社会里比在另一些社会里普遍。(2)科学观点是文艺复兴后欧洲社会的独有特色，对于欧洲社会现代技术的卓越地位来说，这种特色确是功不可没。(3)对各种观点和异端观点的宽容促进了创新，而浓厚的传统观点(如中国强调中国古代的经典)则扼杀了创新。(4)宗教在其与技术创新的关系上差异很大：犹太教和基督教的某些教派据说与技术创新特别能够相容，而伊斯兰教、印度教和婆罗门教的某些教派可能与技术创新特别不能相容。

所有这10个假设似乎都说得通。但其中没有一个与地理有任何必然的联系。如果专利权、资本主义和某些宗教真的对技术起了促进作用，那么又是什么决定了这些因素在中世纪后的欧洲出现，而不是在同时代的中国或印度出现?

至少，这10个因素影响技术的方向似乎是清楚的。其余4个拟议中的因素——战争、集中统一的政府、气候和丰富的资源——所起的作用似乎是不一致的：有时候它们促进技术，有时候它们抑制技术。(1)在整个历史上，战争常常是促进技术革新的主要因素。例如，在第二次世界大战期间对核武器和第一次世界大战期间对飞机和卡车的巨额投资，开创了整个新的技术领域。但战争也能给技术发展带来破坏性极大的挫折。(2)强有力的集中统一的政府在19世纪后期的德国和日本对技术起了推动作用，而在公元1500年后的中国则对技术起了抑制作用。(3)许多北欧人认为，在气候条件严峻的地方，技术能够繁荣发展，因为在那里没有技术就不能生存，而在温和的气候下，技术则会枯萎凋零，因为那里不需要穿衣，而香蕉大概也会从树上掉下来。一种相反的观点则认为，有利的环境使人们用不着为生存进行不懈的斗争，而可以一门心思地去从事创新活动。(4)人们也一直在争论，促进技术发展的究竟是环境资源的丰富还是环境资源的短缺。丰富的资源可以促进利用这些资源的发明的发展，例如在有许多河流的多雨的北欧地区的水磨技术——但为什么水磨技术却没有在甚至更多雨的新几内亚更迅速地发展起来?有人认为英国森林遭到破坏是它很早就在采煤技术方面领先的原因，但为什么在中国滥伐森林却没有产生同样的结果呢?

关于社会在接受新技术方面为什么会存在差异，上面的讨论并未穷尽为解释这个问题而提出来的各种原因。更糟的是，所有这些大致准确的解释都没有考虑这些解释背后的终极因素。这看起来也许就好像我们想要了解历史进程的尝试遭到了一次令人灰心丧气的挫折，因为技术毫无疑问一直是历史的最强大的推动力之一。然而，现在我要说，影响技术创新的独立因素是多种多样的，而这一点实际上使了解历史的广泛模式变得不是更困难，而是更容易了。

就本书所讨论的问题而言，这一长串问题中的主要问题是：影响技术创新的这些因素在大陆与大陆之间是否存在着全面的差异，因而导致了各大陆在技术发展方面的差异。大多数外行人和许多历史学家都认为答案是肯定的，有的是明确表示，有的是心照不宣。例如，人们普遍认为，澳大利亚土著作为一个群体，在意识形态方面具有导致他们技术落后的共同特点：他们过去（或现在）大概都是保守的，生活在一种想象中的创造世界的黄金时代，而不去注意改善现在的实际方法。一位研究非洲的主要历史学家则把非洲人说成是性格内向，缺乏欧洲人的那种扩张欲望。

但是，所有这类说法都是以纯粹的猜测为基础的。对两个大陆中每一个大陆上具有相同社会经济条件的许多社会，还不曾有人进行过研究，以证明这两个大陆民族之间的全面的意识形态差异。人们通常使用的都是循环论证：由于存在技术上的差异，因此可以推断出相应的意识形态上的差异。

事实上，我经常在新几内亚观察到，那里的土著社会在流行观点上彼此差异很大。就像工业化的欧洲和美国一样，传统的新几内亚也有抵制新的生活方式的保守社会，尽管它们同一些有选择地采纳了新的生活方式的富于创造性的社会生活在一起。结果，随着西方技术的输入，那些比较有创新精神的社会现在正利用西方的技术来征服它们的保守的邻居。

例如，当欧洲人于20世纪30年代第一次到达新几内亚东部高原地区时，他们“发现了”几十个过去从未与外界接触过的石器时代的部落，其中钦布部落在采用西方技术方面特别积极。当钦布人看到白人移民种植咖啡，他们也开始把咖啡当作经济作物来种植。1964年，我遇见了一个50岁的钦布男子，他不识字，穿着传统的草裙。虽然他出生在一个仍然使用石器的社会，但却靠种咖啡发了财。他用赚来的10万美元现款买下了一个锯木厂，还买下了一队卡车，用来把他的咖啡和木材运往市场。相比之下，同我一起工作8年之久的一个毗邻的高原民族——达里比族，就特别保守，对新技术毫无兴趣。当第一架直升机在达里比人的地区降落时，他们只是很快地看了它一眼，然后回去继续干他们的活；如果是钦布人，他们就会为租用它来讨价还价。结果，钦布人现在正迁入达里比人的地区，把他们的土地接收过去改为种植园，并把达里比人变成为他们干活的劳工。

其他每一个大陆都有这种情况，某些土著社会证明有很强的接受力，它们有选择地采纳外来的生活方式和技术，并成功地使之融入自己的社会。在尼日利亚，伊博族同新几内亚的钦布族一样，成了当地富于进取心的族群。今天美国人数最多的印第安部落是纳瓦霍族，在欧洲人来到时，他们不过是几百个部落中的一个。但纳瓦霍人的适应能力特别强，并能有选择地对待新事物。他们把西方的染料和自己的纺织结合起来，他们做银匠和农场工人，现在虽然仍住在传统的住宅里，但已学会了开卡车。

同样，在据称保守的澳大利亚土著中，既有接受能力强的社会，也有保守的社会。一个极端是塔斯马尼亚人，他们仍旧在使用石器，而这种工具在几万年前的欧洲即已为别的工具所代替，就是在澳洲大陆的大部分地区也已不再使用。另一极端是澳大利亚东南部的一些以捕鱼为生的土著群体，他们发明了管理鱼群的复杂技术，包括修建沟渠、鱼梁和渔栅。

因此，即使在同一个大陆上，各社会之间在发展和接受新事物方面也是大不相同的。即使是在同一个社会内，在时间上也会有所不同。现在，中东的伊斯兰社会相对而言比较保守，并不居于技术的最前列。但同一地区的中世纪伊斯兰教社会在技术上却是先进的，是能够接受新事物的。它的识字率比同时代的欧洲高得多；它吸收了古典的希腊文明的遗产，以致许多古典的希腊书籍只是通过阿拉伯文的译本才为我们所知；它发明了或精心制作了风车、用潮水推动的碾磨、三角学和大三角帆；它在冶金术、机械工程、化学工程和灌溉方法等方面取得了重大的进步；它采用了中国的纸和火药，又把它们传到欧洲。在中世纪，技术绝大多数是从伊斯兰世界流向欧洲，而不是像今天那样从欧洲流向伊斯兰世界。只是在公元1500年左右以后，技术的最终流向才开始逆转。

中国的发明创造也是引人注目地随着时间而起伏不定。直到公元1450年左右，中国在技术上比欧洲更富于革新精神，也先进得多，甚至也大大超过了中世纪的伊斯兰世界。中国的一系列发明包括运河闸门、铸铁、深钻技术、有效的牲口挽具、火药、风筝、磁罗盘、活字、瓷器、印刷(不算菲斯托斯圆盘)、船尾舵和独轮车。接着，中国就不再富于革新精神，其原因我们将在本书的后记中加以推断。相反，我们倒是把西欧及其衍生的北美社会看作是领导了现代世界的技术创新，但直到中世纪后期，西欧的技术仍然没有旧大陆任何其他“文明”地区那样先进。

因此，认为有些大陆的社会总是富于创新精神，有些大陆的社会总是趋于保守，这种说法是不正确的。在任何时候，在任何大陆上都有富于创新精神的社会，也有保守的社会。此外，在同一个地区内，对新事物的接受能力迟早会产生波动。

细想起来，如果一个社会的创新精神决定于许多独立的因素，那么这些结论就完全是人们可能期望的结论。如果对所有这些因素没有详尽的了解，创新精神就成了不可预测的东西。因此，一些社会科学家在继续争论：为什么在伊斯兰世界、中国和欧洲对新事物的接受能力会发生变化？为什么钦布人、伊博人和纳瓦霍人比他们的邻居更容易接受新事物？这些情况的具体原因是什么？然而，对研究广泛的历史模式的人来说，这些情况的具体原因是什么，这并不重要。影响创新精神的各种各样的因素，反而使历史学家的任务变得更加容易起来，他只要把社会之间在创新精神方面的差异转换为基本上一种随机变量就行了。这就是说，在任何特定时间里的一个相当大的区域内（如整个大陆），总会有一定数量的社会可能是富于创新精神的。

创新实际上来自何方？除了过去的几个完全与世隔绝的社会外，对所有社会来说，许多或大多数技术都不是当地发明的，而是从其他社会借来的。当地发明与借用技术的相对重要性，主要决定于两个因素：发明某个技术的容易程度以及某个社会与其他社会的接近程度。

有些发明是通过处理天然原料而直接产生的。这些发明在世界史上的不同地点和时间曾有过多次独立的发展。有一个例子我们已经仔细考虑过了，这就是至少在 9 个地方独立进行的对植物的驯化。另一个例子是陶器。陶器的产生可能来自对黏土这种十分普遍的天然材料在晒干或受热时的变化所作的观察。陶器在大约 14000 年前出现于日本，不迟于大约 1 万年前出现于新月沃地和中国，以后又出现于亚马孙河地区、非洲的萨赫勒地带、美国东南部和墨西哥。

一个困难得多的发明的例子是文字。文字的发明不是通过对任何天然材料的观察。我们在第十二章看到，文字只有几次是独立发明出来的，而字母在世界史上显然只产生过一次。其他一些困难的发明包括水轮、转磨、齿轮装置、磁罗盘、风车和照相机暗箱，所有这些在旧大陆只发明过一次或两次，而在新大陆则从未发明过。

这些复杂的发明通常是靠借用而得到的，因为它们的传播速度要比在当地独立发明的速度快。一个明显的例子是轮子。得到证明的最早的轮子于公元前3400年左右出现在黑海附近，接着在几个世纪内又在欧洲和亚洲的许多地区出现。所有这些旧大陆的早期轮子都有一种独特的设计：一个由3块厚木板拼成的实心圆盘，而不是一个带有辐条的轮圈。相比之下，印第安社会的唯一的一种轮子(画在墨西哥的陶器上)则是用一块木板做成的，由此可见，这是轮子的第二个独立的发明——就像人们从新大陆与旧大陆文明相隔绝的其他证据可以预料到的那样。

没有人认为，人类史在经过了没有轮子的700万年之后，不意在旧大陆的许多独立地点，于相隔不到几百年的时间内，竟多次出现了旧大陆的那种独特设计的轮子。实际上，想必是这种轮子的功用使它在旧大陆从唯一的发明地由东向西迅速传播。旧大陆在古代还有其他一些复杂的技术从一个西亚发源地由东向西传播的例子，其中包括门锁、滑轮、转磨、风车，还有字母。新大陆的技术传播的例子是冶金术，它是从安第斯山脉地区经巴拿马传到中美洲的。

一个用途广泛的发明在一个社会出现后，接着它便往往以两种方式向外传播。一种方式是：其他社会看到或听说了这个发明，觉得可以接受，于是便采用了。另一种方式是：没有这种发明的社会发现与拥有这种发明的社会相比自己处于劣势，如果这种劣势大到一定程度，它们就会被征服并被取而代之。一个简单的例子是火枪在新西兰毛利人部落之间的传播。其中有一个叫恩加普希的部落于1818年左右从欧洲商人那里得到了火枪。在其后的15年中，新西兰被所谓的火枪战争搞得天翻地覆，没有火枪的部落要么也去弄到火枪，要么被已经用火枪武装起来的部落所征服。结果，到1833年火枪技术传遍了整个新西兰：所有幸存的毛利人部落这时都已有了火枪。

如果一些社会从发明某项新技术的社会采用了这项技术，这时技术传播的情况可能各不相同，其中包括和平贸易(如1954年晶体管从美国传播到日本)、间谍活动(公元552年家蚕从东南亚偷运进中东)、移民(1685年被从法国驱逐出去的20万胡格诺派教徒[5]把法国的玻璃和服装制作技术传播到整个欧洲)和战争。最后一个至关重要的例子，是中国的造纸术传到了伊斯兰世界。其所以可能，是由于公元751年阿拉伯军队在中亚的塔拉斯河战役中打败了中国军队，在战俘中发现了一些造纸工匠，于是就把他们带到了撒马尔罕建立了造纸业。[6]

我们在第十二章看到，文化的传播可能是通过详尽的“蓝图”，也可能是通过刺激重新发明细节的模糊思想。虽然第十二章说明的是传播文字的办法，但这些办法对传播技术也同样适用。上一段举的是蓝图复制的例子，而中国的瓷器制造技术传往欧洲则是一个长期传播的例子。瓷器是一种纹理细密的半透明陶器，于公元7世纪左右在中国发明。当瓷器于14世纪开始经丝绸之路到达欧洲时(当时还不知道它的制造方法)，人们对它赞赏不已，并为仿制它进行了多次不成功的尝试。直到1707年，德国的炼金术士约翰·伯特格尔在用许多制作方法和把各种矿物同黏土混合起来进行了长期的试验之后，才偶然发现了解决办法，从而建立了如今名闻遐迩的迈森瓷器工厂。后来在法国和英格兰进行的或多或少独立的试验，产生了塞夫勒陶瓷、韦奇伍德陶器和斯波德陶器。因此，欧洲的陶瓷工匠必须为他们自己对中国的制作方法进行再创造，但他们这样做是由于在他们的面前有那些完美无瑕的产品作为榜样从而刺激了他们的创作欲望。

社会的地理位置决定了它们接受来自其他社会的技术的容易程度是不同的。近代史上地球上最孤立的族群是塔斯马尼亚岛上的土著，他们生活在一个距离澳大利亚100英里的岛上，没有任何远洋水运工具，而澳大利亚本身就是一个最孤立的大陆。在过去1万年中，塔斯马尼亚人同其他社会没有任何接触，除了他们自己的发明外，他们没有得到过任何技术。澳大利亚人和新几内亚人由于有印度尼西亚岛群把他们同亚洲大陆隔开，所以只能从亚洲得到一点零星的发明。在发明的传播中最容易接受发明的社会是大陆上的一些根基深厚的社会。在这些社会中技术发展最快，因为它们不但积累了自己的发明，而且也积累了其他社会的发明。例如，中世纪的伊斯兰社会，由于位居欧亚大陆的中央，既得到了印度和中国的发明，又承袭了希腊的学术。

技术传播和使技术传播成为可能的地理位置，这两者的重要性得到了一些从其他方面看简直难以理解的事实的充分证明，即有些社会竟然放弃了具有巨大作用的技术。我们往往想当然地认为，有用的技术一旦获得，就必然会流传下去，直到有更好的技术来取而代之。事实上，技术不但必须获得，而且也必须予以保持，而这也取决于许多不可预测的因素。任何社会都要经历一些社会运动和社会时尚，此时一些没有经济价值的东西变得有价值起来，而一些有用的东西也变得暂时失去了价值。今天，当地球上几乎所有社会相互联系在一起的时候，我们无法想象某种时尚会发展到使人们竟然抛弃一项重要的技术。一个暂时反对一项具有巨大作用的技术的社会会继续看到它在被毗连的社会所使用，而且也会有机会在这技术传播时重新得到它（或者，如果不能做到这一点，那就会被毗连的社会所征服）。但这种时尚会在孤立的社会中历久而不衰。

一个著名的例子是日本放弃枪支。火器在公元1543年到达日本，当时有两个葡萄牙人携带火绳枪（原始的枪）乘坐一艘中国货船抵达。日本人对这种新式武器印象很深，于是就开始在本地制造，从而大大地改进了枪支制造技术，到公元1600年已比世界上任何其他国家拥有更多更好的枪支。

但也有一些因素不利于日本接受火器。这个国家有一个人数众多的武士阶层，对他们来说，刀是他们这个阶层的象征，也是艺术品（同时也是征服下层阶级的工具）。日本的战争以前都是使刀的武士之间面对面的个人搏斗，他们站在空地上，说几句老一套的话，然后以能体面地进行战斗而自豪。如果碰上农民出身的士兵手持枪支乒乒乓乓乱放一气，这种行为就是白送性命。而且，枪是外国的发明，越来越受到人们的鄙视，就像1600年后其他一些事物在日本受到鄙视一样。由武士控制的政府开始只允许几个城市生产枪支，然后又规定生产枪支需要获得政府的特许，再后来把许可证只发给为政府生产的枪支，最后又减少了政府对枪支的定货，直到日本又一次几乎没有实际可用的枪支。

在同时代的欧洲也有一些鄙视枪支并竭力限制枪支使用的统治者。但这些限制措施在欧洲并未发生多大作用，因为任何一个欧洲国家，哪怕是短暂地放弃了火器，很快就会被用枪支武装起来的邻国打垮。只是因为日本是一个人口众多的孤立的海岛，它才没有因为拒绝这种具有巨大作用的新军事技术而受到惩罚。1853年，美国海军准将佩里率领装备有许多大炮的舰队访问日本，使日本相信它有必要恢复枪支的制造，直到这时，日本因孤立而得到安全的状况才宣告结束。

日本拒绝枪支和中国抛弃远洋船只（以及抛弃机械钟和水力驱动纺纱机），是历史上孤立或半孤立社会技术倒退的著名例子。其他技术倒退的事情，在史前期也发生过。极端的例子是塔斯马尼亚岛的土著，他们甚至放弃了骨器和捕鱼而成为现代世界技术最简陋的社会（第十五章）。澳大利亚土著可能采用过弓箭，后来又放弃了。托里斯海峡诸岛的岛民放弃了独木舟，而加瓦岛的岛民在放弃了独木舟后又重新采用。陶器在整个波利尼西亚都被放弃了。大多数波利尼西亚人和许多美拉尼西亚[7]人在战争中放弃使用弓箭。极地爱斯基摩人失去了弓箭和单人划子，而多塞特爱斯基摩人则失去了弓箭、弓钻和狗。

这些例子我们初听起来会觉得希奇古怪，但它们却很好地证明了技术史上地理条件和技术传播的作用。如果没有技术的传播，得到的技术会更少，而丢失的现有技术会更多。

由于技术能产生更多的技术，一项发明的传播的重要性可能会超过原来这项发明的重要性。技术史为所谓自我催化过程提供了例证：就是说，由于这过程对自身的催化，它就以一种与时俱增的速度而加快。工业革命以来的技术爆炸给我们今天的人留下了深刻的印象，但中世纪的技术爆炸与青铜时代相比，同样会给人以深刻的印象，而青铜时代的技术发展又使旧石器时代晚期的技术发展相形见绌。

技术往往会催化自身的一个原因是：技术的进步决定于在这之前对一些比较简单的问题的掌握。例如，石器时代的农民不会直接开始炼铁和对铁进行加工，因为那必须有高温的炼铁炉才行。铁矿冶金术是人类几千年经验的结晶，人类开始时只是利用天然显露的软质纯金属（铜和金），在不需加热的情况下把它们捶打成形。它也是一些简单炉窑几千年发展的结果，这些炉窑用来烧制陶器，后来又被用来提炼铜矿和熔炼铜合金（青铜），因为做这些事不需要炼铁那样的高温。在新月沃地和中国，只是在有了大约2000年的青铜冶炼的经验之后，铁器才变得普遍起来。当欧洲人的到来缩短了新大陆的独立发展轨迹时，新大陆社会刚刚开始制造青铜器，还不曾开始制造铁器。

自我催化的另一个原因是：新技术和新材料通过重新结合可以产生更新的技术。例如，为什么印刷术的迅速传播发生在公元1455年谷登堡印刷了他的《圣经》之后的中世纪欧洲，而不是发生在公元前1700年那位无名的压印工印制了菲斯托斯圆盘之后？一部分原因是中世纪欧洲的印工能够把6项新技术结合起来，而这些新技术的大部分是菲斯托斯圆盘的制作者无法得到的。在这些技术进步——纸、活字、冶金术、印刷机、油墨和文字中，纸和关于活字的思想是从中国传到欧洲的。谷登堡发明的用金属模子铸字的办法克服了字体大小不一这种致命的问题，而他的办法又决定于冶金术的许多发展成果：用以冲压字母的钢、做字模用的黄铜或青铜合金（后来用钢代替）、做铸模用的铅和做活字用的锡锌铅合金。谷登堡的印刷机来自榨酒和橄榄油的螺旋压床，而他的油墨则是在现有的墨水中加油改进而成。中世纪欧洲从3000年的字母发展中继承的字母文字适合于用活字印刷，因为只需浇铸几十个字母就行了，不像中国文字那样需用几千个语言符号。

在所有这6个方面，若要把具有巨大作用的技术结合成一个印刷系统，菲斯托斯圆盘制作者能够得到的机会要比谷登堡少得多。这个圆盘的书写材料是黏土，其体积和重量都比纸大得多。公元前1700年的克里特岛在冶金技术、油墨和印刷机方面比公元1455年的德国都要原始，因此菲斯托斯圆盘必须用手来压印，而不是用装在金属框子里的浇铸活字加上油墨来印刷。圆盘上的文字是一种音节文字，比谷登堡使用的罗马字母符号更多，结构也更复杂。结果，菲斯托斯圆盘的压印技术比谷登堡的印刷机笨拙得多，比手写也好不了多少。除了所有这些技术上的缺点外，在印制菲斯托斯圆盘的那个时候，掌握书写知识的只有少数几个宫廷和寺庙抄写员。因此，对圆盘制作者的精美产品几乎没有什么需求，对投资制作所需要的几十个手压印模也几乎没有什么吸引力。相比之下，中世纪欧洲潜在的印刷品畅销市场则诱使许多投资者把钱借给谷登堡。

人类技术的发展是从不迟于250万年前使用的最早石器到1996年的激光印刷机，这种印刷机取代了我的业已过时的1992年的激光印刷机，并被用来印刷本书的手搞。开始时发展的速度慢得觉察不出来，几十万年过去了，我们的石器看不出有任何变化，用其他材料制造的物品也没有留下任何证据。今天，技术的发展非常迅速，报纸上天天都有报道。

在这漫长的加速发展的历史中，我们可以挑出两次意义特别重大的飞跃。第一次飞跃发生在10万年到5万年前，其所以能够发生，大概是由于我们身体的遗传变化，即人体的现代解剖学进化使现代语言或现代大脑功能或两者成为可能。这次飞跃产生了骨器、专用石器和复合工具。第二次飞跃来自我们选定的定居生活方式，这种生活方式在世界的不同地区发生的时间不同，在有些地区早在13000年前就发生了，在另一些地区即使在今天也还没有发生。就大多数情况而言，选定定居的生活方式是同我们采纳粮食生产联系在一起的，因为粮食生产要求我们留在我们的作物、果园和剩余粮食储备的近旁。

定居生活对技术史具有决定性的意义，因为这种生活使人们能够积累不便携带的财产。四处流浪的狩猎采集族群只能拥有可以携带的技术。如果你经常迁移而且又没有车辆或役畜，那么你的财产就只能是小孩、武器和最低限度的其他一些便于携带的小件必需品。你在变换营地时不能有陶器和印刷机之类的累赘。这种实际困难或许可以说明何以有些技术出现得逗人地早，接着停了很长时间才有了进一步的发展。例如，得到证明的最早的陶瓷艺术品是27000年前在现代捷克斯洛伐克地区用黏土烧制的人像，在时间上大大早于已知最早的用黏土烧制的容器(在14000年前的日本发现)。捷克斯洛伐克的同一地区在同一时间还出现了关于编织的迹象，但直到大约13000年前才出现了已知最早的篮子和大约9000年前出现了已知最早的布，这时最早编织的出现才得到了证明。尽管在很早的时候人们就已迈出了这几步，但在人们定居下来从而免去携带坛坛罐罐和织机的麻烦之前，无论是制陶还是编织都不会产生。

粮食生产使定居生活因而也使财产积累成为可能。不仅如此，由于另一个原因，粮食生产还在技术史上起了决定性的作用。它在人类进化中第一次使发展经济专业化社会成为可能，这种社会是由从事粮食生产的农民养活的不从事粮食生产的专门人员组成的。但我们在本书的第二部分中已经看到，粮食生产在不同的时间出现在不同的大陆。另外，我们在本章中也已看到，本地技术的发生和保持，不但要依靠本地的发明，而且也要依靠来自其他地方的技术传播。这个因素往往使技术在没有可能影响其传播的地理和生态障碍的大陆上发展得最快，而这种传播可能发生在这个大陆的内部，也可能发生在其他大陆。最后，一个大陆上的每一个社会都体现了发展技术和采用技术的进一步机会，因为各个社会在创新精神方面由于许多不同的原因而存在着巨大的差异。因此，在所有其他条件相同的情况下，技术发展最快的是那些人口众多、有许多潜在的发明家和许多互相竞争的社会的广大而富有成果的地区。

现在，让我们来总结一下，粮食生产开始的时间、技术传播的障碍和人口的多寡这3大因素的变化，是怎样直接导致我们所看到的各大陆之间在技术发展方面的差异的。欧亚大陆（实际上也包括北非在内）是世界上最大的陆块，包含有数量最多的互相竞争的社会。它也是拥有粮食生产开始最早的两个中心的陆块，这两个中心就是新月沃地和中国。它的东西向的主轴线，使欧亚大陆一个地区采用的许多发明较快地传播到欧亚大陆具有相同纬度和气候的其他地区的社会。它的沿次轴线（南北轴线）的宽度，同美洲巴拿马地峡的狭窄形成了对照。它没有把美洲和非洲的主轴线切断的那种严重的生态障碍。因此，对技术传播的地理和生态障碍，在欧亚大陆没有在其他大陆那样严重。由于所有这些因素，后更新世技术的加速发展，在欧亚大陆开始得最早，从而导致了本地最大的技术积累。

北美洲和南美洲在传统上被看作是两个不同的大陆，但它们连接在一起已有几百万年之久，它们提出了同样的历史问题，因此可以把它们放在一起来考虑，以便和欧亚大陆相比较。美洲构成了世界上第二大的陆块，但比欧亚大陆小得多。不过，它们在地理和生态上却支离破碎：巴拿马地峡宽不过40英里，等于在地理上把美洲给腰斩了，就像这个地峡上的达里安雨林和墨西哥北部的沙漠在生态上所做的那样。墨西哥北部的沙漠把中美洲人类的先进社会同北美洲的社会分隔开了，而巴拿马地峡则把中美洲的先进社会同安第斯山脉地区和亚马孙河地区的社会分隔开了。此外，美洲的主轴线是南北走向，从而使大部分的技术传播不得不逆纬度（和气候）的梯度而行，而不是在同一纬度内发生。例如，轮子是在中美洲发明的，而美洲驼是不迟于公元前3000年在安第斯山脉中部驯化的，但过了5000年，美洲的这唯一的役畜和唯一的轮子仍然没有碰头，虽然中美洲马雅社会同印加帝国北部边界之间的距离（1200英里）比同样有轮子和马匹的法国同中国之间6000英里的距离要短得多。在我看来，这些因素足以说明美洲在技术上落后于欧亚大陆这个事实。

非洲撒哈拉沙漠以南地区是世界上第三大的陆块，但比美洲小得多。在人类的大部分历史中，到欧亚大陆比到美洲容易多了，但撒哈拉沙漠却仍然是一个主要的生态障碍，把非洲撒哈拉沙漠以南地区同欧亚大陆和北非隔开。非洲的南北轴线造成了欧亚大陆与非洲撒哈拉沙漠以南地区之间以及撒哈拉沙漠以南地区本身内部技术传播的又一障碍。作为后一障碍的例子，陶器和炼铁术出现在或到达非洲撒哈拉沙漠以南的萨赫勒地带（赤道以北），至少同它们到达西欧一样早。然而，陶器直到公元元年才到达非洲的南端，而冶金术在从欧洲由海路到达非洲南端时，还不曾由陆路传播到那里。

最后，澳大利亚是最小的一个大陆。澳大利亚大部分地区雨量稀少，物产贫乏，因此，就其所能养活的人口来说，它实际上就显然甚至更小。它也是一个最孤立的大陆。加之，粮食生产也从来没有在澳大利亚本地出现过。这些因素加在一起，就使澳大利亚成为唯一的在现代仍然没有金属制品的大陆。

表13.1通过对各大陆的面积和现代人口的比较，把上述因素变成数字。1万年前在粮食生产出现前夕的各大陆人口的多少，我们无法知道，但想必就是表中的这个排列顺序，因为今天生产最多粮食的许多地区，对1万年前的狩猎采集族群来说，可能也是物产丰富的地区。人口的差异是引人注目的：欧亚大陆（包括北非在内）的人口差不多是美洲人口的6倍，差不多是非洲人口的8倍，澳大利亚人口的230倍。人口多意味着搞发明的人和互相竞争的社会也多。表13.1本身大大有助于说明欧亚大陆的枪炮和钢铁的由来。

表13.1　各大陆的人口

大　　陆	1990年人口	面积（平方英里）
欧亚大陆和北非	4120000000	24200000
（欧亚大陆）	（4000000000）	（21500000）
（北非）	（120000000）	（2700000）
北美和南美	736000000	16400000
非洲撒哈拉沙漠以南地区	535000000	9100000
澳大利亚	18000000	3000000

各大陆之间在面积、人口、技术传播的难易程度和粮食生产的开始时间等方面存在着差异，而这些差异又对技术的出现产生了种种影响，但所有这些影响都被夸大了，因为技术可以催化自身。欧亚大陆在开始时的巨大优势因此就变成了自1492年[8]起的巨大的领先优势——其原因是欧亚大陆独特的地理条件，而不是那里的人特别聪

明。我所认识的那些新几内亚人中就有潜在的爱迪生。不过，他们把自己的聪明才智用于解决适合自己情况的技术问题：不靠任何进口物品而在新几内亚丛林中生存的问题，而不是发明留声机的问题。

注　释：

1. 约翰内斯·谷登堡（1398—1468）：德国金匠，发明活字印刷术，包括铸字盒、冲压字模、浇铸铅合金活字、印刷机及印刷油墨，排印过《42行圣经》等书。——译者

2. 塔斯马尼亚岛：在澳大利亚东南部。——译者

3. 据《希腊神话》，主神宙斯在得知智慧女神墨提斯将要生下的儿子会夺取其权位时，在墨提斯生下儿子前将其吞噬。后宙斯忽觉头痛欲裂，遂令其子赫菲斯托斯用斧头将其头颅劈开，于是雅典娜从其前额跳了出来。——译者

4. 我发现了！：相传为阿基米德根据比重原理测出金子纯度时所说的话；现用作因重大发现而发的惊叹语。——译者

5. 胡格诺派教徒：指16—17世纪法国基督教新教徒，多数属加尔文宗。他们与天主教徒的对立导致了宗教战争(1562—1598)。1685年，许多胡格诺派教徒逃往瑞士、英格兰和美洲，对那里的工业经常作出重大的贡献。——译者

6. 史载：公元750年(唐天宝9年)，唐将高仙芝伪与石国(今乌兹别克斯坦首都塔什干一带)约和，袭俘其王。公元751年(唐天宝10年)，石国王子西奔，欲引大食攻四镇。高仙芝攻大食，至怛罗斯城(今哈萨克斯坦的江布尔)大败而归。被俘唐兵中有造纸工匠，传其术至撒马尔罕(今乌兹别克斯坦中部城市)。——译者

7. 美拉尼西亚：西南太平洋的岛群，意为“黑人群岛”，主要包括新喀里多尼亚岛、斐济群岛和所罗门群岛。——译者

8. 1492年：哥伦布发现新大陆的一年。——译者

第十四章　从平等主义到盗贼统治

1979 年，我和几个传教士朋友坐飞机飞越新几内亚的一个到处是沼泽的偏远盆地时，我注意到一些相隔好多英里的简陋小屋。驾驶员向我解释说，在我们下面那一大片泥淖中的某个地方，有一群猎捕鳄鱼的印度尼西亚人不久前碰上了一群新几内亚的游牧民。这两群人都惊慌失措，这次意外的相遇最后以印度尼西亚人开枪打死几个游牧民而告终。

我的传教士朋友们猜想，这些游牧民属于一个从未和外界接触过的叫做法尤族的群体，外界只是通过他们的被吓坏了的叫做基里基里族的邻居的描述才知道他们的。基里基里族从前也是游牧民族，后来因接受福音而改变了信仰。外人和新几内亚的一些群体的初次接触，始终存在着潜在的危险，但像这样的开端就尤其不吉利。尽管如此，我的朋友道格还是坐直升机飞了进来，他想要和法尤人建立友好关系。他倒是活着回来了，但却显得心有余悸，他讲了一个非同一般的故事。

原来法尤族人通常都是独家居住，他们散布在整个沼泽地带，每年聚会一两次，谈判交换新娘的事。道格的访问碰巧赶上了有几十个法尤族人参加的一次这样的聚会。对我们来说，几十个人只是一个小小的普通聚会，但对法尤族人来说，这却是一个少有的令人心惊肉跳的事件。杀人凶手突然间同死者的亲属狭路相逢。例如，一个法尤族男子认出了杀死他父亲的人。这个做儿子的举起斧头向杀人凶手冲去，但被朋友们摔倒在地上；于是，那个杀人凶手也拿起斧头向倒在地上的那个做儿子的人走过来，但也给人摔倒在地上。这两个人都给紧紧地按住，他们大声怒喊，直到好像差不多筋疲力尽了才被放开。其他的人则不时地对骂，愤怒和失望使他们浑身发抖，他们用斧头不住狠狠地敲击地面。在聚会的几天中一直就是这样紧张，使道格不停地祷告这次访问不要以暴力收场。

法尤族人过着狩猎采集生活，他们大约有400人，分为4个族群，在几百平方英里的范围内游荡。根据他们自己的描述，他们原来有2000人左右，但由于自相残杀，他们的人口大大减少了。他们没有我们认为理所当然的政治和社会机构来和平解决严重的争端。最后，由于道格的这次访问，法尤族人的一个群体邀请了一对勇敢的传教士夫妇和他们一起生活。这对夫妇如今已在那里住了十几年，并逐步说服法尤族人放弃暴力。这些法尤族人由此被带入了现代世界，在他们的前面是一个难以预料的未来。

其他许多以前从未与外界接触过的新几内亚人和亚马孙河地区印第安人的群体，同样由于传教士的作用而被吸收进现代社会。跟在传教士后面到来的是教师和医生、政府官员和士兵。政府和宗教的扩张在整个有文字记载的历史上一直就是这样相互联系在一起的，不管这种扩张是以和平手段实现的（如最后对法尤族人），还是以暴力手段实现的。就后一种情况来说，通常都是由政府来组织征服，然后再由宗教来为这种征服辩护。虽然游牧民族和部落民族偶尔也打败过有组织的政府和宗教，但在过去的13000年中，总的趋势是：失败的还是游牧民族和部落民族。

在上一次冰期结束时，世界上很大一部分人口生活在类似今天法尤族的社会中，没有人是在一种复杂得多的社会中生活的。晚至公元1500年，全世界的土地被用边界线划分成由官员管理和法律统治的国家的还不到20%。今天，除南极大陆外，所有的土地都被划分成国家了。有些社会最早实现了集中统一的政府和有组织的宗教，而这些社会的子孙后代最后主宰了现代世界。政府和宗教就是这样结合起来发挥了作用，它们是产生历史最广泛模式的4组主要的直接动力之一，另外3组动力是病菌、文字和技术。那么，政府和宗教又是怎样产生的呢？

法尤族群和现代国家代表整个人类社会的两个极端。现代美国社会和法尤族人社会的差异，在于有或没有专门的警察、机关、城市、金钱、贫富悬殊和其他许多政治、经济和社会制度。所有这些制度是一起产生的，还是有先有后？我们可以推断出对这个问题的答案，办法是研究关于过去社会的文字记录或考古证据和观察某个社会的制度在历史上的变迁情况。

试图描绘人类社会多样性的文化人类学家，常常把人类社会分为6、7种类型之多。有人试图为任何进化的或发展的统一体确定几个阶段——无论是关于音乐风格的、人类生活阶段的或是人类社会的，但任何此类做法都加倍注定是有缺陷的。首先，由于每一个阶段都是从前面的某个阶段发展来的，阶段与阶段之间的分界线不可避免地带有任意的性质。(例如，一个 19 岁的人是青少年还是年轻的成人?)其次，发展的顺序也不是一成不变的，因此被分在同一阶段的例子必然是五花八门的。(勃拉姆斯和李斯特如果知道他们现在一起被归入浪漫主义时期作曲家一类，他们在坟墓里也会感到不安的。)不过，如果人们牢记上面提出的告诫，任意划分的阶段却为讨论音乐和人类社会的多样性提供了一种有用的简便方法。本着这一精神，我们将要使用一种以族群、部落、酋长管辖地和国家这 4 种分类(见表 14.1)为基础的简单分类法来了解人类社会。

族群是最小的社会，一般由 5 到 80 人组成，其中大多数或全部是有血缘关系或婚姻关系的近亲。事实上，一个族群就是一个大家庭或几个有亲缘关系的大家庭。今天，仍然过着独立自主生活的族群，几乎只能在新几内亚和亚马孙河流域最偏远的地区找到，但在现代有许多别的族群受到了国家的控制，或者被同化，或者被消灭。他们包括许多或大多数的非洲俾格米人、非洲南部以狩猎采集为生的桑人(所谓布须曼人)、澳大利亚土著人、爱斯基摩人(伊努特人)以及美洲的某些资源贫乏地区如火地岛和北部山区森林中的印第安人。所有这些现代的族群无论现在或过去都是四处流浪以狩猎和采集为生的人，而不是定居的粮食生产者。直到至少 4 万年前，大概所有的人都生活在族群中，而大多数人晚至 11000 年前还仍然如此。

族群没有我们在自己的社会中认为理所当然的那许多制度。他们居无定所。族群的地盘为整个集体共同使用，而不是划分给小集团或个人。除了年龄和性别之分，族群中没有任何固定的经济专门化：体格健全的人一律自己去觅食。没有诸如法律、警察和条约之类的正式制度来解决族群内部和族群之间的冲突。族群组织常常被

表14.1 社会的类型

	族群	部落	酋长管辖地	国家
成员				
人数	几十	几百	几千	5万以上
安顿类型	游牧的	固定的：1个村落	固定的：1个或多个村落	固定的：许多村落
关系的基础	亲属	以亲属为基础的氏族	阶级和住所	阶级和住所
种族渊源和语言	1种	1种	1种	1种或多种
政府				
决策、领导	“平等主义”	“平等主义”或有权威的人	集中统一的、世袭的	集中统一的
行政系统	无	无	无，或1级或2级	多级
对武力和信息的垄断	无	无	有	有
冲突的解决办法	非正式的	非正式的	集中统一的	法律、法官
定居地等级	无	无	无→最重要的村落	首都
宗教				
为盗贼统治辩护?	无	无	有	有→无
经济				
粮食生产	无	无→有	有→集约的	集约的
分工	无	无	无→有	有
交换	对等的	对等的	重新分配的（“贡品”）	重新分配的（“税收”）
对土地的控制	族群	氏族	酋长	各种各样
社会				
划分为阶层的	无	无	有，按家族划分	有，不按家族划分
奴役	无	无	小规模	大规模
上层人士享受的奢侈品	无	无	有	有
公共建筑	无	无	无→有	有
本土的文化教育	无	无	无	经常

水平方向的箭头表示该类型的较不复杂和较复杂的社会之间属性的差异。

人说成是“平等主义的”：没有上层阶级和下层阶级之分的正式化了的社会阶层，没有正式化了的或世袭的领导地位，也没有正式化了的对信息和决策的垄断。然而，不应把“平等主义的”这个词拿来表示所有族群都有同等的威望，对决策都有同等的权力。这个词只是表示族群中的任何“领导地位”都是非正式的，它是通过诸如个性、力量、智慧和战斗技巧之类的品质而获得的。

我自己对族群的经验来自新几内亚法尤族人居住的一个叫做湖泊平原的多沼泽的低地地区。在那里，我仍能碰到一些由几个成年人带着他们扶养的儿童和老人组成的大家庭，这些人住在溪流旁临时搭起来的简陋小屋里，他们出行靠独木舟和步行。在大多数其他新几内亚民族和世界上其他地方几乎所有其他民族今天在过着大群的定居生活时，为什么湖泊平原上的民族仍然在过着游牧的族群生活？对这个问题的解释是：这个地区没有可以使许多人生活在一起的本地大量集中的资源，而且(在传教士带来农作物之前)它也没有使多产农业成为可能的本地植物。族群食物的主要来源是西谷椰子树，这种树在成熟时，它的果心就产生了一种含淀粉的木髓。这些族群之所以过着流浪生活，是因为他们在把一个地区成熟的西谷椰子树砍光后，他们必须迁往别的地方。由于疾病(尤其是疟疾)，由于沼泽地带缺少原料(甚至连做工具用的石头都必须靠交换得来)，以及由于沼泽地带为人类提供的食物数量有限，族群的数目一直很少。对人类现有技术能够利用的资源的类似限制，在世界上不久前为其他族群所占有的地区仍很普遍。

与人类亲缘关系最为接近的动物——非洲的大猩猩、黑猩猩和产于刚果河以南的倭黑猩猩——也是生活在族群中的。所有人类大概也都是如此，直到经过改进的觅食技术使得某些狩猎采集族群在某些资源丰富的地区的永久性住所定居下来。这种族群就是我们从几百万年的演化史继承下来的政治、经济和社会组织。超越这个阶段的发展则是近几万年中发生的事。

超越族群的那些阶段中的第一个阶段是部落。部落与族群的区别是它比较大(一般有几百人，而不是几十人)，而且通常有固定的住所。然而，有些部落，甚至有些由酋长管辖的部落，却是由随季节而迁移的牧人组成的。

新几内亚的高原居民就属于典型的部落组织。在殖民政府来到前，他们的政治单位是一个村落或紧密结合在一起的一批村落。因此，这种从政治上界定的“部落”，通常要比语言学家和文化人类学家所界定的部落小得多——即部落是一个具有共同的语言和文化的群体。例如，1964 年，我开始在一群叫做福雷族的高原居民中工作。按照语言学和文化的标准，当时的福雷族有 12000 人，操两种互相听得懂的方言，生活在 65 个村落里，每个村落有几百人。但在属于福雷语族的一些村落中并没有任何政治上的统一。每一个小村庄都卷入了同所有邻近小村庄一会儿战争一会儿改变结盟的令人眼花缭乱的老一套纷扰之中，而不管这些邻居是福雷人还是操某种不同语言的人。

不久前独立的并且现在纷纷隶属民族国家的一些部落，仍然占据着新几内亚、美拉尼西亚和亚马孙河流域的很大一部分地区。我们从一些定居点的考古证据推知，在过去也存在过类似的部落组织，这类定居点虽然数量不少，但都缺乏关于酋长管辖地的考古特征，这一点我将在下面予以说明。关于定居点的考古证据表明，部落组织于大约 13000 年前开始在新月沃地出现，后来又在其他一些地区出现。

在定居点里生活的一个先决条件或是粮食生产，或是物产丰富的环境，具有可以在很小地区内进行狩猎和采集的特别集中的资源。这就是在气候变化加上技术改进使人们能够收获大量的野生谷物的时候，定居点和由此推知的部落开始在新月沃地数量激增的原因。

部落和族群的不同点是部落有固定的住所和人数更多，除此以外，还有一点也是不同的，那就是：部落是由不止一个的得到正式承认的亲属群体所组成，这些群体称为氏族，氏族之间互相通婚。土地属于某个氏族，不属于整个部落。然而，部落的人数仍然很少，每一个人都知道另外每一个人的名字和他的各种亲属关系。

对人类其他类型的群体来说也是一样，在一个群体里如要做到彼此了解，这个群体的人数最多似乎以“几百人”为宜。例如，在我们的国家社会中，如果一所学校只有几百个小学生，校长可能叫得出他所有学生的名字，而如果这所学校里有几千个小学生，他就做不到了。在超过几百人的社会中，人类的政府组织往往都是由部落组织转换为酋长管辖地组织，这种情况的一个原因是：在不认识的人们之间解决冲突本来就是一个难题，而随着群体的扩大，这个难题也变得日益尖锐起来。有一个事实在解决部落成员之间的冲突时有助于化解可能出现的问题，这个事实就是部落中的每一个人和其他每一个人或是有血缘关系，或是有姻亲关系，或是两种关系都有。把所有部落成员维系在一起的这种亲属关系纽带，使得人数较多的社会才有的警察、法律和其他解决冲突的制度变得不必要了，因为任何两个发生争执的村庄都有许多共同的亲属，他们对双方施加压力，使争执不致演变成激烈的冲突。在新几内亚的传统社会里，如果一个新几内亚人碰巧和另一个陌生的新几内亚人发生冲突，而两人离开各自的村庄又都很远，于是两人就长时间地谈论他们的亲属，试图建立某种关系，从而找到某种理由使两人不会产生要杀死对方的念头。

尽管族群和部落之间存在着这种种差异，但它们仍然有许多类似之处。部落仍然具有一种非正式的、“平等主义的”政府制度。信息和决策都是公共的。在新几内亚高原地区，我观看过一些村庄会议，村子里的成年人全都到会，他们坐在地上，大家轮流发言，看不出有什么人在“主持”讨论。高原地区的许多村庄的确都有一个叫做“大人物”的人，也就是村子里最有影响的人。但这种地位不是一个由人来担任的正式职务，而且也只有有限的权力。这个大人物没有独立的决策权，对外交秘密一无所知，除了试图影响公共决定外，他什么也做不了。大人物靠他们自己的德性获得了这种身份；他们的地位是不能世袭的。

部落和族群一样，也有一种“平等主义的”社会制度，而没有分成等级的家族或阶级。不但身份地位是不能世袭的，而且在传统的部落或族群成员中，任何人都不能靠自己的努力而过于富有，因为每个人对其他许多人都负有义务和责任。因此，外来人很难从外表上猜出在村子里的所有成年人中谁是大人物，因为他和其他每一个人一样，住的是同样的简陋小屋，穿的是同样的衣服，佩戴的是同样的装饰品，或者和大家一样赤身裸体。

和族群一样，部落也没有行政系统、警察部门和税收机关。它们的经济以个人或家族之间的对等交换为基础，而不是以重新分配向某个中央权威交纳的贡品为基础。经济专门化的程度是微不足道的：没有全职的工艺专门人材，每个体格健全的成年人(包括大人物)都要参加对食物的种植、采集和猎捕。我记得，有一次我在所罗门群岛走过一个园圃时，看见远处一个正在挖地的人向我招手，我惊讶地发现那是我的一个名叫法勒多的朋友。他是所罗门群岛最著名的木刻家，一个极富独创性的艺术家——但这并没有使他不必亲自去种甘薯。由于部落如此缺乏经济专家，它们也缺乏奴隶，因为没有适合奴隶去做的专门的低贱工作。

就像古典时期作曲家，从巴赫到舒伯特，从而包括从巴罗克风格[1]作曲家到浪漫主义作曲家的整个流派一样，部落也是从一个极端的族群渐变而来，又渐变而为另一极端的酋长管辖地。尤其是，部落在为举行盛宴而杀猪时由大人物来分配猪肉，他的这个角色预示了酋长在其管辖地收集和再分配食品和货物——现在被重新解释为贡品——中所扮演的角色。同样，有没有公共建筑物大概也是酋长管辖地和部落的区别之一，但新几内亚的一些大村庄也常常建有一些供举行膜拜仪式之用的屋子(以西皮克河畔的鼓屋闻名)，它们就是酋长管辖地庙宇的前身。

虽然在国家控制之外的偏远的生态贫瘠地区今天仍然幸存着一些族群和部落，但完全独立的酋长管辖地到20世纪初就已经消失了，因为它们往往占据着使国家垂涎三尺的最好的土地。然而，直到公元1492年，酋长管辖地仍然普遍存在于美国东部的广大地区，存在于南美洲、中美洲和非洲撒哈拉沙漠以南还没有被划归土邦的物产丰富的地区以及波利尼西亚的所有地区。下面讨论的考古证据表明，酋长管辖地出现在新月沃地不迟于公元前5500年左右，出现在中美洲和安第斯山脉地区不迟于公元前1000年左右。让我们来考虑一下酋长管辖地完全不同于现代欧美国家同时也完全不同于族群和简单的部落社会的显著特点。

就人口的多少而言，酋长管辖地的人口比部落的人口多得多，从几千人到几万人不等。这样多的人口造成了内部冲突的严重的潜在威胁，因为对于任何一个生活在酋长管辖地的人来说，酋长管辖地的广大多数的其他人和他既没有密切的血缘关系或姻亲关系，他也叫不出他们的名字。随着大约7500年前酋长管辖地的出现，人们在历史上第一次不得不学会如何经常地去和陌生人打交道而又不想把他们杀死。

对这个问题的部分解决办法，是赋予一个人即酋长以使用武力的独占权利。与部落的大人物不同，酋长拥有得到公认的职位，并对这个职位有世袭权。和村落会议上权力分散的无政府状态不同，酋长是永远的权力中心，他作出所有的重大决定，并垄断重要的信息（如邻近酋长管辖地的酋长个人会构成什么样的威胁，或者诸神可能已应允赐予什么样的收获）。和大人物不同，酋长都有醒目的标志，在远处就能认出来，如西南太平洋伦纳尔岛上的酋长背后插着一把大扇子。一个平民遇见了酋长就得按规矩做出尊敬的表示，如（在夏威夷）使自己拜倒在地。酋长的命令可以通过一两级官员来传达，这些官员中有许多本身就是低级酋长。然而，与国家官员不同的是，酋长管辖地的官员什么都干，而没有专门分工。在波利尼西亚群岛的夏威夷，这些官员（称为科诺希基）征收贡品和管理灌溉，并为酋长组织徭役工作，而国家社会则分别设有税收官、水利地区管理人和征兵局。

酋长管辖地在小范围内的众多人口需要大量的粮食，这些粮食在大多数情况下靠粮食生产来获得，而在一些物产特别丰富的地区则靠狩猎和采集来获得。例如，美洲太平洋西北沿岸的印第安人，如夸扣特尔族印第安人、努特卡族印第安人和特林基特族印第安人，在酋长的领导下生活在没有农业和家畜的村落里，因为那里的河流和海洋盛产鲑鱼和大比目鱼。被降级为平民的一些人所生产的多余粮食被用来养活酋长、他们的家庭、官员和从事制造独木舟、扁斧或痰盂等工作或做捕鸟人或文身匠的有一技之长的专门人材。

奢侈品有那些专门的手工制品或与远方贸易换来的珍稀物品，这些东西都归酋长所有。例如，夏威夷的一些酋长都有羽毛斗篷，有些斗篷是由几万根羽毛经过许多世代人的努力才编织成的（当然是由平民斗篷编织工来完成的）。这种奢侈品的集中，使得在考古中能够认出酋长的身份，因为有些坟墓（酋长的坟墓）里的陪葬物品要比另一些坟墓（平民的坟墓）里的陪葬物品丰富得多，这一点和这以前的人类历史上的平等主义的墓葬是不同的。有些古代复杂的酋长管辖地也能够同部落村庄区别开来，区别的根据是精心设计的公共建筑（如寺庙）遗迹和地区内定居点的等级，其中一处住地（至高无上的酋长的住地）显然比其他住地大，其中的办公用房和人工制品也较其他住地多。

与部落一样，酋长管辖地由多个生活在一个住地的世袭家族组成。不过，部落村庄里的家族是地位平等的氏族，而酋长管辖地的酋长家族的所有成员都享有世袭的特权。事实上，这个社会被分为世袭酋长和平民阶级两种人，而夏威夷的酋长本身又再分为8个等级森严的家族，每一个家族只能在家族内部通婚。此外，由于酋长不但需要有专长的手艺人，而且也需干粗活的仆人，因此酋长管辖地和部落的又一个区别是前者设有许多可以由奴隶来担任的工作，而这些奴隶一般都是在对外劫掠中俘获来的。

酋长管辖地在经济上的最显著特点是：它们已开始改变完全依赖那种为族群和部落所特有的对等交换的办法，根据这种办法，A送给B一个礼物，同时又指望B在将来某个未特别规定的时间把一个类似价值的礼物送给A。我们现代国家的居民只有在生日和假日才这样做，但我们的大多数商品流通都是按照供需规律进行金钱买卖来实现的。酋长管辖地在继续实行对等交换和没有市场买卖或货币的同时，发展出了另一种叫做再分配经济的新制度。一个简单的例子是：酋长在收获季节从他的管辖地的每一个农民那里收到了小麦，然后宴请大家吃面包，或者把小麦贮藏起来，再在下次收获之前的日子里把小麦逐步地分配给大家。如果从平民那里收到的很大一部分货物不是再分配给他们，而是留给酋长的家族和手艺人消费，这种再分配就变成了进贡，也就是首次在酋长管辖地出现的税收前身。酋长不但向平民索取财物，而且还要求他们提供建设公共工程的劳动力，而这又一次可能对平民有利（例如有助于养活每一个人的灌溉系统），要不然那就主要对酋长们有利了（例如穷奢极侈的墓葬）。

我们对酋长管辖地进行了一般性的讨论，似乎它们全都是一个模式。事实上，酋长管辖地的差别是很大的。在较大的酋长管辖地，酋长的权力更大，酋长家族的等级更多，酋长和平民之间的差异更明显，酋长保留的贡物更多，官员的层次更多，公共建筑也更宏伟。例如，波利尼西亚的小岛上的社会实际上与有大人物的部落社会颇为相似，只不过酋长这个职位是世袭的罢了。酋长住的简陋小屋看上去同任何其他简陋的小屋一样，那里没有官员，也没有公共建筑，酋长把他收到的大多数财物重新分配给平民，土地则由社区来管理。但在波利尼西亚最大的岛如夏威夷岛、塔希提岛和汤加岛上，酋长靠他们的装饰一眼就可以认出来，公共建筑是靠大批劳动力来修建的，大部分贡物都被酋长留下了，并且所有土地也为他们所控制。在家族分成等级的社会中，政治单位就是一个自治村庄的社会，又进一步演化为由整个地区内一批村庄集合而成的社会，而在这一批村庄中，有一个至高无上的酋长的那个最大的村庄控制着只有次要酋长的较小的村庄。

至此，有一点应该是显而易见的，这就是酋长管辖地带来了对集中管理的、非平等主义社会来说带有根本性质的两难处境。从最好的方面说，它们可以提供个人无法承办的昂贵服务。从最坏的方面说，它们公然地在起着盗贼统治的作用，把实际财富从平民手中转移到上层阶级手中。这种高尚和自私的双重作用难分难解地联系在一起，虽然有些政府强调一种作用要大大多于强调另一种作用。盗贼统治者和英明政治家的区别，强盗贵族和公益赞助人的区别，只是程度不同而已：这只是一个从生产者那里榨取来的财物有多少被上层人物留下来的问题，是平民对把重新分配的财物用于公共目的喜欢到什么程度的问题。我们认为扎伊尔的蒙博托总统就是一个盗贼统治者，因为他把太多的财物（相当于几十亿美元）据为己有，而把太少的财物拿来重新分配（在扎伊尔没有可以实际使用的电话系统）。我们认为乔治·华盛顿是一个政治家，因为他把税款用于受到广泛赞誉的计划，而不是中饱总统的私囊。不过，华盛顿是生而富有的，而财富的分配在美国要比在新几内亚的村庄不公平得多。

对于任何等级社会，无论是酋长管辖地或是国家，人们于是不禁要问，为什么平民会容忍把他们艰苦劳动的成果奉送给盗贼统治者？从柏拉图到马克思的所有政治理论家都提出过这个问题，在现代的每一次选举中选民们又重新提出了这个问题。得不到公众支持的盗贼统治者有被推翻的危险，不是被受压迫的平民所推翻，就是被暴发的想要取而代之的盗贼统治者所推翻，这些新贵们用许诺为被窃取的果实提供更多服务的办法来谋求公众的支持。例如，夏威夷的历史上曾不断出现过反对压迫者酋长的叛乱，而这些叛乱通常又都是由许诺减轻压迫的酋长的兄弟们领导的。从过去夏威夷的情况来看，我们也许会觉得这听起来滑稽可笑，但只要我们考虑一下这种斗争在现代世界所造成的种种苦难，我们就不会有这种感觉了。一个上层人物在仍然保持比平民舒服的生活方式时，要怎样做才能获得群众的支持呢？从古至今的盗贼统治者混合使用了4种办法：

1．解除平民的武装，同时武装上层掌权人物。这在使用高科技武器的现代比使用长矛和棍棒的古代容易得多，因为现代的武器只有在工厂里才能生产，也容易被上层人物所垄断，而古代的武器在家里就能容易地制造出来。

2．用通行的方法把得到的财物的很大一部分再分配给群众来博取他们的欢心。这个原则对过去的夏威夷的酋长与对今天的美国政治家同样有效。

3．利用对武力的绝对控制来维持公共秩序和制止暴力以促进社会幸福。这可能是中央集权的社会对非中央集权的社会的一个巨大的、未得到正确评价的优势。人类学家以前把族群社会和部落社会理想化了，说它们是温和的没有暴力的社会，因为一些访问的人类学家对一个25人的族群经过3年的研究，竟没有发现一例谋杀事件。他们当然不会发现：一个由十来个成年人和十来个儿童组成的族群，由于谋杀以外的通常原因，还常常要碰到一些无论如何都必然发生的死亡，如果在这些死亡之外，在这十来个成年人中有一个每隔3年杀死另一个成年人，那么这个族群本身就不可能长久存在下去，这一点是很容易计算出来的。关于族群社会和部落社会的广泛得多的长期积累的资料表明，谋杀是死亡的首要原因。例如，当一位女人类学家在向新几内亚伊亚乌族妇女调查她们的生活史时，我碰巧也在访问伊亚乌人。当一个又一个女人被要求说一说她的丈夫时，她会说出一连几个死于非命的丈夫。典型的回答是这样的："我的第一个丈夫被埃洛皮族的袭击者杀死了。我的第二个丈夫被一个想要我的人杀死了，这个人就成了我的第三个丈夫。这个丈夫又被我第二个丈夫的兄弟在为他哥哥报仇时杀死了。"此类生活遭遇对于所谓温和的部落民来说竟是家常便饭，因此，随着部落社会的扩大，这种情况就对接受中央权威起了促进作用。

4．盗贼统治者为了得到公众支持而使用的最后一个方法，是制造一种为盗贼统治辩护的意识形态或宗教。族群和部落本来就都相信鬼神，就像现代的国教一样。但是，族群和部落的相信鬼神，并不能被用来为中央权威辩护和为财富的转移辩护，也不能被用来维持没有亲属关系的人们之间的和平。当对鬼神的迷信获得了这些功能并被制度化之后，它们也就变成了我们所说的宗教。夏威夷的酋长们在宣传神性、神灵降世或至少与诸神沟通方面，可为其他地方酋长的代表。酋长声称，他为人民服务就是为他们向诸神说情和在仪式上吟诵为求得雨水、好年成和捕鱼成功所必需的咒语。

酋长管辖地都有一种独特的意识形态，它是有组织的宗教的前身，维持着酋长的权威。酋长可以一身而兼政治领袖和祭司的两个职务，也可以支持单独一个盗贼统治者集团(即祭司)，而这个集团的职责就是在意识形态上为酋长提供辩护。这就是为什么酋长管辖地要把如此大量地征收来的财物专门用来建造寺庙及其他公共工程，因为这些建筑可以用作官方宗教的中心和酋长权力的醒目标志。

除了为财富转移给盗贼统治者进行辩护外，有组织的宗教还为中央集权的社会带来了另外两个重大的好处。第一个好处是，共同的意识形态或宗教有助于解决没有亲属关系的人们应如何共处而不致互相残杀这个问题——办法就是为他们规定一种不是以亲属关系为基础的约束。第二个好处是，它使人们产生了一种为别人而牺牲自己生命的动机，而不是产生利己之心。以少数社会成员战死沙场为代价，整个社会就会在征服其他社会或抵御外侮时变得更加有效。

我们今天最熟悉的政治、经济和社会制度就是国家制度，这种制度如今统治着世界上除南极以外的所有地区。许多早期国家和所有现代国家都有有文化的精英，许多现代国家还有有文化的群众。消失了的国家往往留下了明显的考古标志，如有标准化设计的庙宇的废墟，至少有4种不同规模的定居点，以及几万英里范围内的各种风格的陶器。我们由此知道，国家在公元前3700年左右出现于美索不达米亚，公元前300年左右出现于中美洲，2000多年前出现于安第斯山脉地区、中国和东南亚，1000多年前出现于西非。在现代，人们不断看到由酋长管辖地形成国家的情况。因此，关于过去的国家及其形成，我们所掌握的知识远远多于关于过去的酋长管辖地、部落和族群的知识。

原型国家发展了大型的最重要的（由多个村庄组成的）酋长管辖地的许多特点。它们的规模从族群到部落，再从部落到酋长管辖地，不断地扩大。酋长管辖地的人口少则几千，多则几万，而大多数现代国家的人口都超过100万，中国的人口则超过10亿。最重要的酋长居住地可能成为这个国家的首都城市。首都以外的其他人口中心也可能取得真正城市的资格，而这些城市是酋长管辖地所没有的。城市与村庄的区别是城市有重要的公共工程，有统治者居住的宫殿，有来自贡物和税收的资本积累，还有粮食生产者以外的集中的人口。

早期的国家有一个资格相当于国王的世袭领袖，他很像一个超级的至高无上的酋长，对信息、决策和权力实行甚至更大的垄断。即使在今天的民主国家里，至关重要的知识也只有少数人能够获得，他们对信息流向政府的其余部门进行控制，结果也就是对决策进行控制。例如，在1963年的古巴导弹危机中，开始时肯尼迪总统把关于确定核战争是否会吞没5亿人的信息和讨论，限制在他亲自任命的国家安全委员会10人执行委员会的范围内；后来，他又把最后决定权限制在由他本人和他的3名内阁部长组成的4人小组范围内。

中央控制在国家中比在酋长管辖地更加影响深远，而以贡物(改名为税收)形式进行的经济再分配在国家中也比在酋长管辖地更加广泛。经济专门化进一步走向极端，以致今天甚至农民也无法维持自给自足。因此，当国家的政府垮台时，社会所受到的影响产生了灾难性的结果，就像不列颠在罗马于公元407年至411年撤走军队、行政官员和硬币时所碰到的情况那样。甚至最早的美索不达米亚国家对它们的经济也实行中央控制。它们的粮食是由4个专业群体(生产谷物的农民、牧人、渔民以及果园和菜园的种植者)生产的，国家从每一个群体那里得到产品，又向每一个群体分配必需的日常用品、工具和这个集团所不生产的食物。国家向种植谷物的农民供应种子和耕畜，从牧人那里得到羊毛，通过远方贸易用羊毛交换金属制品和其他必不可少的原料，并向维护农民所依赖的灌溉系统的劳动者发放粮食。

许多早期国家，也许是大多数早期国家，都曾经历过奴隶制，其规模比酋长管辖地大得多。这不是因为酋长管辖地在处理被打败的敌人时更加宽大为怀，而是因为国家经济专门化的发展，更多的大规模生产和更多的公共工程需要使用更多的奴隶劳动。此外，更大规模的国家战争能够得到更多的俘虏。

酋长管辖地原来只有一两个行政管理层，而在国家里行政管理层次就大大增加了，任何人只要见过任何政府的组织系统图就会知道这一点。除了纵向的各级官员大大增加外，还有横向的专业部门。酋长管辖地的官员科诺希基要负责夏威夷一个地区的所有行政事务，而国家的政府则不同，它分为几个不同的部门，分别处理水利管理、税收和征兵等事宜，而每一个部门又都有自己的一套等级系统。即使是小国的行政系统也要比大的酋长管辖地来得复杂。例如，西非国家马拉迪[2]就曾建立过一个中央政府，光是有头衔的职位就达130多个。

为了解决国家内部的冲突，法律、法制和警察机关越来越正规化了。法律经常得到制订，因为许多国家(也有显著的例外，如印加帝国)都有有文化的上层精英，而文字也已在差不多与最早的国家于美索不达米亚和中美洲出现的同时被发明了出来。相比之下，还没有形成国家的早期酋长管辖地没有一个发明过文字。

早期的国家已有了国家的宗教和标准化的寺庙。许多早期的国王被看作是神授的，并在无数方面被给予特殊的待遇。例如，阿兹特克和印加的皇帝出行都用轿子抬着；仆人们走在印加皇帝轿子的前头清扫地面；而日本语中有特殊形式的代词“你”，专门用来称呼天皇。早期的国王本人就是国家宗教的领袖，否则就另外设立一个大祭司。美索不达米亚的寺庙不但是宗教活动的中心，而且也是经济再分配、文字和手工技术的中心。

国家的所有这些特征，把从部落到酋长管辖地的发展引向了极端。不过，除此以外，国家还是从酋长管辖地沿几个不同方向演化的结果。这方面最根本的差别是，国家是按政治和领土而组建起来，不是按照划分族群、部落和简单的酋长管辖地的亲属关系而组建起来的。而且，族群和部落始终是由单一的族群和语族组成的，酋长管辖地通常也是如此。然而，国家——尤其是通过对一些国家的合并或征服而形成的帝国——通常都是包括不同种族和使用多种语言的。在后期的国家中，包括今天大多数国家在内，领导常常变成非世袭的，而且许多国家放弃了酋长管辖地遗留下来的关于正式世袭阶级的整个制度。

在过去的13000年中，人类社会的主要趋势都是较大的、较复杂的单位取代较小的、较不复杂的单位。显然，这只是就一般的长期趋势来说的，古往今来都有数不清的变化：有1000次的统一便会有999次的分裂。我们从报纸上了解到，一些大的单位（例如前苏联、南斯拉夫和捷克斯洛伐克）有时也会分裂成一些较小的单位，就像2000多年前马其顿的亚历山大[3]的帝国一样。比较复杂的单位并不总是能征服不那么复杂的单位，有许多反而屈服于后者，就像罗马帝国和中华帝国分别为“蛮族”和蒙古族酋长管辖地所蹂躏那样。但长期趋势仍然有利于最后上升为国家的一些大的复杂的社会。

同样明显的是，国家在与较简单的实体发生冲突时所以能取得胜利，部分原因是国家拥有武器和其他技术方面的优势，同时也拥有人口数量上的优势。但酋长管辖地和国家还有另外两个固有的潜在优势。首先，中央决策者拥有集中军队和资源的优势。其次，许多国家的官方宗教和爱国热忱使它们的军队在作战中视死如归，心甘情愿地为国捐躯。

在现代国家中，乐于为国牺牲的思想由我们的学校、教会和政府大力灌输给我们公民，使我们忘记了它标志着同以往人类历史的彻底决裂。每一个国家都有自己的鼓动其公民准备好在必要时为国牺牲的口号：英国的口号是“为了国王和国家”，西班牙的口号是“为了上帝和西班牙”，等等。同样的思想感情也在激励着16世纪阿兹特克的战士：“战死沙场最最光荣，给我们以生命的神（阿兹特克的民族之神维茨罗波切特里）最最看重这种光荣的死：我远远看见了它，我的内心充满了对它的渴望！”

这种思想感情在族群和部落中是无法想象的。我的新几内亚的朋友们对我谈起过他们以前的部落战争，但在他们的全部描述中看不出有丝毫的部落爱国主义、自杀性的冲锋，也没有任何不惜冒生命危险而采取的军事行动。相反，进行袭击都是采用埋伏或优势兵力的办法，千方百计地把为自己村庄牺牲性命的风险减少到最低限度。但和国家社会相比，这种态度严重限制了部落的军事选择。当然，把狂热的爱国者和宗教信徒变成这种危险对手的，不是这些狂热分子本身的死，而是他们的意愿，即不惜以他们一部分人的死来换取消灭或制服他们的异教徒敌人。在过去的6000年中，在酋长管辖地尤其是国家出现之前，历史上记载的驱使基督教和伊斯兰教信徒去进行征服的那种战争狂热，地球上大概还不曾有过。

小型的、非中央集权的、以亲属关系为基础的社会，是怎样演化为大型的、中央集权的、大多数成员彼此没有密切的亲属关系的社会的呢？在回顾了从族群到国家这一转变的各个阶段之后，我们现在要问：是什么迫使社会产生这样的转变？

在历史上的许多时候，有些国家独立地出现了——或者，就像文化人类学家所说的那样，“最早地”出现了，就是说，在周围没有任何国家先于它们而存在的情况下出现了。最早国家的出现，除了澳大利亚和北美洲外，在其他每一个大陆上至少发生过一次，也许发生过许多次。史前的国家包括美索不达米亚、中国北部、尼罗河和印度河河谷、中美洲、安第斯山脉地区和西非的那些国家。 过去的3个世纪中，在马达加斯加、夏威夷、塔希提和非洲的许多地方，由于同欧洲国家的接触，在一些酋长管辖地不断出现了土邦。 在所有这些地区和北美洲的东南部、西北太平洋地区、亚马孙河地区、波利尼西亚以及非洲撒哈拉沙漠以南地区，甚至更经常地出现了一些最早的酋长管辖地。 所有这些复杂社会的出现，使我们获得了一个丰富的资料库来了解其发展进程。

在处理国家起源问题的许多理论中，最简单的理论否认有任何问题需要解决。 亚里斯多德认为国家就是人类社会的自然状态，不需要作任何说明。 他的错误是可以理解的，因为所有他可能认识的社会——公元前4世纪的希腊社会——都是国家。 然而，我们现在知道，直到公元1492年，世界上很大一部分地区仍然是酋长管辖地、部落或族群的天下。 国家的形成的确需要予以说明。

第二种理论是大家最熟悉的。 法国哲学家让-雅克·卢梭推断说，国家是按照一种社会契约来组成的，人们在计算自身的利益时作出了理性的决定，一致同意他们的经济情况在国家中会比在较简单的社会中更好，因而自愿地废除他们的较简单的社会。 但我们的观察和历史记载，都没有揭示出有哪一个例子可以证明国家是在表现出冷静的远见的轻松优雅的气氛中组成的。 较小的单位不会自愿地放弃自己的主权去合并成较大的单位。 只有通过征服或在外部的胁迫下，它们才会这样去做。

第三种理论甚至更能得到历史学家和经济学家的喜爱。 这个理论从一个无可争辩的事实出发，认为在美索不达米亚、中国北部和墨西哥，大规模的灌溉系统大概是在国家开始出现那个时期开始兴建的。 这个理论还指出，任何大型的复杂的灌溉系统或水利管理，都需要有集中统一的行政系统来予以修建和维护。接着，这个理论又把一种观察到的在时间上的初步联系变成了一种假定的因果关系链。美索不达米亚、中国北部和墨西哥的居民大概预见到大规模的灌溉系统可能会带给他们的利益，虽然当时在几千英里范围内(或地球上任何地方)并没有这样的系统可以向他们证明这些利益。这些有远见的人决心把他们的效率低下的小小的酋长管辖地合并成一个较大的能够使他们有幸得到大规模灌溉的国家。

然而，这种关于国家形成的“水利理论”遭到了一般契约理论所遭到的同样的反对。更具体地说，它所涉及的只是复杂社会进化过程中的最后阶段。至于大规模灌溉有可能出现之前的整整几千年中，是什么推动了从族群到部落再到酋长管辖地的发展，它却只字未提。经过详细研究的历史年代或考古年代，也未能支持关于灌溉是国家形成的推动力这一观点。在美索不达米亚、中国北部、墨西哥和马达加斯加，小规模的灌溉系统在国家出现前便已存在了。大规模灌溉系统的兴建与国家的出现并不是同时发生的，在这些地区兴建重要的灌溉系统还是以后的事。在中美洲和安第斯山脉地区形成的大多数国家中，灌溉系统始终是小规模的，当地社会依靠自己的力量就可修建和维护。因此，即使在的确出现了复杂的水利管理系统的那些地区，这些系统也只是国家形成的间接结果，而国家的形成必定另有原因。

在我看来，能够表明关于国家形成的一个基本正确的观点的，是一个无庸置疑的事实，即地区人口的多少是预测社会复杂程度的最有力的唯一根据，这个事实远比灌溉与某些国家形成之间的相互关系更能令人信服。我们已经看到，族群有几十个人，部落有几百个人，酋长管辖地有几千人到几万人，而国家一般都要超过5万人。除了地区的人口多寡与社会类型(族群、部落等)之间的这种约略的相互关系外，在这些类型的社会内部，在人口与社会复杂程度之间还有一种更细微的倾向，例如，拥有众多人口的酋长管辖地证明是最集中统一、层次最分明和最复杂的社会。

这些相互关系有力地表明了，地区的人口多寡或人口密度或人口压力与复杂社会的形成有着某种关系。但这种相互关系并没有明确地告诉我们，人口的各种可变因素在作为复杂社会缘起的因果关系链中是怎样发生作用的。为了勾画出这个因果关系链，让我们现在提醒自己一些密度大的人口是怎样产生的。然后，我们可以研究一下一个大而简单的社会为什么会难以为继。以这一点作为背景，我们最后还将回到一个简单的社会如何随着地区人口的增长而竟然变得比较复杂这个问题上来。

我们已经看到，众多的或稠密的人口只有在粮食生产的条件下，或至少对狩猎采集来说物产特别丰富的条件下才会产生。有些物产丰富的狩猎采集社会已达到了可以组织酋长管辖地的水平，但还没有一个达到国家的水平，因为所有国家都要靠粮食生产来养活它们的国民。这些考虑加上刚才提到的地区人口多寡与社会复杂程度之间的相互关系，导致了关于粮食生产、人口的可变因素和社会复杂程度之间因果关系的究竟先有鸡还是先有蛋的长期争论。集约的粮食生产是否就是因，是它触发了人口的增长并以某种方式导致了复杂的社会？或者，众多的人口和复杂的社会反而是因，从而以某种方式导致了粮食生产的集约化？

用非此即彼的方式提出这个问题，是没有抓住要点。集约化的粮食生产和社会的复杂程度通过自我催化而相互促进。就是说，人口的增长通过我们将要讨论的机制使社会变得复杂起来，而社会的复杂又导致集约化的粮食生产，从而导致了人口的增长。只有复杂的中央集权的社会才能组织公共工程（包括灌溉系统）、远距离贸易（包括输入金属以制造更好的农具）和各种经济专门团体的活动（如用农民的粮食养活牧人，又把牧人的牲口提供给农民作耕畜之用）。中央集权社会的所有这些功能，促进了集约化的粮食生产，从而也促进了整个历史上的人口增长。

此外，粮食生产至少在3个方面帮助复杂的社会形成了鲜明的特点。首先，它随季节变化定期地投入劳动力。收成贮藏好之后，中央集权的行政机构就可以利用农民的劳动力来兴建宣扬国威的公共工程（如埃及的金字塔），或兴建可以养活更多人口的公共工程（如波利尼西亚群岛中夏威夷的灌溉系统或鱼塘），或从事扩大政治实体的征服战争。

其次，组织粮食生产以产生余粮储备，从而使经济专门化和社会层次化成为可能。剩余粮食可以用来养活复杂社会的各个阶层的人：酋长、官员和上层阶级的其他成员；抄写员、手艺人和其他非粮食生产的专门人员；以及被征去修建公共工程时的农民本身。

最后，粮食生产促使人们或要求人们采取定居的生活方式，这种生活方式是积累足够的财产、发展复杂技术和精巧手艺以及兴建公共工程的一个先决条件。固定住所对复杂社会的这种重要性说明了，为什么传教士和政府在初次接触新几内亚和亚马孙河地区以前从未与外界接触过的游牧部落或族群时，都普遍抱有两个直接的目的。一个目的当然就是"安抚"这些游牧部落的显而易见的目的：即说服他们不要杀害传教士和官员，也不要自相残杀。另一个目的就是劝诱这些游牧部落在村庄里定居下来，这样传教士和官员就能找到他们，给他们带来医疗保健和学校教育之类的服务，并使他们改变宗教信仰从而控制他们。

因此，粮食生产不但使人口增加，而且还在许多方面发生了作用，使复杂社会能够形成自己的一些特点。但这并不能证明粮食生产和众多人口使复杂社会的出现成为必然之事。根据实际观察，族群或部落组织对有几十万人的社会是不适用的，而且现存的大型社会都有复杂的中央集权组织。对于这种观察结果，我们怎样来予以说明呢？我们至少可以举出4个显而易见的原因。

一个原因是没有亲属关系的陌生人之间的冲突问题。随着组成社会的人口的增加，这种问题多得无法计数。一个由20人组成的族群内部的两人之间的互动关系只有190种（20人×19÷2），而一个由2000人组成的族群可能有199.9万个两人组合。每一个这样的两人组合就是一个潜在的定时炸弹，说不定在哪一次杀气腾腾的争吵中就会爆炸。族群社会和部落社会的每一次谋杀通常都要引起一宗蓄意报仇的杀人事件，从而开始了又一轮杀人和报仇行为，这样周而复始，永无止境，使社会稳定遭到了破坏。

在族群中，每一个人同其他每一个人都有密切的亲属关系，与争吵双方同时都有亲属关系的人出面调解争端。在部落中，许多人仍然是关系密切的亲属，每个人至少能够叫出其他每个人的名字，在发生争吵时由双方的亲友来调解。“几百人”是个界限，在这个界限内每个人能够认识另外每个人，一旦超过这个界限，越来越多的两人组合就成了一对对没有亲属关系的陌生人了。当陌生人打架时，在场的人很少会是打架双方的朋友或亲属，没有什么私利要他们去制止打架。相反，如果许多旁观者是打架一方的朋友或亲属，他们就会站在他的一边，这样，本来是两个人的打架结果就逐步升级为一场乱哄哄的群殴。因此，一个继续把冲突交给全体成员去解决的大型社会必然会分崩离析。仅仅这一个因素就可以说明为什么几千人的社会只有在形成完全控制武力和解决矛盾冲突的中央集权的行政管理机构时才能存在。

第二个原因是，随着人口的增加，共同决策越来越难以做到。由全体成年人来决策，在新几内亚的一些村庄里仍然是可能的，但这些村庄都很小，消息和通知可以迅速传达到每一个人，每一个人在全村大会上可以听到其他每一个人的意见，每一个人也都有在会上发表意见的机会。但共同决策的所有这些先决条件，在大得多的社会里已经无法得到了。即使在如今拥有麦克风和扬声器的时代，我们也全都知道，一次小组会决不能解决一个有几千人的群体的问题。因此，一个大型社会如要有效地作出决定，就必须加以组织并使之置于中央集权的控制之下。

第三个原因是经济方面的考虑。任何社会都需要在其成员之间转移财货的手段。一个人可能在某一天碰巧获得了较多的某种基本商品，而在另一天则获得较少。人的才智有不同，一个人通常总是对所拥有的某些生活必需品感到过多，而对另一些生活必需品又常嫌不足。在只有很少几对成员的小型社会中，由此而产生的必要的财货转移，可以通过对等交换直接安排在成对个人或家庭之间进行。在大型社会里使直接的成对冲突的解决缺乏效率的那种数学计算，同样也会使直接的成对经济转移缺乏效率。大型社会只有在除了有对等经济还有再分配经济的情况下才能在经济上发生作用。超过个人需要的财货必须从这个人转移到一个中央集权的行政管理机构，然后再由这个机构再分配给财货不足的人。

使大型社会必须有复杂组织的最后一个原因与人口的密度有关。粮食生产者的大型社会比狩猎采集者的小族群不但成员多，而且人口密度也大。每一个由几十个猎人组成的族群占据着很大一片地区，在这个地区内，他们可以获得对他们来说必不可少的大部分资源。他们可以在族群战争的间歇通过与邻近族群的交换来获得其他生活必需品。随着人口密度的增加，属于本来只有几十个人的那片地区可能会变成一个很小的地区，越来越多的生活必需品不得不从这个地区以外的地方获得。例如，我们可以把荷兰的16000平方英里的土地和1600万人划分成80万个单独的地块，每个地块包含13英亩土地并被用作一个由20人组成的独立自主的族群的家园，这些人始终在他们的13英亩土地的范围内过着自给自足的生活，偶尔利用暂时的休战到他们这小小地块的边界去同邻近的族群交换物品和新娘。这种受空间条件限制的现实情况，要求人口稠密的地区去养活大型的组织复杂的社会。

对解决冲突、决策、经济因素和空间的这些考虑，于是综合起来要求大型社会实行中央集权，但权力的集中不可避免地为那些掌权的人、私下据有信息的人、作决定的人和对财货进行再分配的人大开方便之门，使他们得以利用由此带来的机会为他们自己和他们的亲属谋取好处。对于任何一个熟悉任何现代人的分类的人来说，这一点是显而易见的。随着早期社会的发展，那些获得集中权力的人逐步地成了公认的上层人物，也许他们本来就是属于先前的几个地位平等的乡村氏族之一，只是这些氏族比其他氏族“更平等”罢了。

上面说的就是为什么大型社会不能以族群组织来运作，而只能靠盗贼统治来发生作用的原因。但我们还有一个问题没有解决，这就是小型的简单社会实际上是如何演化成或合并成大型的复杂社会的。合并、冲突的集中解决、决策、经济再分配和盗贼统治者的宗教，并不是通过某种卢梭式的社会契约而自动形成的。是什么推动这种合并的呢?

对这个问题的回答在某种程度上决定于对演化的推理。我在本章开始时说过，归在同一类的社会并不是完全相同的，因为人与人之间、人的群体与群体之间永远存在着差异。例如，某些族群和部落中的大人物比另一些族群和部落中的大人物必然会更具魅力，更有权势，在作决定时更富技巧。在一些大型部落中，具有更强有力的大人物因而拥有更大的权力集中的部落，往往拥有对权力不那么集中的部落的某种优势。像法尤族那样拙劣地解决冲突的部落，往往又分裂为族群，而管理不善的酋长管辖地则分裂成更小的酋长管辖地或部落。能有效地解决冲突、作出正确的决定和实行和谐的经济再分配的社会，能够发展更好的技术，集中自己的军事力量，夺取更大的物产更丰富的地盘，逐一地打垮独立自主的较小的社会。

因此，如果条件许可，复杂程度处在同一水平的社会之间的竞争，往往导致了复杂程度更高的社会。部落之间进行征服或兼并以达到了酋长管辖地的规模，酋长管辖地之间进行征服或兼并以达到了国家的规模，国家之间进行征服或兼并以形成帝国。更一般地说，大的单位可能拥有对各个小的单位的某种优势，如果——这是一个大大的“如果”——这些大单位能够解决因规模变大而带来的问题，如来自觊觎领导地位的狂妄之徒的无时不在的威胁、平民对盗贼统治的忿恨，以及增多了的与经济一体化联系在一起的问题。

把小单位合并成大单位，这无论在历史上或是考古上都是有案可查的。同卢梭的看法相反，这种合并决不是在一些没有受到威胁的小型社会为了促进其公民的幸福而自由决定合并这一过程中发生的。小型社会的领袖和大型社会的领袖一样，珍惜自己的独立和特权。合并的发生不外乎下面的两种方式之一：在外力的威胁下合并，或通过实际的征服。有无数的事例可以用来说明每一种合并方式。

在外力威胁下实现合并的很好的例子，是美国东南部切罗基族印第安同盟的组成。切罗基族印第安人原来分为30个或40个独立的酋长管辖地，每一个酋长管辖地就是一个大约有400人的村庄。日益扩大的白人殖民地的开拓，导致了切罗基人与白人之间的冲突。当个别的切罗基人抢劫或袭击白人移民或商人时，白人无法区别不同的切罗基酋长管辖地，而是不分青红皂白地对任何切罗基人进行报复，或是对他们采取军事行动，或是断绝与他们的贸易往来。作为对策，各个切罗基酋长管辖地在18世纪逐步发现它们不得不加入一个单一的同盟。起先，较大的酋长管辖地于1730年选出了一个统领全局的领袖，一个名叫莫伊托伊的酋长，1741年由他的儿子继任。这些领袖的首要任务是惩罚攻击白人的个别切罗基人，并与白人政府打交道。1758年左右，这些切罗基人把他们的决策规范化，仿照以前的村社会议，每年在一个村庄（埃科塔）召开一次会议，这个村庄因此就成了一个事实上的“首都”。最后，这些切罗基人都成了有文化的人（就像我们在第十二章所看到的那样），并通过了一部成文宪法。

切罗基族印第安同盟就这样建立起来了，但不是靠征服，而是靠把以前的一些小心提防的较小实体合并起来，而这种合并只有在这些实体有被强大的外力消灭的危险时才可能发生。同样，关于国家的形成，每一本美国历史教科书都介绍过一个例子，谈到美洲白人殖民地中有一个殖民地（佐治亚）曾经促成切罗基国家的建立，而这些殖民地本身其实也是在受到强大的外力不列颠君主国的威胁时才被迫建立自己的国家的。美洲各殖民地在开始时也同切罗基的各酋长管辖地一样，小心翼翼地守护着自己的自治权，它们根据《邦联条例》（1781年）进行的第一次合并尝试，证明是不切实际的，因为它为前殖民地保留了太多的自治权。只是在出现了一些进一步的威胁，著名的有1786年的谢斯起义[4]和未解决的战争债负担问题，才克服了前殖民地极不愿意牺牲自治的态度，并促使它们通过了我们现行高效能的1787年联邦宪法。19世纪德国的那些小心提防的各邦的统一，证明是同样困难的。在法国于1870年宣战这个外部威胁最后导致1871年小诸侯们向德意志帝国中央政府交出了他们的很大一部分权力之前，早先的3次统一尝试（1848年的法兰克福议会、1850年恢复后的德意志联邦和1866年的北德意志联邦）都失败了。

除了在外力威胁下实现合并外，复杂社会形成的另一种方式是通过征服而实现的。一个得到文件充分证明的例子，是非洲东南部祖鲁国的起源。在白人移民第一次看到祖鲁人时，祖鲁人分为几十个小型的酋长管辖地。在1700年代晚些时候，随着人口压力的增加，各酋长管辖地之间的战争变得日益剧烈起来。在所有这些酋长管辖地中，在集中统一的权力结构的设计中普遍存在的问题，被一个名叫丁吉斯韦约的酋长十分成功地解决了。1807年左右，他杀死了一个对手，从而获得了姆特特瓦酋长管辖地的统治地位。丁吉斯韦约从各个村庄挑选了一些年轻人，按照年龄而不是按照他们的村庄把他们组成团队，就这样建立了一种优秀的集中统一的军事组织。他还发展了出色的中央集权的政治组织，他在征服其他酋长管辖地时禁止杀戮，对被打败的酋长的家族秋毫无犯，只是用这个酋长的一个愿意与丁吉斯韦约合作的亲属来接替酋长的职位。他扩大了对争吵的审理范围，提出了较好的集中解决冲突的办法。这样，丁吉斯韦约就能够征服并开始把其余30个祖鲁族酋长管辖地合并起来。他的继承人扩大司法系统，加强监督和发展礼仪，结果使这个萌芽中的国家得到了加强。

通过征服而形成国家的这个祖鲁族的例子几乎多得不胜枚举。18世纪和19世纪的一些欧洲人碰巧亲眼目睹了由酋长管辖地形成土邦的情况，这些土邦包括波利尼西亚群岛中的夏威夷国、波利尼西亚群岛中的塔希提国、马达加斯加岛的梅里纳国、非洲南部祖鲁国以外的莱索托和斯瓦齐以及其他国家、西非的阿散蒂国以及乌干达的安科莱国和布干达国。阿兹特克帝国和印加帝国是在15世纪通过征服而建立的，那时欧洲人还没有到来，但对它们形成的情况，我们从早期西班牙移民翻译过来的印第安人口述历史中知道了不少。关于罗马帝国的形成和亚历山大统治下的马其顿帝国的扩张，同时代的古典作家有详细的描述。

所有这些例子都表明，战争或战争威胁在大多数(即使不是全部)社会合并中起了关键的作用。但是战争，甚至仅仅是族群间的战争，一直是人类社会的一个恒久不变的事实。那么，为什么只是在过去的13000年中战争才明显地开始造成社会的合并？我们业已断定，复杂社会的形成以某种方式与人口的压力联系在一起，因此我们现在应该寻找一下人口压力与战争后果之间的某种联系。为什么战争总是在人口稠密而不是在人口稀少的时候造成社会的合并呢？答案是，战败民族的命运取决于人口的密度，这有3种可能的后果：

凡是人口密度很低的地方，就像在狩猎采集族群占据的地区所常见的那样，战败群体的幸存者只要离开他们的敌人远一点就行了。新几内亚和亚马孙河地区游牧部族之间战争的结果往往就是这样。

凡是人口密度中等的地方，就像粮食生产部落占据的地区那样，没有大片空旷的地方可以让战败族群的幸存者逃避。但是，没有集约型粮食生产的部落社会不使用奴隶，也不能生产出可以作为很大一部分贡品的足够的剩余粮食。因此，战败部落的幸存者对胜利者来说毫无用途，除非娶他们的女人为妻。战败的男人都被杀死了，他们的地盘也可能为胜利者所占有。

凡是人口密度高的地方，就像国家或酋长管辖地所占有地区那样，被打败的人仍然无处可逃，但胜利者不杀死他们而有了利用他们的两种选择。由于酋长管辖地社会和国家社会已出现了经济专业化，被打败的人可以当奴隶来使用，就像在《圣经》时代通常发生的那样。或者，由于许多这样的社会已经有了能够生产大量剩余粮食的集约型粮食生产系统，胜利者可以让战败者仍然从事原来的劳作，只是剥夺了他们的政治自主权，要他们定期地用粮食或货物来纳贡，并把他们的社会合并入获胜的国家或酋长管辖地。在整个有文字记载的历史上，与国家或帝国的建立联系在一起的一些战役的结果通常就是这样。例如，西班牙征服者想要从被打败的墨西哥土著那里勒索贡物，所以他们对阿兹特克帝国的贡单很感兴趣。原来阿兹特克人每年向臣服他们的人收取的贡物包括7000吨玉米、4000吨豆类、4000吨苋菜籽、200万件棉斗篷、大量可可豆、军服、盾牌、羽毛头饰和琥珀。

因此，粮食生产及社会之间的竞争与混合，产生了征服的直接原动力：病菌、文字、技术和中央集权的政治组织。这些都是终极原因，是通过因果关系链而表现出来的，虽然这些因果关系在细节上有所不同，但全都与稠密的庞大人口和定居的生活方式有关。由于这些终极原因在不同的大陆上有不同的发展，征服的这些原动力在不同的大陆上也有不同的发展。因此，这些原动力往往是相互联系着一起出现的，不过这种联系并不是绝对的：例如，在印加人中出现了一个没有文字的帝国，而在阿兹特克人中则出现了一个有文字但很少有流行病的帝国。丁吉斯韦约的祖鲁人则证明了，每一个这样的原动力都多少独立地为历史模式作出了贡献。在几十个祖鲁族的酋长管辖地中，姆特特瓦酋长管辖地无论在技术、文字或病菌方面都不具有对其他酋长管辖地的优势，但它还是成功地打败了它们。它的优势仅仅存在于管理和意识形态方面。这就使由此而产生的祖鲁国得以在将近一个世纪的时间里征服了一个大陆的一部分地区。

注　释：

1. 巴罗克风格：在音乐上指多用数字低音和对位法装饰的、追求新奇节奏效果的风格。——译者

2. 马拉迪：现为尼日尔南部城市。——译者

3. 马其顿的亚历山大：即亚历山大大帝（公元前356—323），马其顿国王（公元前336—323），即位后，先后征服希腊、埃及和波斯，并侵入印度，建立亚历山大帝国。——译者

4. 谢斯起义：丹尼尔·谢斯（1747—1825），美国军官，领导农民起义（1786—1787），起义被镇压（1787），被俘判处死刑，次年获赦免。——译者

第四部分

在 5 章中环游世界

第十五章　耶利的族人

有一年夏天，当我和妻子玛丽一起在澳大利亚度假时，我们决定去访问梅宁迪镇附近沙漠中一处保存完好的土著岩画所在地。虽然我听说过澳大利亚沙漠因干燥和夏季炎热而名闻遐迩，但在这之前我曾在加利福尼亚沙漠和新几内亚热带草原炎热干旱的条件下工作过很长时期，因此我认为自己有足够的经验去应付我们在澳大利亚旅游时可能碰到的小小的挑战。玛丽和我带上了大量饮用水，在中午出发，徒步走上了通往岩画的几英里长的道路。

我们走的小道从山间巡逻队的驻地开始，一路向上，在万里无云的晴空下，通过毫无遮蔽的开阔地带。我们呼吸着灼热干燥的空气，这使我们想起了坐在芬兰桑拿浴室里呼吸的滋味。在我们到达有岩画的峭壁时，我们已经把水喝光了。我们对艺术的兴趣也没有了，于是我们继续努力地爬山，缓慢而有规则地喘着气。不久，我看见了一只鸟，那显然是一种鹛，但比任何已知的鹛都大得多。这时，我才意识到我生平第一次被热昏了头，产生了幻觉。玛丽和我决定最好还是立刻返回。

我们俩不再说话。我们一边走路，一边倾听着自己的呼吸，计算着到下一个里程碑的距离，并估计一下还剩下多少时间。我们这时口干舌燥，玛丽满脸通红。当我们终于回到有空调的巡逻队驻地时，我们立刻瘫倒在冷却水桶旁边的椅子里，把冷却水桶里最后的半加仑水全部喝光，还向巡逻队又要来一瓶水。我们坐在那里，精疲力竭，情绪低沉，我反复思考着画那些岩画的土著人用什么办法在没有空调住所的情况下在沙漠里度过他们的一生，竟能设法不但找到了水，而且还找到了食物。

对澳大利亚的白人来说，梅宁迪之所以出名，是因为一个多世纪前它是两个饱受沙漠干热之苦的白人用作补给基地的大本营。这两个白人就是爱尔兰警察罗伯特·伯克和英国天文学家威廉·威尔斯，他们是第一支从南到北纵贯澳大利亚的探险队的时运不济的领导人。伯克和威尔斯在出发时用6头骆驼驮运足够吃3个月的粮食，但在梅宁迪北方的沙漠里断了粮。一连3次，这两个探险者都碰到了吃得很好的土著并得到他们的救助。他们的家就在那片沙漠里，他们在这两个探险者的前面堆满了鱼、蕨饼和烤肥鼠。但接着伯克竟愚蠢地用手枪向其中的一个土人射击，于是整个一群土著人吓得四下逃走。虽然伯克和威尔斯因携有打猎用的枪支而拥有对土著人的巨大优势，但他们在土著人离开后不到一个月就饿得倒毙了。

我和妻子在梅宁迪的经历加上伯克和威尔斯遭受的命运，使我强烈地感到在澳大利亚建立人类社会有多么困难。澳大利亚在所有大陆中显得与众不同：欧亚大陆、非洲、北美洲和南美洲之间的差异，同澳大利亚与其他这些陆块中任何一个之间的差异比较起来，显得微不足道。澳大利亚是最干燥、最小、最平坦、最贫瘠、气候最变化无常、生物品种最稀少的大陆。它是欧洲人占领的最后一个大陆。在欧洲人占领前，它已在维持着与任何大陆相比都是最具特色的人类社会和最少的人口。

因此，澳大利亚对那些关于各大陆之间社会差异的理论提供了一种决定性的检验。它有最具特色的环境，也有最具特色的社会。是前者造就了后者？如果是，又是如何做到的？澳大利亚是用来开始我们环游世界之行的合乎逻辑的大陆，我们要把本书第二部分和第三部分中所述及的经验用来了解各大陆的不同历史。

大多数外行人都会把澳大利亚土著社会表面上的“落后”说成它的最重要的特点。澳大利亚是唯一的这样的大陆：那里的各个土著族群在现代的生活中仍然没有所谓文明的任何特征——没有农业，没有畜牧业，没有金属，没有弓箭，没有坚固的房屋，没有定居的村庄，没有文字，没有酋长管辖地，也没有国家。澳大利亚土著是流动的或半流动的以狩猎采集为生的人，他们组成族群，住在临时搭建的住所或简陋小屋中，并且仍然依靠石器。在过去的13000年中，澳大利亚的文化变革积累比其他任何大陆都要少。欧洲人对澳大利亚土著的流行看法，可以以早期的一个法国探险者的话为代表，他说，“他们是世界上最悲惨的人，是和没有理性的野兽差不多的人。”

然而，直到4万年前，澳大利亚土著社会还仍然拥有对欧洲和其他大陆社会的巨大的领先优势。澳大利亚土著发明了世界上一些已知最早的、边缘经过打磨的石器，最早的有柄石器(即装有木柄的石斧)和最早的水运工具。有些已知最早的岩画也出自澳大利亚。从解剖学上看，现代人类在欧洲西部定居前可能已在澳大利亚定居了。

尽管有这种领先优势，为什么最后却是欧洲人征服了澳大利亚，而不是相反？

在这个问题里还有另一个问题。在更新世冰期期间，大量的海水被封闭在大陆冰原里，海平面比现在低得多，如今把澳大利亚同新几内亚分隔开来的阿拉弗拉浅海那时还是干燥的低地。随着大约12000年前到8000年前冰原的融化，海平面上升了，那块低地被海水淹没，原来的大澳大利亚大陆分成了澳大利亚和新几内亚两个半大陆（图15.1）。

这两个原来连接在一起的陆块上的人类社会，到了现代彼此之间产生了很大的差异。与我刚才关于澳大利亚土著所说的各种情况相反，大多数新几内亚人，如耶利的族人，都是农民和猪倌。他们生活在定居的村庄里，他们的行政组织是部落，而不是族群。所有的新几内亚人都有弓箭，许多人还使用陶器。同澳大利亚人相比，新几内亚人通常都有坚固得多的住所、更多的适于航海的船只、更多数量和种类的器皿。由于新几内亚人是粮食生产者，不是以狩猎采集为生的人，所以他们的平均人口密度比澳大利亚人高得多：新几内亚的面积只有澳大利亚的十分之一，但它所养活的当地人口却数倍于澳大利亚。

为什么从更新世大澳大利亚分离出来的较大陆块上的人类社会在其发展中始终如此“落后”，而较小陆块上的社会的“进步”却快得多？为什么新几内亚的所有那些发明没有能传播到澳大利亚，而它和新几内亚之间的托雷斯海峡宽不过90英里？从文化人类学的角度看，澳大利亚和新几内亚之间的地理距离甚至不到90英里，因为托雷斯海峡中星星点点地分布着许多岛屿，上面居住着使用弓箭、在文化上与新几内亚人相类似的农民。托雷斯海峡中最大的岛距离澳大

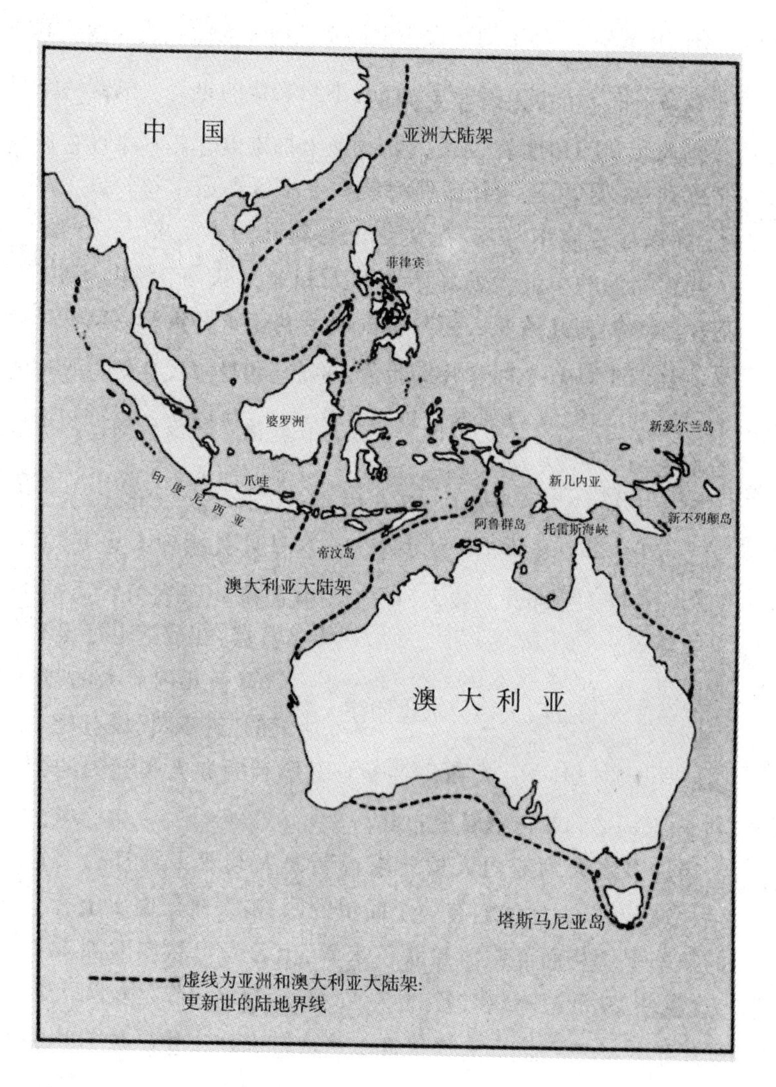

图 15.1 从东南亚到澳大利亚和新几内亚的地区图。实线表示现今海岸线；虚线为更新世时期的海岸线，那时的海平面比现在的低——就是说，当时的海岸线就是亚洲大陆架和澳大利亚大陆架的边缘。当时，新几内亚和澳大利亚连在一起，成为一个扩大了的大澳大利亚，而婆罗洲、爪哇、苏门答腊和台湾还是亚洲大陆的一部分。

利亚只有10英里。岛上的居民不但同新几内亚人而且也同澳大利亚土著进行着活跃的贸易。这两个具有不同文化的世界，隔着一个只有10英里宽的风平浪静的海峡，又有独木舟可以互相往来，它们怎么会保持各自的本来面目的呢?

同澳大利亚的土著相比，新几内亚人可以说是文化上“先进的”了。但大多数其他现代人却认为，甚至新几内亚人也是“落后的”。在19世纪晚些时候欧洲人开始在新几内亚殖民之前，所有的新几内亚人都没有文字，仍然依靠石器，在政治上还没有形成国家或(除少数例外)酋长管辖地。就算新几内亚人的“进步”超过了澳大利亚土著，那么为什么他们的“进步”仍没有赶上许多欧亚大陆人、非洲人和印第安人?耶利的族人和他们的澳大利亚同胞提出了一个谜中之谜。

当许多澳大利亚白人被要求说明澳大利亚土著社会文化“落后”这个问题时，他们有一个简单的回答：大概是由于土著本身的缺陷吧。从面部构造和肤色来看，土著人当然和欧洲人不同，这就使19世纪晚些时候的一些作家把他们看作是猿和人之间缺失的一环。英国白人移民在一个大陆上建立殖民地的几十年内，创造了一种有文字的、进行粮食生产的工业民主，而这个大陆的居民在经过4万多年后仍然过着狩猎采集生活。对这个事实难道还能有其他解释?尤为引人注目的是，澳大利亚不但有蕴藏量丰富的铜、锡、铅和锌，而且还拥有某些世界上最丰富的铁矿和铝矿。那么，为什么澳大利亚土著仍然不知金属工具为何物，而仍然生活在石器时代?

这好像对人类社会的一次完全有控制的试验。大陆还是那个大陆，只是人不同罢了。因此，对澳大利亚土著社会和欧洲裔澳大利亚人社会之间的差异的解释，想必就是由于组成这两种社会的不同的人。这种种族主义结论背后的逻辑似乎使人不得不信。然而，我们将会看到，这种结论包含着一个简单的错误。

作为检验这个逻辑的第一步，让我们考查一下这些人本身的起源。澳大利亚和新几内亚至少在4万年前就已有人居住了，那时它们还是连在一起的大澳大利亚。只要看一眼地图（图15.1）就可知道，移民们最后必定来自最近的大陆东南亚，他们逐岛前进，通过印度尼西亚群岛来到了大澳大利亚。作为这一结论佐证的，有现代澳大利亚人、新几内亚人和亚洲人之间在遗传学上的关系，还有在今天的菲律宾、马来半岛和缅甸外海的安达曼群岛还残存的几个具有类似体貌特征的群体。

这些移民一旦到达大澳大利亚海岸，就在整个大陆迅速扩散，甚至占据了这个大陆的最遥远的地方和最不适于居住的处所。一些4万年前的化石和石器证实了他们曾在澳大利亚西南角存在过；到35000年前，他们到了澳大利亚东西角和塔斯马尼亚，这是澳大利亚离开这些移民在澳大利亚西部或新几内亚可能的登陆地点最遥远的角落（离印度尼西亚和亚洲最近的地方）；而到了3万年前，他们则到了新几内亚气候寒冷的高原地区。所有这些地区都可以从西面的某个登陆地点经由陆路到达。然而，到35000年前，要向新几内亚东北方的俾斯麦群岛和所罗门群岛移民，还需要渡过几十英里的水路。对大澳大利亚的占领在速度上可能比从4万年前到3万年前的一些年代里表面上的扩散甚至更为迅速，因为在用碳-14测定法的实验误差范围内，这些不同的年代几乎没有什么区别。

在澳大利亚和新几内亚最早有人居住的更新世，亚洲大陆向东延伸，吸纳了现代的婆罗洲[1]、爪哇和巴厘这些岛屿，所以当时亚洲大陆与澳大利亚和新几内亚的距离，比今天东南亚边缘到澳大利亚和新几内亚的距离要近差不多1000英里。然而，从婆罗洲或巴厘岛到达更新世的大澳大利亚，仍然要渡过至少8个宽达50英里的海峡。4万年前，渡过这些海峡可能要靠竹筏，这是一种低技术的水运工具，但适于航海，今天的华南沿海仍在使用。尽管如此，当年渡过这些海峡想必十分困难，因为在4万年前最早的那次登陆后，考古记录没有提供任何令人信服的证据来证明在后来的几万年中又有人类从亚洲到达大澳大利亚。我们随后得到的明确证据是，直到最近的几千年内，才在新几内亚出现了来自亚洲的猪和在澳大利亚出现了来自亚洲的狗。

因此，澳大利亚和新几内亚的人类社会，是在与建立它们的亚洲社会基本隔绝的情况下发展起来的。这种隔绝状态在今天所说的语言中反映了出来。经过这几千年的隔绝，现代澳大利亚土著语言和现代新几内亚主要群体的语言(所谓巴布亚语)，都没有显示出与任何现代亚洲语言有任何明显的关系。

这种隔绝状态也反映在遗传与体质人类学上。对基因的研究表明，澳大利亚土著与新几内亚高原居民同现代亚洲人的类似之处，要稍多于与其他大陆人的类似之处，不过这种关系并不密切。在骨骼和体貌方面，澳大利亚和新几内亚的土著与大多数东南亚人也有区别，如果把澳大利亚人或新几内亚人的照片同印度尼西亚人或中国人的照片比较一下，这一点就变得十分明显。所有这些差异的部分原因是，大澳大利亚最早的亚洲移民在一段漫长的时间里与他们的呆在家乡的亚洲同胞分道扬镳，在大部分时间里只发生有限的遗传交换。不过，也许一个更重要的原因是，大澳大利亚移民原来在东南亚的祖先，到这时已大部分被从中国向外扩张的其他亚洲人取代了。

澳大利亚和新几内亚土著在遗传上、体质上和语言上也产生了分化。例如，在人类主要的(由遗传决定的)血型中，所谓ABO系统中的B型和MNS系统中的S型，在新几内亚同在世界上其他大多数地区一样都有出现，但这两种血型在澳大利亚则几乎没有。大多数新几内亚人的浓密卷曲的头发与大多数澳大利亚人的直发或鬈发是明显不同的。澳大利亚的语言与新几内亚的巴布亚语言不但同亚洲语言没有亲缘关系，而且彼此之间也没有亲缘关系，只不过是托雷斯海峡两岸双向交流了某些词汇而已。

澳大利亚人和新几内亚人之间的这种分化，反映了在十分不同的环境里的长期隔绝状况。自从阿拉弗拉海在大约1万年前由于海平面上升而最后把澳大利亚同新几内亚分开以来，遗传交换只限于通过托雷斯海峡中一系列岛屿而进行的稀少的接触。这就使得这两个半大陆上的居民适应了各自的环境。虽然新几内亚南部沿海的热带草原和红树林，与澳大利亚北部的热带草原和红树林有相当多的类似之处，但这两个半大陆的其他生境在几乎所有的主要方面都是不同的。

这里举几个不同的地方。新几内亚紧靠赤道，而澳大利亚则远远地延伸进温带，几乎到达赤道以南40度的地方。新几内亚多山，地势极其崎岖不平，高度可达16500英尺，最高的山峰上覆盖着冰川，而澳大利亚大都地势低平——94%的地区的海拔高度在2000英尺以下。新几内亚是地球上最潮湿的地区之一，而澳大利亚则是地球上最干燥的地区之一。新几内亚大部分地区的年降雨量为100英寸，很大一部分高原地区则超过200英寸，而澳大利亚的大部分地区的年降雨量则不到20英寸。新几内亚的赤道气候只有不太大的季节变化，而且年年如此，但澳大利亚的气候则是高度季节性的，而且年年不同，其变幻莫测远远超过其他任何大陆的气候。因此，新几内亚境内的大河纵横交错，川流不息，而澳大利亚的永久性河流在大多数年份里只限于东部地区，甚至澳大利亚最大的水系（墨累河-达令河水系）在发生干旱时也要断流达数月之久。新几内亚的大部分陆地覆盖着茂密的雨林，而澳大利亚大部分地区却只有沙漠和开阔干旱的林地。

新几内亚覆盖着受侵蚀尚少的肥沃土壤，这是火山活动、冰川的反复进退与冲刷高原以及山间溪流把大量泥沙带到低地所造成的结果。相形之下，澳大利亚有的则是所有大陆中最古老、最贫瘠、养分被滤去最多的土壤，因为澳大利亚很少有火山活动，也没有高山和冰川。尽管新几内亚的面积只有澳大利亚的十分之一，但由于新几内亚地处赤道附近，雨量充沛，地势高低错落和土壤肥沃，那里成了几乎同在澳大利亚一样多的哺乳动物和鸟类的生息之地。所有这些环境方面的差异，影响了这两个半大陆的全然不同的文化史，现在我们就来考察一下这个问题。

大澳大利亚最早、最集约的粮食生产和最稠密的人口，出现在新几内亚海拔高度为 4000 到 9000 英尺的高原河谷地区。考古发掘不但发现了在比较干旱地区用来保持土壤水分的梯田，还发现了复杂的排水沟系统，其年代为 9000 年前，而到了6000年前已变得相当普遍。这种沟渠系统类似于今天在这高原地区仍然用来疏干沼泽地使之成为园地的那些沟渠系统。花粉分析表明，到大约 5000 年前，高地河谷普遍发生了砍伐森林的行动，从而使人联想到清除森林是为了发展农业。

今天，新几内亚高原地区的主要农作物是不久前引进的甘薯，加上芋艿、香蕉、薯蓣、甘蔗、一些可吃的草茎和几种叶菜。由于芋艿、香蕉和薯蓣是在东南亚土生土长的，而东南亚又是一个无可争辩的植物驯化场所，所以过去人们通常认为，新几内亚高原地区的作物，除甘薯外，都来自亚洲。然而，人们最后还是认识到，甘蔗、叶菜和可吃的草茎的野生祖先都是新几内亚的品种，生长在新几内亚的某几种香蕉的野生祖先是在新几内亚而不是在亚洲，而芋艿和某些薯蓣不但是亚洲的土产，而且也是新几内亚的土产。如果新几内亚的农业真的来自亚洲，人们也许会指望在高原地区找到明白无误地来自亚洲的作物，但没有找到。由于这些原因，现在人们普遍承认，新几内亚高原地区的农业是通过对新几内亚野生植物的驯化而在当地出现的。

因此，新几内亚和新月沃地、中国以及其他几个地区一样，成为世界上植物独立驯化发源地的中心之一。在一些考古遗址没有发现6000年前在高原地区实际种植的作物有任何残余保存下来。不过，这一点并不令人惊奇，因为除非在特殊情况下，现代高原地区的主要作物都是不会留下明显的考古残迹的那类植物。因此，其中的一些植物也是高原地区农业的始祖作物，这似乎是可能的，而由于保存下来的古代排水系统与现代用于种植芋艿的排水系统如此相似，这种情况就尤其可能。

最早的欧洲探险者所看到的新几内亚高原地区粮食生产中3个明确的外来因素是鸡、猪和甘薯。鸡和猪是在东南亚驯化的，并于大约3600年前由南岛人引进新几内亚和其他大多数太平洋岛屿。这些人源自中国华南的一个民族，我们将在第十七章对他们予以讨论。（猪的引进可能还要早些。）至于原产南美的甘薯，显然只是在最近几个世纪内才到达新几内亚，是由西班牙人引进菲律宾，再由菲律宾引进新几内亚的。甘薯一旦在新几内亚移植生长，就取代了芋艿的地位而成为高原地区的主要作物，因为它成熟的时间更短，每英亩的产量更高，并对贫瘠的土壤条件具有更大的耐性。

新几内亚高原地区的农业发展，想必是几千年前巨大的人口爆炸引发的，因为在新几内亚原来大群的大型有袋动物灭绝之后，高原地区只能养活人口密度很低的以狩猎采集为生的人。甘薯的引进在最近的几个世纪中引发了又一次的人口爆炸。当欧洲人于20世纪30年代第一次飞越高原地区的上空时，他们惊讶地发现下面的景色与荷兰的景色颇为相似。宽阔谷地里的森林被砍伐一空，星星点点地散布着一些村庄，整个谷底都是为进行集约型粮食生产而疏干的并用篱笆围起来的田地。这片景色证明了使用石器的农民在高原地区所达到的人口密度。

地势陡峭、终年云雾缭绕、疟疾流行以及低海拔地区有发生干旱之虞，使新几内亚高原地区的农业只能在海拔高度约4000英尺的地带发展。事实上，新几内亚高原地区只是一个有稠密农业人口的孤岛，上插青天，下绕云海。新几内亚沿江沿海的低地上的村民主要以渔业为生，而远离海岸和江河的旱地居民人口密度很低，靠刀耕火种农业维持生计，以种植香蕉和薯蓣为主，以狩猎和采集为辅。相比之下，新几内亚低地沼泽地居民则过着流动的狩猎采集生活，靠野生西谷椰子含淀粉的木髓为生，这种树1小时采集的结果可以产生比栽培植物多3倍的卡路里。因此，新几内亚的沼泽地提供了一个清楚的例子，说明在某种环境里，由于农业还不能与狩猎采集的生活方式竞争，所以那里的人仍然以狩猎采集为生。

在低地沼泽靠吃西谷椰子而维生的人，就是四处流动的狩猎采集族群组织的典型例子，这种族群组织以前想必是新几内亚的特征。由于我们在第十三章和第十四章中讨论过的所有那些原因，农民和渔民就成了发明更复杂的技术、社会和政治组织的人。他们生活在定居的村庄和部落社会中，常常由一个大人物来领导。有些部落还建有巨大的、精心装饰起来的、供举行仪式的屋宇。他们的伟大艺术木雕人像和面具，为全世界的博物馆所珍藏。

这样，新几内亚就成为大澳大利亚的一部分，拥有最先进的技术、社会和政治组织以及艺术。然而，从习惯于城市生活的美国人或欧洲人的观点看，新几内亚仍然是“原始的”，而不是“先进的”。为什么新几内亚人仍然在使用石器而不是发展金属工具，仍然没有文字，并且不能把自己组成酋长管辖地和国家？原来新几内亚有几个不利于它的生物因素和地理因素。

首先，虽然本地的粮食生产的确是在新几内亚高原地区出现的，但我们已在第八章中看到，它产出的蛋白质很少。当地的主食都是低蛋白的根用作物，而唯一的驯化动物（猪和鸡）的产量又太低，不能为人们提供大量的蛋白质。既然无法把猪或鸡套起来拉车，高原地区的居民除了两臂力气外，仍然没有其他动力来源，而且也未能发展出流行疾病以击退终于侵入的欧洲人。

对高原地区人口数量的第二个限制，是能够利用的土地面积有限：新几内亚高原地区只有几处宽阔的谷地（最显著的是瓦吉谷地和巴利姆谷地）能够养活稠密的人口。第三个限制是这样的现实，即4000英尺至9000英尺之间的中间山地森林地带，是新几内亚唯一适于集约型粮食生产的高程地带。在9000英尺以上的新几内亚高山生境根本没有任何粮食生产，在4000英尺至1000英尺之间的山坡上几乎没有什么粮食生产，而在低地地区也只有低密度的刀耕火种农业。因此，在不同海拔高度专门从事不同类型粮食生产的一些社会之间对粮食的大规模经济交换，在新几内亚从未发展起来。在安第斯山脉、阿尔卑斯山脉和喜马拉雅山脉，这种交换不但向各个海拔高度的人提供一种比较均衡的饮食，从而增加了这些地区的人口密度，而且也促进了地区的经济和政治一体化。

由于这种种原因，在欧洲殖民政府带来西方医药并制止部落战争之前，传统的新几内亚的人口从未超过100万人。我们在第五章讨论过全世界大约有9个最早的农业中心，其中新几内亚始终是人口最少的一个中心。由于只有100万人口，新几内亚不可能发明出像在中国、新月沃地、安第斯山脉地区和中美洲的几千万人中出现的那种技术、文字和政治制度。

新几内亚的人口不但总数少，而且还由于崎岖的地形而被分割成数以千计的生存于特定区域内的群体——这里有低地地区的大量沼泽地、高原地区交替出现的陡峭的山岭和狭窄的峡谷以及低地和高原四周茂密的丛林。当我带领一队从事野外作业的新几内亚助手们在新几内亚进行生物调查时，虽然我们走的是现存的小路，但我认为每天前进3英里仍是非常快的速度。传统的新几内亚高原地区的居民一生中离家外出从来不超过10英里。

地形造成的这些困难，加上构成新几内亚族群或村落之间关系特点的断断续续的战争状态，正好说明了传统的新几内亚在语言、文化和政治方面的这种支离破碎的状况。新几内亚是世界上语言最集中的地方：全世界6000种语言中有1000种挤在一个只比得克萨斯州稍大一点的地区里，分成几十个语族以及一些就像英语和汉语那样不同的互相独立的语言。在所有新几内亚语言中，差不多有一半语言说的人不到500，甚至那些最大的说同一种语言的群体（说的人仍然只有10万）也在政治上分成几百个村庄，彼此凶狠地斗殴，就像同说其他语言的人斗殴一样。每一个这样的小社会其自身实在太小，无法养活酋长和专门的手艺人，也无法发明出冶金术和文字。

除少而分散的人口外，新几内亚的发展所受到的另一限制是地理上的与世隔绝的状态，这一状态妨碍了技术和思想从别处流入新几内亚。新几内亚的3个邻居全都被溪涧流过的峡谷把它们同新几内亚分隔开来，直到几千年前，这些邻居在技术和粮食生产方面甚至比新几内亚（尤其是新几内亚的高原地区）还要落后。在这3个邻居中，澳大利亚土著仍然以狩猎采集为生，新几内亚人所没有的东西，他们几乎全都无法提供。新几内亚的第二个邻居是东面的小得多的俾斯麦群岛和所罗门群岛。新几内亚的第三个邻居就是印度尼西亚东部的那些岛屿。但这个地区在其历史的大部分时间里也始终是由狩猎采集族群占据的文化落后地区。从4万多年前新几内亚最早有人移居时起，直到公元前1600年左右南岛人扩张时止，没有一样东西可以确定是经由印度尼西亚传到新几内亚的。

随着这一扩张，印度尼西亚就为来自亚洲的粮食生产者所占有，他们带来了家畜，带来了至少同新几内亚的一样复杂的农业和技术，还带来了可以被用作从亚洲前往新几内亚的有效得多的手段的航海技术。南岛人在新几内亚西面、北面和东面的一些岛屿上定居下来，并进一步向西深入，在新几内亚本土北部和东南部海岸定居。南岛人把陶器、鸡，可能还有狗和猪引进新几内亚。（早期的考古调查曾宣布在新几内亚高原地区发现了不迟于公元前4000年前的猪骨，不过这些宣布一直未得到证实。）至少在过去的几千年中，贸易往来把新几内亚同技术上先进得多的爪哇社会和中国社会连接了起来。作为对出口天堂鸟羽毛和香料的交换，新几内亚人得到了东南亚的货物，其中甚至包括诸如东山[2]铜鼓和中国瓷器之类的奢侈品。

假以时日，南岛人的这一扩张肯定会对新几内亚产生更大的影响。新几内亚西部地区可能最后在政治上并入印度尼西亚东部苏丹的领土，而金属工具也可能通过印度尼西亚东部传入新几内亚。但是——这种情况直到公元1511年都没有发生，而就在这一年，葡萄牙人到达摩鹿加群岛[3]，缩短了印度尼西亚各个发展阶段的序列。其后不久，当欧洲人到达新几内亚时，当地居民仍然生活在族群或极其独立的小村庄中，并且仍然在使用石器。

虽然大澳大利亚的新几内亚这个半大陆就这样发展了家畜饲养业和农业，但澳大利亚这个半大陆对这两项都没有发展起来。在冰川期，澳大利亚的有袋目动物甚至比新几内亚还多，其中包括袋牛（相当于牛和犀牛的有袋目动物）、大袋鼠和大毛鼻袋熊。但所有这些本来可以用来饲养的有袋目动物，在随着人类移居澳大利亚而到来的动物灭绝的浪潮中消失了。这就使澳大利亚同新几内亚一样没有了任何可以驯化的本地哺乳动物。唯一在澳大利亚被采纳的外来驯化哺乳动物是狗，而狗是在公元前1500年左右从亚洲引进的（大概是乘坐南岛人的独木舟来到的），并在澳大利亚的荒野里定居而变成澳洲野犬。澳大利亚当地人把这种野犬捉来饲养，把它们当作伴侣、看门狗，甚至当作活毯子，于是就有了“五条狗的夜晚”这种说法，形容夜晚很冷。但他们并不像波利尼西亚人那样把野犬/狗当食物，也不像新几内亚人那样把它们用作打猎的帮手。

农业是澳大利亚的另一个毫无成功希望的行当，因为澳大利亚不但是最干旱的大陆，而且也是土壤最贫瘠的大陆。此外，澳大利亚还有一个方面也是独一无二的，这就是在这大陆的大部分地区对气候产生压倒一切的影响的，是一种无规律的不是一年一度的循环——

ENSO现象（ENSO是“厄尔尼诺向南移动”一词的首字母缩合词），而不是世界上其他大多数地区所熟悉的那种有规律的一年一度的季节循环。无法预测的严重干旱会持续几年，接着便是同样无法预测的倾盆大雨和洪水泛滥。即使在今天有了欧洲的农作物和用来运输农产品的卡车与铁路的情况下，粮食生产在澳大利亚也仍然是一种风险行业。年成好的时候，牧群繁衍增殖，而到发生干旱时便又死亡殆尽。澳大利亚早期土著农民中可能有人碰到过类似的循环。年成好的时候，他们便在村子里定居下来，种植庄稼，并生儿育女，而到了干旱的年头，这众多的人口便会因饥饿而大批死去，因为那一点土地只能养活比这少得多的人。

澳大利亚发展粮食生产的另一个主要障碍是缺乏可以驯化的野生植物。甚至现代欧洲的植物遗传学家除了从澳大利亚当地的野生植物中培育出澳洲坚果外，其他就再也没有培育出什么作物来。在世界上潜在的最佳谷物——籽粒最重的56种禾本科植物——的名单中，只有两种出产在澳大利亚，而且这两种又几乎位居名单的最后（粒重仅为13毫克，而世界上其他地方最重籽粒的重量可达40毫克）。这并不是说，澳大利亚根本就没有任何潜在的作物，也不是说澳大利亚土著从未发展出本地的粮食生产。有些植物，如某些品种的薯蓣、芋艿和竹芋，是在新几内亚南部栽培的，但在澳大利亚北部也有野生的，是那里土著的采集对象。我们将要看到，在澳大利亚气候条件极其有利的地区，土著在沿着最终可能导致粮食生产的方向演进。但任何在澳大利亚本地出现的粮食生产，都可能会由于可驯化的动植物的缺乏以及土壤贫瘠和气候恶劣而受到限制。

流浪的生活、狩猎采集的生活方式以及对住所和财物的最小的投资，是因受澳大利亚厄尔尼诺南移影响而无法预知可以得到何种资源时的明智的适应行为。在当地条件恶化时，土著居民只是迁往一个暂时条件较好的地区。他们不是依赖几种可能歉收的作物，而是在丰富多样的野生食物的基础上发展经济，从而把风险减少到最低限度，因为所有这些野生食物不可能同时告乏。他们不是使人口在超过资源时挨饿而发生波动，而是维持较少的人口，这样在丰年时固然有丰富的食物可以享用，而在歉收时也不致有饥馁之虞。

澳大利亚土著居民用来代替粮食生产的是所谓的“火耕农业”。土著居民把周围的土地加以改造和整治，以提高可食用植物和动物的产量，而不用借助栽培和养殖。特别是，他们有意识地把周围很大一部分土地放火焚烧。这样做可以达到几个目的：火把立即可以杀来吃的动物赶出来；火把茂密的植丛变成了人们可以更容易通行的稀树草原；稀树草原也是澳大利亚主要的猎物袋鼠的理想的栖息地；火还促使袋鼠吃的嫩草和土著居民自己吃的蕨根的生长。

我们把澳大利亚土著看作是沙漠居民，但他们中的大多数不是这样的人。他们的人口密度随雨量的变化而变化（因为雨量决定着陆地野生动植物食物的产量），也随着江河湖海水产的丰富程度的不同而有所不同。土著人口密度最高的，是在最潮湿的、物产最丰富的地区：东南部的墨累－达令河水系、东部和北部海岸和西南角。这些地区也开始养活了现代澳大利亚人口最稠密的欧洲移民。我们所以把土著看作是沙漠居民是因为欧洲人或者把他们杀死，或者把他们从最合意的地区赶走，这样，最后的完好无损的土著人群体也只有在那些欧洲人不愿去的地区才能找到了。

在过去5000年内，在那些物产丰富的地区中，有些地区发生了土著强化食物采集方法和土著人口密度增加的现象。在澳大利亚东部发明了一些技术，用滤掉毒素或使毒素发酵的办法，使大量的含有淀粉然而毒性极强的铁树种子变得可以食用。澳大利亚东南部以前未得到开发的高原地区，开始有土著在夏季经常来光顾，他们不但饱餐铁树的坚果和薯蓣，而且还大吃特吃大群潜伏不动的移栖飞蛾，这种蛾子叫做博贡蛾，烤了吃有炒栗子的味道。另一种逐步形成的强化了的食物采集活动，是墨累–达令河水系的鳗鲡养殖，这里沼泽中的水位随着季节性的雨量而涨落。当地的澳大利亚人修建了长达一英里半的复杂的沟渠系统，使鳗鲡的游动范围从一个沼泽扩大到另一个沼泽。捕捉鳗鲡用的是同样复杂的鱼梁、安放在尽头边沟上的渔栅和在墙洞里放上鱼网的垒在沟渠上的石墙。在沼泽中按不同水位安放的渔栅随着水位的涨落而发生作用。虽然当初修建这样的“养鱼场”必然是一项巨大的工程，但它们以后却养活了许多人。19世纪的一些欧洲观察者在鳗鲡养殖场旁边发现了由十几间土著的房屋组成的村庄，一些考古遗迹表明，有些村庄竟有多达146间的石屋，可见这些村庄的季节性居民至少有几百人之多。

澳大利亚东部和北部的另一项发展，是收获野生黍子的籽实，这是与中国早期农业的一种主要作物蜀黍同属的一种植物。黍子用石刀收割，堆成了垛，用摔打来脱粒，然后贮藏在皮袋或木盘里，最后用磨石磨碎。在这过程中使用的几种工具，如石头镰刀和磨石，类似于新月沃地为加工其他野生禾本科植物的种子而独立发明出来的那些工具。在澳大利亚土著所有的获取食物的方法中，收获黍子也许是最有可能最终演化为作物种植的一种方法。

同过去5000年中强化食物采集一起产生的，是一些新型的工具。小型的石片和三角石刀若按重量计算，每磅石器所提供的锋刃长度大于被它们所取代的大型石器。锋刃经过打磨的短柄石斧，一度在澳大利亚只有局部地区才有，这时已变得普遍了。在过去的几千年中，贝壳做的渔钩也出现了。

为什么澳大利亚没有发展出金属工具、文字和复杂政治结构的社会？一个主要的原因是那里的土著仍然以狩猎采集为生，而我们已在第十二到第十四章看到，这些发展在别处只有在人口众多、经济专业化的粮食生产者社会里出现。此外，澳大利亚的干旱、贫瘠和气候变化无常，使它的狩猎采集人口只能有几十万人。同古代中国或中美洲的几千万人相比，那意味着澳大利亚潜在的发明者要少得多，采用借助新发明来进行试验的社会也少得多。它的几十万人也没有组成关系密切相互影响的社会。土著的澳大利亚是由一片人口十分稀少的沙漠组成的，沙漠把它分隔成几个物产比较丰富的生态“孤岛”，每一个这样的孤立地区只容纳这个大陆的一小部分人口，而且地区与地区之间的相互影响也由于间隔着的距离而减弱了。甚至在这个大陆东侧相对湿润和肥沃的地区内，社会之间的交流也由于从东北部的昆士兰热带雨林到东南部的维多利亚温带雨林之间的1900英里距离而受到了限制，这个距离无论在地理上还是在生态上都相当于从洛杉矶到阿拉斯加的距离。

在澳大利亚，地区性的或整个大陆的某些明显的退步现象，可能是由于它的一些人口中心与世隔绝和居民相对稀少所致。回飞镖是典型的澳大利亚武器，但却在澳大利亚东北部的约克角半岛被弃置不用。欧洲人碰到的澳大利亚西南部土著不吃有壳的水生动物。澳大利亚考古遗址中出现的大约5000年前的那种小型三角石刀究竟有什么用途，还仍然难以确定。虽然有一种方便的解释认为，它们可能被用作矛头和箭头倒钩，人们猜想它们和世界上其他地方用在箭上的三角石刀和箭头倒钩是同样的东西。如果这就是它们的用途，那么现代新几内亚有弓箭而澳大利亚却没有弓箭这个谜就更加难解了。也许在整个澳大利亚大陆曾经有一阵子采用过弓箭，但后来又放弃了。所有这些例子使我们想起了日本放弃过枪支，波利尼西亚大部分地区放弃过弓箭和陶器，以及其他一些与世隔绝的社会放弃过其他一些技术(第十三章)。

澳大利亚地区最大的技术损失发生于澳大利亚东南部海岸外130英里的塔斯马尼亚岛。今天的塔斯马尼亚岛与澳大利亚之间浅水的巴斯海峡，在更新世海平面低的那个时候还是干燥的陆地，居住在塔斯马尼亚岛上的人是先后分布在整个扩大了的澳大利亚的人口的一部分。当巴斯海峡在大约1万年前终于被海水淹没时，塔斯马尼亚人和澳大利亚大陆人之间的联系中断了，因为这两个群体都没有能够顺利渡过巴斯海峡的水运工具。从那以后，塔斯马尼亚岛上4000个以狩猎采集为生的人就失去了同地球上所有其他人类的联系，而生活在只有从科幻小说才能读到的一种与世隔绝的状态之中。

塔斯马尼亚人终于在公元1642年接触到了欧洲人，那时他们只是世界上物质文化最简单的民族。他们同大陆上的土著一样，也是没有金属工具的以狩猎采集为生的人。但他们也缺乏在大陆上已很普遍的许多技术和人工制品，包括有倒钩的矛、各种骨器、回飞镖、打磨的石器、有柄的石器、鱼钩、鱼网、有叉尖的矛、渔栅，以及捕鱼和吃鱼、缝纫和生火的习俗。在这些技术中，有些可能只是在塔斯马尼亚与大陆隔绝后引进大陆的，或者可能就是在大陆发明的。根据这种情况，我们可以断定，塔斯马尼亚的极少的人口并没有为自己独立地发明了这些技术。这些技术中还有一些是在塔斯马尼亚仍是澳大利亚大陆一部分的时候被带到塔斯马尼亚来的，不过随后又在塔斯马尼亚的文化孤立中失去了。例如，塔斯马尼亚的考古记录用文献证明了在公元前1500年左右渔场消失了，骨钻、骨针和其他骨器也消失了。至少还有3个较小的岛(弗林德斯岛、坎加鲁岛和金岛)在大约1万年前由于海平面上升而脱离了澳大利亚或塔斯马尼亚，在这3个岛上，原来可能有大约200人到400人的人口已全部灭绝了。

因此，塔斯马尼亚和这3个较小的岛屿，以极端的形式证明了一个对世界史具有广泛的潜在意义的结论。只有几百人的群体在完全与世隔绝的状态下是不可能无限期地生存下去的。一个有4000人的群体能够生存1万年，但在文化上要失去相当多的东西，同时也引人注目地没有什么发明创造，剩下的只是一种无比简单的文化。澳大利亚大陆上的30万以狩猎采集为生的人，在数目上比塔斯马尼亚人多，也不像塔斯马尼亚人那样与世隔绝，但它的人口仍然是各大陆中最少的，也是各大陆中最与世隔绝的。关于澳大利亚大陆有文献证明的技术退步的例子和关于塔斯马尼亚的这个例子表明，同其他各大陆民族的全部业绩相比，澳大利亚本地人的有限业绩，可能一部分来自与世隔绝状态和由于人口太少而对技术的发展与保持所产生的影响——就像对塔斯马尼亚所产生的那些影响一样，只是影响的程度没有那么大罢了。不言而喻，这种影响可能就是最大的大陆(欧亚大陆)与依次较小的大陆(非洲、北美洲和南美洲)之间在技术上产生差异的原因。

为什么较先进的技术没有从邻近的印度尼西亚和新几内亚传入澳大利亚？就印度尼西亚而言，它与澳大利亚西北部隔着大海，生态环境差异很大。此外，直到几千年前，印度尼西亚本身也是一个文化和技术落后地区。没有任何证据可以证明，从4万年前澳大利亚最早有人定居时起直到公元前1500年左右澳洲野犬出现时止，有任何新技术或动植物新品种是从印度尼西亚传入澳大利亚的。

澳洲野犬在南岛人对外扩张的极盛时期从中国华南通过印度尼西亚传入澳大利亚。南岛人成功地在印度尼西亚各个岛屿定居下来，其中包括离澳大利亚最近的两个岛屿——帝汶岛和丹宁巴群岛（分别距离现代澳大利亚仅为275英里和205英里）。由于南岛人在其横渡太平洋进行扩张的过程中走过了非常远的海上距离，因此我们可能不得不假定他们曾多次到过澳大利亚，即使我们没有澳洲野犬这个证据来证明这一点。在历史上，每年都有一些张帆行驶的独木舟从印度尼西亚的苏拉威西岛（西里伯斯岛）的望加锡地区到澳大利亚西北部来访问，直到澳大利亚政府于1907年禁止了这种造访。考古证据表明，这种访问可以追溯到公元1000年左右，很有可能更早。这些访问的主要目的是要得到海参。海参是海星的亲缘动物，作为一种著名的催欲剂和珍贵的汤料从望加锡出口到中国。

当然，在望加锡人一年一度的访问期间发展起来的贸易，在澳大利亚西北部留下了许多遗产。望加锡人在他们的海岸营地种下了罗望子树，并同土著妇女生儿育女。布、金属工具、陶器和玻璃被带来作为贸易物品，然而土著居民却没有学会自己来制造这些物品。土著居民从望加锡人那里学到了一些外来词、一些礼仪以及使用张帆行驶的独木舟和用烟斗吸烟的习俗。

但这些影响都没有能改变澳大利亚社会的基本特点。由于望加锡人的到来，一些事情发生了，但更为重要的却是没有发生的事。这就是望加锡人没有在澳大利亚定居下来——这无疑是因为印度尼西亚对面的澳大利亚西北部地区过于干旱，不适于发展望加锡的农业。如果印度尼西亚的对面是澳大利亚东北部的热带雨林或热带草原，望加锡人可能已定居下来了，但没有证据表明他们到过那么远的地方。既然只有很少的望加锡人到这里来作短暂停留而从未深入内陆腹地，他们所能接触到的就只有生活在沿海一小片地区的几个澳大利亚人群体。甚至这少数澳大利亚人也只是看到一小部分的望加锡文化和技术，而不是一个有稻田、猪、村庄和作坊的全面的望加锡社会。由于澳大利亚人仍然是四处流浪的以狩猎采集为生的人，他们所得到的就只有那几种适合他们的生活方式的望加锡产品和习俗。张帆行驶的独木舟和烟斗，得到了；锻铁炉和猪，没有得到。

比澳大利亚人抵制印度尼西亚的影响显然更加令人惊异的是他们抵制新几内亚的影响。说新几内亚语并且有猪、有陶器和弓箭的新几内亚农民，在叫做托雷斯海峡的一衣带水的对面就是说澳大利亚语、没有猪、没有陶器和弓箭的澳大利亚狩猎采集族群。而且，托雷斯海峡不是一道水面开阔的天然屏障，而是星星点点地散布着一系列岛屿，其中最大的一个岛（穆拉勒格岛）距离澳大利亚海岸不过10英里之遥。澳大利亚和这些岛屿之间以及这些岛屿和新几内亚之间都有经常的贸易往来。许多土著妇女嫁到了穆拉勒格岛，她们在岛上看到了园圃和弓箭。新几内亚的这些特点竟没有传到澳大利亚来，这是怎么一回事呢？

托雷斯海峡的这种文化障碍之所以令人惊讶，仅仅是因为我们可能错误地使自己构想了澳大利亚海岸外10英里处的一个有集约型农业和猪的成熟的新几内亚社会。事实上，约克角土著从未见过任何一个大陆新几内亚人。不过，在新几内亚与离它最近的岛屿之间、然后在这些岛屿与托雷斯海峡中途的马布伊格岛之间、再后在巴杜岛与穆拉勒格岛之间、最后又在穆拉勒格岛与约克角之间，都有贸易关系。

沿着这个岛群向前，新几内亚的社会就显得每况愈下。在这些岛上猪很少或者根本没有。沿托雷斯海峡的新几内亚南部低地居民不从事新几内亚高原地区的那种集约型农业，而是刀耕火种，主要靠海产、打猎和采集为生。甚至这种刀耕火种的习惯，从新几内亚南部沿着这个岛群到澳大利亚，也变得越来越不重要了。离澳大利亚最近的穆拉勒格岛本身也因干旱而不适于农业，所以只能养活很少的人口，而这些人主要靠海产、野生薯蓣和红树果子来维持生存。

因此，新几内亚和澳大利亚隔着托雷斯海峡的相互联系使人想起了小孩子的传话游戏：孩子们坐成一圈，一个孩子凑着第二个孩子的耳朵把一个词轻轻地说给他听，第二个孩子又把他认为他听到的那个词轻轻地说给第三个孩子听，这样，最后一个孩子最后轻轻地再说给第一个孩子听的那词就同原来的那个词毫不相干。同样，沿托雷斯海峡诸岛进行的贸易也是一种传话游戏，最后到了约克角土著手中的是一种与新几内亚社会完全不同的东西。此外，我们也不应把穆拉勒格岛民同约克角土著之间的关系想像成一种从未间断的友好聚餐，土著迫不及待地从海岛老师那里汲取文化。实际上，贸易和战争交替进行，而战争的目的则是割取敌人的首级做战利品和把女人捉来做老婆。

尽管新几内亚文化由于距离和战争而受到了削弱，但新几内亚的某种影响还是到达了澳大利亚。通婚给约克角半岛南部带来了某些新几内亚体貌特征，如鬈发而不是直发。约克角的 4 种语言有澳大利亚罕见的音素，这可能是由于受到新几内亚一些语言的影响。传进来的最重要的东西中，有澳大利亚内陆普遍使用的新几内亚贝壳鱼钩，还有在约克角半岛南部流行的带有舷外浮材的新几内亚独木舟。新几内亚的鼓、举行仪式时戴的面具、葬礼柱和烟斗，也在约克角被采用了。但约克角的土著并没有采用农业，这一部分是因为他们在穆拉勒格所看到的农业已经微不足道了。他们也没有选择养猪，因为在那些岛上猪很少或者根本没有，也因为无论如何没有农业就不可能养猪。他们也没有采用弓箭，而是仍然使用他们的长矛和掷矛器。

澳大利亚很大，新几内亚也很大。但这两个巨大陆块之间的接触，只限于几小批只有很少新几内亚文化的托雷斯海峡岛民与几小批约克角土著的相互影响。约克角土著群体不管出于什么原因而决定使用长矛而不使用弓箭，以及不采纳他们所看到的已经削弱了的新几内亚文化的某些其他特点，从而妨碍了新几内亚这些文化特点向澳大利亚其余所有地区的传播。结果，除了贝壳鱼钩，再没有任何其他新几内亚文化特点传播到澳大利亚腹地了。如果新几内亚气候凉爽的高原地区的几十万农民与澳大利亚东南部气候凉爽的高原地区的土著有过密切的接触，那么，集约型粮食生产和新几内亚文化向澳大利亚的大规模传播就可能接踵而来。但新几内亚高原地区同澳大利亚高原地区之间隔着2000英里的生态环境差异很大的地带。就澳大利亚能有多少机会看到并采用新几内亚高原地区的做法这一点来说，新几内亚高原地区不妨说就是月亮里的山。

总之，虽然澳大利亚石器时代的四处流浪的狩猎采集族群与石器时代的新几内亚农民及铁器时代的印度尼西亚农民都有过贸易往来，但他们始终保持自己的生活方式不变，这初看起来似乎是表明了澳大利亚土著出奇的顽固不化。但更进一步的考察就可发现，这不过是反映了地理条件在人类文化和技术传播中的无处不在的作用。

我们仍然需要考虑一下新几内亚和澳大利亚石器时代的社会同铁

器时代的欧洲人相遭遇的情况。1526年，一个葡萄牙航海家“发现了”新几内亚；1828年，荷兰宣布对它的西半部拥有主权；1884年，英国和德国瓜分了它的东半部。第一批欧洲人在海岸地区定居下来，他们花了很长时间才深入内陆，但到1960年，欧洲人的政府已经对新几内亚的大部分地区建立了政治控制。

欧洲人到新几内亚去殖民，而不是新几内亚人到欧洲来殖民，其原因是显而易见的。欧洲人有远洋船只和罗盘，可以用来帮助他们前往新几内亚；他们有书写系统和印刷机，可以用来印刷地图、描述性的报告和有助于建立对新几内亚的控制的行政文书；他们有政治机构，可以用来组织船只、士兵和行政管理；他们还有枪炮，可以用来向以弓箭和棍棒进行抵抗的新几内亚人射击。然而，欧洲移民的人数始终很少，今天新几内亚的人口仍然以新几内亚人为主。这同澳大利亚、美洲和南非的情况形成了鲜明的对比，因为在那些地方，欧洲人的殖民地数量多、时间久，在广大地区内取代了原来的土著人口。为什么新几内亚却不同呢？

一个主要的因素在19世纪80年代之前挫败了所有欧洲人想要在新几内亚低地地区定居的企图：这个因素就是疟疾和其他热带疾病，虽然其中没有一种是第十一章讨论的那种急性群众性流行传染病。在这些未能实现的对低地地区殖民的计划中，最雄心勃勃的计划是法国侯爵德雷伊于1880年左右在附近的新爱尔兰岛组织的，结果1000个殖民者在不到3年的时间里死掉了930人。即使在今天能够得到现代医药治疗的情况下，我的许多美国朋友和欧洲朋友还是由于疟疾、肝炎和其他疾病而被迫离开，而新几内亚留给我个人的健康遗产则是我得了一年的疟疾和一年的痢疾。

在欧洲人正在被新几内亚低地地区的病菌击倒的时候，为什么欧亚大陆的病菌没有同时击倒新几内亚人？有些新几内亚人的确受到了传染，但并没有达到杀死澳大利亚和美洲大多数土著那样大的规模。对新几内亚人来说，幸运的是在19世纪80年代前新几内亚没有永久性的欧洲人殖民地，而到了这个时候，公共卫生方面的发现已经在控制欧洲人口中的天花和其他传染病方面取得了进展。此外，南岛人的扩张在3500年中已经把一批又一批的印度尼西亚的移民和商人带到了新几内亚。由于亚洲大陆的一些传染病已在印度尼西亚滋生繁衍，新几内亚人因此而长期地接触到这些疾病，所以逐渐形成了比澳大利亚土著多得多的抵抗力。

在新几内亚，欧洲人不为严重的健康问题而苦恼的唯一地区，是超过发生疟疾的最大海拔高度的高原地区。但高原地区已为人口稠密的新几内亚人所占据，欧洲人直到20世纪30年代才到达这里。到这时，澳大利亚政府和荷兰殖民政府不再愿意像以前几个世纪欧洲殖民主义时期那样，通过大批杀死土著族群或把他们赶出他们的土地，来开放土地供建立白人殖民地之用。

对想要成为移民的欧洲人来说，剩下的一个障碍是，在新几内亚的环境和气候条件下，欧洲的作物、牲口和生存方法没有一个地方取得成功。虽然引进的美洲热带作物如南瓜、玉米和马铃薯现在已有少量种植，茶和咖啡种植园也已在巴布亚新几内亚高原地区建立起来，但欧洲的主要作物如小麦、大麦和豌豆一直未能占主导地位。引进的牛和山羊也是少量饲养，它们同欧洲人一样，也为一些热带疾病所折磨。在新几内亚的粮食生产中占主导地位的仍是新几内亚人在过去几千年中予以完善的那些作物和农业方法。

所有这些疾病、崎岖的地形和生存问题，是使欧洲人离开新几内亚东部（现在的独立国家巴布亚新几内亚）的部分原因，这个地区为新几内亚人所占有和管理，不过他们却把英语作为他们的官方语言，用英语字母书写，生活在以英国为模本的民主政治制度之下，并使用在海外生产的枪炮。在新几内亚西部结果就不一样了，印度尼西亚于 1963 年从荷兰人手中接管了这个地区，并被更名为伊里安查亚省。这个省现在为印度尼西亚人治理和享有。它的农村人口的绝大多数仍是新几内亚人，但由于政府鼓励印度尼西亚移民的政策，它的城市人口是印度尼西亚人。由于长期接触疟疾和其他一些与新几内亚人共有的热带疾病，印度尼西亚人没有像欧洲人那样碰到了一道强大的病菌障碍。对于在新几内亚生存问题，他们也比欧洲人有更充分的思想准备，因为印度尼西亚的农业已经包括了香蕉、甘薯和其他一些新几内亚农业的主要作物。伊里安查亚省正在发生的变革，代表了在中央政府的全力支持下继续进行 3500 年前开始到达新几内亚的南岛人的扩张。印度尼西亚人就是现代的南岛人。

欧洲人在澳大利亚殖民，而不是澳大利亚土著在欧洲殖民，其原因同我们刚才在新几内亚这个例子上看到的一样。然而，新几内亚人和澳大利亚土著的命运却是不同的。今天的澳大利亚为 2000 万非土著所居住和管理，他们大多数都是欧洲人的后裔，同时由于澳大利亚于 1973 年放弃了先前的白人澳大利亚的移民政策，有越来越多的亚洲人来到了澳大利亚。土著人口减少了 80%，从欧洲殖民地时代的 30 万人左右下降到 1921 年最低点 6 万人。今天的土著构成了澳大利亚社会的最底层。他们有许多人住在布道站或政府保留地里，或者为白人放牧而住在畜牧站里。为什么土著的境况比新几内亚人差得这么多？

根本的原因是澳大利亚适于（在某些地区）欧洲人发展粮食生产

和定居，再加上欧洲人的枪炮、病菌和钢铁在消灭土著中所起的作用。虽然我已着重指出了澳大利亚的气候和土壤所造成的种种不利之处，但它的一些最富饶或最肥沃的地区仍然有利于欧洲的农业。现在在澳大利亚温带农业中占主导地位的，是欧亚大陆温带的主要作物小麦（澳大利亚的主要作物）、大麦、燕麦、苹果和葡萄，再加上原产非洲萨赫勒地带的高粱和棉花以及原产安第斯山脉的马铃薯。澳大利亚东北部热带地区（昆士兰）已超出了新月沃地作物的最佳生长范围，来自欧洲的农民在这些地区引进原产新几内亚的甘蔗、原产热带东南亚的香蕉和柑橘果和原产热带南美的花生。至于牲口，欧亚大陆的绵羊使粮食生产扩大到澳大利亚的不适于农业的贫瘠地区成为可能，而欧亚大陆的牛则成为较湿润地区饲养的牲口之一。

因此，澳大利亚粮食生产的发展必须等待非本地作物和牲口的引进，这些作物和牲口是在世界上气候相似的地区驯化的，而这些地方过于遥远，如果没有越洋船只的运输，那里的驯化动植物是到不了澳大利亚的。和新几内亚不同，澳大利亚大部分地区都没有严重到可以令欧洲人望而却步的疾病。只有在热带的澳大利亚北部，疟疾和其他热带疾病迫使欧洲人在19世纪放弃了他们建立殖民地的企图，只有随着20世纪医药的发展，这种企图才得以实现。

当然，澳大利亚土著是欧洲人发展粮食生产的障碍，尤其是因为可能是最富饶的农田和产奶地区当初曾养活澳大利亚土著中人口最稠密的狩猎采集族群。欧洲人的拓殖用两种办法减少了土著的人数。一个办法就是开枪把他们打死，在19世纪和18世纪晚些时候，欧洲人认为这是一种可以接受的选择，到20世纪30年代他们进入新几内亚高原地区时，他们就很少这样考虑了。最后一次大规模的屠杀于1928年发生在艾利斯斯普林斯，共杀死了31个土著。另一个办法就是欧洲人引进的病菌，对这些病菌土著居民还没有机会获得免疫力或形成自然的抵抗力。1778年，第一批欧洲移民到达悉尼，不到一年，死于流行病的土著居民的尸体便随处可见。有案可查的主要的致命疾病有天花、流行性感冒、麻疹、伤寒、斑疹伤寒、水痘、百日咳、肺结核和梅毒。

在所有适于欧洲人发展粮食生产的地区，独立的土著社会就被用这两种办法消灭了。唯一的或多或少完好无损地幸存下来的社会，是对欧洲人无用的澳大利亚北部和西部地区的社会。在欧洲人殖民的一个世纪内，有4万年历史的土著传统基本上被消灭殆尽。

现在我们可以回到我在本章开始后不久提出的那个问题了。英国白人殖民者在对一个大陆进行殖民的几十年时间内创造了一个有文字的、从事粮食生产的工业民主，而这个大陆上的居民在经过了4万多年之后仍然过着四处流浪的狩猎采集生活。除了假定土著本身的种种缺点，我们怎样才能对这个事实作出解释呢？这是否就是对人类社会演化的一个完全的对照实验，使我们不得不接受一种简单的种族主义的结论？

对这个问题的解答很简单。英国白人殖民者并没有在澳大利亚创造出一个有文字的、从事粮食生产的工业民主。他们不过是把所有这些成分从澳大利亚以外的地方引进罢了。这些成分包括家畜、各种作物（澳洲坚果除外）、冶金知识、蒸汽机、枪炮、字母、政治机构、甚至病菌。所有这些都是在欧亚大陆环境下1万年发展的最后产物。由于地理的偶然因素，1788年在悉尼登陆的那些殖民者继承了这些成分。欧洲人从来没有学会在没有他们所继承的欧亚大陆技术的情况下如何在澳大利亚或新几内亚生存。罗伯特·伯克和威廉·威尔斯聪明得能学会写字，但要在土著生活的澳大利亚沙漠生存下去，他们的聪明就不够用了。

在澳大利亚创造社会的人是澳大利亚的土著。当然，他们所创造的社会不是一个有文字的、从事农业生产的工业民主的社会。其原因是由澳大利亚的环境特点直接造成的。

注　释：

1. 婆罗洲为东南亚加里曼丹岛的旧称。——译者
2. 东山：今越南一地名。——译者
3. 摩鹿加群岛：印度尼西亚东北部马鲁古群岛的旧称。——译者

第十六章　中国是怎样成为中国人的中国的

外来移民、鼓励雇用少数民族成员及妇女的赞助性行动、多种语言的使用、种族的多样性——我生活的加利福尼亚州曾是这些有争议的政策的倡导者之一，现在它又在带头强烈反对这些政策。我的儿子在洛杉矶公立学校就读，只要向这些学校的教室里看上一眼，你就会发现关于这些政策的抽象辩论就像这些孩子们的脸一样具体而实际。这些孩子代表了在家里说的80多种语言，而说英语的白人却成了少数。我的儿子们的每一个在一起玩耍的伙伴的父母或祖父母中，至少有一人是在美国以外的地方出生的；我自己的儿子的祖父母和外祖父母4人中有3个不是出生在美国。不过，外来移民仅仅是恢复美洲保持了数千年之久的种族多样性而已。在欧洲人定居前，美国大陆是数以百计的印第安部落和语言的发源地，只是在最近的几百年内才受到单一政府的控制。

在这些方面，美国是一个完全“正常的”国家。在世界上人口最多的6个国家中，除一国外，其余都是不久前实现政治统一的民族大熔炉，仍然保持着几百种语言和种族群体。例如，俄国曾是一个以莫斯科为中心的小小的斯拉夫国家，直到公元1582年它才开始向乌拉尔山脉以外的地区扩张。从那时起直到19世纪，俄国开始并吞了几十个非斯拉夫民族，其中许多民族仍然保有自己原来的语言和文化特性。正如美国的历史就是关于我们大陆的广大地区如何成为美国人的地区的故事一样，俄国的历史就是关于俄国如何成为俄国人的俄国的故事。印度、印度尼西亚和巴西也是不久前的政治创造（或者就印度的情况而言是政治再创造），它们分别是大约850种、670种和210种语言的发源地。

近代民族大熔炉这一普遍现象的重大例外是世界上人口最多的国家——中国。今天的中国无论在政治上、文化上或是语言上似乎都是一个大一统的国家，至少在外行人看来是这样。它在公元前221年就已在政治上统一了，并从那时起在大多数世纪中一直保持着统一的局面。自从中国开始有文字以来，它始终只有一个书写系统，而现代欧洲则在使用几十种经过修改的字母。在中国的12亿人中有8亿多人讲官话，这是世界上作为本族语使用的人数最多的语言。还有大约3亿人讲另外7种语言，这些语言和官话的关系以及它们彼此间的关系，就像西班牙语和意大利语的关系一样。因此，不但中国不是一个民族大熔炉，而且连提出中国是怎样成为中国人的中国这个问题都似乎荒谬可笑。中国一直*就是*中国人的，几乎从它的有文字记载的历史的早期阶段就是中国人的了。

对于中国的这种表面上的统一，我们过分信以为真，以致忘记了这多么令人惊讶。我们本来就不应该指望有这种统一，这里有一个遗传上的原因。虽然有一种从人种上对世界各民族的不精确的分类法把所有中国人统统归入蒙古人种，但这种分类所掩盖的差异比欧洲的瑞典人、意大利人和爱尔兰人之间的差异大得多。尤其是，中国的华北人和华南人在遗传上和体质上都存在相当大的差异：华北人最像西藏人和尼泊尔人，而华南人则像越南人和菲律宾人。我的华北朋友和华南朋友常常一眼就能从体貌上把彼此区别开来：华北人往往个子较高，身体较重，鼻子较尖，眼睛较小，眼角更显“上斜”（由于所谓的内眦赘皮关系）。

中国的华北和华南在环境和气候方面也有差异：北方比较干燥也比较冷；南方比较潮湿也比较热。在这些不同的环境里产生的遗传差异，说明华北人和华南人之间有过适度隔离的漫长历史。但这些人到头来却又有着相同的或十分相似的语言和文化，这又是怎么一回事呢？

世界上其他一些地方虽然有人长期定居，但语言并不统一，从这一点来看，中国在语言上明显的近乎统一也就令人费解了。例如，我们在上一章看到，新几内亚的面积不到中国的十分之一，它的人类历史也只有大约4万年，但它却有1000种语言，包括几十个语族，这些语族之间的差异要比中国8种主要语言之间的差异大得多。西欧在印欧语传入后的6000—8000年中，逐步形成或获得了大约40种语言，包括像英语、芬兰语和俄语这样不同的语言。然而，有化石证明，50多万年前中国便已有人类存在了。在这样长的时间里，必然会在中国产生的那成千上万种不同的语言到哪里去了？

这种怪事暗示，中国过去也曾经是形形色色、变化多端的，就像其他所有人口众多的国家现在仍然表现出来的那样。中国的不同之处仅仅在于它在早得多的时候便已统一了。它的“中国化”就是在一个古代的民族大熔炉里使一个广大的地区迅速单一化，重新向热带东南亚移民，并对日本、朝鲜以及可能还有印度发挥重大的影响。

因此，中国的历史提供了了解整个东南亚历史的钥匙。本章就是要讲一讲关于中国是怎样成为中国人的中国的这个故事。

方便的起始点就是一幅详细的中国语言地图（见图16.1及图16.2）。对我们所有习惯于把中国看作铁板一块的人来说，看一看这幅地图真叫人大开眼界。原来，中国除了8种“大”语言——官话及其7个近亲（常常只是被统称为“中国话”），说这些语言的人从1100万到8亿不等——还有130多个“小”语种，其中许多语种只有几千人使用。所有这些“大”、“小”语种分为4个语族，它们在分布密度上差异很大。

官话及其亲属语言，它们构成了汉藏语系中的汉语族，连续分布在中国的华北和华南。人们可以从中国东北徒步穿行整个中国到达南面的东京湾[1]，而仍然没有走出说官话及其亲属语言的人们所居住的土地。其他3个语族的分布零碎分散，为一些“聚居区”的人们所使用，被说汉语和其他亲属语言的人的“汪洋大海”所包围。

特别分散的是苗瑶（亦称曼-勉）语族的分布，这个语族包括600万人，大约分为5种语言，带有富于色彩的名称：红苗语、白苗语（亦称条纹苗语）、黑苗语、绿苗语（亦称蓝苗语）和瑶语。说苗瑶语的人生活在几十个孤立的小块地区，被其他语族的人所包围，它们散布在一个50万平方英里的地区内，从华南一直延伸到泰国。来自越南的10多万说苗语的难民把这个语支带到了美国，不过他们在美国却是以这个语族的另一名称曼语而更为人所知。

另一个零碎分散的语系是南亚语系，这个语系中使用最广泛的语言是越南语和柬埔寨语。6000万说南亚语的人的分布地区，从东面的越南到南面的马来半岛，再到西面的印度。中国语族中的第4个

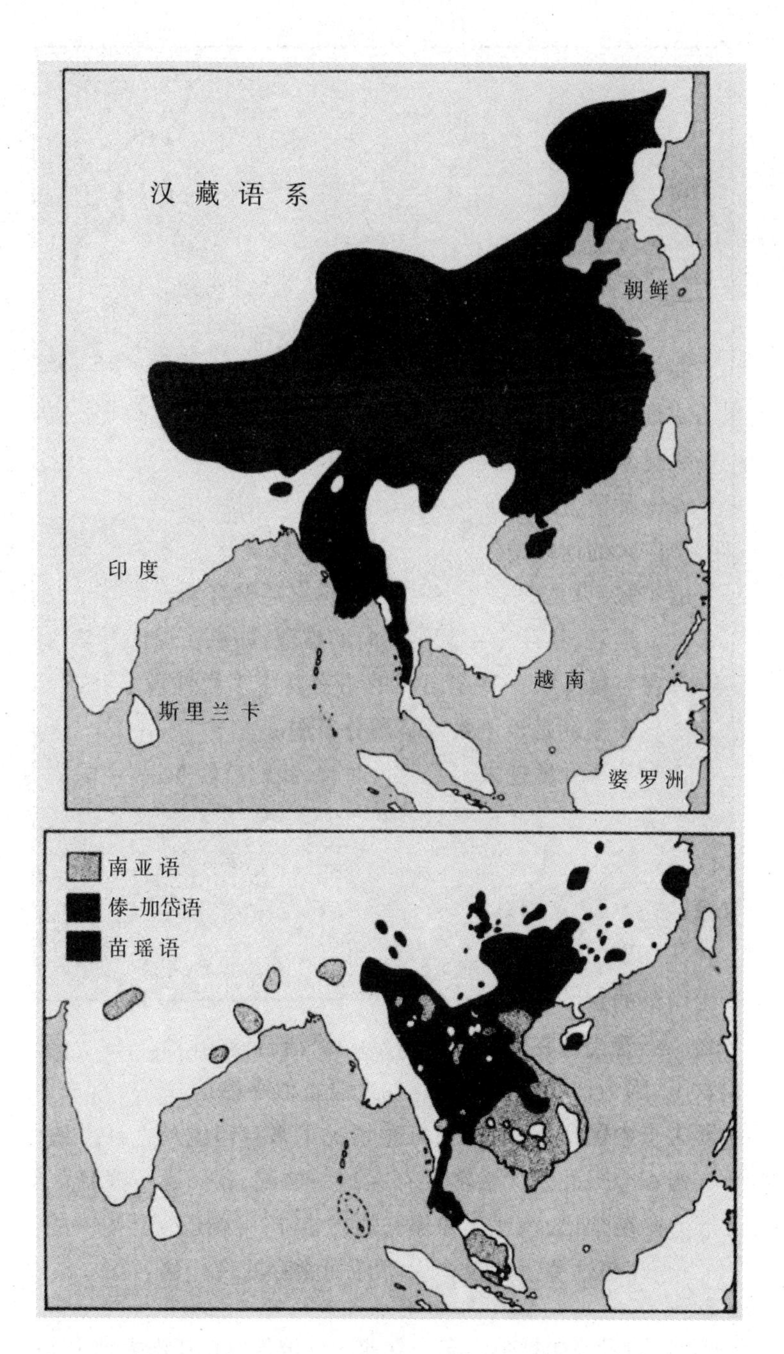

图 16.1　中国和东南亚的 4 大语族

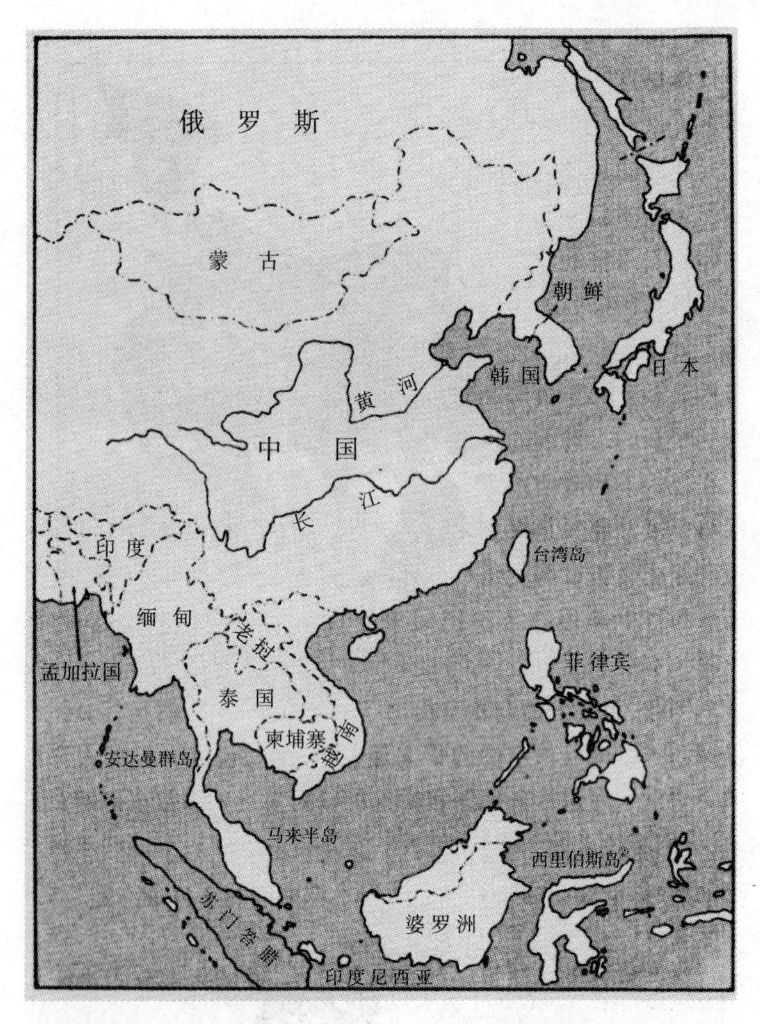

图 16.2 东亚和东南亚的现代政治边界，用以说明图 16.1 所示语族的分布。

也是最后一个语支是傣-加岱语支（包括泰语和老挝语），这个语支有 5000 万人，其分布从华南向南进入泰国半岛，向西到达缅甸。

当然，今天说苗瑶语的人的分布之所以如此零碎分散，不是由于古代有什么直升飞机把他们东一处西一处地投掷在亚洲大地上。人们倒是可以猜想他们本来具有一种比较近乎连续的分布，后来之所以变得零碎分散，是由于其他语族的人进行扩张，或诱使说苗瑶语的人放弃自己的语言。事实上，语言分布的这种变得零碎分散的过程，有很大一部分都是在过去的2500年内发生的，作为历史事实这有充分的文献可资证明。现代说泰语、老挝语和缅甸语的人的祖先，都是在历史上从华南和邻近地区迁往现在的地点，相继淹没了早先移民在那里定居的后代。说汉语的族群特别卖力地取代其他族群，并在语言上改变他们，因为说汉语的族群鄙视其他族群，认为他们是原始的劣等族群。从公元前1100年到公元前221年的中国周朝的历史记载，描写了一些说汉语的诸侯国对中国大部分非汉语人口的征服和吸收。

我们可以利用几种推理尽可能地重新绘制出几千年前的东亚语言地图。首先，我们可以把已知的最近几千年的语言扩张史颠倒过来。其次，我们可以作这样的推理：如果现代的某些地区只有一种语言或有亲属关系的语族，而这一语言或语族又占有一个广大的连续地区，那么这些地区就证明了这一语族在地理上的扩张，只是由于时间还不够长，它还没有来得及分化成许多语言。最后，我们还可以作反向的推理：如果在现代的某些地区内存在着属于某一特定语系的语言高度多样性现象，那么这些地区差不多就是该语系的早期分布中心。

运用这3种推理来拨回语言时钟，我们就能断定：中国的华北原先为说汉语和其他汉藏语的人所占据；华南的不同地区在不同时间里为说苗瑶语、南亚语和傣-加岱语的人所占据；而说汉藏语的人取代了整个华南地区大多数说其他这些语言的人。一种甚至更加引人瞩目的语言剧变想必席卷了从热带东南亚到中国南部的整个地区——泰国、缅甸、老挝、柬埔寨、越南和马来半岛。不管当初在那些地方说过什么语言，现在必定都已全部消亡了，因为这些国家的所有现代语言似乎都是近代的外来语，主要来自中国华南，或者在某些情况下来自印度尼西亚。鉴于苗瑶语在今天几乎无法继续存在这一情况，我们还可以猜测当年华南除苗瑶语、南亚语和傣-加岱语外，可能还有其他一些语族，不过其他这些语族没有留下任何幸存的现代语言罢了。我们还将看到，南岛语系(所有菲律宾和波利尼西亚语言属于这一语系)可能就是从中国大陆消失的其他这些语系之一，而我们之所以知道这一语系，仅仅因为它传播到了太平洋诸岛并在那里存在下来。

东亚的这种语言更替使我们想起了欧洲语言尤其是英语和西班牙语向新大陆传播的情况。新大陆以前曾是一千种或更多的印第安语言的发源地。我们从我们的近代史得知，英语不是仅仅因为印第安人听起来悦耳才终于取代了美国的印第安语言的。相反，这种更替需要说英语的移民通过战争、屠杀和带来的疾病来杀死大多数印第安人，使幸存的印第安人不得不采用英语这个新的多数人的语言。语言更替的直接原因是外来的欧洲人在技术上和政治组织上所拥有的对印第安人的优势，而这种优势归根结底又是来自很早就出现粮食生产所带来的优势。澳大利亚土著语言为英语所更替以及非洲赤道以南地区原来的俾格米和科伊桑语言为班图语所更替，基本上都经历了同样的过程。

因此，东亚的语言剧变提出了一个相应的问题：是什么使说汉藏语的人得以从中国的华北迁往华南，使说南亚语的人和说原为中国华南语族其他语言的人得以向南进入热带东南亚？这里，我们必须求助于考古学，看一看是否有证据表明某些亚洲人在技术、政治和农业方面获得了对其他亚洲人的优势。

与在世界上其他每一个地方一样，东亚的大部分人类历史的考古记录，仅仅显示了使用粗糙石器并且没有陶器的狩猎采集族群的遗迹。在东亚，表明情况有所不同的最早证据来自中国，因为那里出现了公元前7500年左右的作物残迹、家畜的骨头、陶器和打磨的（新石器时代的）石器。这个年代距离新石器时代和新月沃地粮食生产开始的时间不到1000年。但由于在这之前1000年的中国情况在考古上知之甚少，我们目前还无法确定中国粮食生产的开始究竟与新月沃地同时，还是稍早或稍晚。至少，我们可以说，中国是世界上最早的动植物驯化中心之一。

中国实际上可能有两个或更多的独立出现粮食生产的中心。我已经提到过中国凉爽、干燥的北方与温暖、潮湿的南方在生态方面的差异。即使在同一纬度，沿海低地与内陆高原之间也存在着生态差异。不同的野生植物生长在这些根本不同的环境里，因此中国不同地区的早期农民对这些植物可能会有不同的利用。事实上，已经验明的最早作物是华北的两种耐旱的黍子，而华南的水稻则表明可能存在南北两个不同的植物驯化中心。

中国的一些考古遗址不但有最早的作物证据，而且还有驯养的猪、狗和鸡的骨头。除了这些驯养的动物和作物，渐渐又有了中国的其他许多驯化动植物。在这些动物中，水牛是最重要的（用于拉犁），而蚕、鸭和鹅则是另一些最重要的动物。后来的一些为人们所熟悉的作物包括大豆、大麻、柑橘果、茶叶、杏、桃和梨。此外，正如欧亚大陆的东西轴向使许多这样的中国动物和作物在古代向西传播一样，西亚的驯化动植物也向东传播到中国，并在那里取得重要的地位。西亚对古代中国经济特别重大的贡献是小麦和大麦、牛和马以及(在较小的程度上)绵羊和山羊。

和在世界上的其他地方一样，粮食生产在中国逐步产生了其他一些在第十一到第十四章所讨论的“文明”标志。中国非凡的青铜冶炼传统开始于公元前3000年至2000年间，最后在公元前500年左右导致在中国发展出世界上最早的铸铁生产。其后的1500年则是第十三章提到的中国技术发明的大量涌现时期，这些发明包括纸、罗盘、独轮车和火药。筑有防御工事的城市在公元前第三个一千年间出现了，墓葬形制出现了很大变化，有的朴素无华，有的陈设奢侈，这表明出现了阶级差别。保卫城市的高大城墙、巨大的宫殿、最后还有沟通中国南北的大运河(世界上最长的运河，全长1000多英里)，证明等级社会已经出现，因为只有这样的社会的统治者才能把大量的平民劳动力动员起来。现在保存下来的文字是在公元前第二个一千年间出现的，但也可能出现得更早。我们关于中国出现了城市和国家的考古知识，后来又得到了关于中国最早的几个王朝的文字记载的补充，这些王朝可以追溯到公元前2000年左右兴起的夏朝。

至于粮食生产的更具灾难性的副产品传染病，我们还不能确定源于旧大陆的一些最主要的疾病发生在旧大陆的什么地方。然而，从罗马时代到中世纪的一些欧洲著作清楚地记述了腺鼠疫、可能还有天花来自东方，因此这些病菌可能源自中国或东亚。流行性感冒(起源于猪)甚至更可能发生在中国，因为猪很早就在中国驯养了，并且成了中国十分重要的家畜。

中国广大的幅员和生态的多样性造就了许多不同的地区性文化，从考古上来看，根据它们的陶器和人工制品的不同风格，这一点是可以区别出来的。在公元前第四个一千年期间，这些地区性文化在地理上扩张了，它们开始相互作用，相互竞争，相互融合。正如生态多样性地区之间驯化动植物的交流丰富了中国的粮食生产一样，文化多样性地区之间的交流丰富了中国的文化和技术，而交战的酋长管辖地之间的激烈竞争推动了规模更大、权力更集中的国家的形成（第十四章）。

虽然中国的南北梯度妨碍了作物的传播，但这种梯度在中国不像在美洲或非洲那样成为一种障碍，因为中国的南北距离较短；同时也因为中国的南北之间既不像非洲和墨西哥北部那样被沙漠阻断，也不像中美洲那样被狭窄的地峡隔开。倒是中国由西向东的大河（北方的黄河、南方的长江）方便了沿海地区与内陆之间作物和技术的传播，而中国东西部之间的广阔地带和相对平缓的地形最终使这两条大河的水系得以用运河连接起来，从而促进了南北之间的交流。所有这些地理因素促成了中国早期的文化和政治统一，而西方的欧洲虽然面积和中国差不多，但地势比较高低不平，也没有这样连成一体的江河，所以欧洲直到今天都未能实现文化和政治的统一。

在中国，有些新事物是由南向北传播的，尤其是铁的冶炼和水稻的栽培。但主要的传播方向是由北而南。这个趋向在文字上表现得最为明显：欧亚大陆西部曾产生过太多的书写系统，如苏美尔的楔形文字、埃及的象形文字、赫梯文字[3]、弥诺斯文字和闪语字母。中国则不同，它只产生了一种得到充分证明的书写系统。它在华北得到完善，并流传各地，预先制止了任何其他不成熟的书写系统的发展或取而代之，最后演化为今天仍在中国使用的文字。华北社会向南传播的其他一些重要的有特色的东西是青铜工艺、汉藏语言和国家的组成。中国的3个最早的王朝——夏、商、周都是在公元前第二个一千年间在华北兴起的。

现存的公元前第一个一千年中的著作表明，当时的华夏族就已常常(就像今天许多人仍然在做的那样)觉得在文化上比非华夏族的“野蛮人”优越，而华北人也常常甚至把华南人也看作野蛮人。例如，公元前第一个一千年中周朝后期的一位作家对中国的其他民族作如下的描绘：“中国戎夷，五方之民，皆有性也，不可推移。东方曰夷，被发文身，有不火食者矣。”这位周朝的作者接着又把南方、西方和北方的原始部落说成是沉溺于同样野蛮的习俗：“南方曰蛮，雕题交趾，有不火食者矣。西方曰戎，被发衣皮，有不粒食者矣。北方曰狄，衣羽毛穴居，有不粒食者矣。”[4]

由华北的这个周王朝建立的或以周王朝为榜样的一些国家，在公元前第一个一千年中向华南扩展，最后于公元前221年实现了秦王朝统治下的中国的政治统一。中国的文化统一也在同一期间加速进行，有文字的、“文明的”华夏诸国吸收并同化了没有文字的“野蛮人”，或成为这些人仿效的榜样。这种文化的统一有时是很残暴的，例如秦始皇宣布以前的所有典籍都是没有价值的，并下令把它们焚毁，这给我们现在了解中国的早期历史和文字造成了很大的不便。这些和其他一些严厉的措施对于华北的汉藏语向中国大部分地区传播，并使苗瑶语和其他语族的分布落到如今零碎分散的状况，必定起到过推动的作用。

在东亚，中国在粮食生产、技术、文字和国家组成方面的领先优势所产生的结果是，中国的创新改革对邻近地区的发展也作出了重大的贡献。例如，直到公元前第四个一千年，热带东南亚仍然为狩猎采集族群所占据，这些人制造了属于以越南和平遗址命名的所谓和平文化[5]传统的砾石工具和石片工具。从那以后，源自中国的作物、新石器时代的技术、村居生活以及与华南陶器相似的陶器传入了热带东南亚，也许一起来到的还有华南的一些语族。历史上缅甸人、老掸人和泰人的向南扩张使热带东南亚的中国化宣告完成。所有这些现代民族都是他们的华南同胞的近代旁系亲属。

中国的这种影响就像蒸汽压路机一样势不可挡，先前的热带东南亚民族在这一地区的现代居民中几乎没有留下任何痕迹。只剩下狩猎采集族群的3个孑遗群体——马来半岛的塞芒族矮小黑人、安达曼群岛岛民和斯里兰卡维多依族矮小黑人——使我们想到热带东南亚的原先居民可能是黑肤、鬈发，就像现代的新几内亚人，而不像肤色较浅、直发的中国华南人及其旁系亲属现代的热带东南亚人。东南亚的这些孑遗的矮小黑人可能就是当初开拓新几内亚的原住民的最后幸存者。塞芒族矮小黑人仍然过着狩猎采集生活，他们和附近的农民进行物物交换，但也从这些农民那里采用了一种南亚语言——就像我们将要看到的那样，菲律宾矮小黑人和非洲俾格米狩猎采集族群也是采用了他们的农民交易伙伴的语言。只有在遥远的安达曼群岛上，一些与华南语族没有亲属关系的语言继续保存了下来——它们是为数必定多达几百种的现已灭绝的东南亚土著语言中最后幸存下来的语言。

甚至朝鲜和日本也受到了中国的巨大影响，不过它们在地理上与中国相隔绝的状态，保证了它们没有像热带东南亚那样失去自己的语言以及体质和遗传特征。朝鲜和日本在公元前第二个一千年中采纳了中国的水稻，在公元前第一个一千年中采用了中国的青铜冶炼术，在公元第一个一千年中采用了中国的文字。中国还把西亚的小麦和大麦传入朝鲜和日本。

我们在这样介绍中国在东亚文明中所起的重要作用时切不可言过其实。事实上，东亚的文化进步并不全部源于中国，朝鲜人、日本人和热带东南亚人也不是毫无贡献的没有创造能力的野蛮人。古代的日本人发明了世界上一些最古老的陶器制造技术，并在粮食生产传入之前很久作为狩猎采集族群就已在村庄里定居，靠日本丰富的海产资源维持生计。有些作物可能是在日本、朝鲜和热带东南亚最早或独立驯化出来的。

但是，中国的作用仍然是太大了。例如，中国文化的声望值在日本和朝鲜仍然很高，虽然日语中源自中国的书写系统在表达日本语言方面存在着种种缺点，但日本并不打算抛弃它，而朝鲜也只是在不久前才用本国的奇妙的谚文字母取代了笨拙的源自中国的文字。中国文字在日本和朝鲜的持续存在是将近1万年前动植物在中国驯化的20世纪的生动遗产。由于东亚最早的农民所取得的成就，中国成了中国人的中国，而从泰国来到（我们将在下一章看到）复活节岛的民族就成了他们的远亲。

注　释：

1. 东京湾：某些外国人沿用的殖民主义者对在中国和越南之间的北部湾的称呼。——译者

2. 西里伯斯岛：印度尼西亚中部苏拉威西岛的旧称。——译者

3. 赫梯文字：赫梯为公元前17世纪左右在小亚细亚及叙利亚建立的强大古国，后为亚述人征服。赫梯语据信属印欧语系，其文字为楔形文字与象形文字并存。——译者

4. 以上引文见中国《礼记·王制》。——译者

5. 和平文化：指首先在越南和平省发现的东南亚这一地区的中石器或新石器时代的文化。——译者

第十七章　驶向波利尼西亚的快艇

有一次，在印度尼西亚属新几内亚的首都查亚普拉，我和3位印度尼西亚朋友走进了一家铺子，这时发生了一件事。对我说来，这件事就是太平洋岛屿历史的缩影。我这3位朋友的名字分别是阿什马德、维沃尔和索阿卡里。这家铺子是一个名叫平瓦的商人开的。阿什马德是印度尼西亚政府官员，担任我们的头儿，因为他和我正在为政府组织一次生态调查，我们雇用了维沃尔和索阿卡里做本地的助手。但阿什马德从来没有到过新几内亚的山区森林，根本不知道该采办什么东西。这结果令人发笑。

在我的朋友们走进这家铺子的时候，平瓦正在读一份中文报纸。当他看见维沃尔和索阿卡里时，他继续读他的报纸，但他一看到阿什马德，就飞快地把报纸塞到柜台下面。阿什马德拿起了一把斧头，惹得维沃尔和索阿卡里笑了起来，因为他把斧头拿倒了。维沃尔和索阿卡里教给他怎样正确地握住斧柄砍东西。这时，阿什马德和索阿卡里注意到维沃尔的光脚丫子，因为他一辈子没有穿过鞋，所以脚趾头都向外张开。索阿卡里挑了一双最大的鞋往维沃尔的脚上套，但这双鞋仍然太小，这引得阿什马德、索阿卡里和平瓦笑声不断。阿什马德挑了一把塑料梳子来梳理他那又粗又黑的直发。他看了一眼维沃尔的浓密的鬈发，把梳子递给维沃尔。梳子立刻在头发里卡住，维沃尔一使劲，梳子就立即折断了。大家都笑了，维沃尔自己也笑了。接着维沃尔提醒阿什马德要买许多大米，因为在新几内亚的山村里除了甘薯买不到其他食物，而吃甘薯会使阿什马德的胃受不了——大家又笑了。

笑归笑，我还是觉察到了潜在的紧张。阿什马德是爪哇人，平瓦是中国人，维沃尔是新几内亚高原人，而索阿卡里是新几内亚北部沿海低地人。爪哇人在印度尼西亚政府中大权独揽，而印度尼西亚政府于20世纪60年代并吞了新几内亚西部，并用炸弹和机关枪粉碎了新几内亚人的反抗。阿什马德后来决定留在城里，让我独自带着维沃尔和索阿卡里去做森林调查工作。他向我解释了他的决定，他指着他那和新几内亚人完全不同的粗直头发说，新几内亚人会杀死任何一个长着他这样头发的人，如果他们发现他远离军队的支持的话。

平瓦已经收起了他的报纸，因为输入中国印刷品在印度尼西亚属新几内亚在名义上是非法的。在印度尼西亚的很大一部分地区，商人都是中国移民。在经济上占支配地位的华人与政治上占支配地位的爪哇人之间潜伏着的相互恐惧在1966年爆发为一场流血的革命，当时爪哇人屠杀了成千上万的华人。维沃尔和索阿卡里是新几内亚人，他们也抱有大多数新几内亚人对爪哇人独裁统治所抱有的愤恨，但他们又互相瞧不起对方的群体。高原居民认为低地居民是光吃西谷椰子的无能之辈而不屑一顾，而低地居民也不把高原居民放在眼里，说他们是未开化的大头鬼，这是指他们那一头浓密的鬈发，也是指他们那出名的傲慢态度。我与维沃尔和索阿卡里建立了一个孤零零的森林营地还没有几天，他们差点儿用斧头干起架来。

阿什马德、维沃尔、索阿卡里和平瓦所代表的这些群体之间的紧张状况，主宰了印度尼西亚这个世界上第四位人口最多的国家的政治。现代的这种紧张状况的根源可以追溯到几千年前。我们在考虑海外重大的人口流动时，往往着重考虑哥伦布发现美洲以来的那些人口流动，以及由此而产生的在各个历史时期内欧洲人更替非欧洲人的情况。但在哥伦布之前很久也存在大规模的海外人口流动，而在史前期也已有了非欧洲人被其他非欧洲人所更替的现象。维沃尔、阿什马德和索阿卡里代表了史前时代从亚洲大陆进入太平洋的3次海外移民浪潮。维沃尔的高原地区居民可能是不迟于4万年前开拓新几内亚的大批早期亚洲移民的后代。阿什马德的祖先在大约4万年前最后从华南沿海到达，完成了对那里的与维沃尔的祖先有亲缘关系的人们的更替。索阿卡里的祖先大约在36000年前到达新几内亚，他们是来自华南沿海的同一批移民浪潮的一部分，而平瓦的祖先则仍然占据着中国。

把阿什马德和索阿卡里的祖先分别带到爪哇和新几内亚的人口流动，被称为南岛人的扩张，这是过去6000年中发生的几次规模最大的人口流动之一。其中的一支成为波利尼西亚人，他们住在太平洋中最偏远的岛上，是新石器时代各族群中最伟大的航海者。南岛人今天所说的语言是分布最广的一种语言，从马达加斯加到复活节岛，覆盖了大半个地球。在本书中，关于自冰期结束以来的人口流动问题，南岛人的扩张占有中心的地位，因为这是需要予以解释的最重要的现象之一。为什么是最后来自大陆中国的南岛人在爪哇和印度尼西亚的其余地方殖民并更替了那里原来的居民，而不是印度尼西亚人在中国殖民并更替了中国人？南岛人在占据了整个印度尼西亚之后，为什么不能再占据新几内亚低地那一块沿海的狭长地带，为什么完全不能把维沃尔的族群从新几内亚高原地区赶走？中国移民的后代又是怎样变成波利尼西亚人的？

今天的爪哇岛、大部分其他印度尼西亚岛屿（最东端的一些岛屿除外）以及菲律宾群岛上的居民是颇为相似的。在外貌和遗传上，这些岛上的居民与华南的中国人相似，甚至与热带东南亚人更加相似，尤其与马来半岛的居民相似。他们的语言也同样相似：虽然在菲律宾群岛和印度尼西亚的西部及中部地区有374种语言，但它们全都有很近的亲缘关系，都属于南岛语系的同一个语支（西马来-波利尼西亚语支）。南岛语到达亚洲大陆的马来半岛、越南和柬埔寨的一些小块地区、印度尼西亚最西端的岛屿苏门答腊和婆罗洲附近，但在大陆的其他地方就再也没有这些语言了（图17．1）。南岛语中的一些词被借入英语，其中包括“taboo”（禁忌）和“tattoo”（文身）（来自波利尼西亚语）、“boondocks”（荒野）（来自菲律宾的他加禄语）、“amok”（杀人狂）、“batik”（蜡防印花法[1]）和“orangutan”（猩猩）（来自马来语）。

印度尼西亚和菲律宾在遗传和语言上的一致起初令人惊讶，就像中国在语言上的普遍一致令人惊讶一样。著名的爪哇人化石证明，人类至少在印度尼西亚西部居住了100万年之久。这应该使人类有充裕的时间逐步形成遗传和语言方面的差异和对热带的适应性变化，如像其他许多热带居民的那种黑皮肤——但印度尼西亚人和菲律宾人却肤色较浅。

南岛语系诸语言分布图

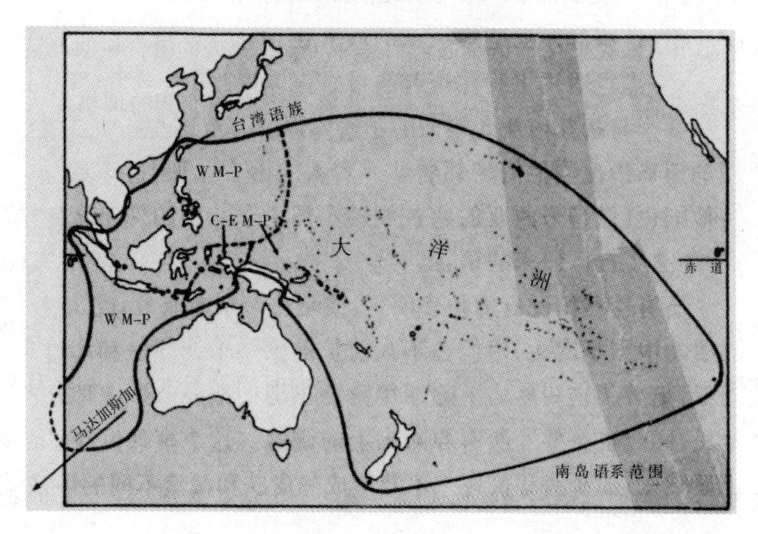

图 17.1 南岛语系包括 4 个语族，其中 3 个都在台湾，另一个(马来-波利尼西亚语族)分布甚广。这后一个语族又包括两个语支——西马来-波利尼西亚语(=WM-P)和中-东马来-波利尼西亚语(=C-EM-P)。这后一个语支又包括 4 个亚语支，其中分布很广的大洋洲亚语支在东，另外 3 个在西，其分布地区小得多，包括哈尔马赫拉岛、印度尼西亚东部附近岛屿和新几内亚西端。

同样令人惊讶的是，除了肤色较浅这一点外，在其他体貌特征和遗传方面，印度尼西亚人和菲律宾人同热带东南亚人和中国华南人非常相似。只要看一看地图就可清楚地知道，印度尼西亚提供了人类在 4 万年前到达新几内亚和澳大利亚的唯一可能的路线，因此人们可能天真地以为，现代的印度尼西亚人理应像现代的新几内亚人和澳大利亚人。事实上，在菲律宾/印度尼西亚西部地区，只有几个像新几内亚人的人群，特别是生活在菲律宾山区的矮小黑人。菲律宾的这些矮小黑人可能是一些群体的孑遗，这些群体就是维沃尔的族群在到达新几内亚之前的祖先，这一点也适用于我在谈起热带东南亚时

(第十六章)所提到的那3个与新几内亚人相似的孑遗群体。甚至这些矮小黑人所说的南岛语也同他们的邻居菲律宾人的语言相似，这一点意味着他们也(像马来西亚的塞芒族矮小黑人和非洲的俾格米人一样)失去了自己原来的语言。

所有这些情况有力地表明了，或是热带东南亚人，或是说南岛语的中国华南人，他们在不久前扩散到整个菲律宾和印度尼西亚，更替了这些岛屿上除菲律宾矮小黑人以外的所有原来的居民，同时也更替了所有原来岛上的语言。这个事件发生的时间显然太近，那些移民还来不及形成黑皮肤和截然不同的语系，也来不及形成遗传特征或遗传差异。他们的语言当然比大陆中国的8大语言多得多，但不再迥然不同。许多相似的语言在菲律宾和印度尼西亚增生，只是反映了这些岛屿从未像中国那样经历过政治和文化的统一。

语言分布的详细情况为这种假设的南岛人扩张的路线提供了有价值的线索。整个南岛语系包括959种语言，分为4个语族。但其中一个被称为马来-波利尼西亚语的语族包括了这959种语言中的945种，几乎覆盖了南岛语系整个地理分布范围。在说印欧语的欧洲人最近的海外扩张之前，南岛语是世界上分布最广的语系。这表明，马来-波利尼西亚语族最近从南岛语系分化出来，从南岛语的故乡向远方传播，从而产生了许多地方性语言，但仍然都是近亲语言，因为时间太短，还不能形成巨大的语言差异。至于南岛语的故乡究竟在何处，我们不应因此就把目光投向马来-波利尼西亚语族，而应投向南岛语系的另外3个语族，它们彼此之间的差异以及与马来-波利尼西亚语族的差异，要大大多于马来-波利尼西亚语族的各个语支之间的差异。

原来，这另外3个语族都有重叠分布，与马来-波利尼西亚语族的分布相比，它们的分布范围全都很小。只有距华南大陆90英里的台湾岛的土著在使用这些语言[2]。台湾的土著占据了该岛的大部分地区，直到最近的几千年中大陆中国人才开始在岛上大批定居。1945年后，尤其是1949年中国共产党打败了中国国民党后，又有一批大陆人来到台湾，所以台湾土著现在只占台湾人口的2%。南岛语系的4个语族中有3个集中在台湾，这表明台湾就是今天各地南岛语的故乡，在过去几千年的大部分时间里，这些语言一直在台湾使用，因此有最长的时间来产生分化。这样看来，从马达加斯加到复活节岛，所有其他南岛语可能都起源于台湾向外的人口扩张。

现在，我们可以转到考古证据方面来。虽然古代村落的遗址中没有随骨头和陶器一起出土的语言化石，但仍然显示了可以与语言联系起来的人的活动和文化产品。同世界上的其余地区一样，今天南岛语分布范围内的大部分地区——台湾、菲律宾、印度尼西亚和许多太平洋岛屿——原来都为狩猎采集族群所占据，他们没有陶器，没有打磨的石器，没有家畜，也没有作物。（这一推断的唯一例外是马达加斯加、美拉尼西亚东部、波利尼西亚和密克罗尼西亚这些偏远的岛屿，因为狩猎采集族群从来没有到达过这些地方，在南岛人扩张前一直是人迹不至。）在南岛语分布范围内，考古中发现最早的不同文化迹象的地方是——台湾。从公元前第四个一千年左右开始的打磨石器和源于华南大陆更早陶器的有图案装饰的不同陶器风格（所谓大坌坑陶器），在台湾和对面的华南大陆沿海地区出现。后来在台湾的一些遗址中出土的水稻和粟的残迹提供了关于农业的证据。

台湾大坌坑遗址和华南沿海，不但有大量的石头网坠和适于刳木为舟的扁斧，而且也有大量的鱼骨和软体动物的壳。显然，台湾的这些新石器时代的最早居民已有了水运工具，足以胜任深海捕鱼，并可从事经常性的海上交通，渡过该岛与大陆之间的台湾海峡。因此，台湾海峡可能被用作航海训练场，大陆中国人在这里培养他们的航海技术，以便他们能够在太平洋上进行扩张。

一种把台湾大坌坑文化同后来的太平洋岛屿文化联系起来的特殊的人工制品是树皮舂捣器，这是一种石制工具，用来舂捣某些树的含纤维的树皮，以便制作绳索、鱼网和衣服。太平洋民族一旦到了没有产毛的家畜、没有纤维作物因而也就没有织造成的布的地方，他们穿衣就得依靠舂捣出来的树皮“布”了。伦纳尔岛是波利尼西亚的一个传统岛屿，直到20世纪30年代才开始西方化。这个岛上的居民对我说，西方化产生了一个附带的好处，就是岛上变得安静了。不再到处都是树皮舂捣器的声音了，不再每天从天亮一直舂捣到黄昏后了！

有考古证据表明，在大坌坑文化到达台湾后的1千年左右时间里，明显源自该文化的一些文化从台湾向外传播得越来越远，最后占据了现代南岛语的整个分布范围(图17.2)。这方面的证据包括磨制的石器、陶器、家猪的骨骼和作物的残迹。例如，台湾岛上有花纹的大坌坑陶器为没有花纹的素陶或红陶所代替，这种陶器在菲律宾和印度尼西亚的西里伯斯岛及帝汶岛上的一些遗址也有发现。这种包括陶器、石器和驯化动植物的“整体”文化在公元前3000年左右出现在菲律宾，在公元前2500年左右出现在印度尼西亚的西里伯斯岛、北婆罗洲和帝汶岛，在公元前2000年左右出现在爪哇和苏门答腊，在公元前1600年左右出现在新几内亚地区。我们将要看到，在那些地方的扩张呈现出快艇般的速度，人们携带着整个文化向东全速前进，进入了所罗门群岛以东过去没有人迹的太平洋岛屿。这一扩张的最

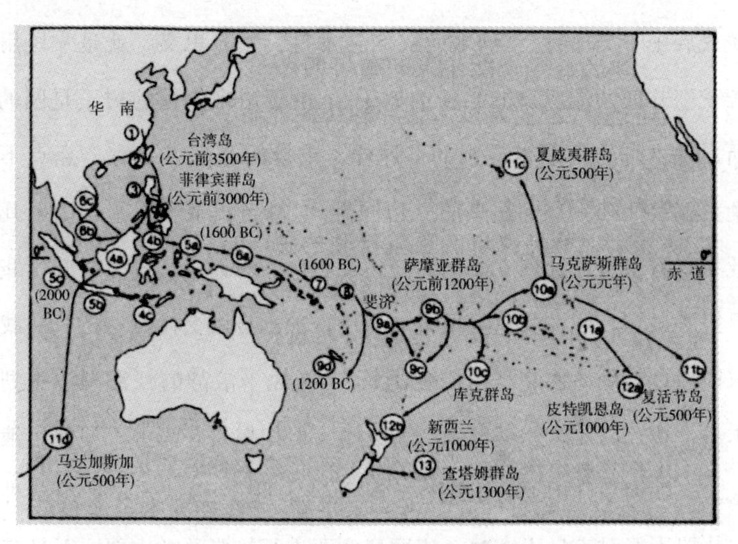

图 17．2 南岛人扩张路线及到达每一地区的大致年代。

② 台湾岛（公元前3500年） ⓸ⓐ 婆罗洲 ⓸ⓑ 斯里伯斯岛 ⓸ⓒ 帝汶岛（公元前2500年左右） ⑤ⓐ 哈尔马赫拉岛（公元前1600年左右） ⑤ⓑ 爪哇岛 ⑤ⓒ 苏门答腊（公元前2000年左右） ⑥ⓐ 俾斯麦群岛（公元前1600年左右） ⑥ⓑ 马来半岛 ⑥ⓒ 越南（公元前1000年左右） ⑦ 所罗门群岛（公元前1600年左右） ⑧ 圣克鲁斯群岛 ⑨ⓐ 斐济 ⑨ⓒ 汤加 ⑨ⓓ 新喀里多尼亚（公元前1200年左右） ⑩ⓑ 社会群岛 ⑪ⓐ 土阿莫土群岛（公元元年左右） ⑪ⓓ 马达加斯加（公元 500 年） ⑬ 查塔姆群岛（公元1300年）

后阶段发生在公元元年后的一千年中，导致了对波利尼西亚和密克罗尼西亚的每一个能住人的岛屿的拓殖。令人惊讶的是，这种扩张还迅速西进，渡过太平洋到达非洲东海岸，导致了对马达加斯加岛的拓殖。

至少在这种扩张到达新几内亚沿海之前，各岛之间的往来可能要靠有双舷外浮材的张帆行驶的独木舟，这种船今天在整个印度尼西亚仍很普遍。这种船的设计代表了对那种刳木而成的简单独木舟的一个重大的进步，而这种简单的独木舟在全世界生活在内河航道上的传统民族中十分流行。刳木而成的独木舟，顾名思义，就是一段用扁斧挖空并使两端成形的结实的树干。由于用来掏挖的树干是圆的，所以独木舟的底部也是圆的，这样，重量的分配只要有一点点不平衡，就会使独木舟向超重的一边倾翻。每当我乘坐独木舟由新几内亚人划着沿着新几内亚的河流逆流而上时，一路上大部分时间里我都是提心吊胆，好像我只要稍微动一动，独木舟就会倾覆，把我和我的双筒望远镜翻落水中去与鳄鱼为伍。在风平浪静的江河湖泊里划独木舟，新几内亚人能够做到行所无事，但如果是在海上，即使风浪不太大，就连新几内亚人也不会去驾驶独木舟。因此，设计出某种稳定装置不但对南岛人在整个印度尼西亚进行扩张至关重要，而且甚至对台湾的最早开拓也是必不可少的。

解决办法是把两根较小的圆木（“浮材”）绑在船舷外侧，一边一根，距离船体几英尺远，用垂直地缚在船体和浮材上的支杆来连接。每当船体开始向一边倾侧时，那一边浮材的浮力使浮材不会被推入水下，因而实际上不可能使船倾覆。这种双舷外浮材张帆行驶独木舟的发明可能是促使南岛人从中国大陆向外扩张的技术突破。

考古学证据和语言学证据之间两个引人注目的一致证实了这样的推断：几千年前把一种新石器文化带到台湾、菲律宾和印度尼西亚的民族说的是南岛语，并且是今天仍然居住在这些岛屿上的说南岛语的人的祖先。首先，这两种证据清楚地表明了向台湾的移民是从华南沿海向外扩张的第一阶段，而从台湾向菲律宾和印度尼西亚的移民则是这种扩张的第二阶段。如果这种扩张从热带东南亚的马来半岛开始，先到距离最近的印度尼西亚岛屿苏门答腊，然后到达印度尼西亚的其他岛屿，最后到达菲律宾和台湾，那么我们就会发现马来半岛和苏门答腊的现代语言中南岛语系的最深刻的变化(反映了最大的时间纵深)，而台湾和菲律宾的语言可能只是在最近才在一个语族内发生分化。相反，最深刻的变化却发生在台湾，而马来半岛和苏门答腊的语言全都属于同一个亚语支：西马来-波利尼西亚语支最近出现的一个分支，而西马来-波利尼西亚语支又是波利尼西亚语族相当晚近出现的一个分支。语言关系的这些细节与考古证据完全一致，因为考古证据表明，向马来半岛移民是最近的事，它发生在向台湾、菲律宾和印度尼西亚移民之后，而不是发生在这之前。

考古学证据与语言学证据之间的另一个一致之处，是古代南岛人所使用的整个文化内容。考古学为我们提供了以陶器、猪骨和鱼骨等为形式的直接文化证据。人们开始时可能会感到奇怪，一个只研究现代语言(这些语言的没有文字的祖代形式仍然无人知晓)的语言学家怎么会断定6000年前生活在台湾的人是否已经养猪。办法是比较来源于已经消失的古代语言(所谓原始母语)的现代语言词汇来重构古代语言的词汇。

例如，分布地区从爱尔兰到印度的印欧语系的许多语言中，意思为“羊”的词都十分相似：在立陶宛语、梵语、拉丁语、西班牙语、俄语、希腊语和爱尔兰语中分别为“avis”、“avis”、“ovis”、“oveja”、“ovtsa”、“owis”和“oi”。(英语的“sheep”显然来源不同，但英语在“ewe”〔母羊〕这个词中仍保留了原来的词根。)对各种现代印欧语在历史过程中经历的语言演变所进行的比较表明，在大约6000年前的祖代印欧语中，这个词的原来形式是“owis”。这种没有文字的祖代语言称之为原始印欧语。

显然，6000年前的原始印欧人已经饲养羊，这是与考古证据一致的。他们的词汇中另外有将近2000个词同样可以予以重构，其中包括表示“山羊”、“马”、“轮子”、“兄弟”和“眼睛”这些词。但表示“gun”（枪炮）的词却无法从任何原始印欧语的词重构出来，这个词在不同的现代印欧语中用的是不同的词根：在英语中是“gun”，在法语中是“fusil”，在俄语中是“ruzhyo”，（Ружьё）等等。这一点不应使我们感到惊奇：6000年前的人不可能有表示枪炮的词，因为枪炮只是过去1000年内发明出来的武器。由于没有继承下来的表示“枪炮”这个意思的共同词根，所以在枪炮最后发明出来时，每一种印欧语都得创造出自己的词来或者从别处借用。

我们可以用同样的办法，把现代的台湾语、菲律宾语、印度尼西亚语和波利尼西亚语加以比较，从而重构出在远古所使用的一种原始南岛语来。谁也不会感到惊奇的是，这种重构出来的原始南岛语有这样一些意思的词如“二”、“鸟”、“耳朵”和“头虱”；当然，原始的南岛人能够数到2，知道鸟，有耳朵和虱子。更有意思的是，这种重构出来的语言中有表示“猪”、“狗”和“米”这些意思的词，因此这些东西想必是原始南岛文化的一部分。这种重构出来的语言中有大量表示海洋经济的词，如“带舷外浮材的独木舟”、“帆”、“大蛤”、“章鱼”、“渔栅”和“海龟”。不管原始的南岛人生活在什么地方和什么时候，关于他们的文化的语言学证据与关于大约6000年前生活在台湾的能够制陶、面向海洋、从事粮食生产的民族的考古学证据非常吻合。

同样的方法也可用来重构原始的马来-波利尼西亚语，这是南岛人从台湾向外移民后所使用的祖代语言。原始的马来-波利尼西亚语中有一些用来表示热带作物的词，如芋艿、面包果、香蕉、薯蓣和椰子，在原始的南岛语中，无法重构出任何表示这些作物的词。因此，这个语言学上的证据表明，南岛语中许多热带作物的名字是在南岛人从台湾向外移民后才有的。这个结论是与考古学上的证据相一致的：随着农民移民从台湾（位于赤道以北23度附近）南下，向赤道热带地区扩散，他们开始越来越依赖热带的根用作物和树生作物，接着他们又把这些作物带进了热带太平洋地区。

那些从华南经由台湾南下的说南岛语的农民怎么会这样全面地更替了菲律宾和印度尼西亚西部的狩猎采集人口，以致那原有的人口很少留下什么遗传学的证据和根本没有留下任何语言学的证据？其原因与欧洲在过去不到两个世纪的时间内更替或消灭澳大利亚土著的原因相同，也与华南人在这以前更替了热带东南亚人的原因相同：即农民的稠密得多的人口、优良的工具和武器、更发达的水运工具和航海技术以及只有农民而不是狩猎采集族群才对之有某种抵抗力的流行疾病。在亚洲大陆，说南岛语的农民同样能够更替马来半岛上以前的狩猎采集族群，因为他们从南面和东面（从印度尼西亚的岛屿苏门答腊和婆罗洲）向该半岛移民，与说南亚语的农民从北面（从泰国）向该半岛移民差不多同时。其他一些说南岛语的人终于在越南南部和柬埔寨的一些地方立定了脚根，成为这两个国家中说占语的现代少数民族的祖先。

然而，说南岛语的农民未能再向前进入东南亚大陆，因为说南亚语和加岱语的农民已经更替了那里原有的狩猎采集族群，同时也因为说南岛语的农民并不拥有对说南亚语和傣-加岱语的农民的任何优势。虽然根据我们的推断，说南岛语的人来自华南沿海地区，但在今天的大陆中国已没有人说南岛语了，这可能是因为它们在说汉藏语的人向南扩张时同其他几百种原有的中国语言一起被消灭了。但与南岛语最接近的语族据认为是傣-加岱语、南亚语和苗瑶语。因此，虽然中国的南岛语可能没有逃过被中国王朝攻击的命运，但它们的一些亲属语言却逃过了。

至此，我们已经跟随说南岛语的人走过了他们初期阶段的扩张路线，从华南沿海经过台湾和菲律宾到达印度尼西亚的西部和中部，行程2500英里。在这扩张过程中，这些说南岛语的人从海岸到内陆，从低地到山区，逐步占据了这些岛上所有适于居住的地区。他们的为人所熟知的不迟于公元前1500年的考古标志——包括猪骨和素面红纹陶器——表明，他们已经到达了印度尼西亚东部的哈尔马赫拉岛，距离新几内亚这个多山的大岛的东端不到 200 英里。他们是否像已经占领斯里伯斯、婆罗洲、爪哇和苏门答腊这些多山的大岛那样，去着手占领新几内亚呢?

他们没有那样做，看一看大多数现代新几内亚人的脸就会清楚地知道，对新几内亚人的遗传所进行的详细研究也证实了这一点。我的朋友维沃尔和其他所有新几内亚高原人的黑皮肤、浓密的鬈发和脸型，与印度尼西亚人、菲律宾人和华南人是明显不同的。新几内亚内陆和南部沿海的低地人与高原人相似，只是身材一般较高。遗传学家没有能从新几内亚高原人的血样中发现南岛人特有的遗传标志。

但对新几内亚北部和东部沿海民族和新几内亚北面和东面的俾斯麦群岛和所罗门群岛的民族来说，情况就比较复杂。从外表来看，他们或多或少地介于像维沃尔这样的高原人和像阿什马德这样的印度尼西亚人之间，不过一般都大大接近维沃尔。例如，我的朋友索阿卡里来自北部沿海地区，他的波浪形头发介于阿什马德的直发和维沃尔的鬈发之间，他的肤色比维沃尔的肤色多少要浅一些，却又比阿什马德的肤色深得多。从遗传来看，俾斯麦群岛和所罗门群岛上的居民有大约15%的说南岛语族群的成分，而85%像新几内亚高原地区的人。因此，南岛人显然到过新几内亚地区，但未能完全深入该岛腹地，所以在遗传上被新几内亚北部海岸和岛屿上的原先居民所削弱了。

现代语言基本上说的是同一个故事，不过更详细罢了。我在第十五章说过，大多数新几内亚语言叫做巴布亚诸语言，它们同世界上其他地方的任何语系都没有亲缘关系。在新几内亚山区、新几内亚西南部和中南部整个低地地区(包括新几内亚海岸地区和北部内陆地区)所说的每一种语言，毫无例外都是某一种巴布亚语。但某些南岛语言只在北部和东南部附近的一片狭长地带使用。俾斯麦群岛和所罗门群岛上的大多数语言是南岛语言，某些巴布亚语言只在几个岛上的一些小块孤立地区使用。

在俾斯麦群岛、所罗门群岛和新几内亚北部沿海所使用的南岛语言是一个叫做大洋洲语言的亚语支，它们同哈尔马赫拉岛和新几内亚西端所使用的语言的亚语支有着亲缘关系。人们在看地图时可能会想到，这种语言学上的关系证实了新几内亚地区说南岛语的人是取道哈尔马赫拉岛到达新几内亚的。南岛语和巴布亚语的一些细节和它们在新几内亚北部的分布情况表明，说南岛语的入侵者与说巴布亚语的本地居民有过长期的交往。这个地区的南岛语和巴布亚语显示了对彼此的词汇和语法的巨大影响，使人难以确定某些语言基本上是受到巴布亚语言影响的南岛语还是受到南岛语言影响的巴布亚语言。如果你在新几内亚北部沿海或海岸外的岛屿上旅行，走过了一个又一个村子，你会发现一个村子讲的是南岛语，下一个村子讲的是巴布亚语，再下一个村子讲的又是南岛语，但在语言分界线上却没有发生任何遗传中断。

所有这一切表明，说南岛语的入侵者的后代和原来新几内亚人的后代，几千年来一直在新几内亚北部沿海地区及其岛屿上进行贸易、通婚并获得了彼此的基因与语言。这种长期的接触对转移南岛语言效果较大，而对转移南岛人的基因则效果较小，其结果是俾斯麦群岛和所罗门群岛的岛民现在说的是南岛语，而他们的外貌和大多数基因却仍然是巴布亚人的。但南岛人的基因和语言都没有能深入新几内亚的腹地。这样，他们入侵新几内亚的结果就和他们入侵婆罗洲、西里伯斯和其他印度尼西亚大岛的结果大不相同，因为他们在印度尼西亚的这些岛屿以不可阻挡之势把原先居民的基因和语言消灭殆尽。为了弄清楚在新几内亚发生的事情，让我们现在转到考古证据上来。

公元前1600年左右，人们所熟知的南岛人扩张的考古标志——猪、鸡、狗、红纹陶、打磨石扁斧和大蛤壳——在哈尔马赫拉岛出现，几乎与此同时，这些东西也在新几内亚地区出现了。但南岛人到达新几内亚与他们在这之前到达菲律宾和印度尼西亚有两个不同的特点。

第一个特点是陶器的纹饰。陶器的纹饰具有审美特点而不具有任何经济意义，但却使考古学家立即认出某个早期的南岛人遗址。虽然菲律宾和印度尼西亚的南岛人的大多数早期陶器都没有纹饰，但新几内亚地区的陶器却有着水平带状几何图形的精美纹饰。在其他方面，这种陶器还保留了印度尼西亚的南岛人的早期陶器所特有的红色泥釉和器皿形制。显然，新几内亚地区南岛人移民想到了给他们的壶罐“文身”，这也许是受到他们已经用在树皮布和文身花纹上的几何图案的启发。这个风格的陶器叫做拉皮塔陶器，这是以它的绘制之处名叫拉皮塔的考古遗址命名的。

新几内亚地区南岛人早期遗址的重要得多的与众不同的特点是它们的分布。在菲律宾和印度尼西亚，甚至已知最早的南岛人遗址都是在一些大岛上，如吕宋、婆罗洲和西里伯斯，但新几内亚地区的拉皮塔陶器遗址则不同，它们几乎都是在偏远大岛周边的一些小岛上。迄今为止，发现拉皮塔陶器的只有新几内亚北部海岸上的一处遗址（艾泰普）和所罗门群岛上的两三处遗址。新几内亚地区发现拉皮塔陶器的大多数遗址是在俾斯麦群岛，在俾斯麦群岛中较大岛屿海岸外的小岛上，偶尔也在这些较大岛屿本身的海岸上。既然（我们将要看到）这些制作拉皮塔陶器的人能够航行几千英里之遥，但他们却未能把他们的村庄搬到几英里外的俾斯麦群岛中的大岛上去，也未能搬到几十英里外的新几内亚去，这肯定不是由于他们没有能力到达那里。

拉皮塔人赖以生存的基础可以根据考古学家们在拉皮塔遗址出土的那些垃圾重构出来。拉皮塔人生活的主要依靠是海产，其中包括鱼、海豚、海龟、鲨鱼和有壳水生动物。他们饲养猪、鸡和狗，吃许多树上的坚果（包括椰子）。虽然他们可能也吃南岛人常吃的根用作物如芋艿和薯蓣，但很难找到关于这些作物的证据，因为坚硬的坚果壳在垃圾堆里保存几千年的可能性要比软柔的根茎大得多。

当然，要想直接证明制造拉皮塔陶器的人说的是某种南岛语，这是不可能的。然而，有两个事实使得这一推断几乎确定无疑。首先，除了这些陶器上的纹饰外，这些陶器本身以及与其相联系的文化器材，同印度尼西亚和菲律宾现代的说南岛语社会的古代遗址中发现的文化遗存有类似之处。其次，拉皮塔陶器还出现在以前人迹不到的遥远的太平洋岛屿上，但没有任何证据表明，在那次带来拉皮塔陶器的移民浪潮后接着又出现过第二次重大的移民浪潮，而这些岛上的现代居民说的又是一种南岛语言(详见下文)。因此，可以有把握地假定，拉皮塔陶器是南岛人到达新几内亚的标志。

那些说南岛语的制造陶器的人在大岛附近的小岛上干些什么呢?他们可能和直到最近还生活在新几内亚地区的一些小岛上的制陶人过着同样的生活。1972 年，我访问了锡亚西岛群中的马莱岛上的一个这样的村庄。锡亚西岛群在中等大小的翁博伊岛的外面，而翁博伊岛又在新不列颠群岛中较大的俾斯麦岛的外面。当我在马莱岛上岸找鸟时，我对那里的人一无所知，所以我看到的情景使我大吃一惊。在这类地方人们通常看到的是有低矮简陋的小屋的村庄，四周围着足以供应全村的园圃，沙滩上系着几条独木舟。但马莱岛的情况却不是这样，那里的大部分地区都建有一排排木屋，没有留下任何可以用作园圃的隙地——简直就是新几内亚版的曼哈顿闹市区。沙滩上有成排的大独木舟。原来马莱岛的居民除了会捕鱼外，还是专业的陶工、雕刻工和商人。他们的生计靠制造精美的有纹饰的陶器和木碗，用独木舟把它们运往一些大的岛屿，用他们的物品换来猪、狗、蔬菜和其他生活必需品。甚至马莱岛的居民用来造独木舟的木材也是从附近的翁博伊岛上的村民那里交换来的，因为马莱岛没有可以用来做成独木舟的大树。

在欧洲航运业出现以前的日子里，新几内亚各岛屿之间的贸易是由这些制造独木舟的陶工集团垄断的，他们没有航海仪器但却精于航行，他们生活在近海的小岛上，有时也生活在大陆沿海的村庄里。到 1972 年我到达马莱岛的时候，当地的这些贸易网或者已经瓦解，或者已经萎缩，这一部分是由于欧洲内燃机船和铝制壶罐的竞争，一部分是由于澳大利亚殖民政府在几次淹死商人的事故后禁止独木舟长途航行。我可以推测，在公元前1600年后的许多世纪中，拉皮塔的陶工就是新几内亚地区进行岛际贸易的商人。

南岛语向新几内亚北部海岸传播，甚至在最大的俾斯麦群岛和所罗门群岛上传播，必定多半是在拉皮塔时代以后发生的，因为拉皮塔遗址本身就是集中在俾斯麦群岛中的一些小岛上的。直到公元元年左右，具有拉皮塔风格的陶器才出现在新几内亚东南半岛的南侧。当欧洲人在19世纪晚些时候开始对新几内亚进行实地考察时，新几内亚南部沿海的所有其余地区仍然只生活着说巴布亚语的人，虽然说南岛语的人不但在东南部的半岛而且也在阿鲁岛和凯岛(距新几内亚南海岸西部70—80英里处)立定了脚根。因此，说南岛语的人可以有几千年的时间从附近的基地向新几内亚内陆和南部海岸地区移民，但他们没有这样做。甚至他们对新几内亚北部海岸边缘地区的移民，与其说是遗传上的，不如说是语言上的；所有北部海岸地区的人从遗传来看绝大多数仍然是新几内亚人。他们中的一些人最多只是采用了南岛语言，而这可能是为了与那些实现社会与社会沟通的长途贩运的商人进行交际的目的。

因此，南岛人在新几内亚地区扩张的结果与在印度尼西亚和菲律宾扩张的结果全然不同。在印度尼西亚和菲律宾，当地的人口消失了——大概是被这些入侵者赶走、杀死、用传染病害死或甚至同化了。而在新几内亚，当地的人口多半把这些入侵者挡在外面。在这两种情况下，入侵者(南岛人)都是一样的，而当地的居民从遗传来看也可能彼此相似，如果就像我前面提到的那样，被南岛人所取代的原有的印度尼西亚居民与新几内亚人真的有亲戚关系的话。那么，为什么还会有这种全然不同的结果呢?

如果考虑一下印度尼西亚和新几内亚本地人的不同的文化环境，

答案就变得显而易见了。在南岛人到来之前，印度尼西亚的大部分地区只有稀少的甚至连打磨石器都没有的狩猎采集族群。相比之下，在新几内亚高原地区，可能还有新几内亚低地地区以及俾斯麦群岛和所罗门群岛，粮食生产的确立已有几千年之久。新几内亚高原地区养活了在现代世界上任何地方都算得上最稠密的石器时代的人口。

南岛人在与那些已经扎下根来的新几内亚人的竞争中几乎没有任何优势。南岛人赖以生存的一些作物，如芋艿、薯蓣和香蕉，可能是在南岛人到来之前就已在新几内亚独立驯化出来了。新几内亚人很快就把南岛人的鸡、狗、尤其是猪吸收进他们的粮食生产经济中来。新几内亚人已经有了打磨的石器。他们对一些热带疾病的抵抗力至少不比南岛人差，因为他们同南岛人一样，也有同样的5种预防疟疾的基因，而这些基因有些或全部都是在新几内亚独立演化出来的。新几内亚人早已是熟练的航海者，虽然就造诣来说还赶不上制造拉皮塔陶器。在南岛人到来之前的几万年中，新几内亚人便已向俾斯麦群岛和所罗门群岛移民，而至少在南岛人到来之前的1800年中，黑曜石（一种适于制作锋锐工具的火山石）贸易便已兴旺发达起来。新几内亚人甚至好像在不久前逆南岛人的移民浪潮而向西扩张，进入印度尼西亚东部，那里的哈尔马赫拉岛北部和帝汶岛上所说的语言是典型的巴布亚语，与新几内亚西部的某些语言有着亲属关系。

总之，南岛人扩张的不同结果引人注目地证明了粮食生产在人口流动中的作用。说南岛语的粮食生产者迁入了两个由可能有亲属关系的原住民占有的地区（新几内亚和印度尼西亚）。印度尼西亚的居民仍然是狩猎采集族群，而新几内亚的居民早已是粮食生产者，并发展出粮食生产的许多伴随物（稠密的人口、对疾病的抵抗力、更先进的技术，等等）。结果，虽然南岛人的扩张消灭了原先的印度尼西亚人，但在新几内亚地区却未能取得多大进展，就像它在热带东南亚与说南亚语和傣-加岱语的粮食生产者的对垒中也未能取得进展一样。

至此，我们已经考查了南岛人通过印度尼西亚直到新几内亚海岸和热带东南亚的扩张。在第十九章我们还将考查一下他们渡过印度洋向马达加斯加扩张的情形，而在第十五章我们已经看到不利的生态环境使南岛人未能在澳大利亚的北部和西部扎下根来。这种扩张重振余势之日，就是拉皮塔陶工扬帆远航之时：他们进入了所罗门群岛以东的太平洋海域，来到了一个以前没有人到过的岛屿世界。公元前1200年左右的拉皮塔陶器碎片、人们熟知的三位一体的猪鸡狗，以及其他一些常见的关于南岛人的考古标志，出现在所罗门群岛以东一千多英里处的斐济、萨摩亚和汤加这些太平洋群岛上。基督纪元的早期，大多数这样的考古标志（引人注目的例外是陶器）出现在波利尼西亚群岛东部的那些岛屿上，包括社会群岛和马克萨斯群岛。更远的独木舟长途水上航行把一些移民往北带到了夏威夷，往东带到了皮特凯恩岛和复活节岛，往西南带到了新西兰。今天在这些岛屿中，大部分岛屿上的土著都是波利尼西亚人，他们因而都是拉皮塔陶工的直系后裔。他们说的南岛语和新几内亚地区的语言有着近亲关系，他们的主要作物是南岛人的全套作物，包括芋艿、薯蓣、香蕉、椰子和面包果。

公元1400年左右，也就是在欧洲“探险者”进入太平洋之前仅仅一个世纪，亚洲人占领了新几内亚海岸外的查特姆群岛，从而最后完成了对太平洋的探险任务。他们的持续了几万年之久的探险传统，是在维沃尔的祖先通过印度尼西亚向新几内亚和澳大利亚扩张的时候开始的，而只是在目标已尽、几乎每一座适于住人的太平洋岛屿都已被占领的时候，它才宣告结束。

对于任何一个对世界史感兴趣的人来说，东亚和太平洋人类社会是颇有教益的，因为它们提供了如此众多的关于环境塑造历史的例子。东亚和太平洋族群凭借他们地理上的家园，无论在利用可驯化的动植物方面，或是在与其他族群的联系方面，都显得与众不同。一次又一次地，是具有发展粮食生产的先决条件并处在有利于传播来自别处的技术的地理位置上的族群，取代了缺乏这些优势的族群。一次又一次地，当一次移民浪潮在不同的环境中展开时，环境的不同决定了移民们的后代以各自的不同方式发展。

例如，我们已经看到，中国的华南人发展了本地的粮食生产和技术，接受了华北的文字、更多的技术和政治组织，又进而向热带东南亚和台湾移民，大规模地取代了这些地区的原有居民。在东南亚，在那些从事粮食生产的华南移民的后代或亲戚中，在泰国东北部和老挝山区雨林中的永布里人重新回到狩猎采集生活，而永布里人的近亲越南人（所说的语言和永布里语言同属南亚语的一个语支）始终是肥沃的红河三角洲的粮食生产者，并建立了一个广大的以金属为基础的帝国。同样，在说南岛语的来自台湾和印度尼西亚的农民移民中，婆罗洲雨林中的普南人被迫回到了狩猎采集的生活方式，而他们的生活在肥沃的爪哇火山土上的亲戚们仍然是粮食生产者，在印度的影响下建立了一个王国，采用文字，并在婆罗浮屠建有巨大的佛教纪念性建筑物。这些进而向波利尼西亚移民的南岛人同东亚的冶金术和文字隔绝了，因此始终没有文字，也没有金属。然而，我们在第二章里看到，波利尼西亚的政治和社会组织以及经济结构在不同的环境中经历了巨大的分化。在一千年内，波利尼西亚东部的移民在查特姆群岛回复到狩猎采集生活，而在夏威夷则建立了一个从事集约型粮食生产的原始国家。

当欧洲人终于来到时，他们的技术优势和其他优势使他们能够对热带东南亚的大部分地区和各个太平洋岛屿建立短暂的殖民统治。然而，当地的病菌和粮食生产者妨碍了欧洲人大批地在这个地区的大多数地方定居。在这一地区内，只有新西兰、新喀里多尼亚和夏威夷——这几个面积最大、距离赤道最远、最偏僻的、因而处于几乎最温和的（像欧洲一样的）气候之中的岛屿——现在生活着大量的欧洲人。因此，与澳大利亚和美洲不同，东亚和大多数太平洋岛屿仍然为东亚民族和太平洋民族所占有。

注　释：

1. 蜡防印花法：一种起源于爪哇的在棉布上印花的方法。——译者
2. 按：台湾高山族语言属南岛语系。——译者

第十八章　两个半球的碰撞

过去13000年中最大的人口更替是新、旧大陆社会之间新近的碰撞引起的。我们在第三章看到，这种碰撞的最富戏剧性也最具决定性的时刻，是皮萨罗的小小西班牙军队俘虏了印加帝国皇帝阿塔瓦尔帕。阿塔瓦尔帕是最大、最富有、人口最多、管理和技术最先进的印第安国家的独裁统治者，他的被俘成了欧洲人征服美洲的象征，因为造成这一事件的一成不变的各种近似因素，也是欧洲人征服其他印第安社会的部分原因。现在，让我们回到两个半球的那次碰撞上来，把我们自第三章以来所学到的知识加以运用。需要回答的根本问题是：为什么是欧洲人到达了印第安人的国家并征服了它，而不是相反？我们讨论的起始点就是把欧亚大陆社会和印第安社会作一比较，时间是到公元1492年即哥伦布“发现”美洲的那一年为止。

我们的比较从粮食生产开始。粮食生产是当地人口多寡和社会复杂程度的一个重要的决定因素——因此也是实现征服的终极因素。

美洲的粮食生产与欧亚大陆的粮食生产的最引人注目的差异涉及驯养的大型哺乳动物的种类。在第九章我们接触到欧亚大陆的13种大型哺乳动物，它们成了欧亚大陆的动物蛋白(肉和奶)、毛绒和皮革的主要来源，是对人员和货物陆地运输的主要工具，是战争中不可或缺的手段，也是(通过拉犁和提供粪肥)作物增产的保证。在水轮与风车于中世纪开始取代欧亚大陆的哺乳动物之前，它们还是人的膂力之外的重要的“工业”动力——例如，用来转动石磨和提升汲水器具。相形之下，美洲只有一种驯养的大型哺乳动物——美洲驼/羊驼，而这种动物也只有安第斯山脉的一个很小地区和邻近的秘鲁沿海地区才有。虽然人们利用它是为了肉、毛绒、皮革和货物运输，但它从不产奶供人消费，从不供人骑乘，从不拉车或拉犁，也从不被用作一种动力源或战争工具。

这就是欧亚大陆社会与印第安社会之间巨大的一组差异之所在——这种差异主要是由于更新世晚期北美洲和南美洲原有的大型野生哺乳动物大多数灭绝(被消灭?)所致。如果不是由于这些动物灭绝了，现代史的进程可能会有所不同。当科尔特斯率领他的满身泥汙的雇佣军于1519年在墨西哥海岸登陆时，他们可能会被几千个骑着本地驯化的美洲马的阿兹特克骑兵赶进大海。不是阿兹特克人死于天花，而是那些西班牙人可能会被对疾病有抵抗力的阿兹特克人所传染的美洲病菌消灭光。依靠畜力的美洲文明国家可能会派遣自己的征服者去蹂躏欧洲。但这些假设的结果由于几千年前哺乳动物的灭绝而被排除了。

这些动物的灭绝使欧亚大陆有了比美洲所提供的多得多的供驯化之用的野生动物。大多数可供驯化的野生动物由于6、7种原因中的任何一种原因而失去了作为可供驯化的动物的潜在资格。因此，欧亚大陆最后只有13种驯养的大型哺乳动物，而美洲只有本地的一种。这两个半球还有驯化的鸟类和小型哺乳动物——在美洲有火鸡、豚鼠和完全属于本地的美洲家鸭以及比较普遍的狗；在欧亚大陆有鸡、鹅、鸭、猫、狗、兔、蜜蜂、蚕和其他一些动物。但所有这些小型的驯养动物的作用比起大型的驯养动物来是微不足道的。

欧亚大陆和美洲大陆在植物性粮食生产方面也存在着差异，不过这方面的差异没有动物性粮食生产方面的差异那样明显罢了。1492年，农业已在欧亚大陆普及。在欧亚大陆的少数几个既没有作物也没有家畜的狩猎采集族群中，有日本北部的阿伊努人，没有驯鹿的西伯利亚社会，以及散居印度和热带东南亚雨林、与附近农民进行交换的狩猎采集族群的一些小的群体。其他一些欧亚大陆社会，主要地有中亚的牧人、放牧驯鹿的拉普人和北极地区的萨莫耶德人，他们都饲养家畜，但很少有农业，或完全没有农业。几乎所有其他欧亚大陆社会不但放牧牲口，而且也从事农业。

农业在美洲也很普及，但狩猎采集族群在美洲占有的地区比在欧亚大陆大。美洲的这些没有粮食生产的地区包括北美洲的整个北部和南美洲南部、加拿大大平原和北美洲的整个西部，只有美国西南的一些小块地区有灌溉农业。引人注目的是，那些没有粮食生产的印第安地区，包括欧洲人来到后开发的今天北美洲和南美洲的一些最肥沃的农田和草原：美国的沿太平洋各州、加拿大的小麦产区、阿根廷的无树大草原和智利的地中海型气候带。这些地方以前之所以没有粮食生产，完全是由于当地缺少可以驯化的动植物，同时也由于地理和生态障碍使美洲其他地方的作物和几种家畜无法引进。在欧洲移民引进了合适的家畜和作物后，这些地区立即变得富饶起来，这不仅要归功于欧洲移民，而且有时候也要归功于印第安人。例如，在大平原的一些地方，在美国西部和阿根廷无树大草原，印第安社会以驯马和精于放牧牛羊而著称。平原上的骑马战士、纳瓦霍族的牧羊人和编织工，在美洲白人对美洲印第安人的印象中现在占有突出的地位，但这种印象的基础是在1492年以后建立的。这些例子表明，在美洲广大地区唯一缺少的为进行粮食生产所需要的成分是家畜和作物本身。

在美洲的这些地方，虽然也有了印第安人的农业，但和欧亚大陆的农业相比，它受到五大不利条件的限制：广泛依赖蛋白质含量低的玉米，而不是欧亚大陆的品种繁多、蛋白质丰富的谷物；种子用手一颗颗地点种，而不是撒播；犁地用手而不是用畜力，用畜力犁地使一个人能够耕种大得多的面积，并可耕种某些难以用手耕种的肥沃而坚硬的土壤和长满草根的土地（就像北美大平原的那些土地）；缺乏可以增加土壤肥力的动物粪肥；只用人力而不是用畜力来做诸如脱粒、碾磨和灌溉之类的农活。这些差异表明，到1492年为止的欧亚大陆农业平均每个劳动力每小时产生的卡路里和蛋白质要多于印第安的农业。

粮食生产方面的这些差异，构成了欧亚大陆社会与印第安社会之间差异的一个重要的终极原因。在由此而产生的实现征服的近似因素中，最重要的因素包括病菌、技术、政治组织和文字方面的差异。其中与粮食生产方面的差异关系最直接的差异是病菌。有些传染病经常光顾人口拥挤的欧亚大陆社会，许多欧亚大陆人因而逐步形成了免疫力或遗传抵抗力。这些传染病包括历史上所有最致命的疾病：天花、麻疹、流行性感冒、瘟疫、肺结核、斑疹伤寒、霍乱、疟疾和其他疾病。对照这个令人望而生畏的疾病名单，唯一可以有把握归之于哥伦布以前印第安人社会的群众传染病是非梅毒密螺旋体病。（我在第十一章说过，梅毒究竟起源于欧亚大陆还是起源于美洲仍然未能确定，至于在哥伦布以前美洲就已有了人类肺结核病这种说法，是我的尚未得到证明的看法。）

说也奇怪，大陆之间在有害的病菌方面的这种差异竟是来自有用的牲畜方面的差异。在拥挤的人类社会引起传染病的大多数病菌，是从引起家畜传染病的那些十分相似的祖代病菌演化而来的，而在大约1万年前，粮食生产者就已开始每天同这些家畜进行密切的接触了。欧亚大陆饲养了许多种家畜，因而也就培养了许多种这样的病菌，而美洲无论是家畜还是病菌都很少。印第安社会演化出来的致命病菌如此之少的另一些原因是：为传染病提供理想的滋生地的村庄在美洲出现的时间要比在欧亚大陆晚几千年；新大陆出现城市社会的3个地区（安第斯山脉地区、中美洲和美国东南部）从来没有同把瘟疫、流行性感冒、可能还有天花从亚洲带到欧洲的那种规模的快速而大量的贸易发生过关系。因此，甚至连疟疾和黄热病也根本不是美洲的疾病，而是由起源于旧大陆热带地区、被欧洲人传入美洲的病菌引起的。而这些传染病最后成为欧洲人向美洲热带地区移民的主要障碍，并成为修建巴拿马运河的最大障碍。

在帮助欧洲征服美洲的一些直接因素中，可与病菌相提并论的是技术的各方面的差距。这些差距归根到底是由于欧亚大陆有历史悠久得多的依靠粮食生产的人口稠密、经济专业化、政治集中统一、相互作用、相互竞争的社会。有5个技术领域可以挑出来讨论：

第一，金属——开始时是铜，后来是青铜，最后是铁——到1492年止已在所有复杂的欧亚大陆社会被用作工具。相比之下，虽然铜、银、金和一些合金已在安第斯山脉地区和美洲的其他一些地方被用作饰物，但石头、木头和骨头在所有印第安社会中仍然是制作工具的主要材料，这些社会只在局部地区有限地利用铜器。

第二，欧亚大陆的军事技术比美洲的军事技术要有效能得多。欧洲的兵器是钢刀、长矛和匕首，辅以小型火器和火炮，而护身的盔甲也是由纯钢打就的，或是由锁子甲做成的。印第安人不用钢铁，他们用棍棒、用石制或木制的斧头（在安第斯山脉地区偶尔也有用铜制的）、投石器、弓箭和加软衬料缝制的盔甲，这些东西无论防护还是进攻，效果都差得多。另外，印第安军队没有任何可以与马匹相抗衡的牲口，而马匹在进攻和快速运输方面的价值使欧洲人获得了压倒的优势，直到有些印第安社会后来也采用了马匹。

第三，欧亚大陆社会在利用动力源运转机械方面拥有巨大的优势。超越人力的最早进展是利用动物——牛、马和驴——来拉犁耕地和转动轮子来磨谷、提水、灌溉或排水。水轮在罗马时代就已出现了，后来到了中世纪数量日渐增多，这时又出现了潮汐磨机和风车。这些利用水力和风力的机械和传动轮系统结合起来，不但被用来磨谷和运水，而且还可用于多种多样的制造目的，包括榨糖，为鼓风炉拉风箱，碾碎矿石，造纸，打磨石头，榨油，制盐，织布和锯木。习惯上都是把产业革命武断地定为从18世纪的英国利用蒸汽动力开始，但事实上一种以水力和风力为基础的产业革命在中世纪时就已在欧洲的许多地方开始了。直到1492年，所有这些在欧亚大陆用畜力、水力和风力来做的工作，在美洲仍旧靠人力来做。

在轮子开始在欧亚大陆用于动力转换之前很久，轮子就已成为欧亚大陆大部分陆上运输的基础——不但用于牲口拉的车子，而且也用于靠人力来推的独轮车。独轮车使一个或更多的人即使仍旧靠自己的力量，也能搬动比不用独轮车时大得多的重量。轮子在欧亚大陆的制陶和时钟上也得到采用。轮子的这些用途没有一样在美洲得到采用，据考证在美洲采用轮子的只有墨西哥的陶瓷玩具。

其余的值得一提的技术领域是海上运输。许多欧亚大陆社会发明了大型帆船，其中有些能逆风航行并能横渡大洋，船上装备有六分仪、磁罗盘、尾柱舵和大炮。无论在装载量、速度、机动性或是抗风浪能力方面，欧亚大陆的这些船只都比新大陆最先进的社会即安第斯山脉地区和中美洲的社会用来进行贸易的那些木筏优越得多。这些木筏靠风力沿太平洋海岸航行。皮萨罗的船在其前往秘鲁的首次航行中毫不费力地就撞翻并俘获了这样的一只木筏。

除了在病菌和技术方面的差异外，欧亚大陆社会和印第安社会在政治组织方面也存在着差异。到中世纪晚期或文艺复兴时期，欧亚大陆的大部分地区已在有组织的国家的统治之下。其中的哈布斯堡王朝、奥斯曼帝国、中国的历代国家、印度的莫卧儿帝国和13世纪达到全盛时期的蒙古帝国，一开始就是通过征服其他国家而形成的多种语言的民族大融合。因此，它们通常被说成是帝国。许多欧亚大陆国家和帝国都有官方的宗教，用以加强国家的凝聚力，使政治领导合法化和批准对其他民族的战争。欧亚大陆的部落社会和族群社会，主要限于北极地区放牧驯鹿的牧人、西伯利亚狩猎采集族群、印度次大陆和热带东南亚狩猎采集族群的孤立小群体。

美洲有两个帝国：阿兹特克帝国和印加帝国。它们在面积、人口、语言的多种组成、官方宗教和征服小国的策源地等方面，与欧亚大陆的一些帝国相似。在美洲，这两个帝国是唯一的能够以许多欧亚大陆国家的那种规模调动人力物力兴建公共工程或进行战争的两个政治单位，而7个欧洲国家（西班牙、葡萄牙、英国、法国、荷兰、瑞典和丹麦）有能力从1492年到1666年在美洲建立殖民地。在美洲的热带南美地区、阿兹特克帝国统治范围以外的中美洲和美国东南部，也有许多酋长管辖地（其中有些几乎就是小小的国家）。美洲的其余地区只有一些部落和族群组织。

最后一个需要予以讨论的直接因素是文字。大多数欧亚大陆国家都有由有文化的人组成的行政机构，在某些国家里，官员以外的平民大众中也有相当一部分人是有文化的。文字使欧洲社会得到行政管理和经济交换之便，激励与指导探险和征服，并可利用远方和古代的一系列信息和人类经验。相比之下，在美洲，文字只在中美洲很小的一个地区内的上层人士中使用。印加帝国使用了一种以结绳（叫做基普）为基础的会计制度和记忆符号，但作为一种传递详细信息的手段，它还不可能起到文字的作用。

因此，哥伦布时代的欧亚大陆社会，在粮食生产、病菌、技术（包括武器）、政治组织和文字方面，拥有对印第安社会的巨大优势。这些都是对哥伦布以后碰撞结果起决定性作用的主要因素。但到1492年为止的这些差异，只不过是历史轨迹上的一个快照镜头，而这个历史轨迹在美洲至少长达13000多年，在欧亚大陆时间还要长得多。尤其对美洲来说，1492年的这个快照镜头却拍下了印第安人这个独立轨迹的结尾。现在，让我们来描绘一下这些轨迹的各个早期阶段。

表18.1概括地介绍了每个半球最大的“中心地”（欧亚大陆的新月沃地和中国，美洲的安第斯山脉地区、亚马孙河地区和中美洲）的主要发展成果出现的大致年代。表中还列出了美国东部这个新大陆较小的中心地的发展轨迹，也列出了英国的发展轨迹，因为英国虽

然完全不是一个中心地，但把它列出来是为了说明发展成果从新月沃地向外传播的速度。

这个表肯定会使任何一个知识渊博的学者产生反感，因为它把极其复杂的历史变成了几个貌似准确的年代。其实，所有这些年代仅仅是为了把一个连续体上的一些任意的点标出来。例如，比某一个考古学家发现的第一件金属工具的年代更重要的，是所有工具中相当大一部分工具是用金属制造的时间，不过金属工具要有多普通才可被定为“普遍的”？同一发展成果出现的年代，在同一中心地的不同地区会有所不同。例如，安第斯山脉地区内厄瓜多尔沿海陶器出现的时间（公元前3100年）比在秘鲁（公元前1800年）早1300年左右。有些年代，如酋长管辖地出现的年代，要比陶器或金属工具之类的人工制品更难根据考古记录来推断。表18.1中的有些年代是很不确定的，尤其是美洲粮食生产开始的年代。不过，只要我们了解这张表是简化的结果，它对比较各个大陆的历史还是有用的。

这张表表明，粮食生产开始提供很大一部分的人类食物，在欧亚大陆的中心地要比在美洲的中心地早5000年左右。必须立即提醒的一点是：虽然欧亚大陆粮食生产年代之久远无可怀疑，但美洲粮食生产开始的时间却是有争论的。尤其是，考古学家们常常大量引用所宣布的早于表中所列年代的植物驯化的年代，发现这些植物的地方是墨西哥的科克斯卡特兰洞穴、秘鲁的吉塔里罗洞穴和美洲的其他一些考古遗址。这些宣布的年代现在正受到重新评价，这有几个原因：最近直接用碳–14对一些作物残存进行的测定，在有些情况下得出了较近的年代；以前所报道的较早的年代，是以遗址中一起出土的木炭为根据的，这些木炭被认为是与作物残存属于同一时期，但也可能不是；有些年代较早的植物残存，原来究竟是作物或只是采集来的野生植物，其身分还不能确定。不过，即使美洲植物驯化开始的时间早于表18.1所列的年代，美洲的农业无疑直到比欧亚大陆中心地晚得多的时候才为美洲中心地人类大部分卡路里的摄入和定居生活提供了基础。

我们在第五章和第十章中看到，每一个半球只有几个较小的地区充当“中心地”，粮食生产首先在那里出现，接着又从那里向外传播。这些中心地是欧亚大陆的新月沃地和中国，美洲的安第斯山脉地区、亚马孙河地区、中美洲和美国东部。由于有那许多考古学家在欧洲工作，一些主要发展结果的传播速度对欧洲来说尤其不言而喻。正如表18.1对英国概括介绍的那样，一旦粮食生产和村居生活在经过长期的迟滞（5000年）之后从新月沃地引进英国，随后英国采用酋长管辖地、国家、文字、尤其是金属工具的迟滞时间要短得多：最早普遍使用铜和青铜金属工具晚了2000年，而普遍使用铁器只晚了250年。显然，一个已经属于定居农民的社会向另一个这样的社会“借来”冶金术，要比四处流浪的狩猎采集族群向定居农民“借来”粮食生产（或被农民所取代）容易得多。

为什么所有主要发展结果的发展轨迹在年代上美洲要晚于欧亚大陆？这有4组原因：起步晚，可用于驯化的野生动植物系列比较有限，较大的传播障碍，以及稠密的人口在美洲生活的地区可能比在欧亚大陆小，或者可能比在欧亚大陆孤立。

就欧亚大陆的领先优势来说，人类占领欧亚大陆已有大约100万年之久，比他们在美洲生活的时间长得多。根据第一章中讨论的考古证据，人类在阿拉斯加进入美洲不过在公元前12000年左右，作为

表 18．1　欧亚大陆和美洲的历史轨迹

采用的大致年代	欧亚大陆		
	新月沃地	中国	英国
植物驯化	公元前 8500 年	不迟于公元前 7500 年	公元前 3500 年
动物驯化	公元前 8000 年	不迟于公元前 7500 年	公元前 3500 年
陶器	公元前 7000 年	不迟于公元前 7500 年	公元前 3500 年
村落	公元前 9000 年	不迟于公元前 7500 年	公元前 3000 年
酋长管辖地	公元前 5500 年	公元前 4000 年	公元前 2500 年
普遍使用金属工具或人工制品（铜与／或青铜）	公元前 4000 年	公元前 2000 年	公元前 2000 年
国家	公元前 3700 年	公元前 2000 年	公元 500 年
文字	公元前 3200 年	不迟于公元前 1300 年	公元 43 年
普遍使用铁器	公元前 900 年	公元前 500 年	公元前 650 年

采用的大致年代	美　洲			
	安第斯山脉地区	亚马孙河地区	中美洲	美国东部
植物驯化	不迟于公元前 3000 年	公元前 3000 年	不迟于公元前 3000 年	公元前 2500 年
动物驯化	公元前 3500 年	?	公元前 500 年	—
陶器	公元前 3100—1800 年	公元前 6000 年	公元前 1500 年	公元前 2500 年
村落	公元前 3100—1800 年	公元前 6000 年	公元前 1500 年	公元前 500 年
酋长管辖地	不迟于公元前 1500 年	公元元年	公元前 1500 年	公元前 200 年
普遍使用金属工具或人工制器（铜与／或青铜）	公元 1000 年	—	—	—
国家	公元元年	—	公元前 300 年	—
文字	—	—	公元前 600 年	—
普遍使用铁器	—	—	—	—

本表所列为欧亚大陆 3 个地区与美洲 4 个地区普遍采用重要的发展结果的大致年代。动物驯化的年代未将狗包括在内，因为无论是在欧亚大陆还是在美洲，狗的驯化都要早于从事粮食生产的动物。酋长管辖地是从考古证据推断出来的，如分等级的墓葬、建筑物和居所的形制。本表将大量复杂的历史事实简化了：关于许多重要的说明，有些可参见正文。

克罗维猎人向加拿大冰原以南扩散是在公元前11000年前的几百年，而到达南美洲的南端不迟于公元前1万年。即使关于美洲存在更早的人类居住遗址的一些有争论的主张证明是有根据的，但由于某些未知的原因，这些假定存在的克罗维人以前的居民也只有很稀少的分布，不能像在旧大陆那样随着人口、技术和技艺的发展而在更新世使狩猎采集社会在数量上有巨大的增加。在源自克罗维人的狩猎采集族群到达南美洲南部后仅仅1500年，粮食生产便已在新月沃地出现了。

欧亚大陆的这种领先优势的几个可能的结果值得考虑。首先，在公元前11000年后，人类是否花了很长时间才完全占据了美洲？只要能算出有关的可靠数字，就会发现这一结果对于造成美洲生产粮食的村庄晚5000年出现这一局面只有微乎其微的影响。第一章中所作的计算告诉我们，即使只有100个成为开路先锋的印第安人越过加拿大边界，进入美国南部，并以每年1%的速度增加，那么不出1000年，他们所形成的狩猎采集人口可能已布满了整个美洲。这些开路先锋如果每月向南只前进一英里，那么他们在越过加拿大边界后只需700年就已到达南美洲的南端。同人们占据先前无人居住或居民稀少地区的已知的实际速度相比，这里所假设的人口扩散和人口增长的速度是非常低的。因此，美洲可能是在第一批移民到达后的几个世纪内就被狩猎采集族群全部占领了。

其次，在这滞后的5000年中，会不会有很大一部分时间是最早的美洲人必须用来熟悉他们所碰到的当地动植物新品种和石料？新几内亚和波利尼西亚的狩猎采集族群和农民也曾占据了原来不熟悉的环境，如新西兰的毛利人移民或新几内亚开利莫伊盆地的图达辉移民。如果我们能以这些人为例，再一次用类比办法进行推理，那么美洲的这些移民大概在远远不到一个世纪的时间内也发现了最好的石料，并学会了把有用的野生动植物和有毒的野生动植物区别开来。

第三，欧亚大陆人在发展适合本地的技术方面的领先优势，情况又是如何呢？新月沃地和中国的早期农民是这种技术的继承者，而这种技术是行为上的现代智人几万年来为利用这些地区的当地资源而发展起来的。例如，石镰、地下窖藏穴以及新月沃地的狩猎采集族群为了利用野生谷物而逐步发展起来的其他技术，对新月沃地最早的生产谷物的农民来说都是现成可用的。相比之下，美洲的最早移民在到达阿拉斯加时所带来的只是适合在西伯利亚北极地区冻原使用的设备。他们每到一处，都得为自己发明适合新环境的设备。这种技术上的滞后可能对印第安人发展的迟缓起了重大的作用。

造成这种迟缓的一个甚至更明显的因素，是可以用于驯化的野生动植物。我在第六章中讨论过，狩猎采集族群之所以采纳粮食生产，不是因为那可能会给他们的子孙后代带来好处，而是因为早期的粮食生产开始显示了对狩猎采集生活方式的优势。早期的粮食生产与狩猎采集活动的竞争，在美洲不及在新月沃地和中国那样激烈，这一部分是由于美洲几乎没有可以驯化的野生哺乳动物。因此，早期的美洲农民仍然依靠野生动物来获得动物蛋白，所以必定以一部分时间仍然去从事狩猎采集活动，而在新月沃地和中国，植物驯化之后紧接着就是动物驯化，这样就及时地发展出全套粮食生产，最后取得了对狩猎采集活动的胜利。此外，欧亚大陆的家畜通过提供粪肥并最后通过拉犁使欧亚大陆的农业更具竞争力。

美洲野生植物的特点也是印第安人粮食生产竞争力差的一个原因。这个结论在美国东部看得最为清晰，因为那里只有靠10种是驯化的，包括小籽粒的谷物而没有大籽粒的谷物，还有豆类植物、纤维作物，或栽培的水果树或坚果树。这对中美洲的主要作物玉米也是很清楚的，因为玉米的传播使它也成了美洲其他地方的主要作物。虽然新月沃地的野生小麦和大麦在几个世纪内几乎没有什么改变就演化成作物，但野生的墨西哥类蜀黍可能需要几千年的时间才能演化成作物，同时必须在繁殖生物学和对结籽的能量分配方面经历巨大的变化，使种子失去坚硬的外壳并大大增加玉米棒子的尺寸。

因此，即使接受关于美洲植物驯化开始年代较晚的假定，在中美洲、安第斯山脉地区的内陆和美国东部，从植物驯化开始（公元前3000—2500年左右）到普遍出现终年定居的村落（公元前1800—500年），中间可能经过了大约1500年或2000年。美洲的农业长期以来在获得食物方面只是对狩猎采集的一个小小的补充，只能养活稀少的人口。如果接受关于美洲植物驯化开始年代较早的传统说法，那么粮食生产经过了5000年而不是1500年或2000年才维持了终年定居的村落。相比之下，在欧亚大陆的很大一部分地区，村落的出现在时间上是和粮食生产的出现紧密地联系在一起的。（狩猎采集生活方式本身相当富有成效，足以维持定居的村落，在这两个半球的一些地方，如旧大陆的日本和新月沃地，新大陆的厄瓜多尔沿海和亚马孙河地区，甚至在采用农业前便已有村落存在了。）对新大陆本地现有的驯化动植物所造成的限制的最好说明，就是美洲社会本身在别的作物或动物引进时所发生的变化，不管这些作物或动物来自美洲的其他地方，还是来自欧亚大陆。这方面的例子有玉米引进美国东部和亚马孙河地区所产生的影响，有美洲驼在安第斯山脉地区的南部驯化后被安第斯山脉地区的北部所采纳，还有马在北美洲和南美洲的许多地方出现。

除了欧亚大陆的领先优势和野生动植物品种外，欧亚大陆发展速度的加快也由于在欧亚大陆动物、植物、思想、技术和人员的交流比在美洲容易，而交流容易又是由于存在几组地理和生态因素的结果。与美洲的南北主轴不同，欧亚大陆的东西主轴使这种交流不用经历纬度的变化，也不存在与环境的变量发生关系的问题。与欧亚大陆始终如一的东西宽度不同，新大陆在中美洲的那一段特别是在巴拿马变窄了。尤其是，美洲被一些不适于粮食生产也不适于稠密人口的地区分割开来。这些生态障碍包括：把中美洲社会同安第斯山脉地区和亚马孙河地区社会分隔开来的巴拿马地峡雨林；把中美洲社会同美国西南部和东南部社会分隔开来的墨西哥北部沙漠；把美国西南部同东南部分隔开来的得克萨斯州干旱地区；以及把本来可能适于粮食生产的美国太平洋沿岸地区隔开的沙漠和高山。因此，在中美洲、美国东部、安第斯山脉地区和亚马孙河地区这些新大陆的中心之间，完全没有家畜、文字和政治实体方面的交流，以及只有在作物和技术方面的有限的缓慢的交流。

美洲范围内的这些障碍的某些特有的后果值得一提。粮食生产从未从美国西南部和密西西比河河谷向美国现代的粮仓加利福尼亚和俄勒冈传播，那里的印第安社会仅仅由于缺乏合适的驯化动植物而仍然过着狩猎采集生活。安第斯山脉高原地区的美洲驼、豚鼠和马铃薯从未到达墨西哥高原，因此，中美洲和北美洲除了狗始终没有别的驯养的哺乳动物。反过来，美国东南部栽培的向日葵也从未到达过中美洲，而中美洲驯养的火鸡也从未到过南美洲或美国东部。中美洲的玉米和豆类分别花了3000年和4000年走完了从墨西哥农田到美国东部农田的700英里距离。在玉米引进美国东部后，又过了700年，在北美气候条件下培育的一种高产玉米促使密西西比河谷产粮地的兴起。玉米、豆类和南瓜可能用了几千年的时间才从中美洲传播到美国西南部。虽然新月沃地作物往东西两个方向传播的速度相当迅速，预先排除了同一品种植物独立驯化的机会，要不然就是预先排除其他地方亲缘相近植物驯化的机会，但美洲的那些障碍导致了作物有许多这样的平行驯化的机会。

与生态障碍对作物和牲畜传播的这种种影响同样引人注目的，是其对人类社会其他特点的影响。最后起源于东地中海的字母从英格兰到印度尼西亚，传遍了欧亚大陆的各个复杂社会，只有东亚地区是例外，因为中国书写系统派生出来的文字已在那里占主导地位。相形之下，新大陆唯一的书写系统——中美洲的那些书写系统，从未传播到本来是会采用它们的安第斯山脉地区和美国东部的复杂社会。在中美洲作为玩具的零件而发明出来的轮子，从未与安第斯山脉地区驯化出来的美洲驼碰头，以便为新大陆产生装有轮子的运输工具。在旧大陆从东到西，马其顿帝国和罗马帝国横跨3000英里，而蒙古帝国则略地6000英里。但中美洲的帝国和国家则与北面700英里的美国东部的酋长管辖地，或南面1200英里的安第斯山脉地区的帝国和国家，没有任何政治关系，而且显然甚至没有听说过它们。

与欧亚大陆相比，美洲在地理上更为支离破碎这种状况也在语言的分布上反映了出来。语言学家们一致同意，欧亚大陆的语言除几种外，可以分为大约十几个语系，每一个语系包括多达几百种亲属语言。例如，印欧语系不但包括法语、俄语、希腊语和印地语，而且也包括英语，这个语系由大约144种语言组成。在这些语系中，只有很少几个语系分布在大片的相邻地区内——就印欧语系来说，它所分布的地区包括欧洲的大部分，再向东经过西亚很大一部分地区到达印度。把语言的、历史的和考古的证据结合起来就可清楚地看出，语言的每一个这样的大片的相邻分布，起源于某一祖代语言在历史上的扩张，随后又由于地方性的语言分化而形成了一个由亲属语言组成的语系（表18.2）。大多数这样的扩张似乎可以归因于粮食生产社会中说这一祖代语言的人对狩猎采集族群所拥有的优势。我们在第十六章和第十七章中已经讨论过汉藏语系、南岛语系和其他东亚语系在历史上的这种扩张。在过去1000年里主要的一些语言扩张中，有把印欧语从欧洲带到美洲和澳大利亚的语言扩张，有把俄语从欧洲东部带到整个西伯利亚的语言扩张，还有把土耳其语（阿尔泰语系中的一种语言）从中亚向西带到土耳其的语言扩张。

除了美洲北极地区的爱斯基摩-阿留申语系和阿拉斯加、加拿大西北部与美国西南部的纳迪尼语系，美洲没有为语言学家普遍承认的大规模语言扩张的例子。专门研究印第安语言的大多数语言学家，除了爱斯基摩语系和纳迪尼语系，看不出还有其他大的明确的语言分类。他们最多认为，现有证据只够把其他印第安语言（估计的数目从600种到2000种各不相同）分为100个或更多的语族或孤立的语言。一个有争议的属于少数派的观点，是语言学家约瑟夫·格林伯格所持有的观点，他把爱斯基摩-阿留申诸语言和纳迪尼诸语言以外的所有印第安语言归入一个大语系叫做美印语系，包括大约十几个语族。

格林伯格的这些语族中的某些语族，以及得到比较传统的语言学家承认的某些语言分类，可能证明是在某种程度上由粮食生产推动的人口扩张的遗产。这些遗产可能包括中美洲和美国西部的犹他-阿兹特克诸语言、中美洲的奥托-曼格安诸语言、美国东南部的纳齐兹-马斯科吉诸语言，以及西印度群岛的阿拉瓦克诸语言。但语言学家们在商定对印第安诸语言进行分类时所碰到的困难，反映了印第安复杂社会本身在新大陆扩张时所碰到的困难。如果任何从事粮食生产的

表 18.2 旧大陆的语言扩张

推断年代	语系或语言	扩 张	终极推动力
公元前 6000 年或 4000 年	印欧语系	乌克兰或安纳托利亚→欧洲、中亚、印度	粮食生产或以马为基础的畜牧生活
公元前 6000—2000 年	埃兰-达罗毗荼语系	伊朗→印度	粮食生产
公元前 4000 年—现在	汉藏语系	西藏高原、华北→华南、热带东南亚	粮食生产
公元前 3000 年—公元前 1000 年	南岛语系	华南→印度尼西亚、太平洋诸岛	粮食生产
公元前 3000 年—公元 1000 年	班图诸语言	尼日利亚和喀麦隆→南非	粮食生产
公元前 3000 年—公元元年	南亚语系	华南→热带东南亚、印度	粮食生产
公元前 1000 年—公元 1500 年	傣-加岱语、苗瑶语	华南→热带东南亚	粮食生产
公元 892 年	匈牙利语	乌拉尔山→匈牙利	以马为基础的畜牧生活
公元 1000 年—公元 1300 年	阿尔泰语系（蒙古语、土耳其语）	亚洲大草原→欧洲、土耳其、中国、印度	以马为基础的畜牧生活
公元 1480 年—公元 1638 年	俄语	俄罗斯欧洲部分→亚洲西伯利亚	粮食生产

印第安族群带着他们的作物和牲口成功地向远处扩张，并在广大地区内迅速取代狩猎采集族群，他们可能会留下如同我们在欧亚大陆看到的那样容易辨认的语系遗产，而印第安诸语言之间的关系也就不会那样引起争论了。

因此，我们已经找到了 3 组有利于欧洲人入侵美洲的终极因素：欧亚大陆人类定居时间长的领先优势；由于欧亚大陆可驯化的野生植物尤其是动物的资源比较丰富而引起的比较有效的粮食生产；以及欧亚大陆范围内对传播交流的地理和生态障碍并非那样难以克服。第四个、也是更具推测性的终极因素，是根据美洲的一些令人费解的没有发明而提出来的：安第斯山脉地区的复杂社会没有发明文字和轮子，虽然这些社会同作出这些发明的中美洲复杂社会在时间上差不多一样久远；轮子只用在玩具上并且后来竟在中美洲失传了，而推测起来轮子在中美洲是会像在中国一样用在人力独轮车上的。这些谜使人想起了在一些孤立的小社会中同样令人费解的要么没有发明要么发明了又失传了的情况，这些社会包括塔斯马尼亚土著社会、澳大利亚土著社会、日本、波利尼西亚诸岛和美洲北极地区。当然，美洲的面积加起来并不算小：整整占欧亚大陆面积的76%，美洲的整个人口到1492年止大概也相当于欧亚大陆人口的很大一部分。但我们已经看到，美洲被分割成一些社会“孤岛”，彼此之间几乎没有什么联系。也许，美洲的轮子和文字的历史，反映了真正的孤岛社会以一种比较极端的形式来予以说明的那些原则。

在各自独立发展了至少13000年之后，先进的美洲和欧亚大陆社会终于在过去的几千年中发生了碰撞。在这之前，新旧大陆人类社会的唯一接触一直是白令海峡两边狩猎采集族群的接触。

没有任何美洲人试图向欧亚大陆移民，只有一小批来自阿拉斯加的伊努伊特人（爱斯基摩人）渡过了白令海峡，在海峡对面的西伯利亚海岸定居下来。最早有文献证明的试图向美洲移民的是北极地区和亚北极纬度地区的古挪威人（图18.1）。古挪威人于公元874年从挪威向冰岛移民，然后于公元986年从冰岛向格陵兰移民，最后从大约公元1000年到1350年屡屡到达北美洲的东北部海岸。在美洲发

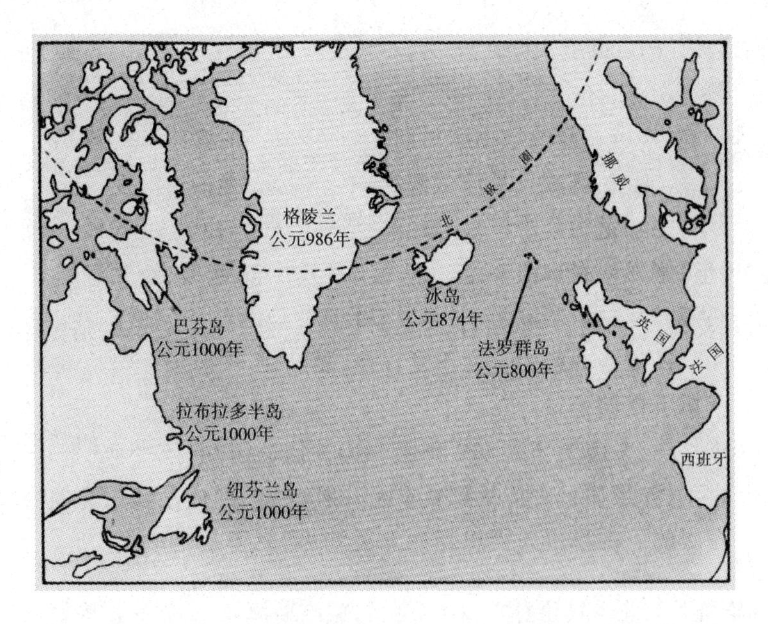

图 18．1 古挪威人从挪威横渡北大西洋的扩张，附有到达每一地区的年代或大致年代。

现的唯一的关于古挪威人的考古遗址是在纽芬兰岛上，可能就是古挪威人传说中的文兰地区，但这些传说还提到了一些显然还要更北面的登陆地点，就是在拉布拉多海岸和巴芬岛的一些地方。

冰岛的气候使放牧和极其有限的农业成为可能，它的面积也够大，足以养活源自古挪威人而一直绵延到今天的人口。 但格陵兰的大部分地区都覆盖着冰帽，甚至那两个条件最好的海岸边的峡湾也只能让古挪威人进行最起码的粮食生产。 格陵兰的古挪威人口从未超过几千。 它始终依靠从挪威运进粮食和铁器，从拉布拉多沿海运进木材。 与复活节岛和其他偏远的波利尼西亚岛屿不同，格陵兰无法维持一个自给自足的进行粮食生产的社会，虽然它在古挪威人占领之前、占领期间和占领结束之后，确曾养活了一些自给自足的伊努伊特狩猎采集群体。 冰岛和挪威本身的人口太少、太穷，不可能继续养活格陵兰的古挪威人口。

在13世纪开始的小冰川期间，北大西洋的变冷使格陵兰的粮食生产和古挪威人从挪威或冰岛前往格陵兰的航行变得甚至比以前更加勉为其难了。已知的格陵兰岛民与欧洲人的最早的一次接触发生在1410年，当时一艘冰岛船被风吹离了航线，靠上了格陵兰海岸。当欧洲人最后又于1577年开始访问格陵兰时，岛上古挪威人的殖民地已不复存在，显然在15世纪便已消失而没有留下任何记录。

但是，考虑到公元986年至1410年这一时期古挪威人的造船技术，如果船只直接从挪威本土开航，那事实上是无法到达北美海岸的。古挪威人要想到达北美海岸，就得从格陵兰的殖民地出发，因为格陵兰与北美只隔着宽200英里的戴维斯海峡。然而，要使这样一个勉强够格的殖民地去支持对美洲的探险、征服和殖民，其希望等于零。甚至位于纽芬兰的古挪威人的唯一遗址，显然不过是几十个人住过几年的一个过冬的营地。古挪威人的传说描写了他们在文兰的营地遭到叫做斯克里林人的袭击，显然这些人或者是纽芬兰的印第安人，或者是多西特爱斯基摩人。

中世纪欧洲最遥远的前哨基地纽芬兰殖民地的命运，始终是考古学的传奇性的神秘事件之一。格陵兰的最后一批古挪威人是饿死了呢，是试图扬帆远去了呢，是与爱斯基摩人通婚，或是死于疾病或爱斯基摩人的弓箭之下呢？虽然这些关于直接原因的问题仍然无法回答，但古挪威人在格陵兰和美洲殖民失败的终极原因是非常清楚的。它的失败是由于发起者（挪威）、目标（格陵兰和纽芬兰）和时间（公元984—1410年）必然使欧洲在粮食生产、技术和政治组织方面的潜在优势无法得到有效的运用。在对很大一部分粮食生产都不相宜的纬度太高的地区，在欧洲穷国之一的无力支持下，几个古挪威人手中的铁器没有斗得过爱斯基摩人和印第安狩猎采集族群手中的石器、骨器和木器，要知道这后两种人是世界上掌握在北极地区生存技巧的最伟大的专家！

欧亚大陆人第二次向美洲移民的企图成功了，因为这一次在发起者、目标、纬度和时间方面都使欧洲的潜在优势得以有效地发挥。和挪威不同，西班牙富有而又人口众多，足以支持海外探险和对殖民地进行资助。西班牙人在美洲的登陆处的纬度是非常适于粮食生产的亚热带地区，那里粮食生产的基础起先主要是印第安的作物，但也有欧亚大陆的家畜，特别是牛和马。西班牙横渡大西洋的雄心勃勃的殖民事业开始于1492年，这时欧洲远洋船只建造技术为时达一个世纪的迅速发展宣告结束，它吸收了旧大陆社会(伊斯兰世界、印度、中国和印度尼西亚)在印度洋发展起来的先进的航海术、风帆和船舶设计。在西班牙建造和配备人员的船只能够航行到西印度群岛；类似于格陵兰岛上妨碍古挪威人殖民的那种情况不复存在了。西班牙在新大陆建立了殖民地之后，很快又有6、7个欧洲国家加入到开拓殖民地的行列中来。

欧洲在美洲的第一批殖民地在西印度群岛，以哥伦布于1492年建立的殖民地为其开端。西印度群岛的印第安人在他们被“发现”时估计人口超过100万，但大多数岛上的印第安人很快就被疾病、驱逐、奴役、战争和随便杀害消灭了。1508年左右，美洲大陆上的第一个殖民地在巴拿马地峡建立。随后分别在1519—1520年和1532—1533年发生了对美洲大陆上两个大帝国阿兹特克帝国和印加帝国的征服。在这两次征服中，欧洲人传播的流行病(可能是天花)起了主要的作用，不但杀死了大批人口，而且还杀死了皇帝本人。其余的事则是由一小撮西班牙骑兵在军事上的压倒优势和他们利用当地人口的内部分歧的政治技巧来完成的。在16世纪和17世纪中，接着又发生了欧洲人对中美洲和南美洲北部其余土邦的征服。

至于北美洲的那些最先进的土著社会，即美国东南部和密西西比河水系地区的社会，它们的毁灭主要是由病菌独立完成的，病菌由早期的欧洲探险者带来，但却走在他们的前面。随着欧洲人的足迹踏遍美洲，其他许多土著社会，如大平原的曼丹人社会和北极地区的萨德勒缪特爱斯基摩人社会，也是不用军事行动就被疾病消灭了。没有被疾病消灭的人口众多的土著社会，则遭到了与阿兹特克人和印加人的同样命运，被一些全面的战争摧毁了，发动战争的越来越多的是欧洲职业军人和他们在当地的盟友。作为这些军人的后盾的，先是欧洲母国的政治组织，后来是新大陆的欧洲殖民地政府，最后是继承殖民地政府的独立的新兴欧洲国家。

较小的土著社会则被私人组织的小规模的袭击和屠杀更随便地消灭了。例如，加利福尼亚的土著狩猎采集族群起初总共有20万人，但他们分散在100个小部落中，要打败其中任何一个小部落根本用不着战争。在1842—1852年的加利福尼亚淘金热期间或其后不久，大多数这样的小部落被杀光的杀光，被赶走的赶走，同时大批的移民涌入了该州。举一个例子，加利福尼亚北部的亚希小部落，人数在2000左右，也没有火器。他们被武装的白人移民的4次袭击消灭了：一次是1865年8月6日17个移民在黎明时对一个亚希人的村庄发动的袭击；一次是1866年在一个深谷中对亚希人出其不意的屠杀；一次是1867年左右跟踪到一处洞穴对33个亚希人的屠杀；最后一次是1868年左右对被4个牛仔诱进另一个洞穴的大约30个亚希人的屠杀。在19世纪末20世纪初的割胶热中，亚马孙河地区的许多印第安群体被白人移民用同样的方式消灭了。这种征服的最后几出戏是在当前的这10年中演完的，如始终独立的雅诺马马人社会和亚马孙河地区其他的印第安人社会，或是死于疾病，或是被矿工杀害，或是被置于传教士和政府机构的控制之下。

最终结果是：在适合欧洲的粮食生产和欧洲人生理机能的气候最温和的地区，人口众多的印第安社会被消灭了。在北美洲，相当大的保存下来的完整社会，现在多半生活在居留地里或其他一些被认为不适于欧洲的粮食生产和采矿的地方，如北极地区和美国西部的贫瘠地区。许多热带地区的印第安人已被来自旧大陆热带地区的移民所取代（尤其是非洲黑人以及亚洲的印度人和苏里南的爪哇人）。

在中美洲和安第斯山脉的一些地区，印第安人本来人数很多，即使在流行病和战争之后，人口中的很大一部分今天仍然是印第安人或混血人。在安第斯山脉的高纬度地区情况尤其如此，那里的欧洲妇女甚至在生育方面也有遗传性的生理障碍，那里的安第斯山脉本地的作物仍是粮食生产的最合适的基础。然而，即使在印第安人生存的地方，他们的文化和语言也已被旧大陆的文化和语言所取代了。原先在北美洲使用的几百种印第安语言，除187种外，全都不再使用，而就是在这最后的187种语言中，也有149种奄奄一息，就是说只有老人还在使用，儿童已不再学了。在大概40个新大陆国家中，现在全都把某种印欧语或克里奥耳语[1]作为官方语言。甚至在那些现存印第安人口最多的国家中，如秘鲁、玻利维亚、墨西哥和危地马拉，只要看一看政界和商界领袖的照片，就可以看出，他们很多都是欧洲人，而几个加勒比海国家的领袖是非洲黑人，圭亚那的领导人则是印度人。

原来的印第安人口已经减少了，至于减少了多少，则是一个有争论的问题：据估计在北美洲最高可达95%。但由于旧大陆的人（欧洲人、非洲人和亚洲人）的到来，现在美洲的总人口大概是1492年的10倍。现在美洲的人口是来自除澳大利亚外所有大陆的人们的混合体。这种在过去500年中发生的人口变迁——除澳大利亚外任何大陆上最大的人口变迁——的最早的根子，在大约公元前1100年和公元元年之间的各个发展阶段中就已种下了。

注 释：

1. 克里奥耳语：如美国路易斯安那人和海地人讲的法语方言。——译者

第十九章　非洲是怎样成为黑人的非洲的

不管你事前读过多少关于非洲的书，一旦你身临其境，你对那里的第一个印象使你感到不知所措。 在新独立的纳米比亚的首都温得和克的街道上，我看到了赫雷罗族黑人、奥万博族黑人、白人和既不同于黑人也不同于白人的纳马族人。 他们不再是教科书里照片上的人物，而是我眼前的活生生的人。 在温得和克外面，过去分布很广的卡拉哈里沙漠布须曼人现在只剩下最后一批了，他们正在为生存而奋斗。 但在纳米比亚最使我感到惊讶的是一个街的名字：温得和克闹市区的主要马路之一竟叫做“戈林街”！

我本来以为，肯定不会有哪个国家受到不知悔改的纳粹分子那么大的影响，竟然会用那臭名昭著的纳粹德国国会议员、纳粹德国空军的创建者赫尔曼·戈林的名字来给一条街道命名！果然如此。 原来这条街是为纪念赫尔曼的父亲亨利希·戈林而命名的。 亨利希·戈林是前德国殖民地西南非洲（后来成为纳米比亚）的帝国议会创始人。 但亨利希也是一个有问题的人物，因为他的业绩包括欧洲殖民者对非洲人的一次最凶残的袭击，即德国于1904年对赫雷罗人发动的种族灭绝的战争。今天，虽然邻国南非的事态发展受到全世界较多的关注，但纳米比亚也在努力克服过去殖民地的影响并建立一个多种族和睦相处的社会。纳米比亚向我证明了非洲的过去和现在是多么地难分难解。

大多数美国人和许多欧洲人把非洲的土著看作就是黑人，非洲的白人就是近代的入侵者，非洲的种族历史就是欧洲殖民主义和奴隶贸易的历史。我们之所以只注意这些特有的事实，有一个显而易见的原因：黑人是大多数美国人所熟悉的唯一的非洲土著居民，因为他们曾经大批地作为奴隶被运来美国。但是直到几千年前，现代黑非洲的很大一部分地区还可能为一些完全不同的民族所占有，而所谓非洲黑人其本身也是来源各异的。甚至在白人殖民主义者来到之前，已经生活在非洲的不只是黑人，而是（我们将要看到）世界上6大人种中有5个生活在非洲，其中3个只生活在非洲。世界上的语言，有四分之一仅仅在非洲才有人说。没有哪一个大陆在人种的多样性方面可以与非洲相提并论。

非洲多样化的人种来自它的多样化的地理条件和悠久的史前史。非洲是唯一的地跨南北温带的大陆，同时它也有一些世界上最大的沙漠、最大的热带雨林和最高的赤道山脉。人类在非洲生活的时间比在任何其他地方都要长得多：我们的远祖大约在700万年前发源于非洲，解剖学上的现代智人可能是在那以后在非洲出现的。非洲许多民族之间长期以来的相互作用，产生了令人着迷的史前史，包括过去5000年中两次最引人注目的人口大迁移——班图人的扩张和印度尼西亚人向马达加斯加的移民。所有过去的这些相互作用在继续产生巨大的影响，因为谁在谁之前到达了那里之类问题的细节塑造了今天的非洲。

那5个人种是怎样到达他们如今在非洲所在的地方的呢？为什么在非洲分布最广的竟是黑人，而不是美国人往往忘记其存在的其他4个群体？非洲过去的历史是没有文字的历史，它没有那种把罗马帝国扩张情况说给我们听的文字证据。那么，我们又怎样才能指望从它的过去历史中努力得到对这些问题的答案。非洲的史前史是一个大大的谜团，仍然只是部分地得到解答。结果证明，非洲的情况同我们在前一章中所讨论的美洲史前史有着某种惊人的类似之处，不过很少得到重视罢了。

到公元1000年，这5个主要的人类群体已经把非洲当作自己的家园。外行人不严密地把他们称为黑人、白人、非洲俾格米人、科伊桑人和亚洲人。图19.1是他们的地理分布图，而他们的肖像会告诉你他们在肤色、发形和颜色以及面部特征方面的明显差异。黑人以前只生活在非洲，俾格米人和科伊桑人现在仍然生活在非洲，而白人和亚洲人生活在非洲之外的比生活在非洲之内的多得多。这5个群体构成了或代表了除澳大利亚土著及其亲戚外的全部主要的人种。

许多读者可能已在表示抗议了：不要用随意划分“人种”的办法把人定型！是的，我承认，每一个所谓的这样的主要群体是十分多样化的。把祖鲁人、索马里人和伊博人这样不同的人归并在“黑人”这一个类目下，是无视他们之间的差异。如果我们把非洲的埃及人和柏柏尔人以及欧洲的瑞典人一起归并在“白人”这一个类目下，我们同样是无视他们之间的巨大差异。此外，黑人、白人和其他主要群体这种划分是随意的，因为每一个这样的群体和其他群体的界限很难分得清楚：地球上所有人类群体只要和其他每一个群体中的人接

非洲民族分布图(到公元1400年止)

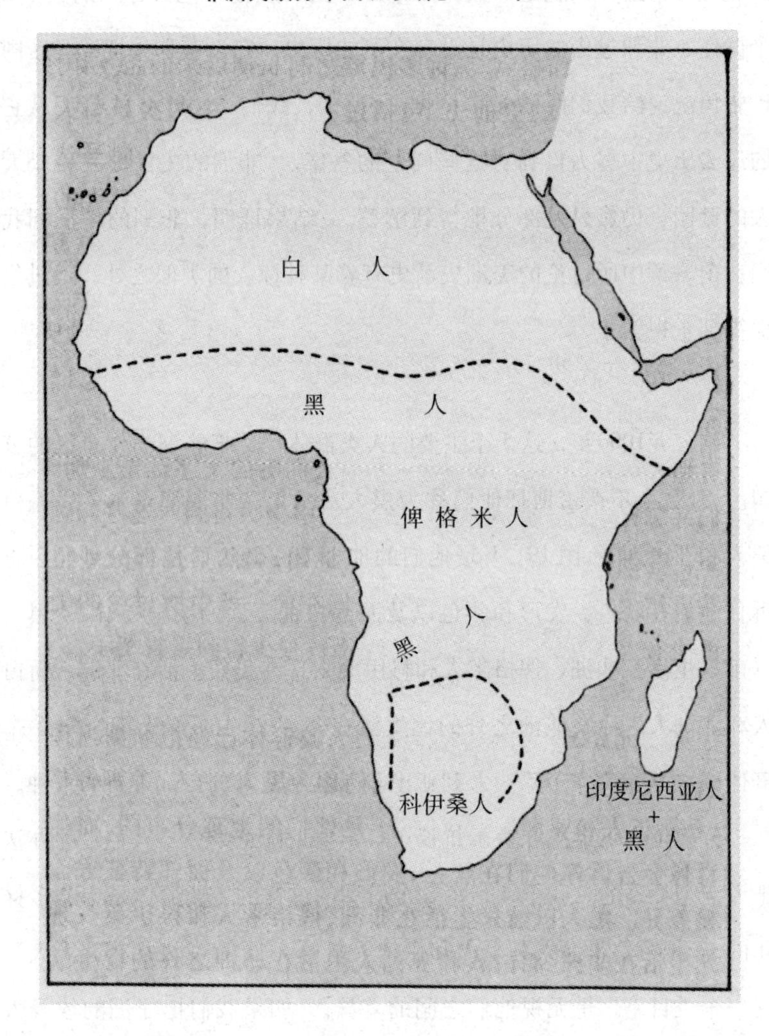

图19.1 关于用这些大家熟悉的然而有问题的分类法介绍的非洲民族的地理分布，为防止误解而作的解释，参见正文。

触，就会发生婚配关系。不过，我们将会看到，承认这些主要的群体对了解历史仍然十分有用，我们可以把这些群体的名称当作一种简略的表达方法，而不用每句话都重复一下上面为防止误解而作的解释。

在非洲的这5个群体中，许多黑人和白人的典型代表是美国人和欧洲人所熟悉的，不需要对他们的体形特征加以描写。甚至到公元1400年止，黑人仍然占据着非洲最大的地区：撒哈拉沙漠的南部和撒哈拉沙漠以南非洲的大部分地区(见图19．1)。虽然美洲的非裔黑人后代主要源自非洲西海岸带，但同样的民族在传统上还占据了东非地区，北达苏丹，南至南非的东南海岸。包括埃及人、利比亚人和摩洛哥人的白人占据了非洲的北海岸带和撒哈拉沙漠的北部。这些北非人几乎不可能与蓝眼金发的瑞典人混同起来，但大多数外行人仍然会把他们称为“白人”，因为同南面的叫做“黑人”的人相比，他们的肤色较浅，头发较直。大多数非洲的黑人和白人靠种田或放牧或两者维持生计。

相比之下，其次两个群体——俾格米人和科伊桑人则包括没有作物和牲畜的狩猎采集族群。俾格米人和黑人一样，生有深色皮肤和浓密的鬈发。然而，俾格米人身材矮小得多，皮肤微红色较多，黑色的较少，脸上和身体上的毛较多，以及前额、眼睛和牙齿较突出——这些都是和黑人不同的地方。俾格米人大都过着群体的狩猎采集生活，他们的群体广泛分布在中非的雨林中，与邻近的黑人农民进行交换(或为他们干活)。

科伊桑人的群体是美国人最不熟悉的，美国人可能连他们的名字都没有听说过。他们以前分布在非洲南部的广大地区，他们中不但有叫做桑人的人数不多的狩猎采集者，而且还有叫做科伊人的人数较多的牧人。（现在人们更喜欢用那比较熟悉的名字霍屯督人和布须曼人。）科伊人和桑人看上去（或曾经看上去）与非洲黑人很不相同：他们的皮肤微黄，他们的头发十分浓密而卷曲，妇女往往在臀部积累了大量的脂肪（医学上称为“臀脂过多”）。作为一个与众不同的群体，科伊人的人数已经大大减少了，因为欧洲殖民者枪杀、驱赶和用疾病感染了他们许多人，大多数幸存者和欧洲人生下了混血种，这些混血人口在南美有时叫混血人，有时叫巴斯特人。桑人同样地受到枪杀、驱赶和疾病的感染，但在不适于农业的纳米比亚沙漠地区，有一批人数日渐减少的桑人仍然保持着他们的特色，若干年前有一部吸引很多观众的影片《诸神该是疯了》描写的就是他们这些人。

非洲白人分布在非洲北部，这是没有什么奇怪的，因为体质相似的民族都生活在近东和欧洲的邻近地区。有史以来，人们一直在欧洲、近东和北非之间来来往往。因此，在本章中对非洲白人我不会作过多的讨论，因为他们的来源并无任何神秘之处。神秘的倒是黑人、俾格米人和科伊桑人，因为他们的地理分布暗示了过去人口的激烈变动。例如，现在零星分布的20万俾格米人散居在1.2亿黑人中间，这就表明俾格米猎人以前曾遍布赤道森林，后来由于黑人农民的到来，他们才被赶走和隔离开来。科伊桑人在解剖学上和语言上都是一个十分独特的民族，但他们在非洲南部所拥有的地区却小得令人吃惊。会不会科伊桑人本来也分布较广，后来他们在北面的人口由于某种原因而被消灭了？

我已把这个最大的异常现象留到最后来讨论。马达加斯加这个大岛在东非海岸外只有250英里，它离非洲大陆比离任何其他大陆都近得多，它与亚洲及澳大利亚之间隔着印度洋的广阔水域。马达加斯加岛上的人是两种成分的混合。一个成分是非洲黑人，这是意料之中的事，但另一个成分从外貌上一眼就可看出是热带东南亚人。特别是，所有马达加斯加人——亚洲人、黑人和混血人——所说的语言是南岛语，与印度尼西亚婆罗洲岛上说的马安亚语非常相似，而婆罗洲与马达加斯加隔着开阔的印度洋有4000多英里远。没有任何一个哪怕与婆罗洲人有一点点相似的民族是生活在马达加斯加的几千英里范围之内的。

当欧洲人于1500年第一次访问马达加斯加时，那些说南岛语的人带着他们的南岛语和经过改造的南岛文化已经在那里扎下根来。我认为，这是全世界人类地理学上的一个最令人惊异的事实。这就好像哥伦布在到达古巴时发现岛上的居民竟是蓝眼金发、说着一种类似瑞典语的语言的北欧人，尽管附近的北美大陆居住着说美洲印第安语的印第安人。据推测，史前的婆罗洲人在没有地图和罗盘的情况下乘船航行，最后到了马达加斯加。他们究竟是怎样做到这一点的呢？

马达加斯加的这个例子告诉我们，民族的语言同他们的体形外貌一样，能够提供关于他们的起源的重要线索。只要看一看马达加斯加岛上的人，我们就会知道他们中有些人源自热带东南亚，但我们不可能知道是热带东南亚的哪个地区，而且我们绝不会猜到是婆罗洲。我们从非洲语言还能知道哪些我们不能从非洲人面相上知道的东西？

非洲有1500种语言，复杂得令人难以想象。斯坦福大学的大语言学家约瑟夫·格林伯格把它们加以梳理，使之变得清晰明了。他确认，所有这些语言正好分为5个语系（它们的地理分布见图19.2）。读者们习惯上认为语言学枯燥乏味而过于专门，但如果他们知道图19.2对于我们了解非洲的历史作出了什么样的有趣贡献，

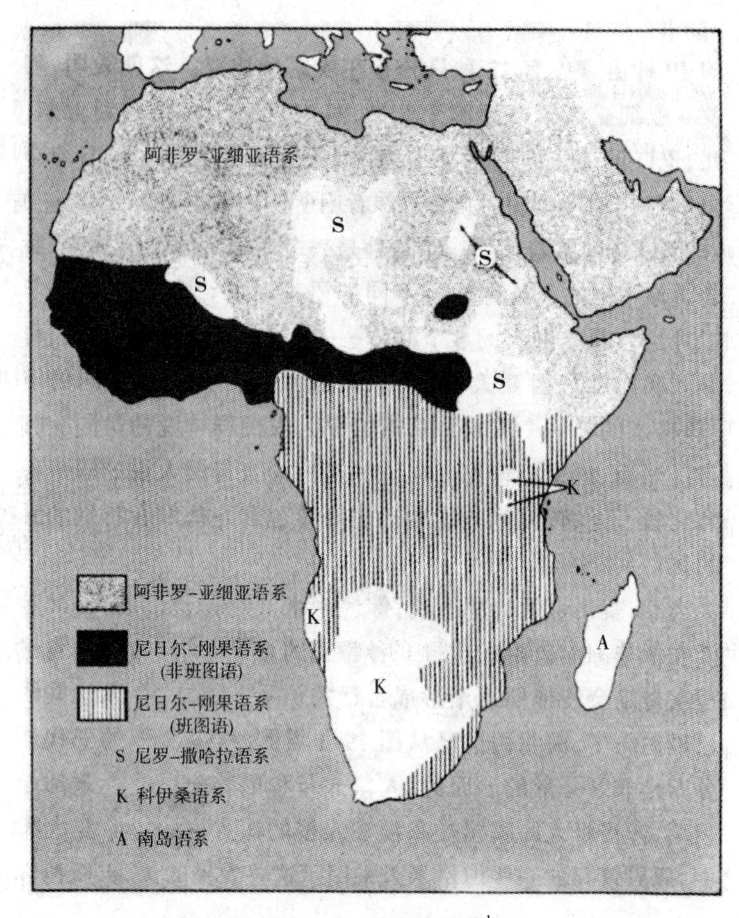

图 19.2 非洲诸语系[1]

他们也许会感到惊奇。

如果我们首先把图19.2和图19.1比较一下，我们就会看到，语系和解剖学上界定的人类群体之间有着一种大致的对应关系：某个语系中的语言往往是由不同的人说的。特别是，说阿非罗-亚细亚语言的人多半证明是可以被归为白人或黑人一类的人，说尼罗-撒哈拉语和尼日尔-刚果语的人证明是黑人，说科伊桑语的是科伊桑人，说南岛语的是印度尼西亚人。这表明语言往往是和说这些语言的人一起演化的。

在图 19．2 的上方隐藏着我们的第一个意外，对那些相信所谓西方文明的优越性的欧洲中心论者也是一个巨大的打击。人们教导我们说，西方文明起源于近东，被希腊人和罗马人在欧洲发展到光辉的顶峰，并产生了世界上的 3 大宗教：基督教、犹太教和伊斯兰教。这些宗教发生在说 3 种叫做闪语的近亲语言的人们当中，这 3 种语言分别是阿拉米语(基督和使徒的语言)、希伯来语和阿拉伯语。我们本能地把闪语民族和近东联系在一起。

然而，格林伯格断定，闪语实际上只形成了一个大得多的语系——阿非罗-亚细亚语系中 6 个或更多分支语言中的一支，阿非罗-亚细亚语系的所有其他分支(和现存的其他 222 种语言)只分布在非洲。甚至闪语族本身也主要是非洲语言，它的现存的 19 种语言中有 12 种只分布在埃塞俄比亚。这就表明，阿非罗-亚细亚诸语言起源于非洲，其中只有一支传播到近东。因此，也许正是非洲产生了作为西方文明道德支柱的《旧约全书》、《新约全书》和《古兰经》的作者们所使用的语言。

图 19．2 隐藏着的下一个意外是一个表面上的细节，刚才我在告诉你不同的民族往往有不同的语言时并没有对这个细节加以评论。在非洲人的 5 个群体——黑人、白人、俾格米人、科伊桑人和印度尼西亚人中，只有俾格米人没有任何不同的语言：俾格米的每一个族群和邻近的黑人农民群体说的是同一种语言。然而，如果把俾格米人说的某种语言与黑人说的同一种语言比较一下，俾格米人说的话里好像包含一些发音特别的独特的词。

当然，就语言的起源来说，像俾格米人这样特别的人，又是生活在像非洲赤道雨林这样一种特别的地方，他们的与世隔绝的程度肯定会使他们逐渐形成自己的语系。然而，今天这些语言已经消失了，而我们也已从图 19．1 看到，俾格米人的现代地理分布是非常分散的。因此，人口分布和语言方面的线索加起来表明，俾格米人的家园被淹没在入侵的黑人农民的汪洋大海之中，硕果仅存的一些俾格米人采用了这些农民的语言，而他们原来的语言只在某些词和发音上留下了一些蛛丝马迹。我们在前面已经看到，马来西亚的矮小黑人(塞芒人)和菲律宾的矮小黑人的情况也基本如此，他们从包围了他们的农民那里分别采用了南亚语和南岛语。

图 19．2 中尼罗-撒哈拉诸语言的零星分散的分布同样表明了，许多说这些语言的人也被淹没在说阿非罗-亚细亚语言和说尼日尔-刚果语的人的汪洋大海之中。但科伊桑语言的分布说明了一种甚至更加引人注目的“淹没”现象。这些语言用吸气音作辅音，这在全世界是非常独特的。（如果你对 !库恩·布什曼这个名字感到莫名其妙，那么这个惊叹号不是表示一个过早的惊愕，它只是语言学家用来表示吸气音的办法。)所有现存的科伊桑语言只有非洲南部才有，但有两个例外。这两个例外是两个非常特别、充满吸气音的科伊桑语言，一个叫哈扎语，一个叫桑达韦语，孤立地存在于坦桑尼亚，距离非洲南部靠得最近的科伊桑语言有1000多英里。

此外，科萨语和非洲南部其他几种尼日尔-刚果语也是充满了吸气音。甚至更令人意想不到的是，在肯尼亚的黑人所说的两种阿非罗-亚细亚语中也出现了吸气音或科伊桑语的一些词，而肯尼亚的这些孤立的黑人比坦桑尼亚的说哈扎语和桑达韦语的人更加远离现今的科伊桑人。所有这一切表明，科伊桑语言和科伊桑民族的分布，以前并不只限于现今的非洲南部，而是到达了遥远的北方，后来他们也和俾格米人一样，被淹没在黑人的汪洋大海之中，只是在语言学上留下了他们过去存在的遗产。这是语言学证据的独特贡献，仅仅根据对活人的体质研究是几乎不可能推测出来的。

我把语言学的最杰出的贡献留到最后来讨论。如果你再看一看图 19.2，你就会看到尼日尔-刚果语系分布在整个西非和非洲赤道以南的大部分地区，这显然没有提供任何线索说明在那个广大的范围内这个语系究竟发源于何处。然而，格林伯格确认，非洲赤道以南地区的所有尼日尔-刚果语言属于一个叫做班图语的语支。这个语支占去了1032种尼日尔-刚果语言中的近一半语言，并占去了说尼日尔-刚果语言人数的一半以上(近两亿人)。但所有这500种班图语言彼此非常相似，所以有人开玩笑地说它们是一种语言500种方言。

从整体来看，班图诸语言只构成了尼日尔-刚果语系中一个单一的、低一位的语族。另外176个语族的大多数都挤在西非，在尼日尔-刚果语系的整个分布范围内只占很小一部分。尤其是，最有特色的一些班图语言以及与班图语亲缘关系最近的非班图语的尼日尔-刚果诸语言，都挤在喀麦隆和邻近的尼日利亚东部的一个狭小地区内。

显然，尼日尔-刚果语系起源于西非；它的班图语分支起源于这一分布范围的东端，即喀麦隆和尼日利亚；后来这支班图语又从它的故乡扩展到非洲赤道以南的大部分地区。这一扩展必定在很早以前就开始了，所以这个祖代的班图语有足够的时间分化为500种子代语言，但分化的时间也相当近，以致所有这些子代语言彼此仍然十分相似。由于所有其他说尼日尔-刚果语的人和说班图语的人一样都是黑人，我们不可能仅仅根据体质人类学的证据推断出谁向哪一个方面迁移。

为了使这类语言学的推理变得明白易懂，让我举一个大家所熟悉的例子：英语的地理起源。今天，以英语为第一语言的数目最多的人生活在北美洲，其他人则分散在全球各地，如英国、澳大利亚和其他国家。每一个这样的国家都有自己的英语方言。如果对语言的分布和历史方面的知识不过如此，我们就可能会猜测英语起源于北美洲，后来才被殖民者传播到海外的英国和澳大利亚的。

但所有这些英语方言仅仅构成了日耳曼语族的一个低一位的语支。所有其他的语支——各种各样的斯堪的纳维亚语、德语和荷兰语——都挤在欧洲的西北部。尤其是，与英语亲缘关系最近的另一种日耳曼语——弗里西亚语只限于荷兰和德国西部的一个小小的沿海地区。因此，一个语言学家可能立刻正确地推断出英语起源于西北部沿海地区，并从那里传播到全世界。事实上，我们从历史记载得知，英语的确是在公元5世纪和6世纪时被入侵的盎格鲁-撒克逊人从那里传到英国来的。

基本上相同的推理告诉我们，如今在非洲地图上占据很大一块地方的近两亿的班图人起源于喀麦隆和尼日利亚。连同闪米特人起源于北非和马达加斯加人起源于亚洲一样，这是又一个我们在没有语言学证据的情况下能够得出的结论。

我们已经根据科伊桑语言的分布和俾格米人没有自己的特有语言这一点推断出，俾格米人和科伊桑人以前分布较广，后来被黑人的汪洋大海所淹没了。（我把“淹没”当作一个中性的、无所不包的词来使用，不管这个过程是征服、驱逐、混种繁殖、杀害或是流行病。）根据尼日尔-刚果语言的分布，我们现在明白了，“淹没”俾格米人和科伊桑人的黑人是班图人。迄今所考虑的体质证据和语言证据使我们推断出这些发生在史前的“淹没”现象，但仍然没有为我们解开这些“淹没”现象之谜。只有我接着将要提出的进一步证据才能帮助我们回答另外两个问题：是什么有利条件使班图人得以取代俾格米人和科伊桑人的地位？班图人是在什么时候到达俾格米人和科伊桑人以前的家园的？

为了回答关于班图人的有利条件问题，让我们研究一下眼前的活证据——来自驯化了的动植物的证据。我们在前面的几章看到，这方面的证据是非常重要的，因为粮食生产带来了高密度的人口、病菌、技术、政治组织和其他力量要素。由于地理位置的偶然因素而继承或发展了粮食生产的民族，因此就能够“淹没”地理条件较差的民族。

当欧洲人于15世纪初到达非洲撒哈拉沙漠以南地区时，非洲人在种植5组作物（图19．3），每一组作物都对非洲的历史具有重大的意义。第一组作物只在北非种植，一直延伸到埃塞俄比亚高原。北非属于地中海型气候，其特点是雨量集中在冬季的几个月。（南加利福尼亚也属于地中海型气候，这就说明为什么我的地下室和其他许多南加利福尼亚人的地下室常常在冬天被淹，而又总是在夏天变得十分干燥。）农业发源地的新月沃地也是属于冬季多雨的地中海型气候。

因此，北非原来的作物证明都是适合在冬天雨季里发芽生长的作物，考古的证据表明，它们在大约1万年前开始首先在新月沃地得到驯化。这些新月沃地的作物传播到气候相似的北非邻近地区，为古代埃及文明的兴起奠定了基础。它们包括诸如小麦、大麦、豌豆、菜豆和葡萄之类为人们所熟悉的作物。这些作物之所以为我们所熟悉，完全是因为它们也传播到气候相似的欧洲邻近地区，并由欧洲传播到美洲和澳大利亚，从而成为全世界温带农业的一些主要作物。

非洲作物原产地举例

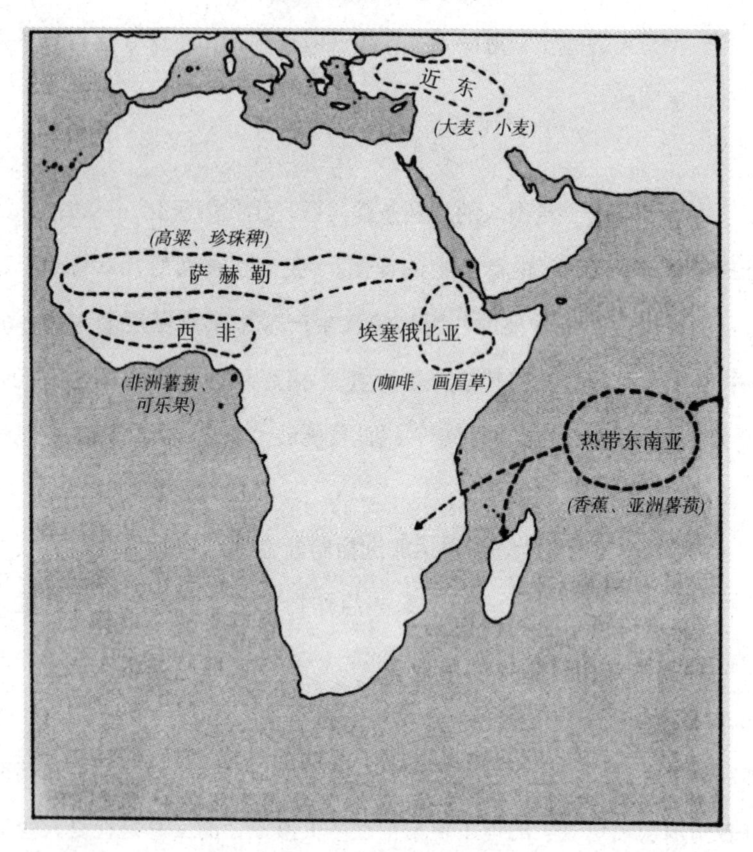

图 19．3 非洲传统种植的作物(即在非洲殖民的欧洲人带来的作物到达之前的作物)的原产地区，每一地区举两种作物作例子。

当你在非洲越过撒哈拉沙漠向南旅行，并在沙漠南部边缘的萨赫勒地带重新碰到下雨时，你会注意到萨赫勒地带下雨是在夏天，而不是在冬天。即使适应冬雨的新月沃地作物能够设法越过撒哈拉沙漠，它们也可能难以在夏季多雨的萨赫勒地带生长。我们发现有两组非洲作物，它们的野生祖先正好出现在撒哈拉沙漠以南，它们适应了夏季的雨水和日长方面的较少的季节性变化。其中一组包含这样一些植物，它们的祖先在萨赫勒地带从东到西有广泛的分布，可能就是在那里驯化的。值得注意的是，它们包括高粱和珍珠稗，而这两种作物成为非洲撒哈拉沙漠以南广大地区的主要谷物。高粱证明是一种很有价值的作物，现在在各大洲的炎热、干旱地区（包括美国）都有种植。

另一组包含这样一些植物，它们的野生祖先出现在埃塞俄比亚，可能是在那里的高原地区驯化的。其中大多数仍然主要在埃塞俄比亚种植，美国人对它们仍然一无所知——这些作物包括埃塞俄比亚的有麻醉作用的球果、像香蕉一样的埃塞俄比亚香蕉、含油的努格、用来酿制国产啤酒的龙爪稗和用来做国产面包的叫做画眉草的籽粒很小的谷物。但每一个喝咖啡成瘾的读者可以感谢古代的埃塞俄比亚农民，是他们驯化了咖啡植物。咖啡本来只在埃塞俄比亚种植，后来在阿拉伯半岛进而又在全世界受到欢迎，在今天成了像巴西和巴布亚新几内亚这样遥远的国家的经济支柱。

倒数第二组非洲作物来自生长在西非湿润气候下的野生祖先。其中有些作物，包括非洲稻，几乎始终限于在当地种植；另一些作物，如非洲薯蓣，已经传播到非洲撒哈拉沙漠以南的所有其他地区；还有两种作物——油棕和可乐果——已经传播到其他大陆。西非人把可乐果的含咖啡因的坚果当作麻醉品来嚼食，而可口可乐公司诱使第一批美国人和后来的全世界人去喝一种原来是用可乐果的萃取物调制的饮料，那已是很久以后的事了。

最后一组非洲作物也适应了湿润的气候，但它们在图 19.3 中却最令人感到意外。香蕉、亚洲薯蓣和芋艿在 15 世纪初已在非洲撒哈拉沙漠以南地区广为种植，而非洲水稻也已在东非海岸地区移植生长。但这些作物都发源于热带东南亚。如果印度尼西亚人在马达加斯加岛上出现，还不曾使我们认识到非洲在史前阶段与亚洲的联系，那么这些作物在非洲出现就可能会使我们感到惊奇。是不是当年从婆罗洲启航的南岛人在东非海岸登陆，把他们的作物赠与满心感激的非洲农民，又搭载了一些非洲渔民，然后扬帆向东方驶去，到马达加斯加岛去拓殖，因而在非洲没有留下其他任何关于南岛人的蛛丝马迹?

还有一个令人感到意外的地方是：所有非洲本地作物——萨赫勒、埃塞俄比亚和西非的作物——都起源于赤道以北地区。没有哪一种非洲作物是起源于赤道以南地区的。这就给了我们一个暗示，告诉我们来自赤道以北、说尼日尔-刚果语的人何以能取代非洲赤道地区的俾格米人和赤道以南的科伊桑人。科伊桑人和俾格米人之所以未能发展出农业，不是由于他们没有农民的资格，而仅仅是由于碰巧非洲南部的野生植物大都不适于驯化。无论是班图农民还是白人农民，尽管他们继承了几千年的农业经验，后来还是没有能把非洲南部的本地植物培育成粮食作物。

至于非洲的驯化动物，概括地介绍起来可以比介绍它的植物快得多，因为那里的驯化动物实在太少。我们确切知道是在非洲驯化的唯一动物，是一种叫做珍珠鸡的像火鸡一样的鸟，因为它的野生祖先只有非洲才有。驯养的牛、驴、猪、狗和家猫的野生祖先原产北非，但西南亚也有，所以我们还不能肯定它们最早是在什么地方驯化的，虽然目前已知的年代最早的家驴和家猫出现在埃及。近来的证据表明，牛可能是在北非、西南亚和印度各自独立驯化出来的，而这3个地方的品种与现代非洲牛的品种都有关系。除此以外，非洲其余所有的驯养的哺乳动物想必都是在别处驯化后引进的，因为它们的野生祖先只出现在欧亚大陆。非洲的绵羊和山羊是在西南亚驯化的，它的鸡是在东南亚驯化的，它的马是在俄罗斯南部驯化的，它的骆驼可能是在阿拉伯半岛驯化的。

这个关于非洲家畜的清单的最意想不到的特点又一次是负面的。非洲是以大型野生哺乳动物而著称的，它们的数量也非常丰富——有斑马和牛羚，有犀牛和河马，有长颈鹿和野牛，但没有一种上了那张清单。我们还将看到，这个事实与非洲赤道以南没有本地的驯化植物一样，对非洲的历史产生了深远的影响。

对非洲主要粮食产品的这一快速巡视足以看出，其中有些粮食产品是从它们在非洲内外的发源地经过长途跋涉而到来的。在非洲和在世界其他地方一样，有些族群由于从环境继承了整个系列的可驯化的野生动植物而比另一些族群“幸运”得多。澳大利亚土著的狩猎采集族群被以小麦和牛群为生的英国殖民者所“淹没”，由这一事实来类推，我们不得不怀疑有些“幸运的”非洲人利用自己的优势来“淹没”他们的非洲人邻居。现在，我们终于可以求助于考古记录去看一看到底是谁在什么时候“淹没”了谁。

关于非洲农业和畜牧业出现的实际年代和地点，考古学能告诉我们一些什么呢？任何一个潜心研究西方文明史的读者，如果他想当然地认为，非洲的粮食生产肇始于法老和金字塔之乡古埃及的尼罗河河谷，那么他是可以得到原谅的。毕竟，到公元前3000年，埃及无疑已是非洲最复杂社会的所在地，并是世界上最早使用文字的中心之一。然而，事实上，非洲粮食生产可能最早的考古证据却是来自撒哈拉沙漠。

当然，今天撒哈拉沙漠的很大一部分地区干燥得寸草不生。但在公元前9000年到公元前4000年之间，撒哈拉沙漠比较湿润，有许多湖泊，到处都是猎物。在那个时期，撒哈拉人开始养牛和制陶，后来又养绵羊和山羊，他们可能也已着手驯化高粱和黍。撒哈拉的放牧业早于以整个西南亚冬季作物和牲口的形式出现的粮食生产引进埃及的已知最早年代（公元前 5200 年）。粮食生产也出现在西非和埃塞俄比亚，而到了公元前2500年左右，牧牛人已经越过现代的边界，从埃塞俄比亚进入肯尼亚北部。

虽然这些结论是以考古证据为基础的，但也有一种独立的方法来判定驯化动植物引进的年代：比较现代语言中用来指称它们的词汇。比较一下尼日尔-刚果语系的尼日利亚南部一些语言中植物的名称，就可以看出这些词分为 3 类。第一类中用来指称某种作物的词，在尼日利亚南部的所有这些语言中都十分相似。这些作物证明就是西非的薯蓣、油棕和可乐果之类的作物——也就是人们按照植物学证据和其他证据认为原产西非并最早在那里驯化的植物。由于它们是西非最古老的作物，所有尼日利亚南部的现代语言都继承了原来用以指称它们的同一套词汇。

其次，有些作物的名称只有在属于尼日利亚南部那些语言的一个小语支的语言中才保持一致。原来，据认为这些作物来自印度尼西亚，如香蕉和亚洲薯蓣。显然，这些作物只是在一些语言开始分化成一些语支之后才到达尼日利亚的南部的，这样，每一个语支为这些新来的植物发明了或接受了一些不同的名称，而这些名称只有属于那一特定语支的一些现代语言才继承了下来。最后一批作物的名称在一些语族内是完全不一致的，而是与贸易路线有关。这些作物证明是来自新大陆的作物，如玉米和花生，我们知道这些作物是在横渡大西洋的航运开始后（公元 1492 年）才引进非洲，并从那以后沿贸易路线传播，因此它们常常带有葡萄牙的名字或别的外国名字。

因此，即使我们没有掌握任何植物学的或考古学的证据，我们也仍然能够仅仅靠语言学的证据来予以推断：先是驯化西非本地的作物，其次是引进印度尼西亚的作物，最后是欧洲人带来的美洲作物。加利福尼亚大学洛杉矶分校的历史学家克里斯托弗·埃雷特运用这种语言学方法来确定驯化的动植物为属于每一个非洲语系的人所利用的顺序。有一种方法叫做词源统计分析法，其根据就是计算出词通常在历史上的变化速度。比较语言学家利用这种方法甚至能估计出作物驯化或引进的年代。

把关于作物的直接的考古学证据同比较间接的语言学证据结合起来，我们就可以推断出几千年前在撒哈拉驯化高粱和黍的人所说的语言是现代尼罗-撒哈拉语的祖代语言。同样，最早驯化西非湿润地区作物的人所说的语言是现代尼日尔-刚果诸语言的祖代语言。最后，说阿非罗-亚细亚祖代语言的人可能驯化过埃塞俄比亚的本地作物，而且他们肯定也是把新月沃地的作物引进北非的人。

因此，来自现代非洲语言中植物名称的证据，使我们一眼就能看明白几千年前非洲存在3种语言：祖代的尼罗-撒哈拉语、祖代的尼日尔-刚果语和祖代的阿非罗-亚细亚语。此外，我们还能根据其他的语言学证据一眼就能看明白祖代科伊桑语的存在，虽然不是根据作物名称这个证据(因为科伊桑人的祖先没有驯化过任何作物)。既然非洲今天有1500种语言，那么几千年前它肯定不会只有这4种祖代语言。但所有其他这些语言想必都已消失——这或者是由于说这些语言的人虽然生存了下来，但却失去了自己本来的语言，如俾格米人，或者是由于连这些人本身都消失了。

现代非洲本土的4个语系(即除去最近传入的马达加斯加的南岛语的4个语系)之所以能幸存下来，不是由于这些语言作为交流工具有什么内在的优越性。相反，这应归因于一个历史的偶然因素：说尼罗-撒哈拉语、尼日尔-刚果语和阿非罗-亚细亚语的人的祖先，碰巧在最合适的时间生活在最合适的地点，使他们获得了作物和家畜，从而使他们人口繁衍，并且取代了其他族群或将自己的语言强加给其他族群。现代的为数不多的说科伊桑语的人能够幸存下来，主要是由于他们生活在非洲南部不适于班图人的农业的、与世隔绝的地区。

在我们考查科伊桑人如何躲过班图人的移民浪潮而幸存下来这一点之前，让我们先来看一看，关于非洲史前期的另一次人口大迁移——南岛人在马达加斯加岛的殖民情况，考古学告诉了我们一些什么。在马达加斯加调查的考古学家们现已证明，南岛人至少不迟于公元800年，也可能早在公元300年，即已到达马达加斯加。南岛人在那里碰到了（并着手消灭）一个陌生的动物世界，这些动物非常特别，好像它们是来自另一个星球，因为这些动物是在长期与世隔绝的情况下在马达加斯加演化出来的。它们中有大隆鸟，有同大猩猩一般大的叫做狐猴的原始灵长目动物，还有矮小的河马。对马达加斯加岛上最早的人类定居点的考古发掘，出土了一些铁器、牲畜和作物的残存，从这点来看，那些殖民者就不完全是乘坐小小独木舟的被风吹离航线的渔民；他们是一个经过充分准备的探险队。这次史前的行程4000英里的探险是如何实现的呢？

有一本古代航海书对此提供了一条线索。这本书名叫《欧力斯里洋[2]航行记》，是公元100年左右一个生活在埃及的无名氏商人写的。这位商人描述了当时已相当繁荣的把印度和埃及与东非海岸连接起来的海上贸易路线。随着公元800年后伊斯兰教的传播，印度洋贸易也兴旺发达起来，有充分的考古文献证明，在东非沿海定居点遗址中发现了大量中东的(偶尔甚至还有中国的!)产品，如陶器、玻璃器皿和瓷器。商人们等待着有利的风向，好让他们横渡中非和印度之间的印度洋。1498年，葡萄牙航海家法斯科·达·伽马[3]成为绕过非洲南端到达肯尼亚海岸的第一个欧洲人，他碰到了斯瓦希里人的一些贸易点，并在那里带上一个水手领着他走上那条通往印度的直达航线。

但从印度向东，在印度与印度尼西亚之间，也有一条同样兴旺发达的海上贸易路线。也许，马达加斯加的南岛人殖民者就是从这条向东的贸易路线从印度尼西亚到达印度，后来偶然碰上了向西的通往东非的贸易路线，在那里加入了非洲人的行列，和他们一起发现了马达加斯加。南岛人与东非人的这种结合，今天仍在马达加斯加的语言中体现出来，马达加斯加的语言基本上是南岛语，只是从肯尼亚沿海的一些班图语中借用了一些单词。但在肯尼亚的一些语言中却没有相应的来自南岛语的借用词，而且在东非的土地上也几乎没有留下多少南岛人的其他痕迹：主要地只有可能是印度尼西亚乐器在非洲的遗产(木琴和筝)以及当然还有在非洲农业占有十分重要地位的南岛人的作物。因此，人们怀疑南岛人是不是没有走经由印度和东非到达马达加斯加的比较容易的路线，而是设法(令人难以置信地)直接渡过印度洋，发现了马达加斯加，只是后来才加入了东非的贸易路线。因此，关于非洲最令人惊异的人类地理学上的事实多少还仍然是个谜。

关于非洲史前史上最近的另一次人口大迁移——班图人的扩张，考古学能告诉我们一些什么呢？根据现代民族和他们的语言这个双重证据，我们知道非洲撒哈拉沙漠以南地区并不总是我们今天所认为的黑色的大陆。这个证据倒是表明了俾格米人曾在中非雨林中有广泛分布，而科伊桑族群在非洲赤道以南较干旱地区亦甚为普遍。考古学能不能对这些假定进行验证呢?

就俾格米人来说，答案是“还不能”，这仅仅是因为考古学家们还必须从中非森林中去发现古人类的骨骼。对于科伊桑人，答案是“能”。在现代科伊桑人分布地区北面的赞比亚，考古学家不但发现了与科伊桑族群在欧洲人到达时仍在非洲南部制作的那种石器相似的石器，而且也发现了可能与现代科伊桑人相似的一些人的头骨。

至于班图人最后是怎样取代北部的那些科伊桑人的，考古学和语言学的证据表明，班图人的农民祖先从西非内陆的稀树草原往南向较湿润的海岸森林扩张，可能早在公元前3000年就已开始了（图19．4）。在所有班图语言中仍然广泛使用的一些词表明，那时班图人已经有了牛和薯蓣之类的在湿润气候下生长的作物，但他们还没有金属制品，并且仍然从事大量的捕鱼、狩猎和采集活动。他们的牛群甚至由于森林中的采采蝇传播的疾病而被毁掉。他们进入刚果河流域的赤道森林地带，在那里开垦园地，并且增加了人口。这时，他们开始“淹没”了从事狩猎和采集的俾格米人，把他们一步步挤进森林。

公元前1000年后不久，班图人从森林的东缘走出来，进入了东非有裂谷和大湖的比较开阔的地带。在这里他们碰到了一个民族大熔炉，这里有在较干旱地区种植黍和高粱以及饲养牲畜的、说阿非罗-亚细亚语和尼罗-撒哈拉语的农民和牧人，还有以狩猎和采集为生的科伊桑人。由于从他们的西非家园继承下来的适应湿润气候的作物，这些班图人得以在不适合以往所有那些当地人耕种的东非气候湿润地区进行耕种。到了公元前的最后几个世纪，不断前进的班图人到达了东非海岸。

班图人的扩张：公元前3000年至公元500年

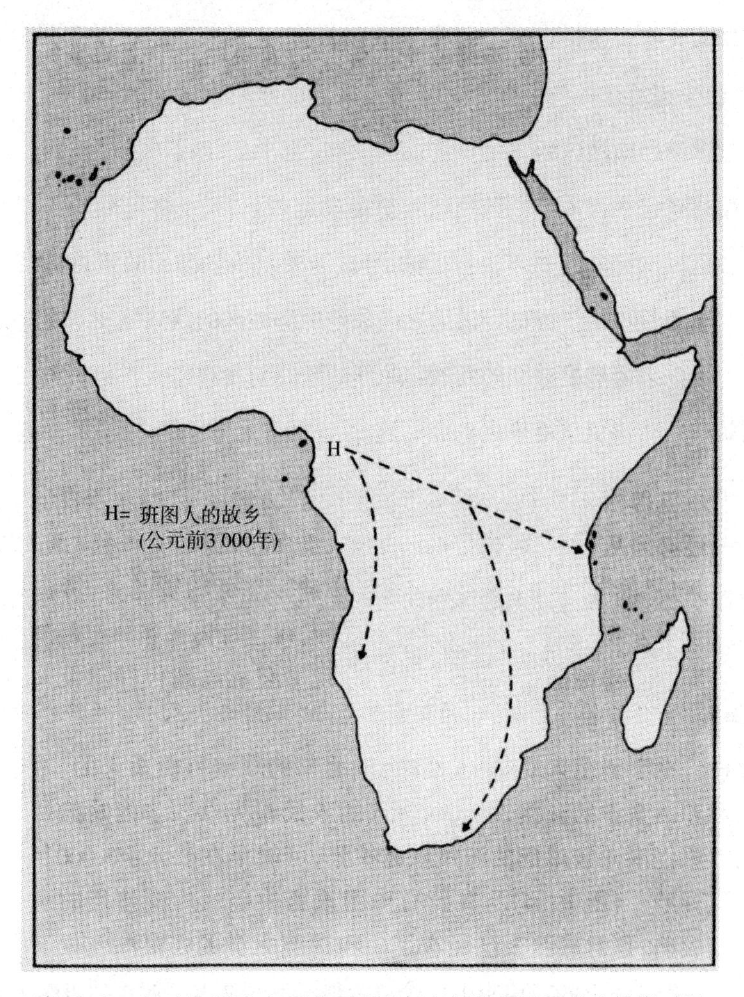

图19.4 公元前3000年至公元500年之间说班图语的人扩张时行经的大致路线，由现今班图地区西北角的故乡（用H标出）出发，扩张到非洲的东部和南部。

在东非，班图人开始从他们的说尼罗-撒哈拉语和阿非罗-亚细亚语的邻居那里得到了黍和高粱（以及尼罗-撒哈拉语中表示这些作物的名称），并重新得到了牛群。他们还得到了铁，那时铁还刚刚开始在非洲的萨赫勒地带熔炼。公元前1000年后不久，非洲撒哈拉沙漠以南地区便已有了铁制品的制造，但起源于何处则仍不清楚。这个早期年代有可能接近于北非海岸迦太基的近东铁制品制造技术引进的年代。因此，一些历史学家常常假定冶金知识是从北面传入非洲撒哈拉沙漠以南地区的。另一方面，自从至少公元前2000年以后，铜的熔炼就已在西非撒哈拉地区和萨赫勒地带进行。那可能是非洲独立发现铁冶炼术的先声。非洲撒哈拉沙漠以南铁匠们的铁熔炼技术为这一假设提供了佐证，因为它们和地中海地区的铁熔炼技术差异很大，足以表明这是独立的发展：非洲的铁匠们发现如何在他们村庄的熔炉里产生高温从而炼出钢来，这比19世纪欧洲和美国的贝塞麦转炉早了2000多年。

有了适应湿润气候的作物，再加上铁器，班图人终于拼凑出一整套在当时非洲赤道以南地区所向披靡的军事-工业力量。在东非，他们仍然不得不同为数众多的说尼罗-撒哈拉语和阿非罗-亚细亚语的铁器时代的农民进行竞争。但在南部2000英里的地区内生活着科伊桑狩猎采集族群，他们不但人口稀少，而且没有铁器和作物。在几个世纪内，班图农民在最近的史前史上的一次最迅猛的移民进军中，以摧枯拉朽之势，一路推进到今天南非东海岸纳塔尔省的地方。

我们很容易把这种无疑是一次迅速而引人注目的扩张行动简单化，并把一路上的科伊桑人描绘成听任成群结队汹涌而来的班图人践踏的人。事实上，情况要比这复杂。非洲南部的科伊桑族群在班图人向外扩张前的几个世纪中已经有了牛、羊。班图人的第一批开路先锋可能人数很少，他们选择了适于种植他们的薯蓣的湿润的森林地区，而跳过了比较干旱的地区，把这些地区留给科伊桑的牧人和以狩猎采集为生的人。交换和通婚关系无疑已在这些科伊桑农民和班图农民之间建立起来，他们各自占据邻近的一些不同的栖息地，就像俾格米狩猎采集族群和班图农民今天在赤道非洲仍然在做的那样。随着班图人口的增长并把牛和适应干旱气候的谷物吸收进他们的经济，他们才逐步地布满了原先被跳过的那些地区。但最后的结果仍然一样：班图农民占据了原先属于科伊桑人的大部分地区；原先的这些科伊桑居民的遗产除了埋在地下等待考古学家去发现的头骨和石器外，就只剩下分散的非科伊桑语言中的吸气音；以及非洲南部某些班图族群酷似科伊桑人的外貌特征。

这些消失了的科伊桑人究竟发生了什么事？我们不得而知。我们唯一能够肯定的是：在科伊桑族群生活了也许有几万年之久的一些地方，现在生活着班图人。我们只能大胆猜测，用现代亲眼目睹的一些事件来进行类比，例如用钢铁武装起来的白人农民与使用石器的澳大利亚土著和加利福尼亚印第安狩猎采集族群之间的冲突。在这一点上，我们知道，狩猎采集族群被用一系列互相配合的方法很快地消灭了：他们或者被赶走，或者男人被杀死或沦为奴隶，女人被霸占为妻，或者无论男女都受到农民的流行病的感染。在非洲这种病的一个例子就是疟疾，疟疾是蚊子传染的，而蚊子是在农民村庄的四周滋生的，同时，对于这种疾病，入侵的班图人已经形成了遗传的抵抗力，而科伊桑狩猎采集族群大概还没有。

然而，关于最近的非洲人口分布的图 19.1 提醒我们，班图人并没有搞垮所有的科伊桑人，在非洲南部的一些不适合班图人农业的地区仍有科伊桑人幸存下来。最南端的班图人是科萨人，他们在开普敦以东 500 英里的南非南海岸的菲什河停了下来。这不是因为好望角这个地方过于干旱不适合农业：毕竟它是现代南非的粮仓啊。事实上，好望角冬天多雨，属于地中海型气候，在这个气候条件下，班图人的适应了夏雨的作物是不能生长的。到 1652 年，即荷兰人带着他们原产近东的适应冬雨的作物到达开普敦的那一年，科萨人仍未渡过菲什河。

这种植物地理学的表面上的细节对今天的政治具有重大的关系。一个后果是：一旦南非的白人迅速杀死或用疾病感染或赶走好望角的科伊桑人群体，白人就能正当地宣称他们在班图人之前占有了好望角，因而对它拥有优先权。这种宣布不必认真看待，因为好望角科伊桑人的优先权并没有能阻止白人把他们赶走。严重得多的后果是，1652 年的荷兰移民必须全力对付的，是人口稀少的科伊桑牧人，而不是人口稠密的用钢铁装备起来的班图农民。当白人最后向东扩张，于 1702 年在菲什河与科萨人遭遇时，一场长期的殊死战斗开始了。虽然欧洲人当时能够从他们在好望角的巩固基地调派军队，但也经过了 9 次战争、历时 175 年才把科萨人征服，军队前进的速度平均每年不到一英里。如果当初那几艘最早到来的荷兰船遇到这样的激烈抵抗，白人怎能成功地在好望角站稳脚跟呢?

因此，现代南非的问题至少一部分源自地理上的偶然因素。好望角科伊桑人的家园碰巧很少有适于驯化的野生植物；班图人碰巧从他们5000年前的祖先那里继承了适应夏雨的作物；而欧洲人碰巧从他们近 1 万年前的祖先那里继承了适应冬雨的作物。正像新独立的纳米比亚首都的那块“戈林街”路牌提醒我的那样，非洲的过去给非洲的现在打上了深深的烙印。

这就是班图人何以能够“淹没”科伊桑人，而不是相反。现在，让我们转向我们对非洲史前史的难解之谜的剩下来的一个问题：为什么欧洲人成了在非洲撒哈拉沙漠以南殖民的人。事情竟然不是反其道而行之，这尤其令人惊讶，因为非洲不但可能是解剖学上现代智人的家乡，而且也是几百万年来人类进化的唯一发源地。非洲除了巨大的领先优势这些有利条件外，还有高度多样化的气候和生境以及世界上最高度的人类多样化这些有利条件。如果1万年前有一个外星人访问地球，他认为欧洲最后会成为非洲撒哈拉沙漠以南的一个帝国的一批附庸国家，他作出这样的预测也许是情有可原的。

导致非洲与欧洲碰撞的这一结果的直接原因是很清楚的。正如他们与印第安人遭遇时的情况一样，进入非洲的欧洲人拥有三重优势：枪炮和其他技术、普及的文化以及为维持探险和征服的花费巨大的计划所必不可少的政治组织。这些优势在碰撞几乎还刚刚开始时就显示了出来：在法斯科·达·伽马于1498年首次抵达东非海岸后仅仅4年，他又率领一支布满了大炮的舰队卷土重来，迫使控制津巴布韦黄金贸易的东非最重要的港口基尔瓦投降。但为什么欧洲人能发展出这3大优势，而撒哈拉沙漠以南的非洲人则不能呢?

我们已讨论过，从历史上看，所有这三者都来自粮食生产的发展。但粮食生产在非洲撒哈拉沙漠以南地区被延误了(与欧亚大陆相比)，其原因是非洲缺少可以驯化的本地动植物物种，它的适于本地粮食生产的小得多的面积，以及它的妨碍粮食生产和发明的传播的南北轴向。让我们研究一下这些因素是如何起作用的。

首先，关于家畜，我们已经看到，非洲撒哈拉沙漠以南地区的家畜来自欧亚大陆，可能有少数几个例外是来自北非。因此，直到家畜开始被新兴的欧亚大陆文明利用之后几千年，它们才到达非洲撒哈拉沙漠以南地区。这在开始时的确使人感到奇怪，因为我们认为非洲是充满大型野生哺乳动物的那个大陆。但我们在第九章中看到，要想对一种野生动物进行驯化，它必须相当温驯，对人服从，驯养花费少，对一些疾病有免疫力，而且还必须生长迅速并在圈养中繁殖良好。欧亚大陆产的牛、绵羊、山羊、马和猪是世界上少数几种通过所有这些考验的大型野生动物。而它们的非洲同类——如非洲野牛、斑马、野猪、犀牛和河马——则从来没有被驯化过，甚至在现代也是如此。

当然，有些大型的非洲动物有时确曾被驯养过。汉尼拔在对罗马的不成功的战争中利用过驯服的非洲象，古代埃及人也可能驯养过长颈鹿和其他动物。但这些驯养的动物没有一种实际上被驯化了——就是说，在圈养中进行有选择的繁殖和对遗传性状的改变以使之对人类更加有用。如果非洲的犀牛和河马得到驯化并供人骑乘，它们不但可以供养军队，而且还可以组成一支所向披靡的骑兵，把欧洲的骑兵冲得落花流水。骑着犀牛的班图突击队可能已推翻了罗马帝国。但这种事决没有发生。

第二个因素是非洲撒哈拉沙漠以南地区和欧亚大陆之间在可驯化的植物方面的一种虽然不是那样极端但也相当大的差异。萨赫勒地带、埃塞俄比亚和西非也有土生土长的作物，但在品种数量上比欧亚大陆少得多。由于适合驯化的野生起始植物品种有限，甚至非洲最早的农业也可能比新月沃地的农业晚了几千年。

因此，就动植物的驯化而论，领先优势和高度多样性属于欧亚大陆，而不属于非洲。第三个因素是非洲的面积仅及欧亚大陆的面积的一半左右。而且，非洲面积中只有三分之一左右是在公元前1000年以前为农民和牧人所占据的赤道以北的撒哈拉沙漠以南地区。今天，非洲的总人口不到7亿，而欧亚大陆有40亿。但如果所有其他条件相等，更多的土地和更多的人口意味着更多的相互竞争的社会和更多的发明创造，因而也就意味着更快的发展速度。

造成非洲在更新世后发展速度比欧亚大陆慢的其余一个因素，是这两个大陆主轴线的不同走向。非洲的主轴线和美洲的主轴线一样都是南北走向，而欧亚大陆的主轴线则是东西走向(图10.1)。如果你沿南北轴线行走，你会穿越在气候、生态环境、雨量、日长以及作物和牲口疾病都大不相同的地带。因此，在非洲某个地区驯化或得到的动物和作物很难传播到其他地区。相比之下，在虽然相隔数千英里但处于同一纬度并有相似的气候和日长的欧亚大陆各社会之间，作物和动物的传播就显得容易了。

作物和牲畜沿非洲南北轴线的缓慢通过或完全停止前进，产生了重大的后果。例如，已经成为埃及的主食的地中海沿岸地区的作物，在发芽时需要冬雨和日长的季节性变化。这些作物无法传播到苏丹以南，因为过了苏丹，它们就会碰上夏雨和很少或根本没有季节性的日照变化。埃及的小麦和大麦在欧洲人于1652年把它们带来之前，一直没有到达好望角的地中海型气候区，而科伊桑人也从来没有发展过农业。同样，适应夏雨和很少或根本没有季节性的日长变化的萨赫勒地带的作物，是班图人带到非洲南部的，但在好望角却不能生长，从而终止了班图农业的前进。非洲的气候特别适合香蕉和其他的亚洲热带作物，今天这些作物已居于非洲热带农业最多产的主要作物之列，但它们却无法从陆路到达非洲。显然，直到公元第一个1千年，也就是它们在亚洲驯化后很久，它们才到达非洲，因为它们必须等到横渡印度洋的大规模船运的那个时代。

非洲的南北轴线也严重地妨碍了牲畜的传播。赤道非洲的采采蝇是锥虫体的携带者，虽然非洲当地的野生哺乳动物对锥虫病有抵抗力，但对从欧亚大陆和北非引进的牲畜来说，这种病证明是灾难性的。班图人从没有采采蝇的萨赫勒地带获得的牛，在班图人通过赤道森林的扩张中亦未能幸免。虽然马在公元前1800年左右已经到达埃及，并在那以后不久改变了北非的战争方式，但直到公元第一个1千年中，它们才渡过撒哈拉沙漠，推动了一些以骑兵为基础的西非王国的出现，而且它们也从来没有通过采采蝇出没的地区而到达南方。虽然牛、绵羊和山羊在公元前第三个1千年中已经到达塞伦格蒂大草原的北缘，但在那以后又过了2000年，牲畜才越过塞伦格蒂到达了非洲南部。

沿非洲南北轴线同样缓慢传播的还有人类的技术。陶器在公元前8000年左右已经在苏丹和撒哈拉地区出现，但直到公元元年才到达好望角。虽然文字不迟于公元前3000年已在埃及发明出来，并以字母形式传入努比亚的麦罗威王国，虽然字母文字也传入了埃塞俄比亚（可能从阿拉伯半岛传入），但文字并没有在非洲的其余地区独立出现，这些地区的文字是阿拉伯人和欧洲人从外面带进来的。

总之，欧洲在非洲的殖民并不像某些白人种族主义者所认为的那样与欧洲民族和非洲民族本身之间的差异有关。恰恰相反，这是由于地理学和生物地理学的偶然因素所致——特别是由于这两个大陆之间不同的面积、不同的轴线方向和不同的动植物品种所致。就是说，非洲和欧洲的不同历史发展轨迹归根到底来自它们之间的“不动产”的差异。

注　释：

1. 尼日尔-刚果语系：按照美国语言学家J·H·格林伯格的划分，应为尼日尔-科尔多凡语系中的一个语族，另一语族为科尔多凡语族。尼日尔-刚果语族为一个大语族，包括6个语支，共890种语言。——译者

2. 欧力斯里洋：古代地理学对非洲与印度之间大洋的名称，实际上包括红海与波斯湾，后仅用以称红海。——译者

3. 伽马（1460？—1524）：葡萄牙航海家，首辟由欧洲绕非洲好望角到印度的航道（1497—1499），使葡萄牙得以在印度洋上建立霸权，1524年出任葡属印度总督。——译者

后记　人类史作为一门科学的未来

耶利的问题触及了人类现状的实质，也是更新世后人类历史的关键所在。既然我们已经完成了这次对各大陆的短暂的巡视，我们将怎样来回答耶利呢？

我会对耶利这样说：各大陆民族长期历史之间的显著差异，不是由于这些民族本身的天生差异，而是由于他们环境的差异。我猜想，如果在更新世晚期能够使澳大利亚土著人口和欧亚大陆土著人口互换位置，那么，原来的澳大利亚土著现在可能不但占领了欧亚大陆，而且也占领了美洲和澳大利亚的大部分地区，而原来的欧亚大陆土著现在可能已沦为澳大利亚的一些遭受蹂躏的零星分散的人口。对于这种说法，你一开始可能会认为毫无意义而不屑一顾，因为这个实验是想象出来的，而我所说的那种结果也是不可能证明的。但历史学家却能用回溯试验法对有关的假说进行评价。例如，我们可以考察一下，如果把欧洲农民迁到格陵兰或美国的大平原，如果本来出身于中国的农民移居查塔姆群岛、婆罗洲的雨林、爪哇或夏威夷的火山土地带，会发生什么情况。这些试验证明，这些具有共同祖先的民族或者最后灭绝了，或者重新回到狩猎采集的生活，或者进而建立视环境而定的复杂国家。同样，如果把澳大利亚土著狩猎采集族群迁到弗林德斯岛、塔斯马尼亚岛或澳大利亚南部，他们或者最后归于灭绝，或者成为掌握现代世界最简单技术的狩猎采集族群，或者成为根据环境修建沟渠、集约经营高产渔场的人。

当然，各大陆的环境有无数的不同特点，正是这些不同的特点影响了人类社会的发展轨迹。不过，仅仅列出每一种可能的差异还不足以回答耶利的问题。在我看来，只有4组差异是最重要的。

第一组差异是各大陆在可以用作驯化的起始物种的野生动植物品种方面的差异。这是因为，粮食生产之所以具有决定性的意义，在于它能积累剩余粮食以养活不从事粮食生产的专门人材，同时也在于它能形成众多的人口，从而甚至在发展出任何技术和政治优势之前，仅仅凭借人多就可以拥有军事上的优势。由于这两个原因，从小小的不成熟的酋长管辖地阶段向经济上复杂的、社会上分层次的、政治上集中的社会发展的各个阶段，都是以粮食生产为基础的。

但大多数野生的动植物品种证明是不适于驯化的：粮食生产的基础一直是比较少的几种牲畜和作物。原来，各大陆在可以用于驯化的野生动植物的数量方面差异很大，因为各大陆的面积不同，而且在更新世晚期大型哺乳动物灭绝的情况也不同。大型哺乳动物灭绝的情况，在澳大利亚和美洲要比在欧亚大陆或非洲严重得多。因此，就生物物种来说，欧亚大陆最为得天独厚，非洲次之，美洲又次之，而澳大利亚最下，就像耶利的新几内亚那种情况（新几内亚的面积为欧亚大陆的七十分之一，而且其原来的大型哺乳动物在更新世晚期即已灭绝）。

在每一个大陆，动植物的驯化集中在只占该大陆总面积很小一部分的几个条件特别有利的中心地。就技术创新和政治体制来说，大多数社会从其他社会获得的要比它们自己发明的多得多。因此，一个大陆内部的传播与迁移，对它的社会的发展起着重要的促进作用，而从长远来看，由于毛利人的新西兰火枪战争以如此简单的形式所揭示的过程，这些社会又(在环境许可的情况下)分享彼此的发展成果。就是说，起初缺乏某种有利条件的社会或者从拥有这种条件的社会那里得到，或者(如果做不到这一点)被其他这些社会所取代。

因此，第二组因素就是那些影响传播和迁移速度的因素，而这种速度在大陆与大陆之间差异很大。在欧亚大陆速度最快，这是由于它的东西向的主轴线和它的相对而言不太大的生态与地理障碍。对于作物和牲畜的传播来说，这个道理是最简单不过的，因为这种传播大大依赖于气候因而也就是大大依赖于纬度。同样的道理也适用于技术的发明，如果不用对特定环境加以改变就能使这些发明得到最充分的利用的话。传播的速度在非洲就比较缓慢了，而在美洲就尤其缓慢，这是由于这两个大陆的南北向的主轴线和地理与生态障碍。在传统的新几内亚，这种传播也很困难，因为那里崎岖的地形和高山漫长的主脉妨碍了政治和语言统一的任何重大进展。

与影响大陆内部传播的这些因素有关的，是第三组影响大陆之间传播的因素，这些因素也可能有助于积累一批本地的驯化动植物和技术。大陆与大陆之间传播的难易程度是不同的，因为某些大陆比另一些大陆更为孤立。在过去的6000年中，传播最容易的是从欧亚大陆到非洲撒哈拉沙漠以南地区，非洲大部分牲畜就是通过这种传播得到的。但东西两半球之间的传播，则没有对美洲的复杂社会作出过任何贡献，这些社会在低纬度与欧亚大陆隔着宽阔的海洋，而在高纬度又在地形和适合狩猎采集生活的气候方面与欧亚大陆相去甚远。对于原始的澳大利亚来说，由于印度尼西亚群岛的一道道水上障碍把它同欧亚大陆隔开，欧亚大陆对它的唯一的得到证明的贡献就是澳洲野狗。

第四组也是最后一组因素是各大陆之间在面积和人口总数方面的差异。更大的面积或更多的人口意味着更多的潜在的发明者，更多的互相竞争的社会，更多的可以采用的发明创造——以及更大的采用和保有发明创造的压力，因为任何社会如果不这样做就往往会被竞争的对手所淘汰。非洲的俾格米人和其他许多被农民取代的狩猎采集群体，就曾碰到这样的命运。相反的例子是格陵兰岛上顽固保守的古挪威农民，他们也碰到了被爱斯基摩狩猎采集族群所取代的命运，因为在格陵兰的条件下，这些爱斯基摩人的生存方法和生存技术都比这些古挪威人优越得多。在全世界的陆块中，欧亚大陆的面积最大，相互竞争的社会的数量也最多，澳大利亚和新几内亚在这方面就差得多，而塔斯马尼亚更是瞠乎其后。美洲的总面积虽然很大，但却在地理上和生态上支离破碎，实际上就像几个没有紧密联系的较小的大陆。

这4组因素构成了环境的巨大差异，这些差异可以客观地用数量来表示，而且不会引起争议。我的主观印象是新几内亚人一般要比欧亚大陆人聪明，尽管人们可以对此提出质疑，但他们无法否认新几内亚的面积比欧亚大陆小得多，新几内亚的大型动物品种也比欧亚大陆少得多。但是，提起这些环境差异不免会使历史学家们贴上那使人火冒三丈的“地理决定论”的标签。这种标签似乎具有令人不愉快的含义，因为这等于是说人类的创造性毫无价值，或者说我们人类只是无可奈何地被气候、动物区系和植物区系编上了程序的被动的机器人。当然，这种疑虑是没有根据的。如果没有人类的创造性，我们今天可能全都仍然在用石器切肉，茹毛饮血，就像100万年前我们的祖先所做的那样。所有的人类社会都拥有有发明才能的人。事情恰恰是有些环境比另一些环境提供了更多的起始物种和利用发明的更有利的条件。

这些答案比起耶利本人可能想要得到的答案来显得冗长和复杂。然而，历史学家们则可能认为这些答案太短、太简单了。把各个大陆的13000年的历史压缩成一本400多页的书，等于大约每150年每个大陆平均分摊到一页，这样，精练、简化就在所难免。不过，这种压缩也带来了一个补偿性的好处：对一些地区从长期范围内进行比较所产生的真知灼见，是对单一社会所进行的短期范围内的研究不可能得到的。

当然，耶利的问题所提出的一系列争议仍然没有解决。目前，我们只能提出一些不完全的答案和未来的研究事项，而不是一种充分展开的理论。现在需要努力去做的事，就是把人类史发展成为一门科学，使之与天文学、地质学和演化生物学这些公认的历史科学并驾齐驱。因此，展望一下历史这门学科的未来，并概括地提出一些尚未解决的问题从而结束本书，似乎是恰当之举。

我们已经提出了4组似乎最重要的因素，以说明各大陆之间的种种差异。因此，本书的最直接的延伸应是进一步地用数量来表示这些差异，从而更令人信服地证实这些差异的作用。为了说明用于驯化的起始物种方面的差异，我曾提供了一些数字，说明每个大陆总共有多少大型野生陆栖哺乳类食草动物（表9.2）和有多少大籽粒谷物（表8.1）。本书的一个延伸部分可能是把诸如菜豆、豌豆和野豌豆之类大籽粒豆科植物（豆类植物）的相应数目收集起来。此外，我提到过一些使大型哺乳动物失去驯化候补资格的因素，但我没有用表格列出每个大陆有多少这样的候补动物由于每一个这样的因素而失去驯化资格。这样做是一件很有意思的事，尤其对非洲来说是这样，因为在非洲失去驯化资格的候补动物的百分比比在欧亚大陆高：在使一些动物失去驯化的候补资格的各种因素中，哪些因素在非洲最为重要，以及是什么选择决定了非洲哺乳动物十分频繁地失去驯化的候补资格？还应收集一些能用数量说明的资料，来验证我对表明沿欧亚大陆、美洲和非洲主要轴线的不同传播速度所作的初步计算。

本书的第二个延伸部分将涉及比本书已经论述的更小的地理范围和更短的时间范围。例如，下面的一个显而易见的问题可能已被读者们想到了：在欧亚大陆范围内，为什么是欧洲社会，即在美洲和澳大利亚殖民的那些社会，而不是新月沃地的社会或中国和印度的社会，在技术上领先，并在现代世界上占据政治和经济的支配地位？如果一个历史学家生活在从公元前8500年到公元1450年的任何一段时间内，如果他当时试图预测未来的历史发展轨迹，他肯定会认为，欧洲最终的支配地位是最不可能发生的结果，因为欧洲在过去那 1 万年的大部分时间里是旧大陆的那 3 个地区中最落后的一个地区。从公元前8500年直到公元 500 年后，先是希腊后是意大利兴起的，这一段时间里，欧亚大陆西部几乎所有的重大发明——动物驯化、植物驯化、文学、冶金术、轮子、国家等等——都是在新月沃地或其附近出现的。在水磨于大约公元 900 年后大量传播之前，阿尔卑斯山以西或以北的欧洲没有对旧大陆的技术或文明作出过任何有意义的贡献，它只是一个从地中海以东、新月沃地和中国接受发展成果的地方。甚至从公元1000年到1450年，科学和技术绝大多数都是从印度与北非之间的伊斯兰社会传入欧洲，而不是相反。就在那几个世纪中，中国在技术上走在世界的前列，几乎和新月沃地一样早地开始了粮食生产。

那么，为什么新月沃地和中国把它们几千年的巨大的领先优势最后让给了起步晚的欧洲？当然，人们可以指出促使欧洲兴起的一些直接因素：它的商人阶级、资本主义和对发明的专利保护的逐步形成，它的未能产生专制独裁的君主和使人不堪重负的税收，以及它的希腊－犹太教－基督教的批判经验主义调查研究的传统。不过，对于所有这些直接原因，人们一定会提出关于终极原因的问题：为什么这些直接因素出现在欧洲，而不是出现在中国或新月沃地？

就新月沃地而言，答案是清楚的。新月沃地由于当地集中了可以驯化的动植物而拥有了领先优势。如果它一旦失去了这种优势，它就不再有任何引人注目的地理优势可言。这种领先优势在一些强大帝国西移的过程中消失了，这种情况可以详细地描绘出来。在公元前第四个1千年中新月沃地的一些国家兴起后，权力中心起初仍然在新月沃地，轮流为巴比伦、赫梯、亚述和波斯这些帝国。随着希腊人在亚历山大大帝领导下于公元前4世纪末征服从希腊向东直到印度的所有先进的社会，权力终于第一次无可挽回地西移。随着罗马在公元前2世纪征服希腊，权力又进一步西移，而在罗马帝国灭亡后，权力最后又向欧洲西部和北部转移。

只要把现代的新月沃地和古人对它的描写加以比较，促使权力西移的主要因素就立刻变得显而易见。今天，“新月沃地”和“粮食生产世界领先”这些说法是荒唐可笑的。过去的新月沃地的广大地区现在成了沙漠、半沙漠、干草原和不适合农业的受到严重侵蚀或盐碱化的土地。这个地区的某些国家的短暂财富是建立在单一的不能再生的石油资源的基础上的，这一现象掩盖了这个地区的长期贫困和难以养活自己的情况。

然而，在古代，在新月沃地和包括希腊在内的东地中海地区，很多地方都覆盖着森林。这个地区从肥沃的林地变成受到侵蚀的低矮丛林地或沙漠的过程，已经得到古植物学家和考古学家的说明。它的林地或者被开垦以发展农业，或者被砍伐以获得建筑用的木材，或者被当作木柴烧掉，或者被用来烧制石膏。由于雨量少因而初级生产力(与雨量成正比)也低，这样，植被的再生赶不上破坏的速度，尤其在存在大量山羊过度放牧的情况下是这样。由于没有了树木和草皮，土壤侵蚀发生了，溪谷淤塞了，而在雨量少的环境里的灌溉农业导致了土壤中盐分的积累。这些过程在新石器时代就已开始了，一直继续到现代。例如，现今约旦的古代纳巴泰国首都皮特拉附近的最后一批森林，是在第一次世界大战前被奥斯曼土耳其人修建希贾兹[1]铁路时砍光的。

因此，新月沃地和东地中海社会不幸在一个生态脆弱的环境中兴起。它们破坏了自己的资源基础，无异于生态自杀。从东方(新月沃地)最古老的社会开始，每一个东地中海社会都在轮流地自挖墙脚，而就在这个过程中，权力西移了。欧洲北部和西部没有遭到同样的命运，这不是因为那里的居民比较明智，而是因为他们运气好，碰巧生活在一个雨量充沛、植被再生迅速的好环境里。在粮食生产传入7000年之后，欧洲北部和西部的广大地区今天仍能维持高产的集约农业。事实上，欧洲是从新月沃地得到它的作物、牲畜、技术和书写系统的，而新月沃地后来反而使自己失去了作为一个主要的权力和发明中心的地位。

这就是新月沃地失去它对欧洲的巨大的早期领先优势的情形。为什么中国也失去了这种领先优势呢？中国的落后起初是令人惊讶的，因为中国拥有无可置疑的有利条件：粮食生产的出现似乎同在新月沃地一样早；从华北到华南，从沿海地区到西藏高原的高山地区的生态多样性，产生了一批不同的作物、动物和技术；幅员广阔，物产丰富，养活了这一地区世界上最多的人口；以及一个不像新月沃地那样干旱或生态脆弱的环境，使中国在将近1万年之后仍能维持高产的集约农业，虽然它的环境问题日益增多，而且比欧洲西部严重。

这些有利条件和领先优势使得中世纪的中国在技术上领先世界。中国一长串重大的技术第一包括铸铁、罗盘、火药、纸、印刷术以及前面提到过的其他许多发明。它在政治权力、航海和海上管制方面也曾在世界上领先。15世纪初，它派遣宝船队[2]横渡印度洋，远达非洲东海岸，每支船队由几百艘长达400英尺的船只和总共2800人组成。这些航行在时间上也比哥伦布率领3艘不起眼的小船渡过狭窄的大西洋到达美洲东海岸要早好几十年。法斯科·达·伽马率领他的3艘不起眼的小船，绕过非洲的好望角向东航行，使欧洲开始了对东亚的殖民。为什么中国的船只没有在伽马之前绕过好望角向西航行并在欧洲殖民？为什么中国的船只没有横渡太平洋到美洲西海岸来殖民？简而言之，为什么中国把自己在技术上的领先优势让给原先十分落后的欧洲呢？

中国西洋舰队的结局给了我们一条线索。从公元1405年到1433年，这些船队一共有7次从中国扬帆远航。后来，由于世界上任何地方都可能发生的一种局部的政治变化，船队出海远航的事被中止了：中国朝廷上的两派（太监和反对他们的人）之间发生了权力斗争。前一派支持派遣和指挥船队远航。因此，当后一派在权力斗争中取得上风时，它停止派遣船队，最后还拆掉船坞并禁止远洋航运。这一事件使我们想起了19世纪80年代伦敦的扼杀公共电灯照明的立法、第一次和第二次世界大战之间美国的孤立主义和许多国家全都由于局部的政治争端而引发的许多倒退措施。但在中国，情况有所不同，因为那整个地区在政治上是统一的。一个决定就使整个中国停止了船队的航行。那个一时的决定竟是不可逆转的，因为已不再有任何船坞来造船以证明那个一时的决定的愚蠢，也不再有任何船坞可以用作重建新船坞的中心。

现在来对比一下中国的这些事件和一些探险船队开始从政治上分裂的欧洲远航时所发生的事情。克里斯托弗·哥伦布出生在意大利，后来转而为法国的昂儒公爵服务，又后来改事葡萄牙国王。哥伦布曾请求国王派船让他向西航行探险。他的请求被国王拒绝了，于是他就求助于梅迪纳－塞多尼亚公爵，也遭到了拒绝，接着他又求助于梅迪纳－塞利伯爵，依然遭到拒绝，最后他又求助于西班牙的国王和王后，他们拒绝了他的第一次请求，但后来在他再次提出请求时总算同意了。如果欧洲在这头3个统治者中任何一个的统治下统一起来，它对美洲的殖民也许一开始就失败了。

事实上，正是由于欧洲是分裂的，哥伦布才成功地第五次在几百个王公贵族中说服一个来赞助他的航海事业。一旦西班牙这样开始了欧洲对美洲的殖民，其他的欧洲国家看到财富滚滚流入西班牙，立刻又有6个欧洲国家加入了对美洲殖民的行列。对于欧洲的大炮、电灯照明、印刷术、小型火器和无数的其他发明，情况也是如此：每一项发明在欧洲的一些地方由于人们的习性起先或者被人忽视，或者遭人反对，但一旦某个地区采用了它，它最后总能传播到欧洲的其余地区。

欧洲分裂所产生的这些结果与中国统一所产生的结果形成了鲜明的对比。除了作出停止海外航行的决定外，中国的朝廷还作出停止其他一些活动的决定：放弃开发一种精巧的水力驱动的纺纱机，在14世纪从一场产业革命的边缘退了回来，在制造机械钟方面领先世界后又把它拆毁或几乎完全破坏了，以及在15世纪晚期以后不再发展机械装置和一般技术。统一的这些潜在的有害影响在现代中国又死灰复燃，特别是20世纪60年代和70年代“文化大革命”中的那种狂热，当时一个或几个领导人的决定就把全国的学校系统关闭了5年之久。

中国的经常统一与欧洲的永久分裂都由来已久。现代中国的最肥沃地区于公元前221年第一次在政治上统一起来，并从那时以来的大部分时间里一直维持着这个局面。中国自有文字以来就一直只有一种书写系统，长期以来只有一种占支配地位的语言，以及2000年来牢固的文化统一。相比之下，欧洲与统一始终相隔十万八千里：14世纪时它仍然分裂成1000个独立的小国，公元1500年有小国500个，20世纪80年代减少到最低限度的25国，而现在就在我写这句话的时候又上升到将近40个国家。欧洲仍然有45种语言，每种语言都有自己的经过修改的字母表，而文化的差异甚至更大。欧洲内部的分歧今天在继续挫败甚至是想要通过欧洲经济共同体(EEC)来实现欧洲统一的并不过分的企图，这就表明欧洲对分裂的根深蒂固的执著。

因此，了解了中国把政治和技术的卓越地位让给欧洲这方面的真正问题，就是了解了中国的长期统一和欧洲的长期分裂的问题。答案又一次用地图表示出来(见下图)。欧洲海岸线犬牙交错，它有5大半岛，每个半岛都近似孤悬海中的海岛，在所有这些半岛上形成了独立的语言、种族和政府：希腊、意大利、伊比利亚半岛、丹麦和挪威/瑞典。中国的海岸线则平直得多，只有附近的朝鲜半岛才获得了作为单独岛屿的重要性。欧洲有两个岛（大不列颠岛和爱尔兰岛），它们的面积都相当大，足以维护自己的政治独立和保持自己的语言和种族特点，其中的一个岛（大不列颠岛）因为面积大，离欧洲大陆又近，所以成了一个重要的欧洲独立强国。但即使是中国的两个最大的岛——台湾岛和海南岛，面积都不到爱尔兰岛的一半，这两个岛都不是重要独立的政体；而日本在地理上的孤立地位使它在现代以前一直处于与亚洲大陆的政治隔绝状态，其程度远远超过了大不列颠与欧洲大陆的政治隔绝状态。欧洲被一些高山（阿尔卑斯山脉、比利牛斯山脉、喀尔巴阡山脉和挪威边界山脉）分割成一些独立的语言、种族和政治单位，而中国在西藏高原以东的山脉则不是那样难以克服的障碍。中国的中心地带从东到西被肥沃的冲积河谷中两条可通航的水系（长江和黄河）连接了起来，从南到北又由于这两大水系（最后有运河连接）之间比较方便的车船联运而成为一体。因此，中国很早就受到了地域广阔的两个高生产力核心地区的决定性影响，而这两个地区本来彼此只有微不足道的阻隔，后来竟合并为一个中心。欧洲的两条最大的河流——莱茵河与多瑙河则比较小，在欧洲流经的地方也少得多。与中国不同，欧洲有许多分散的小的核心地区，没有一个大到足以对其他核心地区产生长期的决定性影响，而每一个地区又都是历史上一些独立国家的中心。

中国一旦于公元前 221 年最后获得统一，就再没有任何其他的独立国家有可能在中国出现并长期存在下去。虽然在公元前 221 年后有几个时期出现了分裂局面，但最后总是重新归于统一。但欧洲的统一就连查理曼[3]、拿破仑和希特勒这些下定决心的征服者都无能为

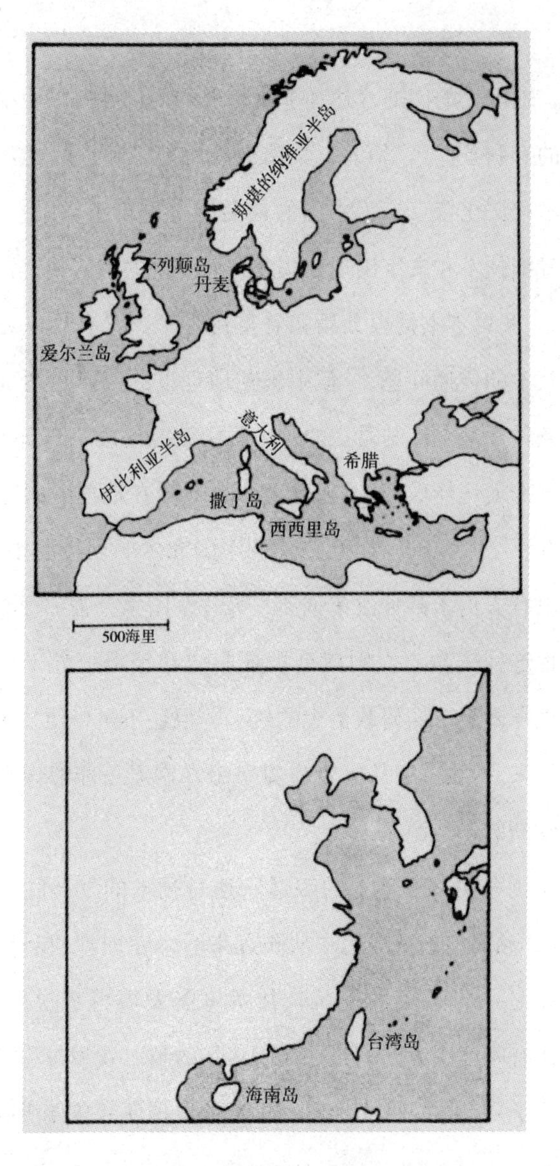

中国海岸线与欧洲海岸线的比较，按相同比例绘制。请注意：欧洲的海岸线曲折得多，并且包括更多的大半岛和两个大海岛。

力；甚至罗马帝国在其鼎盛时期所控制的地区也没有超过欧洲的一半。

因此，地理上的四通八达和非常一般的内部障碍，使中国获得了一种初始的有利条件。华北、华南、沿海地区和内陆的不同作物、牲畜、技术和文化特点，为中国的最后统一作出了贡献。例如，黍的栽培、青铜技术和文字出现在华北，而水稻的栽培和铸铁技术则出现在华南。我用本书的很大篇幅着重讨论了在没有难以克服的障碍的情况下技术的传播问题。但中国在地理上的四通八达最后却成了一个不利条件，某个专制君主的一个决定就能使改革创新半途而废，而且不止一次地这样做了。相比之下，欧洲在地理上的分割形成了几十个或几百个独立的、相互竞争的小国和发明创造的中心。如果某个国家没有去追求某种改革创新，另一个国家会去那样做的，从而迫使邻国也这样去做，否则就会被征服或在经济上处于落后地位。欧洲的地理障碍足以妨碍政治上的统一，但还不足以使技术和思想的传播停止下来。欧洲还从来没有哪一个专制君王能够像在中国那样切断整个欧洲的创造源泉。

这些比较表明，地理上的四通八达对技术的发展既有积极的影响，也有消极的影响。因此，从长远来看，在地理便利程度不太高也不太低而是中等适度的地区，技术可能发展得最快。中国、欧洲，可能还有印度次大陆的过去1000多年的技术发展过程便是例子，它分别表明了高、中、低3种不同程度的地理便利条件所产生的实际效果。

当然，还有一些因素也促成了欧亚大陆不同地区的不同的历史进程。例如，长期以来，新月沃地、中国和欧洲一直受到中亚草原上骑马的游牧民族野蛮入侵的威胁，但受到威胁的程度有所不同。这些游牧民族中有一支(蒙古人)终于破坏了伊朗和伊拉克的古代灌溉系统，但亚洲游牧民族中没有一支成功地在匈牙利平原以远的欧洲西部的森林地带站稳脚根。环境因素还包括：新月沃地的居间的地理位置，控制了把中国和印度与欧洲连接起来的贸易路线，以及中国距离欧亚大陆其他先进的文明国家路途遥远，使中国实际上成为一个大陆内的一个巨大的孤岛。中国的相对孤立状态与它先是采用技术后来又排斥技术这种做法有着特别重要的关系，这使人想起了塔斯马尼亚岛和其他岛屿排斥技术的情形(第十三章和第十五章)。不过，这一简略的讨论至少可以表明，环境因素不但与历史的最广泛模式有关，而且也与较小规模和较短时期的历史模式有关。

新月沃地和中国的历史还为现代世界留下了一个有益的教训：环境改变了，过去是第一并不能保证将来也是第一。人们甚至会怀疑，本书从头到尾所运用的地理学推论在现代世界上是否终于变得毫不相干，因为思想可以在因特网上立即向四处传播，而货物照例可以一下子从一个洲空运到另一个洲。看来，对全世界各民族之间的竞争已实行了一些全新的规则，结果，像朝鲜、马来西亚，尤其是日本这些新的力量出现了。

然而，仔细想来，我们发现，这些所谓的新规则不过是旧规则的改头换面而已。不错，1947 年美国东部贝尔实验室发明的晶体管，跃进8000英里到日本去开创了电子工业——但它却没有跃进得近一些到扎伊尔或巴拉圭去建立新的工业。一跃而成为新兴力量的国家，仍然是几千年前就已被吸收进旧有的以粮食生产为基础的最高权力中心的那些国家，要不就是由来自这些中心的民族重新殖民的那些国家。与扎伊尔或巴拉圭不同，日本和其他新兴力量之所以能够迅速利用晶体管，是因为它们的国民已在文字、金属机械和中央集权的政府方面有了悠久的历史。世界上两个最早的粮食生产中心——新月沃地和中国仍然支配着现代世界，或者是通过它们的一脉相承的国家（现代中国），或者是通过位于很早就受到这两个中心影响的邻近地区内的一些国家（日本、朝鲜、马来西亚和欧洲），或者是通过由它们的海外移民重新殖民或统治的那些国家（美国、澳大利亚、巴西）。撒哈拉沙漠以南的非洲人、澳大利亚土著和美洲印第安人支配世界的前景仍然显得黯淡无光。公元前8000年时的历史进程之手仍然在紧紧抓住我们。

与回答耶利的问题有关的其他因素中，文化因素与个别民族的影响显得更加突出。先说文化因素。全世界人类文化的特点差异很大。有些文化差异无疑是环境差异的产物，我在本书中已经讨论过许多这方面的例子。但有一个重要的问题涉及与环境无关的当地文化因素可能具有的重要意义。一种次要的文化因素可能由于当地一时的微不足道的原因而产生了，但一经产生就变得确然不移，从而使社会易于接受一些更重要的文化选择，就像把混沌理论运用于其他科学领域所表明的那样。这种文化过程属于历史的未知因素，而正是这些因素往往会使历史变得不可预测。

作为一个例子，我曾在第十三章提到标准打字机键盘问题。在许多参与竞争的键盘设计中，这种标准键盘之所以能脱颖而出并开始被人采用，是由于一些微不足道的具体原因，如美国19世纪60年代早期的打字机制造技术，打字机的促销手段，一个在辛辛那提创建速写和打字学院、名叫朗利的女士于1882年作出的一个决定，以及朗利女士的杰出的打字学生弗兰克·麦克格林所取得的胜利，因为他于1888年的一次广为宣传的打字比赛中彻底击败了朗利女士的使用非标准键盘打字机的参赛对手路易斯·陶布。那个决定可能有助于从19世纪60年代到80年代无数阶段的任何一个阶段上发明出来的另一种打字机键盘；而美国当时的环境也没有任何因素只有利于标准打字机键盘而不利于它的竞争对手。然而，决定一经作出，标准打字机键盘就获得了牢固的地位，以致在一个世纪后又在计算机键盘设计中得到采用。同样微不足道的一些具体原因，由于年深日久现在已不可追寻，但也许正是这些原因使苏美尔人采用了12进制运算系统而没有采用10进制运算系统(12进制运算系统产生了我们现代的60分钟一小时、24小时一天、12个月一年和圆周360度)，而中美洲普遍使用的运算系统则是20进制(产生了它的使用两个并行周期的历法，一个周期有260天，每天都有一个名称，一个周期是一年有365天)。

关于打字机、时钟和历法设计的这些细节并没有妨碍采用它们的社会在竞争中取得成功。但我们很容易想象出它们可能会产生的妨碍。例如，如果美国的打字机标准键盘都没有被世界上其他地方所采用——譬如说，如果日本或欧洲采用了效率高得多的德伏夏克键盘——那么，这个在19世纪作出的微不足道的决定，对于20世纪美国技术的竞争地位可能产生巨大的影响。

同样，对中国儿童的研究表明，如果教会他们用字母给汉语语音标音(称为拼音)，他们就能比学习有几千个符号的传统的中国文字更快地学会写字。有人说，传统的中国文字的出现是因为它们便于区别大量的意义不同但发音相同的汉语词(同音异义词)。果真如此，那么汉语中丰富的同音异义词可能对中国社会中识字的作用产生了巨大的影响，但如认为中国环境中存在某种因素促使选择了一种同音异义词丰富的语言，似乎也未必如此。复杂的安第斯山文明没有能发明出文字，这是否可以用某种语言因素或文化因素来予以解释？否则就令人难以理解了。印度的环境中是否存在某种因素，使它容易接受涉及社会经济地位的种姓制度，而不顾对印度技术发展所造成的严重后果？中国的环境中是否存在某种因素，使它容易接受可能也对历史产生深刻影响的儒家哲学和文化保守主义？为什么普度众生的宗教(基督教和伊斯兰教)在欧洲人和西亚人中而不是在中国人中成为殖民和征服的动力？

这些例子说明了涉及文化特质的范围广泛的问题。这些文化特质与环境无关，而且在开始时也几乎没有什么重要的意义，但它们可能逐步形成有影响的历久不衰的文化特点。它们的重要意义在于提出了一个重要的没有得到回答的问题。解决这个问题的最佳途径，就是集中注意力于那些在考虑了主要环境因素的影响之后仍然令人费解的历史模式。

具有特质的个人的影响又是怎样的呢？一个为人们所熟悉的例子是1944年6月20日行刺希特勒的图谋和同时在柏林举行起义的计划功败垂成。这两件事都是德国人策划的，他们深信不可能打赢战争，于是就在德俄两国军队的东部战线仍然主要在俄国境内时，他们希望寻求和平。希特勒被放在会议桌下的公文包里的一颗定时炸弹炸伤；如果公文包放得稍稍靠近希特勒的坐椅，他也许就被炸死了。如果希特勒真的被炸死，如果第二次世界大战在当时结束了，那么现代的东欧地图和冷战进程可能就大为改观了。

不大为人所知但甚至更加重大的事件是1930年夏天的一次交通事故。那是希特勒在德国夺权之前两年多发生的事。当时他坐在一辆轿车的“死亡座”上(前排右边的乘客座位上)，他的车和一辆满载的有挂车的卡车相撞。幸亏卡车及时刹车，才没有碾过希特勒的座车把它压死。鉴于希特勒的精神机能障碍在决定纳粹的政策与成功方面所达到的程度，如果那个卡车司机晚一秒钟刹车，即使万一发生了第二次世界大战，情况大概也会十分不同。

我们还可以想出其他一些个人，他们的特质和希特勒的特质一样显然对历史产生了影响，他们是：亚历山大大帝、奥古斯都[4]、佛陀[5]、基督、列宁、马丁·路德、印加帝国皇帝帕查库蒂、穆罕默德[6]、征服者威廉[7]和祖鲁国王沙卡，就举这么几个。他们中的每一个人究竟在多大程度上真正改变了事件的进程，而不“只”是恰巧最合适的人在最合适的时间出现在最合适的地点？一个极端是历史学家托马斯·卡莱尔[8]的观点：“世界的历史就是人〔原文如此〕在这个世界上所取得的成就的历史，实际上就是在这个世界上活动的伟人的历史。”另一个极端是普鲁士政治家奥托·冯·俾斯麦的观点，他与卡莱尔不同，他对政治的内幕活动具有长期的直接经验，他说：“政治家的任务就是倾听上帝在历史上走过的脚步声，并且当他在身旁经过时努力抓住他的上衣的后下摆，跟他一起前进。”

同文化的特质一样，个人的特质也是历史进程中的未知因素。无论是从环境的力量来看，还是事实上从任何可以归纳起来的原因来看，个人的特质都会使历史变得无法说明。然而，就本书的论题来说，所谓个人的特质几乎是毫不相干的，因为即使是伟人理论的最热情的支持者也觉得难以用几个伟人来解释历史最广泛的模式。也许，亚历山大大帝的确轻轻推动了一下欧亚大陆西部已经有了文字、粮食生产和铁器的国家的历史进程，但他与这样的事实毫无关系：当澳大利亚还仍然维持着没有文字、没有金属工具的狩猎采集部落时，欧亚大陆西部已经有了有文字的、从事粮食生产和使用铁器的国家了。不过，具有某些特质的个人的历史的影响究竟有多广泛和多持久，这仍然是一个可以讨论的问题。

历史这门学科一般认为不是一门科学，而是比较接近人文学科。历史最多可以划归社会科学，而在社会科学中，它又被列为最少科学性的一种。虽然研究政治的专业常常被称为“政治学”，而诺贝尔经济学奖也指称“经济学”，但历史系即使有也很少称自己为“历史学系”。大多数历史学家并不把自己看作科学家，也很少在一些公认的科学领域及其方法论方面受过训练。在许多警句中都有历史不过是一大堆细节这种认识：“历史不过是一个又一个讨厌的事实”，“历史或多或少都是骗人的鬼话”，“历史和万花筒一样毫无规律可言”，等等。

无可否认，从研究历史中去获得普遍原则，要比从研究行星轨道中去获得普遍原则来得困难。然而，在我看来，这些困难并不是决定性的。其他一些历史学科，包括天文学、气候学、生态学、演化生物学、地质学和古生物学，虽然也碰到了同样的困难，但它们在自然科学中的地位却是牢固的。不幸的是，人们对历史的概念常常是以物理学和其他几个运用同样方法的领域为基础的。这些领域的科学家往往由于无知而对某些领域不屑一顾，因为对这些领域这些方法是不适用的，因此必须寻找其他方法——例如我自己的研究领域生态学和演化生物学就是如此。不过，请记住：“science”（科学）这个词的意思是“knowledge”（知识）（来自拉丁语的 scire 即“to know”〔知道〕和 scientia 即“knowledge”〔知识〕），而知识是要通过任何对特定领域最合适的方法来获得的。因此，我对研究人类历史的人所面临的困难非常同情。

广义的历史科学（包括天文学之类的学科）具有许多共同的特点，把它们同非历史科学如物理学、化学和分子生物学之类区别开来。我可以挑出4个方面的差别来讨论：方法、因果关系、预测和复杂程度。

在物理学中，获得知识的主要方法是实验室实验，人们通过实验来处理结果有疑问的参数，用被认为恒定的参数来进行平行的对照实验，保留始终恒定的参数，复制对实验的处理和对照试验，并获得定量数据。这种方法在化学和分子生物学中也是十分有用的，它在许多人的思想里成了科学本身，因此实验常常被认为是科学方法的本质。但在许多历史科学中，实验室实验显然只能起很小的作用，或者完全不起作用。人不能阻碍银河系的形成，不能发动和制止飓风和冰河期，不能用实验的方法使几个国家公园里的灰熊灭绝，也不能再现恐龙的演化过程。人只能用别的方法获得这些历史科学方面的知识，如观察、比较和所谓的自然实验（这一点我回头再来讨论）。

历史科学研究的是一连串的直接原因和终极原因。在大部分物理学和化学中，“终极原因”、“目的”和“功能”这些概念是没有意义的，但它们对于了解一般的生命系统尤其是人类的活动，是至关重要的。例如，北极兔的毛色在夏天是棕色，到冬天就变为白色，但研究北极兔的演化生物学家并不满足于弄清楚从毛色素的分子结构和生物合成途径的角度来研究的毛色的普通直接原因。更重要的问题是功能（逃避捕食者的保护色?）和终极原因（从没有季节性毛色变化的祖代兔群开始的自然选择?）。同样，一个欧洲历史学家不会满足于把1815年和1918年欧洲的状况[9]描写为经过代价巨大的泛欧战争之后刚刚获得了和平。了解形成对比的一连串导致两个和平条约[10]的事件，对于了解为什么1918年后而不是1815年后的几十年内又一次爆发了代价甚至更大的泛欧战争是必不可少的。但化学家并不为两个气体分子的碰撞规定某种目的或功能，他们也不会去寻找这种碰撞的终极原因。

历史科学和非历史科学之间的另一个差异就是预测。在化学和物理学中，测验一个人是否了解某个系统就是看他能否成功地预测这个系统的未来变化。另外，物理学家还往往看不起演化生物学和历史，因为这两个领域似乎通不过这种测验。在历史科学中，人们可以提供一种事后的解释(例如，为什么6600万年前一颗小行星对地球的撞击会使得恐龙灭绝，而没有使其他许多物种灭绝)，而事前的预测就比较困难了(如果我们没有过去的实际情况作为指引，我们可能会无法确定哪些物种可能会招致灭绝)。然而，对于未来什么样的资料发现会告诉我们过去所发生的事，历史学家和历史科学家的确作出了并检验了一些预测。

历史系统的性质使预测的企图变得复杂了。对于这些性质，可以用几种不同的方法来加以描写。我们可以指出的是，人类社会和恐龙都是极其复杂的，它们的特点是具有大量的互相反馈的独立变数。结果，较低组织层次上的小小变化可能会引起较高层次上的突变。典型的例子就是1930年险些让希特勒送命的交通事故中，那个卡车司机的刹车反应对第二次世界大战中死伤的1亿人的生命的影响。虽然大多数生物学家都同意生物系统归根到底完全决定于它们的物理性质并服从量子力学的定律，但这些系统的复杂程度实际上意味着这种决定论的因果关系并不能转化为可预测性。量子力学的知识并不能帮助人理解为什么引进的有胎盘食肉动物消灭了那么多的澳大利亚有袋目动物，或者为什么获得第一次世界大战胜利的是协约国而不是同盟国。

每一条冰川，每一团星云，每一次飓风，每一个人类社会，每一个生物物种，甚至每一个个人和某个有性生殖物种的每一个细胞，都是独一无二的，因为它受到那么多的变数的影响，而且是由那么多的可变部分构成的。相比之下，对于物理学家的任何基本粒子和同位素以及化学家的任何分子来说，实际存在物的所有个体彼此都是完全相同的。因此，物理学家和化学家能够在宏观的层次上系统地阐述带有普遍性的决定论的规律，但生物学家和历史学家只能系统地阐述统计学上的趋势。我能以很高的正确概率预测，在我工作的加利福尼亚大学医学中心出生的下1000个婴儿中，男婴的数目不会少于480个，也不会多于520个。但我没有办法事先知道我自己的两个孩子会是男孩。同样，一些历史学家指出，如果当地的人口够多，密度也够大，如果存在发展剩余粮食生产的潜力，那么部落社会也许比不存在上述情况时更有可能发展成为酋长管辖地。但是，每一个这样的当地人口都有其自身的独一无二的特点，其结果是酋长管辖地在墨西哥、危地马拉、秘鲁和马达加斯加的高原地区出现了，但却没有在新几内亚或瓜达尔卡纳尔岛[11]的高原地区出现。

历史系统尽管有其终极的确定性，但其复杂性和不可预测性是不待言的。描述这种复杂性和不可预测性的另一个办法就是指出，长长的一连串因果关系可能把最后结果同存在于那一科学领域之外的终极原因分开。例如，一颗小行星对地球的撞击可能导致了恐龙的灭绝，但那颗小行星的轨道却是完全由古典力学的定律决定的。但如果有古生物学家生活在6700万年前，他们也不可能预测到恐龙的灭亡迫在眉睫，因为小行星属于一个在其他方面都与恐龙生物学关系疏远的科学领域研究的对象。同样，公元1300年至1500年之间的小冰期也是格陵兰岛上古挪威人灭绝的部分原因，但没有哪个历史学家，也许甚至也没有哪一个现代气候学家能够预测到小冰期的到来。

因此，历史学家在确定人类社会史的因果关系时所碰到的困难，大致上类似于天文学家、气候学家、生态学家、演化生物学家、地质学家和古生物学家所碰到的困难。这些领域的每一个领域都在不同程度上受到以下几个方面的困扰：不可能进行可复制的对照实验的介入，大量变数带来的复杂性，每一个系统因而变得独一无二，结果不可能系统地阐述普遍的规律，以及难以预测突现性质和未来变化。历史预测和其他历史科学的预测一样，在大的时空范围内最为适宜，因为这时无数小的时空范围内的独一无二的特点趋于平衡。正如我能预测下1000个新生婴儿的性别比例但却不能预测我自己两个孩子的性别那样，历史学家能够认识到使美洲和欧亚大陆社会在经过13000年的独立发展后发生碰撞所产生的广泛后果变得不可避免的因素，但却不能认识到1960年美国总统选择的后果。在1960年10月的一次电视辩论会上，哪个总统候选人说了些什么之类的细节，可能会使尼克松而不是肯尼迪获得选举的胜利，但却没有谁说了些什么之类的细节，可以阻挡欧洲人征服印第安人。

研究人类史的人怎样才能从其他历史科学的科学家们的经验中获益呢？有一个证明有用的方法就是比较法和所谓的自然实验。虽然无论是研究银河系形成的天文学家还是人类史家，都不可能在有控制的实验室实验中来处理他们的系统，但他们都可以利用自然实验，把一些因存在或不存在（或作用有强有弱的）某种推定的起因而不同的系统加以比较。例如，流行病学家虽然不可以在实验中使人服用大量的盐，但仍然能够通过比较在盐的摄入方面已经存在巨大差异的不同人群，来确定盐的高摄入量的影响；而文化人类学家虽然不能用实验在许多世纪中向不同的人群提供丰富程度不同的资源，但仍然能够通过比较生活在自然资源丰富程度不同的岛屿上的近代波利尼西亚人，来研究资源的丰富程度对人类社会的长期影响。研究人类史的人可以利用多得多的自然实验，而不只是限于比较5个有人居住的大陆。在进行比较时不但可以利用数以百计的较小岛屿上的社会和从每个大陆都能到达的区域性社会，而且也可以利用一些在相当孤立状态中发展了复杂社会的大岛（如日本、马达加斯加、美洲的伊斯帕尼奥拉岛、新几内亚、夏威夷和其他许多岛屿）。

任何领域的自然实验，不管是生态领域的还是人类史领域的，生来就容易受到可能的方法论的批评。这些批评不但包括了从观察到的变数之间相互关系来推定因果关系链方面的问题，而且也包括了混淆除关系重大的变数外其他一些变数的自然变异的作用。这些方法论问题已为了某些历史科学而得到了详尽的讨论。特别是流行病学——通过比较不同的人群（通常用历史追溯研究法）来对人类疾病作出论断的科学——长期以来一直成功地运用正式的程序，来处理类似人类社会历史学家所碰到的问题。生态学家也十分注意自然实验问题，因为在许多情况下，用直接的实验介入法来处理相关的生态变量可能是不道德的、不合法的或不可能的，所以生态学家必须把自然实验作为一种方法来使用。演化生物学家近来也发展出一些更复杂的方法，根据对已知的演化史上的不同动植物的比较来作出结论。

总之，我承认，了解人类的历史要比了解某些科学领域的问题困难得多，因为在这些科学领域里，历史是不重要的，起作用的个别变量也比较少。不过，有几个领域已经设计出一些用来分析历史问题的成功的方法。因此，人们普遍承认，对恐龙、星云和冰川的系统阐述属于自然科学领域，而不属于人文学科。但是内省的方法使我们对其他人的行为方式比对恐龙的行为方式产生了多得多的真知灼见。因此，我很乐观，对人类社会的历史研究可以科学地进行，就像对恐龙的研究一样——同时，使我们认识到是什么塑造了现代世界以及是什么可能塑造未来世界，因而使今天我们自己的社会从中获益。

注　释：

1. 希贾兹：或译汉志，原为阿拉伯半岛上最早的王国，现为沙特阿拉伯省名。——译者

2. 宝船队：即明永乐3年(1405年)开始至明宣宗宣德年间(1431—1433年)由宦官郑和率领的远航西洋(当时称今加里曼丹至非洲之间的海洋为西洋)的船队，共出航7次(一说8次)，前后共28年。——译者

3. 查理曼(742?—814)：即查理大帝，法兰克国王(768—814)、查理帝国皇帝(800—814，称查理一世)，扩展疆土建成庞大帝国，加强集权统治，鼓励学术，兴建文化设施，使其宫廷成为繁荣学术的中心。——译者

4. 奥古斯都：公元前63—公元14年，罗马帝国第一代皇帝(公元前27—公元14年)，恺撒的继承人。——译者

5. 佛陀：佛教徒对释迦牟尼的尊称。——译者

6. 穆罕默德(570? —632)：伊斯兰教创始人，生于麦加，自称安拉使者，在麦加城开始创立伊斯兰教(610)，后在麦地那建立神权国家(622)，基本上统一了阿拉伯半岛。——译者

7. 征服者威廉：即威廉一世(1028? —1087)，法国诺曼底公爵(1035—1087)、英国国王(1066—1087)，在黑斯廷斯打败英王哈罗德二世，自立为王，引进封建主义和诺曼人习俗，并下令编制土地调查清册(《末日审判书》)。——译者

8. 托马斯·卡莱尔(1795—1881)：苏格兰散文作家和历史学家，写有《法国革命》、《论英雄、英雄崇拜和历史上的英雄事迹》等著作。——译者

9. 1815年和1918年的欧洲状况：1815年6月，拿破仑在滑铁卢战败后决定退位，法兰西第一帝国告终；1918年第一次世界大战结束。——译者

10. 两个和平条约：指1815年结束拿破仑战争的《维也纳条约》和1919年结束第一次世界大战的《凡尔赛和约》。——译者

11. 瓜达尔卡纳尔岛：在西南太平洋，为所罗门群岛的一部分，第二次世界大战期间日、美两国曾激战于此。——译者

图书在版编目(CIP)数据

枪炮、病菌与钢铁:人类社会的命运/(美)戴蒙德(Diamond,J.)著;
谢延光译.—上海:上海译文出版社
2006.4(2015.6 重印)
(世纪人文系列丛书)
书名原文:Guns,Germs,and Steel
ISBN 978-7-5327-3923-3

Ⅰ.枪… Ⅱ.①戴…②谢… Ⅲ.社会发展—研究
Ⅳ.K02

中国版本图书馆 CIP 数据核字(2006)第 003333 号

图字:09-1999-097 号
本书中文简体字专有出版权归本社独家所有,非经本社同意不得连载、摘编或复制
如有质量问题,请与承印厂质量科联系。T:021-56135113

责任编辑 衷雅琴

装帧设计 陆智昌

枪炮、病菌与钢铁
——人类社会的命运
[美]贾雷德·戴蒙德 著
谢延光 译

出　　版 世纪出版股份有限公司 上海译文出版社
(200001 上海福建中路 193 号 www.ewen.co www.yiwen.com.cn)
发　　行 上海世纪出版股份有限公司发行中心
印　　刷 上海商务联西印刷有限公司
开　　本 635×965mm 1/16
印　　张 31.5
插　　页 20
字　　数 357 000
版　　次 2006 年 4 月第 1 版
印　　次 2015 年 6 月第 20 次印刷
ISBN 978-7-5327-3923-3/K·175
定　　价 50.00 元

Jared Diamond
Guns, Germs, and Steel
W. W. Norton & Company, Inc. , 1997
根据 W · W · 诺顿有限公司 1997 年版译出

世纪人文系列丛书（2005年出版）

一、世纪文库

《印度佛学源流略讲》 吕澂著
《〈马氏文通〉读本》 吕叔湘　王海棻编
《中国制度史》 吕思勉著
《汉语诗律学》 王力著
《清代学术概论》 梁启超著
《秦汉的方士与儒生》 顾颉刚撰
《中国文字学》 唐兰撰
《中国哲学十九讲》 牟宗三撰
《魏晋玄学论稿》 汤用彤撰
《中国文学批评史大纲》 朱东润撰
《诗论》 朱光潜撰
《文献学讲义》 王欣夫撰
《中国目录学史》 姚名达撰
《中国古代服饰研究》 沈从文编著
《中国佛教史籍概论》 陈垣撰
《中国文化要义》 梁漱溟著
《人心与人生》 梁漱溟著
《印度哲学概论》 梁漱溟著
《中国封建社会》 瞿同祖著
《定县社会概况调查》 李景汉著
《藏族宗教史之实地研究》 李安宅著
《〈仪礼〉与〈礼记〉之社会学研究》 李安宅著
《资本主义文明的衰亡》 [英]锡德尼·维伯　比阿特里斯·维伯著　秋水译
《哲学研究》 [英]路德维希·维特根斯坦著　陈嘉映译
《哲学通信》 [法]伏尔泰著　高达观等译
《恶的象征》 [法]保罗·里克尔著　公车译
《国民经济学原理》 [奥]卡尔·门格尔著　刘絜敖译
《协同学——大自然构成的奥秘》 [德]赫尔曼·哈肯著　凌复华译
《我的艺术生活》 [俄]康斯坦丁·斯坦尼斯拉夫斯基著　瞿白音译
《时代的精神状况》 [德]卡尔·雅斯贝斯著　王德峰译
《心灵、自我与社会》 [美]乔治·H·米德著　赵月瑟译
《蒂迈欧篇》 [古希腊]柏拉图著　谢文郁译注
《伦理学原理》 [英]乔治·摩尔著　长河译
《古代人的自由与现代人的自由》 [法]邦雅曼·贡斯当著　阎克文等译
《道德哲学原理》 [英]亚当·弗格森著　孙飞宇　田耕译
《论暴力》 [法]乔治·索雷尔著　乐启良译
《论教育学》 [德]伊曼努尔·康德著　赵鹏译
《教育片论》 [英]约翰·洛克著　熊春文译
《形而上学》 [古希腊]亚里士多德著　李真译
《论三位一体》 [古罗马]奥古斯丁著　周伟驰译
《论李维》 [意]尼克洛·马基雅维里著　冯克利译
《知识分子的背叛》 [法]朱利安·班达著　佘碧平译
《论法国》 [法]约瑟夫·德·迈斯特著　鲁仁译
《确定性的寻求——关于知行关系的研究》 [美]约翰·杜威著　傅统先译

《性经验史》(增订版)　[法]米歇尔·福柯著　佘碧平译
《政治科学要义》　[美]加埃塔诺·莫斯卡著　任军锋　宋国友　包军译
《回忆录：1848年法国革命》　[法]阿列克西·德·托克维尔著　周炽湛　曾晓阳译

二、世纪前沿

《想象的共同体——民族主义的起源与散布》　[美]本尼迪克特·安德森著　吴叡人译
《权力与繁荣》　[美]曼瑟·奥尔森著　苏长和　嵇飞译
《知识资产——在信息经济中赢得竞争优势》　[英]马克斯·H·博伊索特著　张群群　陈北译　张群群校
《政治的正义性——法和国家的批判哲学之基础》　[德]奥特弗利德·赫费著　庞学铨　李张林译
《少数的权利——民族主义、多元文化主义和公民》　[加拿大]威尔·金里卡著　邓红风译
《自由主义、社群与文化》　[加拿大]威尔·金里卡著　应奇　葛水林译
《陌生的多样性——歧异时代的宪政主义》　[加拿大]詹姆斯·塔利著　黄俊龙译
《反资本主义宣言》　[英]阿列克斯·卡利尼科斯著　罗汉　孙宁　黄悦译
《驯服全球化》　[英]戴维·赫尔德等著　童新耕译
《为承认而斗争》　[德]阿克塞尔·霍耐特著　胡继华译
《奢侈的概念》　[英]克里斯托弗·贝里著　江红译
《国体与经体》　[英]约瑟夫·克罗普西著　邓文正译
《公民的加冕礼——法国普选史》　[法]皮埃尔·罗桑瓦龙著　吕一民译
《民主的经济理论》　[美]安东尼·唐斯著　姚洋　邢予青　赖平耀译
《作为现代化之代价的道德——应用伦理学前沿问题研究》　[德]奥特弗利德·赫费著　邓安庆　朱更生译
《宪政之谜——国际法、民主和意识形态批判》　[英]苏珊·马克斯著　方志燕译
《自由主义的民族主义》　[以色列]耶尔·塔米尔著　陶东风译
《历史思考的新途径》　[德]约恩·吕森著　綦甲福　来炯译
《走向统一的社会科学》　[美]赫伯特·金迪斯 萨缪·鲍尔斯等著　浙江大学跨学科社会科学研究中心译　汪丁丁等主编

三、袖珍经典

《原始分类》　[法]爱弥尔·涂尔干 马塞尔·莫斯著　汲喆译　渠东校
《实用主义与社会学》　[法]爱弥尔·涂尔干著　渠东译　梅非校
《社会学的基本概念》　[德]马克斯·韦伯著　胡景北译
《历史的用途与滥用》　[德]弗里德里希·尼采著　陈涛　周辉荣译　刘北成校
《奢侈与资本主义》　[德]维尔纳·桑巴特著　王燕平　侯小河译　刘北成校
《道德形而上学原理》　[德]伊曼努尔·康德著　苗力田译
《实用人类学》　[德]伊曼努尔·康德著　邓晓芒译
《图腾制度》　[法]列维·斯特劳斯著　渠东译　梅非校
《为什么美国没有社会主义》　[德]维尔纳·桑巴特著　王明璐译
《图腾与禁忌》　[德]西格蒙德·弗洛伊德著　赵立玮译
《社会形态学》　[法]莫里斯·哈布瓦赫著　王迪译
《信任》　[德]尼克拉斯·卢曼著　瞿铁鹏　李强译
《权力》　[德]尼克拉斯·卢曼著　瞿铁鹏译
《对欧洲民族的讲话》　[法]朱利安·班达著　佘碧平译
《永久和平论》　[德]伊曼努尔·康德著　何兆武译
《相对论的意义》　[美]阿尔伯特·爱因斯坦著　郝建纲　刘道军译　李新洲审校

《对称》 [德]赫尔曼·外尔著 冯承天 陆继宗译
《礼物——古式社会中交换的形式与理由》 [法]马塞尔·莫斯著 汲喆译 陈瑞桦校

四、大学经典

五、开放人文

（一） 插图本人文作品

《插图本中国文学史》 郑振铎著
《历史研究》(插图本) [英]阿诺德·汤因比著 刘北成 郭小凌译
《希腊罗马神话》 [德]奥托·泽曼著 周惠译
《英美文学和艺术中的古典神话》 [美]查尔斯·盖雷著 北塔译
《法国史图说》 [法]E·巴亚尔等著 黄艳红等译

（二） 人物

《我的大脑敞开了——数学怪才爱多士》 [美]布鲁斯·谢克特著 王元 李文林译
《古多尔的精神之旅》 [英]简·古多尔 菲利普·伯曼著 祁阿红译
《美丽心灵——纳什传》 [美]西尔维娅·娜萨著 王尔山译 王则柯校
《恋爱中的爱因斯坦——科学罗曼史》 [美]丹尼斯·奥弗比著 冯承天 涂泓译
《迷人的科学风采——费恩曼传》 [英]约翰·格里宾 [英]玛丽·格里宾著 江向东译
《福柯的生死爱欲》 [美]詹姆斯·米勒著 高毅译
《伽利略的女儿——科学、信仰和爱的历史回忆》 [美]达娃·索贝尔著 谢延光译
《原子在我家中——我与恩里科·费米的生活》 [美]劳拉·费米著 何兆武 何芬奇译

（三） 插图本外国文学名著

（四） 科学人文

《植物的欲望——植物眼中的世界》 [美]迈克尔·波伦著 王毅译
《生命的未来》 [美]爱德华·威尔逊著 陈家宽 李博 杨凤辉等译校
《不论——科学的极限与极限的科学》 [英]约翰·巴罗著 李新洲等译
《真实地带——十大科学争论》 [美]哈尔·赫尔曼著 赵乐静译
《第五元素——宇宙失踪质量之谜》 [美]劳伦斯·克劳斯著 杨建军等译
《从混沌到有序——人与自然的新对话》 [比]伊·普里戈金 [法]伊·斯唐热著 曾庆宏 沈小峰译
《费马大定理——一个困惑了世间智者358年的谜》 [英]西蒙·辛格著 薛密译
《机遇与混沌》 [法]大卫·吕埃勒著 刘式达等译
《天遇——混沌与稳定性的起源》 [罗]弗洛林·迪亚库 [美]菲利普·霍尔姆斯著 王兰宇译 陈启元 井竹君校
《伊托邦——数字时代的城市生活》[美]威廉·J·米切尔著 吴启迪 乔非 俞晓译
《上帝的方程式——爱因斯坦、相对论和膨胀的宇宙》 [美]阿米尔·D·阿克塞尔著 薛密译
《不确定的科学与不确定的世界》 [美]亨利·N·波拉克著 李萍萍译
《未来是定数吗？》 [比]伊利亚·普里戈金著 曾国屏译
《林肯的DNA——以及遗传学上的其他冒险》 [美]菲利普·R·赖利著 钟扬 李作峰 赵佳媛 赵晓敏译

世纪人文系列丛书（2006年出版）

一、世纪文库

《文心雕龙札记》 黄侃撰
《词学通论》 吴梅著
《中国小说史略》 鲁迅撰
《中国中古文学史讲义》 刘师培撰
《唐诗杂论》 闻一多撰
《经典常谈》 朱自清撰
《中国历史研究法》 梁启超撰
《中国史纲》 张荫麟撰
《中国近代史》 蒋廷黼撰
《当代中国史学》 顾颉刚撰
《书于竹帛：中国古代的文字记录》 钱存训著
《中国文学精神》 徐复观著
《东西文化及其哲学》 梁漱溟著
《神话与诗》 闻一多著
《中国史学史》 蒙文通著
《中国哲学对欧洲的影响》 朱谦之著
《启蒙辩证法——哲学断片》 [德]马克斯·霍克海默 西奥多·阿道尔诺著 渠敬东 曹卫东译
《马克思的历史、社会和国家学说——马克思的社会学的基本要点》 [德]亨利希·库诺著 袁志英译
《马可波罗行纪》 冯承钧译
《多桑蒙古史》 [瑞典]多桑著 冯承钧译
《历史哲学》 [德]黑格尔著 王造时译
《政治家》 [古希腊]柏拉图著 洪涛译
《诗学》 [古希腊]亚理斯多德著 罗念生译
《修辞学》 [古希腊]亚理斯多德著 罗念生译
《论怀疑者》 [丹]克利马科斯(克尔凯郭尔)著 陆兴华 翁绍军译
《论灵魂与复活》 [希腊]尼萨的格列高利著 张新樟译 王晓朝校
《文化社会学视域中的文化史》 [德]阿尔弗雷德·韦伯著 姚燕译
《世界历史与救赎历史——历史哲学的神学前提》 [德]卡尔·洛维特著 李秋零 田薇译

二、世纪前沿

《寻找政治》 [英]齐格蒙·鲍曼著 洪涛 周顺 郭台辉译
《公众舆论》 [美]沃尔特·李普曼著 阎克文 江红译
《民族与民族主义》 [英]埃里克·霍布斯鲍姆著 李金梅译
《民族主义——理论、意识形态、历史》 [英]安东尼·史密斯著 叶江译
《重构美学》 [德]沃尔夫冈·韦尔施著 陆扬 张岩冰译
《审美经验与文学解释学》 [德]汉斯·罗伯特·耀斯著 顾建光 顾静宇 张乐天译
《美国公民权——寻求接纳》 [美]茱迪·史珂拉著 刘满贵译
《人类的趋社会性及其研究——一个超越经济学的经济分析》 [美]赫伯特·金迪斯 萨缪·鲍尔斯等著 浙江大学跨学科社会科学研究中心译 汪丁丁等主编

三、袖珍经典

《拉辛与莎士比亚》 [法]斯汤达著 王道乾译

四、大学经典

五、开放人文

(一)插图本人文作品

《世界史纲》 [英] H·G·韦尔斯著 梁思成等译
《中国俗文学史》 郑振铎著
《欧洲漫画史》 [德]爱德华·富克斯著 王泰智 沈惠珠译

(二)人物

《原子舞者——费米传》 [美]埃米里奥·赛格雷著 杨建邺 杨渭译
《酶的情人——一位生物化学家的奥德赛》 [美]阿瑟·科恩伯格著 崔学军 倪红梅 王伟等译 李照国审校
《玻尔兹曼——笃信原子的人》 [意]卡罗·切尔奇纳尼著 胡新和译
《心灵裸舞——凯利·穆利斯自传》 [美]凯利·穆利斯著 徐加勇 汤清秀译
《爱因斯坦·毕加索——空间、时间和动人心魄之美》 [英]阿瑟·I·米勒著 方在庆 伍梅红译 关洪校

(三)插图本外国文学名著

(四)科学人文

《倒计时——航天器的历史》 [美]T·A·赫彭海默著 朱卫国 向小丽译
《收获之神——生物技术、财富和食物的未来》 [美]丹尼尔·查尔斯著 袁丽琴译
《枪炮、病菌与钢铁——人类社会的命运》 [美]贾雷德·戴蒙德著 谢延光译
《灵魂机器的时代——当计算机超过人类智能时》 [美] 雷·库兹韦尔著 沈志彦 祁阿红 王晓冬译
《大自然的常数——从开端到终点》 [英]约翰·巴罗著 陆栋译
《科学哲学——当代进阶教程》 [美]亚历克斯·罗森堡著 刘华杰译
《斑杂的世界——科学边界的研究》 [英]南希·卡特赖特著 王巍 王娜译
《复杂性与后现代主义——理解复杂系统》 [南非]保罗·西利亚斯著 曾国屏译
《天地有大美——现代科学之伟大方程》 [英]格雷厄姆·法米罗主编 涂泓 吴俊译 冯承天译校